Méthode de français

Zig Zag+ 1

A1.1

Guide pédagogique

Hélène Vanthier

SOMMAIRE

Présentation et mode d'emploi

Zigzag+, niveau 1, s'adresse à des enfants à partir de 7 ans. Ludique, claire et rassurante dans sa progression, la méthode tient compte du développement psychocognitif et des capacités des enfants de la tranche d'âge concernée.

■ Son univers

Félix, petit blogueur reporter, nous entraîne dans divers univers enfantins : au parc, à la ferme, au pays du goût, aux Olympiades des enfants, au cirque, et dans une école pour la fête de fin d'année ... Sur son blog, il nous présente les photos de ses voyages à travers le monde francophone. Une bande de joyeux amis, espiègles, inventifs et pleins d'humour l'accompagnent : son amie Lila, la sympathique et gourmande Madame Bouba, Tilou le loup, Pic Pic le hérisson et Pirouette la chouette.

■ Ses objectifs

Zigzag+ poursuit les objectifs généraux suivants :

- **Développer chez l'enfant des premières compétences communicatives en français.** Avec *Zigzag* l'enfant s'approprie progressivement l'usage du français qui, dès le début de son apprentissage, sert à « faire des choses avec des mots » : comprendre et dire pour jouer, chanter, danser et mimer, dessiner, fabriquer et interagir avec les autres... mais aussi découvrir, rêver et imaginer.
- **Éveiller l'enfant au monde des langues.** *Zigzag* permet une toute première observation réfléchie du fonctionnement du français : l'enfant apprend à écouter la « musique de la langue » pour en identifier (et s'approprier) les rythmes et les phonèmes spécifiques ; il commence à observer et à induire comment les mots s'organisent entre eux, à découvrir des différences et des ressemblances avec le fonctionnement de sa langue maternelle ou des langues qu'il connaît dans son environnement proche.
- **Proposer à l'enfant, apprenti lecteur** dans sa langue maternelle (ou dans la langue de l'école), **une première découverte du monde de l'écrit en français** : l'enfant découvre sur un mode ludique et progressif de nouvelles mises en relation phonie-graphie propres au français ; il apprend à comprendre des petits textes aux fonctions diversifiées: recettes, textes de comptines, affiches, règles du jeu, courriels..., à y prendre des indices pour construire du sens. Il développe ainsi dès le début de l'apprentissage une posture d'apprenti lecteur / scripteur actif.
- **Ouvrir l'enfant sur les autres et sur la diversité du monde.** L'enfant découvre d'autres environnements possibles, d'autres cultures (notamment celles d'enfants du monde francophone), d'autres façons de faire et d'exister qu'il apprend à mettre en perspective avec sa/ses façon(s) de faire. *Zigzag* vise à initier les enfants à une citoyenneté ouverte et tolérante et à les éveiller au respect des différences.
- **Donner à l'enfant le plaisir et le goût de découvrir et d'apprendre les langues !** À travers ses situations drôles et imaginatives, ses tâches impliquantes et motivantes, *Zigzag* s'inscrit dans une pédagogie de l'action où le plaisir d'apprendre et de découvrir ensemble donne du sens aux apprentissages.

■ Ses approches

- Toute une gamme d'activités sensorimotrices (percevoir avec ses sens, agir avec son corps) permettent un premier apprentissage du français en articulation avec le langage du corps.
- *Zigzag+* attribue un rôle essentiel à la dimension ludique et sociale de l'apprentissage. Elle propose une approche active sollicitant majoritairement le jeu et l'action, mais engageant également l'attention et l'activité réflexive du jeune apprenant.
- *Zigzag+* contribue au développement de l'enfant dans sa globalité. Il s'agit non seulement d'apprendre *le* français, mais aussi d'apprendre *en* français, en utilisant les démarches et activités cognitives d'autres disciplines : observer, analyser, trier, catégoriser, encoder / décoder, etc. De nombreuses activités de type interdisciplinaire – où les apprentissages langagiers coïncident avec les apprentissages conceptuels – sont proposées : petites situations mathématiques, activités de logique, activités d'éveil à la biologie, activités d'éveil musical, activités de découverte du monde, activités motrices et esthétiques...
- Sa progression en spirale permet de réactiver très régulièrement, sous diverses formes, les acquisitions réalisées et de les intégrer progressivement aux nouveaux apprentissages. Les situations d'écoute active et de compréhension orale y sont très nombreuses, réintégrant en permanence à l'intérieur de chaque unité des éléments déjà connus.
- La méthode privilégie la perspective actionnelle préconisée par le *Cadre Européen Commun de Référence pour les Langues* : les enfants doivent interagir pour, ensemble, réaliser diverses tâches et mener à bien divers projets concrets, en relation avec la vie sociale enfantine et non exclusivement langagiers.
- Les 5 compétences du CECR, écouter, comprendre, interagir à l'oral et à l'écrit y sont développées (niveau A1.1 du *CECR*).

Diversité des jeunes apprenants

- À l'intérieur d'un même groupe classe, les enfants n'apprennent pas tous de la même façon et ne disposent pas tous des mêmes préacquis. C'est pourquoi *Zigzag* prévoit un travail spécifique accompagné d'outils adaptés à la mise en œuvre d'une pédagogie différenciée.

On y trouve :

- un environnement riche et des activités très diversifiées afin de pouvoir rejoindre tous les enfants quels que soient leurs styles d'apprentissage et faire en sorte que tous puissent être en situation de réussir.
- une différenciation dans les activités proposées : activités spécifiques de soutien et pistes de différenciation indiquées dans le guide pédagogique, disponibles sur l'espace digital de *Zigzag*. Celles-ci prennent en compte, notamment en matière d'écrit, le niveau de compétences en langue source des enfants et leur maîtrise ou non-maîtrise de la lecture / écriture dans le système alphabétique latin.

Apprentissage et motivation

• La motivation intrinsèque procurée par le plaisir de réaliser une tâche et de se percevoir comme un être capable de penser, donc de grandir, est un moyen sûr et efficace pour induire une dynamique dans une classe d'enfants. Pour favoriser cette motivation intrinsèque, l'enseignant aura le souci permanent d'aider les jeunes apprenants à repérer ce qu'ils sont en train d'apprendre. C'est en effet en s'interrogeant sur le sens de ce qu'ils font et sur le « comment ils le font » que les enfants comprendront les principes généraux qui sous-tendent leur apprentissage et pourront lui donner un sens, au-delà des tâches parfois morcelées qui sont à réaliser.

Apprentissage et évaluation

Évaluer les savoirs et savoir-faire des enfants, ce qui est acquis, en voie de l'être ou pas encore maîtrisé, est la seule manière de mettre en place un enseignement efficace, c'est-à-dire dans lequel on part des connaissances stabilisées pour aller vers ce qui est nouveau.

• Dans *Zigzag+ 1*, l'évaluation est avant tout *formative*. L'enseignant, attentif à ses élèves, contrôlera les progrès de façon continue dans le cadre des activités d'apprentissage, notamment des activités réalisées en petits groupes ou dans le cahier d'activités. Il collectera ainsi les informations nécessaires pour ajuster son enseignement aux besoins de ses élèves et choisira de proposer, ou non, certaines des activités complémentaires développées dans le guide pédagogique.

• Dans *Zigzag+ 1*, l'évaluation est aussi *formatrice* : à la fin de chaque unité elle invite les enfants, dans un climat de confiance, à réfléchir à ce qu'ils ont appris et à ce qu'il faudrait approfondir pour, le cas échéant, s'améliorer. Le mini-portfolio permet avec l'aide du professeur de faire le point sur les différentes compétences acquises et constitue un lien pédagogique entre la classe de français et la famille de l'enfant.

• *Zigzag+ 1* propose dans son cahier d'activités *deux évaluations-bilan* élaborées sur le modèle des épreuves du *Delf Prim A1.1*. Elles ont une double fonction :

- permettre aux enfants, en milieu et en fin de leur premier parcours d'apprentissage, de tester leurs compétences et de percevoir leurs réussites.
- permettre au professeur de mieux connaître ses élèves.

■ La composition de *Zigzag+*

◆ **Le livre de l'élève** (avec CD audio de chansons et comptines inclus) **comprend :**

- **Une unité 0** de mise en projet d'apprentissage qui ouvre les enfants à la diversité du monde des langues.
- **6 unités d'apprentissage comprenant :**
  - **Trois *leçons* d'une double-page.** On trouve dans chaque leçon :
    - **un paysage sonore et visuel** qui plonge l'enfant dans l'univers du thème abordé et introduit les nouveaux éléments langagiers à travers une écoute active.
    - **une activité de compréhension orale** qui permet à l'enfant, à travers des tâches d'écoute ciblées, d'identifier dans une nouvelle situation de communication les éléments langagiers introduits précédemment.
    - **une activité de production orale guidée** qui met l'enfant en situation de produire en interaction avec le professeur et avec ses camarades.
    - **une comptine ou une chanson**

    La leçon 2 propose ***La boîte à sons de Pic Pic le hérisson*** qui invite les enfants à découvrir la « musique » des mots du français et prépare à la mise en relation phonie-graphie développée dans le cahier d'activités.

    La leçon 3 propose ***La boîte à outils de Pirouette la chouette*** qui invite les enfants à une première observation réfléchie et à une première structuration de la langue. Elle porte sur des faits de langue rencontrés en cours d'unité.
  - **Une page *BD*** qui reprend avec humour les éléments langagiers introduits dans l'unité.
  - **Une page *Projet*** qui permet, à travers la réalisation d'une tâche collaborative, le réinvestissement et l'intégration de compétences développées.
  - ***Jours de fêtes pour les enfants*** : à la fin du livre de l'élève, *Zigzag+* propose une découverte active et ludique des jours de fêtes qui jalonnent la vie d'un enfant au cours d'une année ; *Zigzag+ 1* s'intéresse aux fêtes de décembre à avril.

Les + de cette nouvelle édition

- **6 double-pages « Découvertes » et la vidéo de Félix**
  - ***Le blog de Félix*** ouvre l'enfant à la diversité des cultures et l'invite à comparer son expérience avec le mode de vie d'autres enfants dans le monde.
  - ***Je découvre avec Félix*** propose à l'enfant un éveil au *monde* à travers des activités de découvertes interdisciplinaires.
  - **La vidéo de Félix** clôt chaque unité **en proposant une rencontre avec de « vrais »** enfants français. Elle permet aux jeunes apprenants de développer des stratégies de compréhension et de réutiliser des éléments de langue découverts en cours d'unité.
  - **Une double-page « *Les jeux du club Zigzag* »** propose à mi-parcours des jeux pour mettre en action et réactiver le langage déjà appris.
  - **Un livre numérique de l'élève** entièrement interactif (version enseignant et version élève)
  - **Un cahier d'activités numérique** entièrement interactif

◆ Le cahier d'activités complète, renforce et approfondit les apprentissages. Il propose :

- **des activités de compréhension orale** en complément de celles du livre de l'élève où l'enfant peut de façon individuelle exercer sa compréhension des éléments langagiers nouvellement introduits.
- **Des activités de production orale** en complément de celles du livre de l'élève où les enfants interagissent en français pour réaliser diverses tâches à caractère ludique ou informatif : jeux de déduction logique, sudoku, jeux d'observation, sondages...
- **Des activités de compréhension écrite guidée et de production écrite guidée** qui introduisent à l'écrit les structures préalablement découvertes à l'oral.
- **Des activités de mise en relation phonie-graphie** où l'enfant découvre comment s'écrivent en français les phonèmes qu'il a identifiés au cours des activités *La maison des sons de Pic Pic le hérisson* du livre de l'élève.

À la fin de chaque unité du cahier d'activités, *Zigzag+* propose :

- **une page de jeux *Des lettres et des mots*** où l'enfant s'exerce de façon ludique à réactiver le lexique abordé en cours d'unité sous forme de jeux de mots mêlés, mots fléchés, mots puzzle, phrases puzzle, phrases serpents...
- **une page *Je lis – Je comprends* et *J'écris*** où l'enfant dès le début de son apprentissage du français apprend à comprendre et à produire des petits textes à visée fonctionnelle : écrire une fiche pour se présenter, faire la liste de ce qu'on met dans sa valise pour partir en voyage, résoudre un petit problème de maths, écrire une lettre au Père Noël, lire pour prendre des informations et compléter un tableau, lire un courriel, lire pour répondre à une devinette, écrire une devinette...
- **Deux doubles pages d'Entraînement au *DELF PRIM*** : les deux premières doubles-pages se trouvent en milieu de parcours (pages 30 à 33), les deux suivantes en fin de parcours d'apprentissage (pages 58 à 61).
- **Mon petit dictionnaire** où sont répertoriés et illustrés les mots découverts au fil des unités. Il constitue un outil auquel l'enfant peut se référer de façon autonome lorsqu'il en a besoin.

◆ Les CD audio pour la classe. *Zigzag+* propose :

- **un double CD audio qui accompagne les activités du livre de l'élève** avec : les reportages de Félix accompagnés de bruitages et de paysages sonores pour introduire les nouveaux éléments langagiers, des situations de compréhension orale et reproduction orale riches et variées, des activités de discrimination phonétique (*La boîte à sons de Pic Pic le hérisson*), des chansons, comptines et raps.
- **un CD audio qui accompagne les activités du cahier d'activités** avec : des activités et des jeux complémentaires de compréhension orale, des activités rythmiques ou de discrimination phonétique.

La version numérique du livre de l'élève et du cahier d'activités entièrement interactive.

◆ Le guide pédagogique

Riche et facile d'utilisation, il propose la mise en œuvre très détaillée de chaque leçon. On y trouve :

- la présentation des objectifs et des contenus de chaque unité.
- la présentation des objectifs détaillés de chaque leçon et du matériel dont l'enseignant et les élèves ont besoin.
- un accompagnement à l'utilisation du livre de l'élève avec un scénario très détaillé de chaque leçon.
- un guidage très détaillé pour la mise en œuvre dans la classe des activités du cahier d'activités, notamment des activités de compréhension et de production écrite.

NB : Tous les corrigés des exercices sont donnés en rouge. Dans certains cas, il sera toutefois demandé aux élèves d'écrire certains « petits mots » (déterminants, adjectifs possessifs...) en rouge, en bleu ou en vert, en fonction de leur genre et de leur nombre. L'enseignant veillera donc à ce que le choix de couleurs soit bien respecté par les élèves.

- de nombreuses activités et jeux complémentaires s'intégrant dans le scénario de chaque leçon.
- de nombreux conseils pour l'animation et la gestion de la classe.
- la transcription des enregistrements audio (Livre de l'élève + cahier d'activités).
- la rubrique « ***Pas à pas vers l'écrit*** » qui, à la fin de chaque leçon, propose des **activités de soutien** pour les enfants apprentis lecteurs et / ou les enfants non familiarisés avec les graphies de l'alphabet latin.

À la fin de chaque unité, le guide pédagogique propose :
- un bilan de rétroaction (en langue maternelle ou langue de l'école) qui invite les enfants à réfléchir à ce qu'ils ont appris à faire au cours de l'unité et, le cas échéant, à ce qui leur a posé problème. La conduite de ce bilan se fait en relation avec les pages du portfolio téléchargeable.
- une note culturelle ainsi qu'une brève sitographie qui donne des indications pour prolonger avec vos élèves la thématique abordée.

◆ **Les cartes-images** (flashcards téléchargeables sur l'espace digital : http://zigzag.cle-international.com)

Supports indispensables aux activités langagières dans la classe de langue pour enfants, elles permettent de dynamiser l'apprentissage du lexique et de réaliser de nombreuses activités ludiques en grand groupe : jeux de compréhension et de production orale, jeux d'associations oral / écrit.

◆ **Les activités de soutien et les fiches photocopiables** (téléchargeables sur l'espace digital : http://zigzag.cle-international.com)

◆ **Le *mini portfolio* individuel** pour l'évaluation des apprentissages réalisés complète la méthode. Il est à télécharger sur l'espace digital de la méthode. http://zigzag.cle-international.com/

■ Organiser la classe

Le matériel pour la classe

Zigzag propose aux élèves des démarches actives et des réalisations concrètes. Pour travailler avec *Zigzag*, ils auront besoin du petit matériel suivant :
- un crayon à papier ;
- des crayons ou feutres de couleur ;
- des ciseaux à bouts ronds (pour ne pas se couper les doigts !) ;
- un tube de colle.

et éventuellement
- un cahier grand format ou une pochette où vos élèves pourront ranger : les fiches d'activités complémentaires ou de différenciation que vous leur proposerez, les fiches téléchargeables du petit portfolio... Et pourquoi pas aussi... des photos prises en classe de français au cours des diverses activités ou jeux d'apprentissage, des petits poèmes ou dessins légendés réalisés de leur propre initiative, des petits objets ou cartes postales provenant de pays francophones...

N'oubliez pas qu'un jeune apprenant n'est pas autonome dans la gestion de son matériel scolaire... Veillez à ce qu'il dispose à chaque séance du matériel nécessaire. Informez les parents en début d'année ou de session du matériel dont leur enfant aura besoin ou prévoyez de mettre ce matériel à disposition dans votre classe.

Dans votre classe de français, vous pourrez utiliser aussi :
- un ballon (en mousse) pour certains jeux de communication ;
- un tambourin pour les jeux rythmiques ;
- un *sac à malices* : sac d'où vous sortirez divers objets ou jeux qui contextualiseront les apprentissages langagiers ;
- des feuilles cartonnées de couleur pour les activités de bricolage.

L'aménagement de l'espace

Accueillir des enfants implique une réflexion particulière concernant l'aménagement de la classe. Prévoyez, si cela vous est possible :
- un espace de « regroupement » pour dire des comptines, chanter, faire des jeux et se sentir bien avec les autres...
- des regroupements de tables par îlots pour permettre les activités de groupes et la réalisation d'activités de bricolage.
- des panneaux pour les affichages, de préférence à la hauteur des yeux des enfants : travaux d'enfants, cartes-images et cartes-mots correspondant aux apprentissages en cours d'un format suffisamment grand pour qu'ils soient visibles et lisibles par tous, des photos de la vie de la classe, des photos du monde francophone...

■ Organisation des activités et durée des séances

Zigzag + propose un parcours qui, en fonction de la langue première ou des langues connues des enfants, peut varier de 60 à 80 heures d'activités d'enseignement / apprentissage. Le guide pédagogique ne précise pas la durée de chaque activité, celle-ci étant très dépendante de facteurs tels que le nombre d'élèves dans la classe, l'âge et le degré d'autonomie des enfants, leur niveau de compétences en matière de lecture / écriture et leur connaissance ou non de l'alphabet latin.

D'une façon générale, les séances sont conçues de façon à proposer une alternance de situations favorisant l'attention et la concentration de jeunes apprenants. La démarche est à la fois simple d'utilisation et fluide : chaque séance commence par une situation ludique de réactivation des apprentissages réalisés au cours de la / les séance(s) précédente(s), les activités sont ensuite reliées entre elles, chaque activité en amenant logiquement une autre.

Une même leçon (double page) peut être développée sur deux séances. Chaque professeur, en fonction du temps dont il dispose, organisera les activités de telle sorte que les enfants aient un temps de travail individuel sur leur cahier d'activités au cours de chaque séance. Il veillera toutefois à ne proposer les activités du cahier d'activités, notamment celles où l'on introduit l'écrit, que lorsque les structures orales correspondantes auront été mémorisées et que leur forme sonore aura été bien identifiée.

Pictogrammes du guide pédagogique

(grand groupe)	Activité à réaliser en grand groupe classe.
(2 équipes)	Activité à réaliser en 2 équipes.
(petit groupe)	Activité à réaliser en petit groupe.
(paire)	Activité à réaliser par paire (en binôme).
(individuel)	Activité à réaliser individuellement.
Cartes-images	Cartes-images à utiliser en cours d'activité, téléchargeables (http://zigzag.cle-international.com).
Cartes-mots	Cartes-mots à fabriquer, à utiliser en cours d'activité.
Ballon	Petit matériel complémentaire à utiliser en cours d'activité.
Fiche photocopiable n°…	Fiche téléchargeable (http://zigzag.cle-international.com) à photocopier et à utiliser en cours d'activité.
Activité de soutien n°…	Fiche téléchargeable (http://zigzag.cle-international.com) pour des activités écrites de différenciation, à photocopier.

Unité 0 *Bonjour le monde !*

CONTENUS	
Communication	Saluer Comprendre en situation quelques premières consignes de classe
Phonologie	Découvrir la « musique » du français à travers une chanson enfantine Identifier et dire l'alphabet en français
Découverte de l'écrit	Écrire quelques mots en français sous dictée de lettres
Découvertes (inter)culturelles	Découvrir : – le monde des langues et sa diversité (diversité des langues parlées, diversité des langues écrites) – les pays où l'on parle français
Apprendre à apprendre	Réfléchir à quoi sert d'apprendre les langues Apprendre à se concentrer pour écouter et comprendre Faire connaissance avec un nouveau groupe classe en jouant et coopérant.

Unité 0 *Bonjour le monde ! (1)*

Au cours de cette leçon, les enfants vont :
- Découvrir leur manuel
- S'interroger sur le sens d'un apprentissage :
  À quoi ça sert d'apprendre les langues ?
- Se repérer sur une carte du monde : situer le pays où ils vivent, situer certains pays où l'on parle français
- S'ouvrir à la diversité du monde des langues parlées et écrites
- Identifier le français parmi d'autres langues
- Chanter et danser en français

Matériel :
un planisphère mural (éventuellement)

Pour commencer :

• Accueillez les enfants avec un grand « *Bonjour !* ». Dites-leur qu'ils vont découvrir et apprendre ensemble une nouvelle langue, le français !
Demandez-leur s'ils savent à quoi ça sert d'apprendre les langues. Recueillez leurs diverses représentations initiales, par exemple ➜ *Quand on voyage..., pour parler avec des gens qui ne parlent pas la même langue que nous...*

• Présentez aux enfants le livre et le cahier d'activités, prenez le temps de les feuilleter et de les découvrir ensemble. Expliquez aux enfants ce qu'ils vont « faire » au cours de l'année (ou de la session) pour apprendre le français avec *Zigzag* :

Dans le livre de l'élève
Montrez les pages 8 et 9 où l'on découvre les personnages de la méthode.
Dites aux enfants qu'ils vont :
- apprendre avec le CD audio à écouter pour pouvoir comprendre les petites histoires *de* Félix, Lila et leurs amis (par exemple p. 8). Attirez l'attention des enfants sur le petit logo 🎧.
- Apprendre à parler pour jouer en français avec leurs camarades à des jeux de mime, au jeu de bingo (page 10), au jeu des différences (page 21), au sudoku (page 29), au Memory (page 43), aux dominos, au jeu de l'Oie... Attirez l'attention des enfants sur le petit logo.
- Apprendre avec *Pic Pic le Hérisson* à reconnaître les sons du français et à les prononcer (p. 21, activité 4).
- Comprendre comment fonctionne le français avec *Pirouette la Chouette.* Illustrez votre propos avec quelques exemples contrastifs français / langue 1, comme par exemple l'activité concernant la place des adjectifs de couleur en français (p. 23, activité 3).
- Chanter des chansons et danser avec *Tilou et ses amis* (par exemple p. 9, p. 23).
- Commencer à lire et à comprendre des BD (p. 14).
- Réaliser des petits projets : Créer et fabriquer des ribambelles, des masques, des jeux, fabriquer son livre des *J'aime / Je n'aime pas....* (par exemple p. 25 ou 35).
- Découvrir le monde et différentes cultures avec *Félix* et son *blog* (p. 16, 36).

Dans le cahier d'activités, montrez par exemple les pages de l'unité 2 *À la ferme* et dites aux enfants qu'ils vont :
- S'entraîner à mieux comprendre 🎧 (p.14, activités 1 et 2) et à mieux parler.
- Faire des jeux (p. 16, activité 1).
- Dessiner et colorier (p. 15, activité 4 ; p. 19, activité 4).
- Apprendre à lire et à écrire en français (p.15, activités p. 21).
- Faire des jeux avec des mots et des lettres (p. 20, activité 1 et 2).
- Faire le bilan de ce qu'ils auront appris et vérifier ce qu'ils sauront faire en français (*Bilan*, p. 30, 31 par exemple).

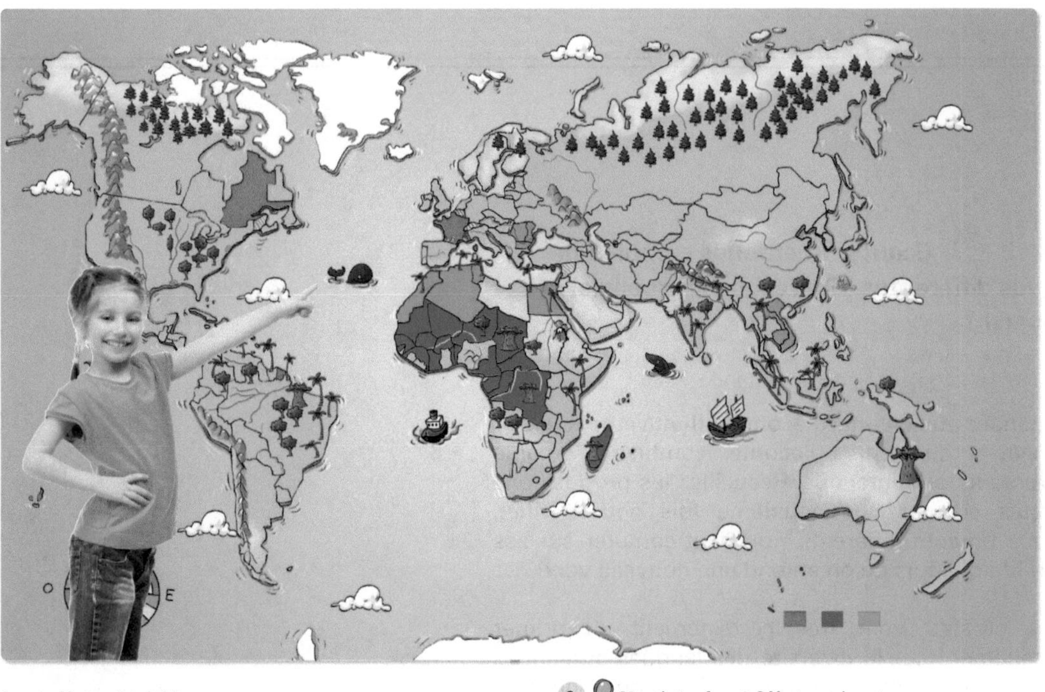

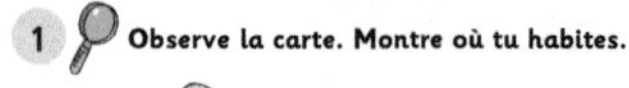

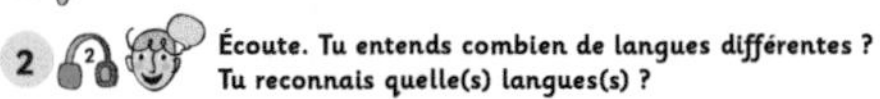

LIVRE DE L'ÉLÈVE, p. 4 et 5

La première séance se déroule majoritairement en langue 1 (L1) - ou langue maternelle. Il s'agit de mettre les enfants en projet (et en « appétit » !) d'apprentissage du français :
– en leur présentant ce qu'ils vont faire et apprendre à faire en classe de français avec *Zigzag* ;
– en cherchant à ancrer l'apprentissage du français dans l'expérience de chacun ;
– en offrant une première découverte du monde des langues et de sa diversité.

♦ Activités de découvertes

1 Observe la carte. Montre où tu habites.

Se repérer sur une carte du monde : situer le pays où l'on vit ; situer la France.

• Faites ouvrir le livre aux pages 4 et 5. Demandez aux élèves de dire (L1) ce qu'ils voient sur l'illustration. Laissez les enfants s'exprimer librement, recueillez leurs représentations sur le monde et ce qu'ils en connaissent : continents, pays, mers et océans....
• Demandez aux enfants de chercher sur la carte le pays où ils vivent et de le montrer.

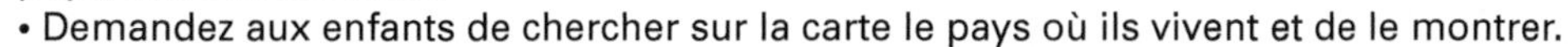

• Demandez-leur s'ils savent quel pays la petite fille pointe sur la carte. Elle pointe la France (en rouge sur la carte) parce que c'est le pays où elle vit : cette petite fille parle français !

Remarque : Si l'on dispose dans la salle de classe d'un planisphère mural ou d'un vidéoprojecteur, la recherche se fera sur ce support commun, visualisable par toute la classe. On localisera le pays où vivent les enfants avec une pastille verte.

Unité 0 *Bonjour le monde ! (1)*

2 🎧2 Écoute. Tu entends combien de langues différentes ? Tu reconnais quelle(s) langue(s) ?

Découvrir la diversité des langues et de leurs « musiques ».
Situer ces langues sur la carte du monde.

• Demandez aux enfants d'écouter attentivement le CD. Ils devront dire après l'écoute, combien d'enfants différents ils ont entendus. Recueillez les propositions et faites écouter une deuxième fois pour vérifier. (Il y a 8 enfants différents ; on peut compter sur ses doigts chaque fois qu'on entend une nouvelle voix).

• Les enfants vont très certainement s'exprimer spontanément sur la diversité des langues entendues et essayer d'en identifier certaines. Demandez-leur s'ils ont reconnu le français.

• Procédez à une écoute fragmentée en stoppant l'enregistrement après chaque langue. Demandez aux enfants de quelle langue il peut s'agir. Si la réponse proposée est correcte, invitez-les à expliquer comment – à partir de quels indices – ils ont trouvé la bonne réponse : langue connue, mots connus, *ça ressemble à*.... Lorsque la bonne réponse est identifiée (aidez-les, ils ne vont certainement pas reconnaître toutes les langues !), situez sur la carte du monde la région/ le pays où chaque langue est parlée.
Le français apparaît 2 fois : **énoncé 3** (France), **énoncé 7** (Canada / Québec).

1 Observe la carte. Montre où tu habites.

2 Écoute. Tu entends combien de langues différentes ? Tu reconnais quelle(s) langues(s) ?

4

Remarque : Si l'on dispose dans la salle de classe d'un planisphère mural ou d'un vidéoprojecteur, la recherche se fera sur ce support commun, visualisable par toute la classe. On localisera le pays où vivent les enfants avec une pastille verte.

Script du CD et solutions 

Les énoncés sont ici transcrits en français, ils sont proposés dans les différentes langues sur le document audio :

1. Bonjour les amis je m'appelle Samira, j'habite au Caire, en Egypte. **(arabe)**
2. Salut ! Je m'appelle Tom ! J'habite à Sydney, en Australie, j'ai 8 ans. **(anglais)**
3. Bonjour, je m'appelle Emma. J'ai 7 ans et j'habite en France. **(français)**
4. Bonjour, je m'appelle Lu, j'habite à Pékin, en Chine. **(chinois/mandarin)**
5. Bonjour, je m'appelle Nattha, j'habite en Thaïlande, j'apprends le français à l'école. **(thai)**
6. Bonjour ! Je m'appelle Pedro, je vis à Lima, au Pérou. **(espagnol)**
7. Salut ! Moi je m'appelle Max, je parle français et j'habite à Québec, au Canada. **(français)**
8. Je m'appelle Micha, j'ai 9 ans, j'habite à Moscou. **(russe)**

UNITÉ 0 ~ Bonjour le monde !

Où parle-t-on français ? Montre sur la carte.

Et toi, tu parles quelle(s) langue(s) ?

5

3 Où parle-t-on français ? Montre sur la carte.

Découvrir le monde francophone.

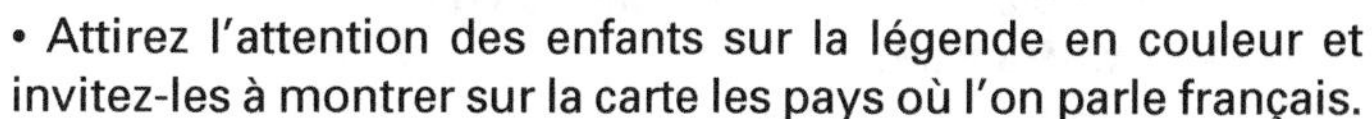

• Attirez l'attention des enfants sur la légende en couleur et invitez-les à montrer sur la carte les pays où l'on parle français.

– Là où il y a du **rouge**, on parle français à l'école, en famille, à la télévision et dans la rue. Dans les zones hachurées rouge et blanc (Belgique et Suisse) : on parle français dans une partie du pays seulement.

– Là où il y du **bleu**, on parle français à l'école, à la télévision et parfois dans la rue.

– Là où il y a de l'**orange**, on parle un peu le français à l'école et parfois un peu dans la rue.

• Concluez que beaucoup d'enfants et de grandes personnes dans le monde comprennent et parlent le français et que bientôt, parce qu'ils vont apprendre le français, vos élèves pourront connaître des francophones (petits et grands), les comprendre, leur parler ou leur écrire.

4 Et toi, tu parles quelles langue(s) ?

Réfléchir aux pratiques langagières de chacun au sein de la classe ; Constater que certains enfants ont peut-être déjà des compétences dans d'autres langues que L1, valoriser ces compétences.

• Engagez vos élèves à parler de leur propre expérience des langues. N'hésitez pas à parler également de la vôtre ! Demandez-leur quelle(s) langue(s) ils parlent à l'école. Quelle(s) langue(s) parlent-ils avec leurs copains (elle est parfois différente de celle de l'école !) ? Quelle(s) langue(s) parlent ils à la maison ? S'ils peuvent dire des choses dans une langue étrangère. S'ils ont des amis ou de la famille qui parlent des langues étrangères.

Activité 1 **Observe la carte. Colorie en vert le pays où tu vis. Colorie en rouge les pays où on parle français.**

Laisser une trace écrite de ce que l'on vient de découvrir.

• Faites ouvrir le cahier d'activités à la page 2. Demandez aux enfants de dire ce qu'ils voient ➜ sur la carte du monde on voit des enfants (lettres de A à H).

• Faites montrer à vos élèves le pays où ils vivent. Ils pourront se référer au planisphère mural où vous aurez signalé le pays avec une pastille verte. Demandez-leur de prendre un crayon vert et de colorier leur pays en vert.

• Demandez-leur ensuite de prendre un crayon rouge et de colorier en rouge les pays où on parle français (langue maternelle). Suggérez-leur de regarder la carte du livre de l'élève et aidez les enfants à se repérer sur la carte à colorier. (C'est assez difficile pour des enfants de 7/8 ans et cela exige de l'attention !).
Vous pouvez également leur proposer de colorier en bleu les pays où le français est langue seconde.

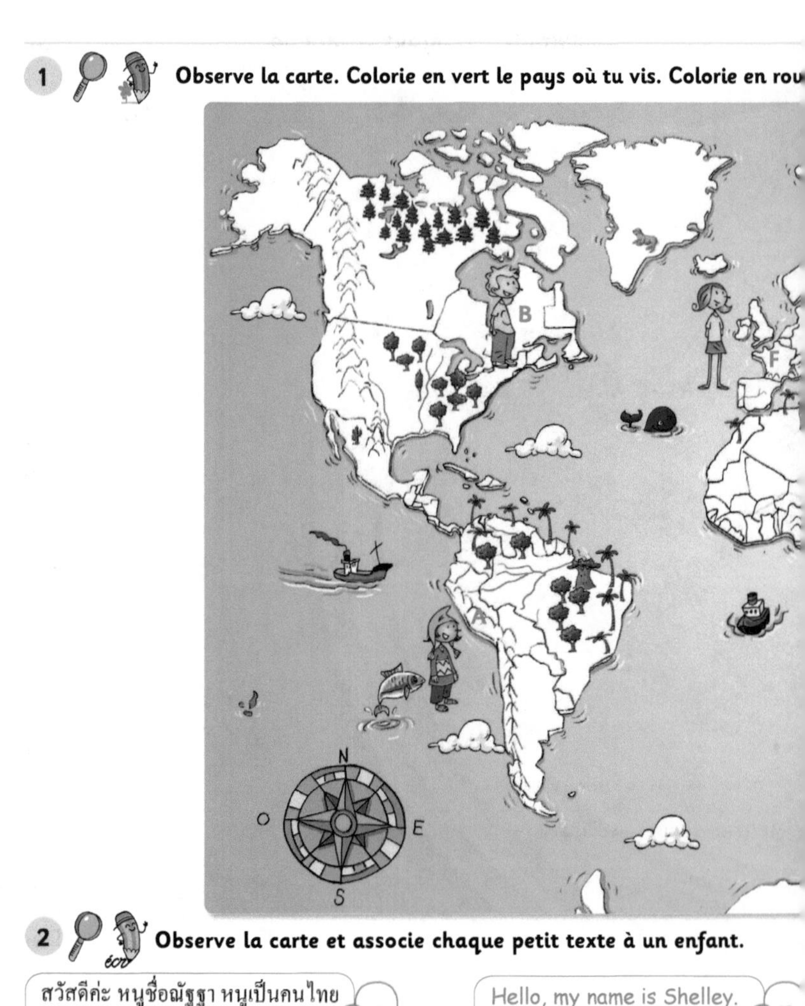

UNITÉ 0 ~ Bonjour le monde !

ys où l'on parle français.

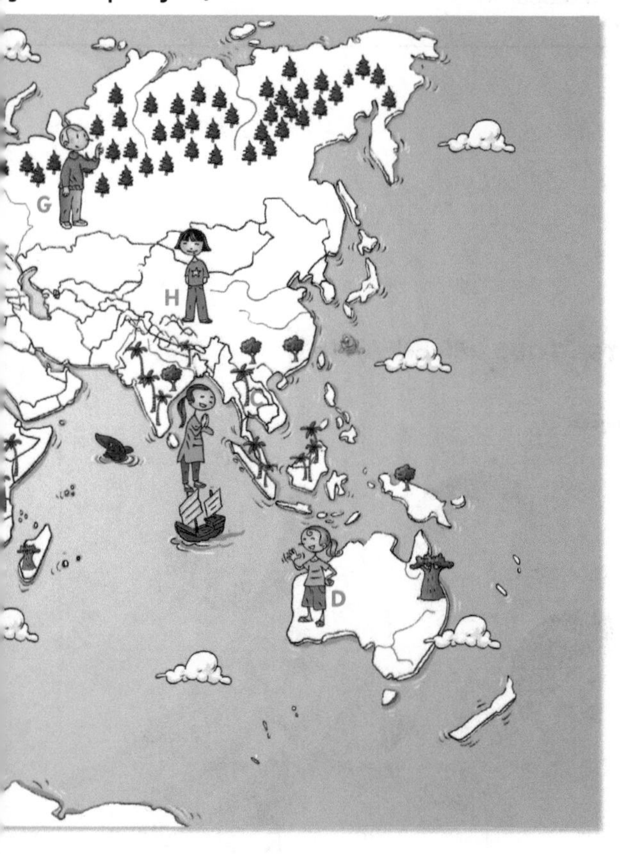

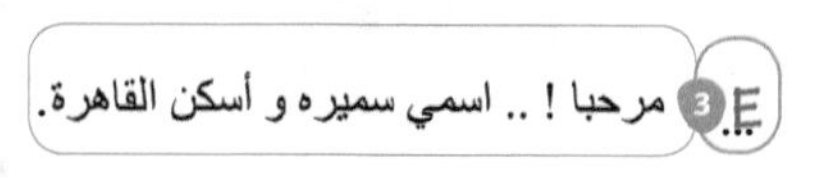

¡ Hola! Me llamo Pedro. Y vivo en Lima, Perù. 4 A

Je m'appelle Max. J'habite au Canada. 7 B

大家好，我叫赵璐，今年我 8 岁了，我住在北京，我是中国人。 8 H

3

Activité 2  **Observe la carte et associe chaque petit texte à un enfant.**

Découvrir la diversité des langues et de leurs graphies.

• Faites observer les différents petits textes. Demandez aux enfants s'ils peuvent ou non les lire. Incitez-les à exprimer pourquoi ils ne peuvent pas lire certains textes → formes graphiques inconnues, langues inconnues... Dites-leur que chaque petit texte correspond à un des énoncés (une des langues) entendus précédemment sur le CD. Mettez ainsi en évidence le fait que, dans le monde, les gens parlent de différentes façons, mais écrivent aussi de différentes façons.

• Faites remémorer les langues entendues sur le CD et demandez aux enfants de chercher sur la carte l'enfant qui représente chaque langue.

Enfant A : espagnol / Pérou
Enfant B : français / Canada ; Province de Québec
Enfant C : thai / Thaïlande
Enfant D : anglais / Australie
Enfant E : arabe / Egypte
Enfant F : français / France
Enfant G : russe / Russie
Enfant H : chinois-mandarin / Chine

Faites ensuite associer chaque petit texte à un des enfants sur la carte (associer un numéro à une lettre). Demandez à vos élèves de faire des hypothèses et des propositions, puis donnez les solutions. Oralisez les textes en français 5 et 7 et faites éventuellement oraliser d'autres petits textes si ceux-ci correspondent à la L1 ou à une des langues que certains de vos élèves connaissent.

Unité 0 Bonjour le monde ! (2)

Au cours de cette leçon, les enfants vont :
- Se saluer
- Chanter quelques vers de la chanson de *Zigzag*
- Dire et identifier les lettres de l'alphabet en français
- Écrire sous dictée quelques mots en français
- Comprendre quelques consignes en situation
- S'ouvrir à l'altérité

Matériel :
- un ballon en mousse ; fiche photocopiable n° 1 (Tour Eiffel)
- un tambourin (éventuellement) ; des cartes « lettres de l'alphabet » (à préparer)

Activités de différenciation : les cartes « prénoms » de vos élèves (à préparer)

LIVRE DE L'ÉLÈVE, p. 6 et 7

Pour commencer :

• Saluez les enfants avec un grand *« Bonjour ! »*.
• Demandez-leur de rappeler ce qui a été fait à la séance précédente et de dire ce qu'ils ont appris ou découvert.

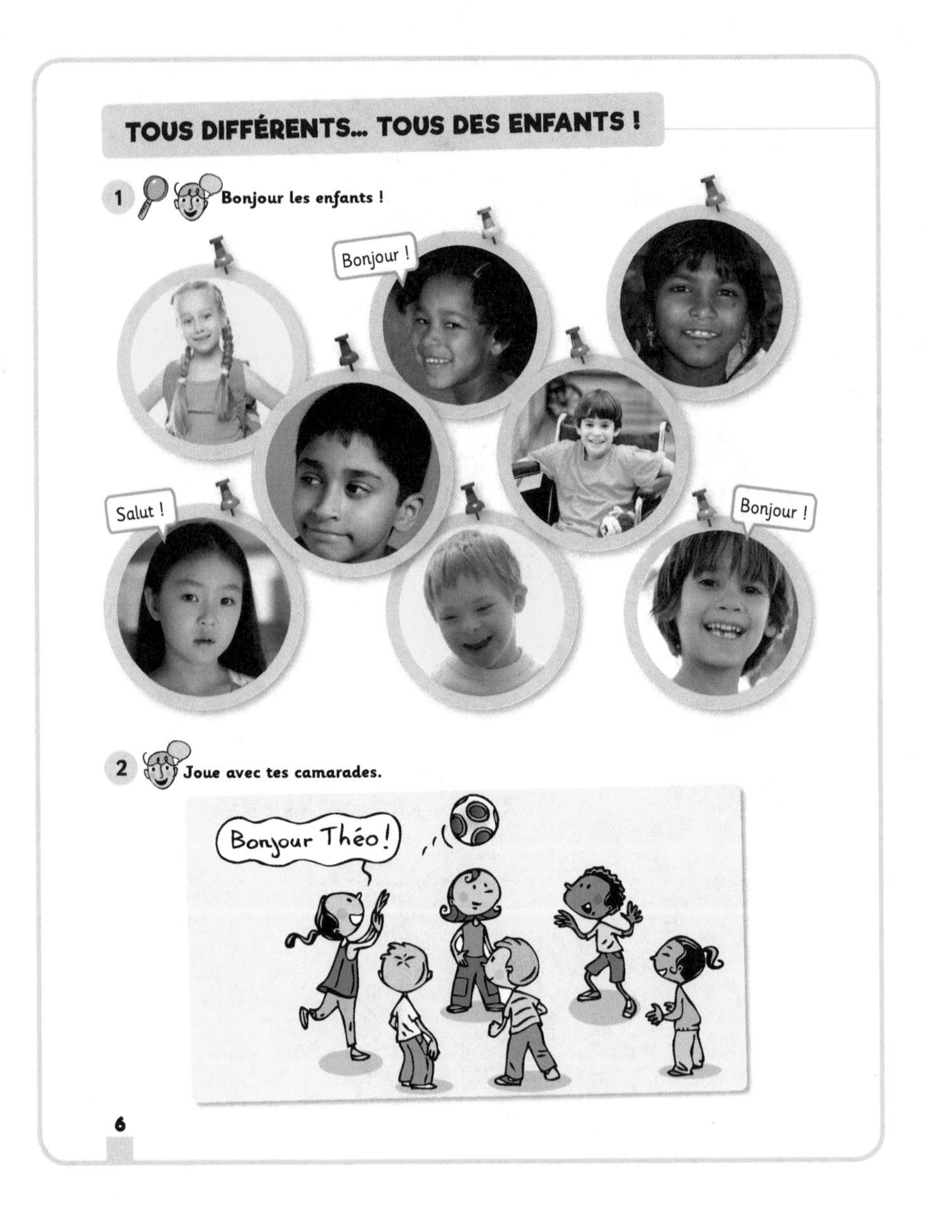

1 Bonjour les enfants !

Éveiller à la diversité et à l'acceptation des différences ; Identifier les salutations en français.

• Faites ouvrir le livre à la page 6. Demandez (L1) aux élèves ce qu'ils voient et qui, à leur avis, sont les enfants sur la photo ➜ Des enfants tous différents et pourtant tous semblables... venant peut-être de différents pays à travers le monde ou habitant en France ou dans un pays francophone. Certains sont porteurs de handicaps... Tous parlent ou apprennent le français et saluent : *Bonjour ! / Salut !*

Dites que pour saluer en français, on peut dire *Bonjour !* ou *Salut !* si l'on s'adresse à un copain ou à un ami. Mais on ne peut pas dire *Salut !* si on s'adresse par exemple à son professeur...

 **Joue avec tes camarades !** Jeu de ballon

Oser prendre la parole en classe ; Se saluer ; Jouer en français.

• Proposez aux enfants de se lever et de former un cercle : ***Levez-vous, donnez-vous la main et formez un cercle !*** Joignez-vous au cercle. S'il n'y a pas la possibilité de former un cercle dans votre salle de classe, proposez à vos élèves de se mettre debout près de leur table.
Chacun devra dire clairement et à voix haute son prénom en essayant de « lancer » sa voix très loin d'un large geste vers l'avant. Vous commencez en « lançant » votre prénom (ou madame/monsieur + votre nom) et vous engagez l'enfant qui est à côté de vous à faire la même chose.

• Prenez un ballon en mousse, lancez-le à un enfant en lui disant « ***Bonjour ! + prénom** de l'enfant* ». Invitez celui-ci à lancer le ballon à un de ses camarades en disant à son tour « ***Bonjour ! + prénom*** ». Lorsque l'activité est bien engagée, et que tous ont participé au moins une fois, vous pouvez éventuellement dire « ***Au revoir !*** » à celui qui laisse tomber le ballon par terre. Ne l'excluez cependant pas du jeu afin de maintenir sa motivation tout au long de l'activité.

Variante : Si vos jeunes élèves ont encore des difficultés à lancer ou à attraper un ballon, ou si votre groupe classe est relativement nombreux – et la taille du cercle par conséquent relativement grande –, vous pouvez utiliser un « bâton de parole », bâton ou objet décoré qui passera d'un enfant à l'autre et qui symbolisera le passage de la parole. Cette technique vous permettra d'éviter trop de perturbations et d'agitation dans la classe (ballon qui tombe, roule...).

♦ **Activité complémentaire. Déplacements dans l'espace**

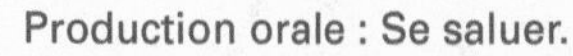

Production orale : Se saluer.

• Les enfants se répartissent dans l'espace de la salle de classe tout en se déplaçant au rythme d'un tambourin (ou de la chanson de l'activité 3). Lorsque le rythme s'arrête, les enfants s'immobilisent et saluent d'un « ***Bonjour !*** » le ou la camarade se trouvant près d'eux ; lorsque le rythme reprend, les enfants se disent « ***Au revoir !*** » et se déplacent à nouveau. Vous participez bien sûr à l'activité et montrez l'exemple !

• Vous pouvez dans un second temps demander aux enfants des « ***Bonjour / Au revoir*** » expressifs : en souriant, en étant triste, en colère, timide, etc. *Vous êtes joyeux ! Vous êtes tristes ! Vous êtes fatigués ! Vous êtes en colère ! Vous êtes des robots ! etc.* Donnez l'exemple en indiquant et mimant d'abord l'expression souhaitée. Les enfants exprimeront ensuite les « *Bonjour ! Au revoir !* » de leur choix.

3 Écoute, chante et danse avec Félix et ses amis !

3 Écoute, chante et danse avec Félix et ses amis !

Prendre plaisir à écouter une chanson en français, à bouger sur son rythme et à chanter son refrain.

Voici une chanson joyeuse et tonique que les enfants ne devront pas mémoriser de façon exhaustive, mais dont ils prendront plaisir à chanter quelques vers et qu'ils mimeront avec dynamisme et entrain.

• Faites écouter la chanson : Demandez aux enfants après l'écoute (L1) si la chanson leur a plu et s'ils ont reconnu quelques petits mots (*Bonjour, Félix, Lila...*)
Montrez sur l'illustration Félix et Lila dont on entend le prénom dans la chanson.

• Proposez aux enfants de se lever. Faites écouter une deuxième fois la chanson, chantez avec le CD en accompagnant la chanson de gestes (cf. ci-après). Engagez les enfants à reproduire progressivement vos gestes et à chanter avec vous la structure répétée :

Youpi ! C'est parti !
Bonjour les amis !
Les grands et les petits !

Script du CD	Gestes d'accompagnement
Youpi ! C'est parti !	Ouvrez grand les deux bras
Bonjour les amis	Grand geste de la main pour saluer, main en haut, main en bas
Les grands, les petits	Appel de l'index pour « Venez »]
Venez vous amuser	
Chanter et danser	
Avec Félix et Lila	
On tape des pieds	Tapez des pieds sur 2 temps
On lève les bras !	Levez les bras sur 2 temps
Youpi ! C'est parti !	
Bonjour les amis	
Les grands, les petits	
Venez vous amuser	
Apprendre le français	
Avec Félix et Lila	
On frappe des mains	Frappez des mains sur 2 temps
On claque des doigts !	Claquez des doigts sur 2 temps
Et on crie HOURRA !	Sautez en l'air, ouvrez grand les 2 bras

Activité 1 Écoute et chante la chanson de l'alphabet.

Identifier et prononcer les lettres de l'alphabet français.

• Faites ouvrir le cahier d'activités à la page 4. invitez les enfants à observer l'illustration (un abécédaire) et à dire ce qu'ils voient ➜ Des lettres et des dessins. Demandez s'ils savent à quoi correspondent les différents dessins. Demandez-leur éventuellement s'ils connaissent certains de ces mots utilisés en français (les enfants peuvent en fonction de leur L1 et de la lettre initiale de chaque mot, proposer certains mots « transparents » : banane, orange, kiwi, uniforme, xylophone, Zorro...)

• Faites écouter le rap de l'alphabet en demandant aux enfants d'être très attentifs afin de pouvoir identifier les lettres. Faites répéter à toute la classe en montrant à chaque fois la suite des lettres (vous pouvez l'écrire au tableau afin de permettre une visualisation collective). Fractionnez la répétition et veillez à ce que les enfants prononcent correctement (ou le mieux possible !) les lettres en français.

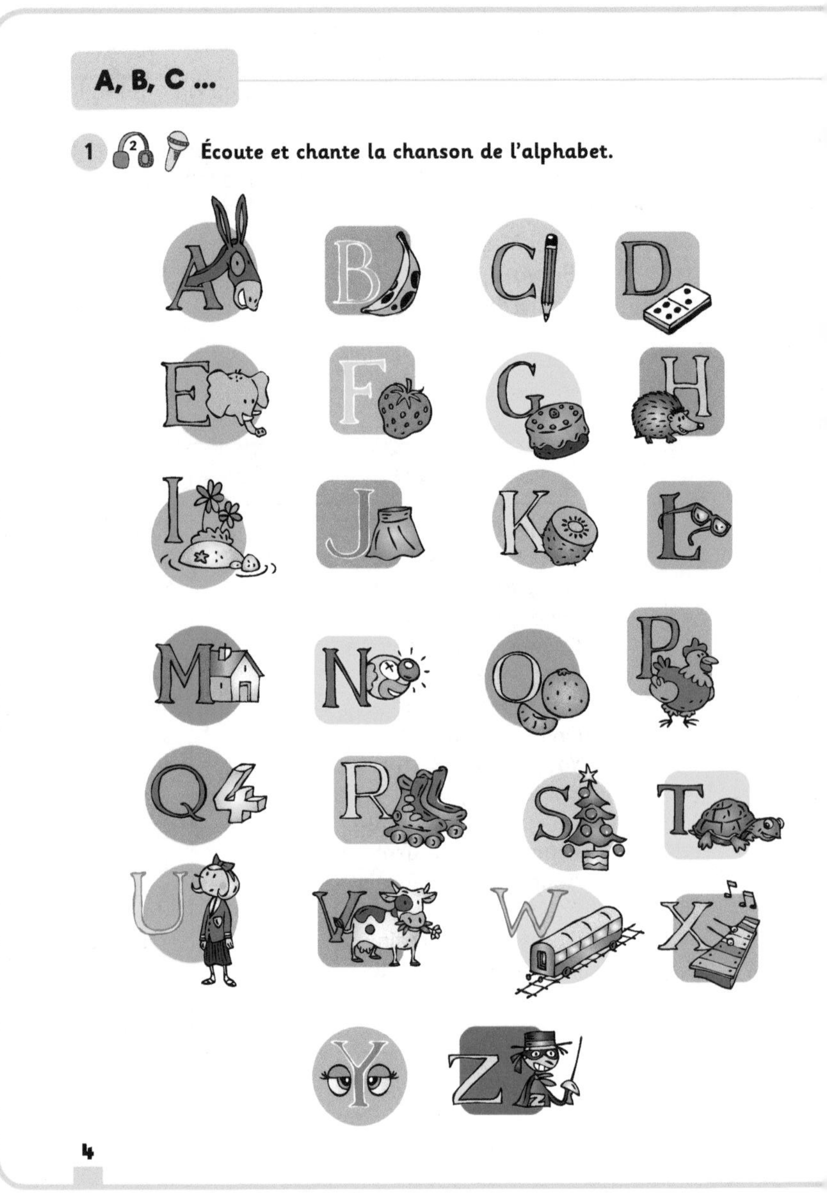

♦ **Activité complémentaire. Jeu *du plus rapide***

Jeu d'écoute avec réaction kinesthésique ; reconnaître le nom des lettres de l'alphabet

• Collez au tableau, à hauteur des enfants 8 à 10 cartes, avec sur chacune d'elles une lettre de l'alphabet. Demandez aux élèves de venir se placer sur deux lignes en file indienne - l'un derrière l'autre - devant le tableau, à environ un mètre de celui-ci : *Tu viens au tableau s'il te plaît Max ? Toi aussi Lisa ?... Tu te mets derrière Max !* Etc. Les élèves forment ainsi deux équipes. Si vous avez une classe nombreuse, vos élèves peuvent se placer sur 3 ou 4 files. Nommez une des lettres de l'alphabet. Les enfants placés en tête de file doivent très vite réagir et pointer la bonne lettre. Le plus rapide marque un point pour son équipe. Notez les points au tableau. Les enfants qui viennent de jouer vont se placer en queue de file.
En cours d'activité, changez les cartes qui sont au tableau afin que l'on joue avec toutes les lettres. À la fin du jeu, quand tous ont participé plusieurs fois, comptez les points (en français !) et félicitez l'équipe qui a gagné. Vous n'oublierez pas bien sûr un petit mot de consolation pour les perdants !

→ ACTIVITÉS DE SOUTIEN : page 24

UNITÉ 0 Bonjour le monde !

2 Écoute et relie les lettres. Que découvres-tu ?

M O R I C D J U A L E T

3 Écoute et écris les mots.

1 Un crocodile
2 Une pizza
3 Une banane
4 Une baguette

5

Activité 2 Écoute et relie les lettres. Que découvres-tu ?

Écouter et identifier des lettres de l'alphabet pour tracer le contour de.... la Tour Eiffel.

- Demandez à vos élèves de nommer les différentes lettres que l'on voit.

- Faites écouter le CD et relier les lettres : Suggérez aux enfants d'écouter une première fois en reliant les lettres avec leur doigt, puis une seconde fois en les reliant avec leur crayon à papier.

- À la fin de l'écoute, demandez-leur ce qu'ils ont dessiné → *C'est... la Tour Eiffel bien sûr !* Montrez la reproduction de la Tour Eiffel (Fiche photocopiable N° 1) en précisant, si cela est nécessaire, que c'est un des grands monuments de Paris.

Script du CD 3

A-D-I-O-M-R-C-J-T-E-U-L

Activité 3 Écoute et écris les mots.

Écouter et identifier des lettres de l'alphabet pour écrire des mots.

- Montrez les 4 images. Demandez aux enfants d'écouter le CD et d'écrire sous dictée les lettres qui composent chaque mot. Procédez à deux écoutes si nécessaire.

- Vérification collective. Demandez à 4 enfants de venir successivement au tableau et d'écrire les mots sous dictée de lettres d'un de leurs camarades.

- Prononcez les quatre mots : *un crocodile – une pizza – une banane – une baguette* et faites-les prononcer à vos élèves. On constatera bien sûr que certains mots sont semblables à ceux qu'on utilise en L1, ils se prononcent ou s'écrivent toutefois un peu différemment.

Script du CD 4

1. C-R-O-C-O-D-I-L-E
2. P-I-Z-Z-A
3. B-A-N-A-N-E
4. B-A-G-U-E-T-T-E

Cette activité est destinée à des élèves apprentis lecteurs dans un système graphique autre que celui de l'alphabet latin.

■ À chacun son prénom

Identifier son prénom en graphie latine.

• Distribuez à chaque enfant sa carte-prénom en graphie latine (écriture scripte, première lettre majuscule). Lorsque le sens de la lecture est différent de celui qui prévaut en langue 1, tracez préalablement sur chaque petite carte une flèche en haut à gauche (là où l'on commence à lire), afin d'attirer l'attention des enfants sur le sens de la lecture en français. Demandez à chacun de bien regarder sa carte : la grande lettre (majuscule) en début de prénom et les petites lettres.

• Écrivez au tableau la suite des lettres de l'alphabet. Faites classer les différentes cartes-prénoms selon leur lettre initiale. Demandez aux enfants: *Quels prénoms commencent par A ? par B ? par C ?...* Demandez à chaque enfant de venir coller sa carte sous la bonne initiale.

• Lorsque tous les prénoms sont au tableau, invitez chaque enfant à retrouver sa carte parmi les autres cartes. Il la gardera bien sûr dans son cahier de français.

Marco

Lisa

Unité 1 Tous au parc !

Cadre narratif	
Félix, Lila, Madame Bouba, Tilou, Pic Pic et Pirouette vont au parc. De belles aventures attendent nos joyeux amis...	
CONTENUS	
Communication	– Identifier les personnages de la méthode – Se présenter ; présenter un(e) camarade – Dire son âge ; demander son âge à un camarade – Identifier quelques couleurs – Caractériser un objet (couleur) – Demander poliment et remercier – Comprendre quelques premières consignes de classe
Phonologie	Identifier une structure rythmique et la frapper dans ses mains
Observation de la langue	Découvrir et comprendre l'emploi en contexte de *Je, Tu, Il, Elle* Découvrir que les adjectifs de couleur se placent après le nom
Découverte de l'écrit	Consolider la connaissance des lettres de l'alphabet : le « é » de Félix Lire / écrire des nombres, le nom de quelques couleurs Associer une courte phrase à une illustration
Découvertes (inter)culturelles	Compter sur ses doigts « à la française » Le parc et ses attractions
Apprendre à apprendre	Comprendre le sens des tâches : Proposer une consigne pour une activité

Unité 1 Leçon 1 Bonjour les amis !

Au cours de cette leçon, les enfants vont :

• à l'oral :
- Identifier quelqu'un : *C'est Félix, c'est Lila*
- Se présenter / présenter quelqu'un : *Je m'appelle... Il/elle s'appelle...*
- Demander à quelqu'un comment il s'appelle : *Comment tu t'appelles ?*

• à l'écrit :
- Lire et écrire le nom des personnages de la méthode *Zigzag*
- Associer une courte phrase à une illustration

Matériel :
Un ballon ; Cartes-images « personnages » n° 1 à n° 6 ; Fiche photocopiable n° 2 :1 jeu de 6 vignettes « personnages » par sous-groupe de 2 à 4 élèves

Activités de différenciation :
- Cartes-prénoms des 6 personnages (À préparer)
- Activité de soutien n° 1 : 1 jeu de cartes-prénoms et de lettres mobiles pour 2 élèves
- Activité de soutien n° 2, activité 1. *Entoure le même mot que le modèle*

LIVRE DE L'ÉLÈVE, p. 8 et 9

Pour commencer :

Se retrouver tous ensemble au cours d'une activité collective et rassurante en début de séance ; Réactiver les apprentissages réalisés lors de la séance précédente : se saluer, connaître l'alphabet.

Jeu de ballon

• Formez un cercle avec les enfants. Dites un grand *Bonjour les enfants !* Reprenez l'activité de la séance précédente : chacun salue un camarade en lui lançant le ballon et en disant : *Bonjour + prénom.*

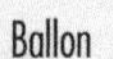

• Faites réécouter la *chanson de l'alphabet* (piste 2, CD cahier d'activités). Les enfants, toujours debout en cercle, la reprennent en chœur. Puis lancez le ballon à un enfant en disant « *A* ». Engagez ce dernier à lancer le ballon au camarade de son choix en disant « *B* ». Poursuivez ainsi jusqu'à ce que l'alphabet ait été dit dans son ensemble 2 ou 3 fois. Veillez à ce que tous participent et prononcent les lettres le plus correctement possible.

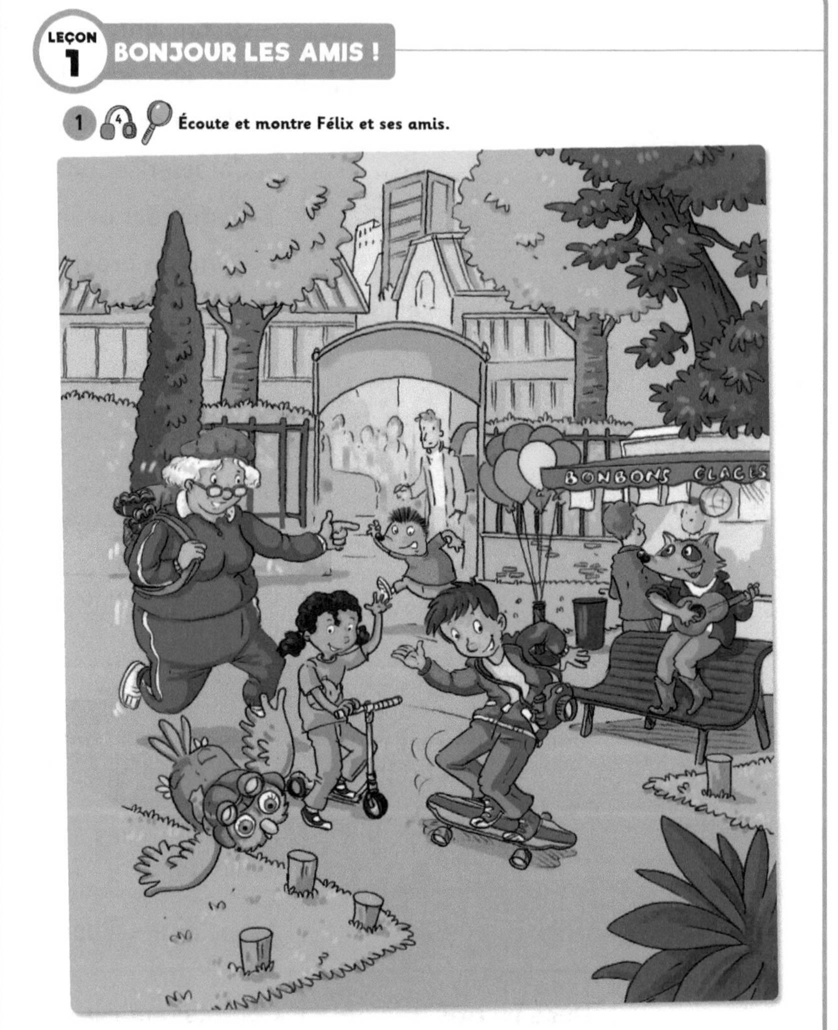
LEÇON 1 BONJOUR LES AMIS !

1 Écoute et montre Félix et ses amis.

8

Solutions et script du CD 

Ordre des personnages : Félix, Lila, Madame Bouba, Tilou, Pic Pic, Pirouette

- **Félix :** Bonjour les amis, je m'appelle Félix ! Et voilà Lila !
- **Lila :** Bonjour, je m'appelle Lila, L - I - L - A ! Lila !
- **Madame Bouba :** Bonjour, bonjour ! Moi, je suis Madame Bouba ! Je m'appelle Madame Bouba ! Et voilà Tilou ! Bonjour Tilou !
- **Tilou :** Bonjour ! Bonjour ! Je m'appelle Tilou ... Je m'appelle Tilou, et je chante avec vous !
- **Pic Pic et Pirouette :** Bonjour, bonjour les amis !
- **Pic Pic :** Je m'appelle Pic Pic.
- **Pirouette :** Et moi, je m'appelle Pirouette.

1 Écoute et montre Félix et ses amis.

Faire connaissance avec les personnages de la méthode ; Écouter activement : prendre des indices sonores et visuels pour identifier le nom des personnages.

• Faites ouvrir le livre à la page 8. Pointez les 6 personnages qui arrivent au parc. Vos élèves connaissent déjà Félix et Lila (Chanson leçon 2, Unité 0). Dites aux enfants que chaque personnage va prendre la parole et se présenter. Ils devront écouter le CD et montrer qui parle.

• Faites écouter une première fois l'enregistrement dans son intégralité pour que les enfants puissent individuellement prendre quelques repères sonores et visuels.

• Procédez à une écoute fragmentée en stoppant l'enregistrement après la présentation de chaque personnage. Demandez aux enfants de montrer le personnage et, s'ils le peuvent, de donner son nom : ***Qui est-ce ? ... C'est Félix ? C'est Lila ? C'est Madame Bouba... ?***
Invitez les enfants à dire (L1) ce qui leur a permis de trouver le bon personnage (indices sonores et visuels : voix féminine / voix masculine ; guitare ; personnage essoufflé, qui court, etc.).

♦ Activité complémentaire. Jeu de Kim

Production orale : identifier le personnage qui manque ; Comprendre et utiliser quelques consignes pour jouer en français.

Cartes-images

• Collez au tableau les cartes-images des 6 personnages. Faites-les nommer : *C'est Lila, c'est Madame Bouba...*
Demandez aux enfants de les observer, puis de fermer les yeux : *Regardez bien les images ! Maintenant fermez les yeux !*
Retirez discrètement une des cartes du tableau. Demandez aux enfants d'ouvrir les yeux et de dire quel est le personnage qui manque : *Ouvrez les yeux ! Qui manque ?* → *(C'est) Tilou ! (C'est) Pic Pic...*
Lorsque l'activité est bien engagée, invitez quelques enfants à venir prendre votre place de meneur de jeu.

Fiche photocopiable n° 2

• Proposez à vos élèves de jouer en groupes de 3 ou 4 élèves (ou par paires). Distribuez à chaque groupe un jeu de petites cartes « personnages ». Faites nommer dans chaque groupe un meneur de jeu – qui pourra changer en cours d'activité – en rappelant quelles seront ses tâches : donner les consignes pour jouer, retirer une carte, interroger ses camarades.
Passez parmi les groupes pour aider les enfants à formuler correctement les petites consignes, prononcer correctement le nom des personnages.

Remarque : L'enjeu visuel de la situation est ici très simple puisqu'il n'y a que 6 cartes à mémoriser. Cette simplicité nous permet de bien installer les consignes et règles du fonctionnement du jeu de Kim que l'on réutilisera dans des situations un peu plus complexes au cours des leçons suivantes, avec notamment un nombre de cartes plus important à mémoriser.

2 Qui parle ? Écoute et dis.

Écouter activement : reconnaître les différentes voix et les noms des personnages ; Apprendre à se présenter.

• Pointez sur le livre de l'élève les 5 personnages et dites à vos élèves que Félix, petit reporter, interviewe chacun de ses amis et leur demande de se présenter.

• Faites écouter une première fois l'enregistrement dans sa totalité, puis dialogue par dialogue. Demandez : *Qui parle ?* Recueillez les réponses des enfants.

• Prenez dans chaque main les cartes-images *Félix* et *Lila*, vous les manipulerez comme des marionnettes. Faites écouter à nouveau le premier mini-dialogue. Jouez le rôle de Félix et dites en vous adressant à *Lila* :

– **Comment *tu t'appelles*** ? Prenez un ton de voix différent et répondez : – ***Je m'appelle Lila.***

Cartes-images

• Distribuez ensuite les 4 cartes-images *Tilou, Bouba, Pic Pic* et *Pirouette* à 4 élèves. Faites écouter les 4 dialogues suivants. Continuez à jouer le rôle de Félix et incitez vos élèves à vous répondre ➜ – *Je m'appelle Tilou* ; – *Je m'appelle Madame Bouba* ; – *Je m'appelle Pic Pic* ; – *Je m'appelle Pirouette.*

Solutions et script du CD 5

1. Félix et Lila. 2. Félix et Tilou.
3. Félix et Bouba. 4. Félix et Pic Pic.
5. Félix et Pirouette.

– **Félix** : Bonjour, comment tu t'appelles ?
– **Lila** : Je m'appelle Lila !

– **Félix** : Et toi, comment tu t'appelles ?
– **Tilou** : Je m'appelle Tilou, hou hou, Tilou !
– **Félix** : Comment ? Balou ?
– **Tilou** : Non, pas Balou, Tilou ! Ti - lou !

– **Félix** : Bonjour Madame !
– **Madame Bouba** : Bonjour Félix. Moi, je m'appelle Bouba, Madame Bouba !

– **Félix** : Tu t'appelles Pic Pic ?
– **Pic Pic** : Oui, oui... Je m'appelle Pic Pic.

– **Félix** : Et toi, comment tu t'appelles... Pirouette ?
– **Pirouette** : Oui, je m'appelle Pirouette.

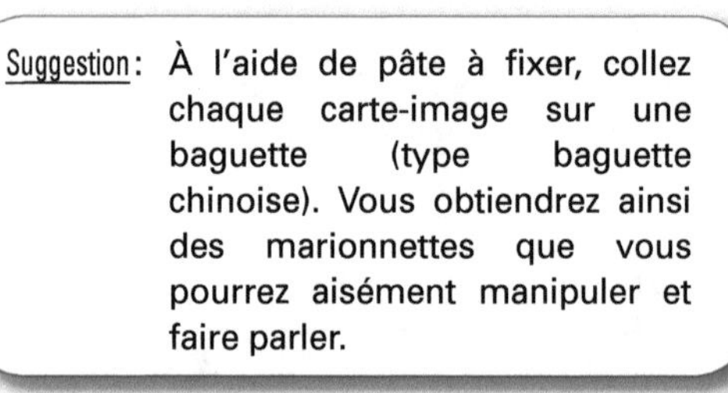
Suggestion : À l'aide de pâte à fixer, collez chaque carte-image sur une baguette (type baguette chinoise). Vous obtiendrez ainsi des marionnettes que vous pourrez aisément manipuler et faire parler.

3 Et toi, comment tu t'appelles ?

Interagir à l'oral : se présenter.

• **Micro-trottoir.** Posez maintenant la question à vos élèves avec à la main un objet pouvant simuler le micro d'un interviewer (ou un vrai micro !). Faites passer le « micro » de main en main, pour qu'un grand nombre d'enfants puissent prendre la parole et s'interviewer mutuellement : *Comment tu t'appelles ?* ➜ *Je m'appelle + prénom de l'enfant.*

Remarque : Les prénoms des enfants de la classe sont vraisemblablement déjà connus de tous ; il est toutefois important que chacun ait l'occasion de dire en français comment il s'appelle, d'exprimer ainsi sa propre identité et non pas uniquement une identité fictive

♦ Activité complémentaire. Jeu de rôles
Interagir à l'oral : se présenter (identité fictive).

• Distribuez à chaque élève une petite carte-image représentant un des personnages (celles qui ont été utilisées précédemment pour le jeu de Kim en petits groupes). Prenez par exemple pour vous la carte *Pirouette*. Adressez-vous à un élève et incitez-le à vous répondre :
– Vous : *Bonjour, je m'appelle Pirouette. Et toi, comment tu t'appelles ?*
– Élève : *Je m'appelle Tilou.*
– Vous : *Au revoir Tilou !*
– Élève : *Au revoir Pirouette !*

Invitez vos élèves à se déplacer dans la salle de classe, à se rencontrer et à jouer ce mini-jeu de rôles.

Variante : Vous pouvez distribuer des images de personnages dont les noms sont connus de vos élèves, par exemple : Astérix, Obélix, Batman, Harry Potter, Lucky Luke, le rat Ratatouille (du film *Ratatouille*), Shrek, Spiderman, Zorro...

4   Chante et danse avec Tilou et ses amis.

Prendre plaisir à chanter et à mimer ; Interagir ; Découvrir et utiliser en contexte les pronoms ***Je, Tu, Il, Elle.***

• Faites écouter une première fois la chanson, livre fermé. Demandez aux enfants après l'écoute (L1) si la chanson leur a plu, ce qu'ils ont reconnu ou compris → le nom des personnages, la structure *Je m'appelle...* Faites ouvrir le livre à la page 9 et montrez sur l'illustration les différents personnages qui sont en train de chanter et de danser. Proposez aux enfants de faire comme eux.

• Demandez aux enfants de se lever (c'est mieux pour chanter !). Attribuez à 5 enfants la carte-image d'un des personnages et collez-la sur leur poitrine : ils ont ainsi une nouvelle identité (si possible 3 filles : Lila, Bouba et Pirouette, 2 garçons : Tilou et Pic Pic). Prenez pour vous la carte-image « Félix ».
Faites écouter une deuxième fois la chanson, chantez et accompagnez le texte de gestes (voir ci-dessous). Faites successivement entrer en scène les différents personnages ! Incitez les enfants à reproduire progressivement vos gestes et à reprendre avec vous les paroles.
Insistez bien avec votre voix et les gestes appropriés sur « ***Je*** », « ***Tu*** », « ***Il*** », « ***Elle*** » afin de faire comprendre en contexte l'emploi de ces pronoms.
Expliquez la signification du mot « prénom ».

Script du CD 6	Gestes d'accompagnement
Nous avons tous un front	Pointez votre front
Deux yeux, un nez, un menton	Pointez vos yeux, votre nez, votre menton
Donne-moi ton prénom	Adressez-vous à l'enfant qui a la carte-image « Lila »
Et viens chanter ma chanson	Appel de l'index pour « Viens »
Je m'appelle Félix	Index sur votre propre poitrine pour « Je »
Tu t'appelles... Lila	Adressez-vous à « Lila », regard tourné vers elle, pour « Tu »
Elle s'appelle Lila	Désignez Lila d'un geste de la main, mais en détournant votre regard et en vous adressant aux autres enfants, pour « Elle »
Nous avons tous un front	Pointez votre front
Deux yeux, un nez, un menton	Pointez vos yeux, votre nez, votre menton
Donne-moi ton prénom	« Lila » s'adresse à l'enfant qui a la carte-image « Tilou »
Et viens chanter ma chanson	Appel de l'index pour « Viens »
Je m'appelle Lila	« Lila » pointe sa propre poitrine (vous l'accompagnez et chantez avec elle bien sûr !)
Tu t'appelles... Tilou	« Lila » s'adresse à l'enfant qui a la vignette « Tilou », regard tourné vers lui, pour « Tu »
Il s'appelle Tilou	« Lila » désigne l'enfant « Tilou » d'un geste de la main, mais en détournant le regard et en s'adressant aux autres enfants, pour « Il »
Je m'appelle Tilou... Tu t'appelles... Bouba Elle s'appelle Bouba	« Tilou » continue...
Je m'appelle Bouba Tu t'appelles... Pic pic Il s'appelle Pic Pic	« Bouba » continue...
Je m'appelle Pic Pic Tu t'appelles ... Pirouette Elle s'appelle Pirouette	« Pic Pic » continue...

• À la fin de l'activité, demander aux enfants s'ils peuvent expliquer (L1) quand on dit, *Je, Tu, Il, Elle* en français.
→ On dit *Je*, quand on parle de soi ; *Tu,* quand on parle à quelqu'un ; *Il* quand on parle d'un garçon ; *Elle* quand on parle d'une fille.

CAHIER D'ACTIVITÉS, p. 6 et 7

• Vos jeunes élèves sont encore apprentis lecteurs en L1. Il s'agit ici d'une de leurs premières rencontres avec le français écrit. Prenez le temps de les guider et de leur fournir les repères nécessaires à la compréhension de ce nouveau code ! N'hésitez pas à utiliser un support commun, visualisable par tous, en projetant ou en reproduisant au tableau les activités. Ceci leur permettra de mieux comprendre les différentes tâches et de mieux vérifier leur travail lors de la phase de correction collective.

Activité 1 Entoure la phrase qui correspond à l'image.

Comprendre un énoncé à l'écrit ; L'oraliser ; L'associer à une image.

• Montrez aux enfants les deux images et demandez : *Qui est-ce ?* ➜ *Félix et Lila.* Pointez les petites phrases qui accompagnent chaque image. Demandez-leur de lire « dans leur tête »[1] les 3 premières phrases a ; b ; c, puis d'entourer la phrase qui correspond à l'image. Montrez le pictogramme : *Regardez l'image n° 1 ! Lisez les phrases ! Choisissez et entourez la phrase a, la phrase b, ou la phrase c !*

• Vérifiez la réponse avec toute la classe. Demandez aux enfants : *Vous avez entouré a, b, ou c ?* Recueillez leurs propositions et demandez (L1) de les justifier ➜ Les enfants relèveront certainement le(s) mot(s) pertinent(s) : *Il s'appelle Félix* (phrase **c**).
Veillez à une bonne oralisation (prononciation) de la phrase en rappelant la phonologie des structures déjà utilisées à l'oral. Attirez à nouveau l'attention des enfants sur l'utilisation de *il* pour un garçon et *elle* pour une fille/femme, déjà rencontrée dans la chanson « *Donne-moi ton prénom* » à la fin de la leçon 1.

• Procédez de la même façon pour la deuxième série de phrases.

1 Entoure la phrase qui correspond à l'image.

Bouba – Tilou – Félix – Pic Pic – Lila – Pirouette

1 Il s'appelle Félix
2 Elle s'appelle Lila
3 Il s'appelle Tilou
4 Elle s'appelle Bouba
5 Il s'appelle Pic Pic
6 Elle s'appelle Pirouette

6

Activité 2 Observe et complète.

Reconnaître à l'écrit les noms des personnages de la méthode : recopier les noms des personnages ; Employer à bon escient *il* ou *elle*.

• Proposez aux enfants de regarder l'activité 2 et de trouver eux-mêmes la consigne. Vous engagerez ainsi vos élèves dans un processus actif de compréhension des tâches. Demandez-leur de dire (L1) pourquoi à leur avis il y a parfois deux couleurs dans l'exercice, bleu et rouge ➜ bleu quand c'est *Il* ; rouge quand c'est *Elle*.
Invitez-les ensuite à oraliser les 6 noms écrits en tête d'exercice. Attirez leur attention sur l'accent aigu du *é* de Félix. Faites prononcer le *é* en étirant bien les lèvres ; Écrivez un grand *é* au tableau et faites-le tracer dans l'espace en montrant dans quel sens on trace l'accent aigu.

• Accordez aux élèves le temps nécessaire pour réaliser l'activité de façon autonome.

• Procédez à une correction collective avec oralisation. Vérifiez dans les cahiers que les noms sont recopiés correctement et que *il* et *elle* sont employés à bon escient.

[1] En lecture silencieuse.

→ ACTIVITÉS DE SOUTIEN : page 54

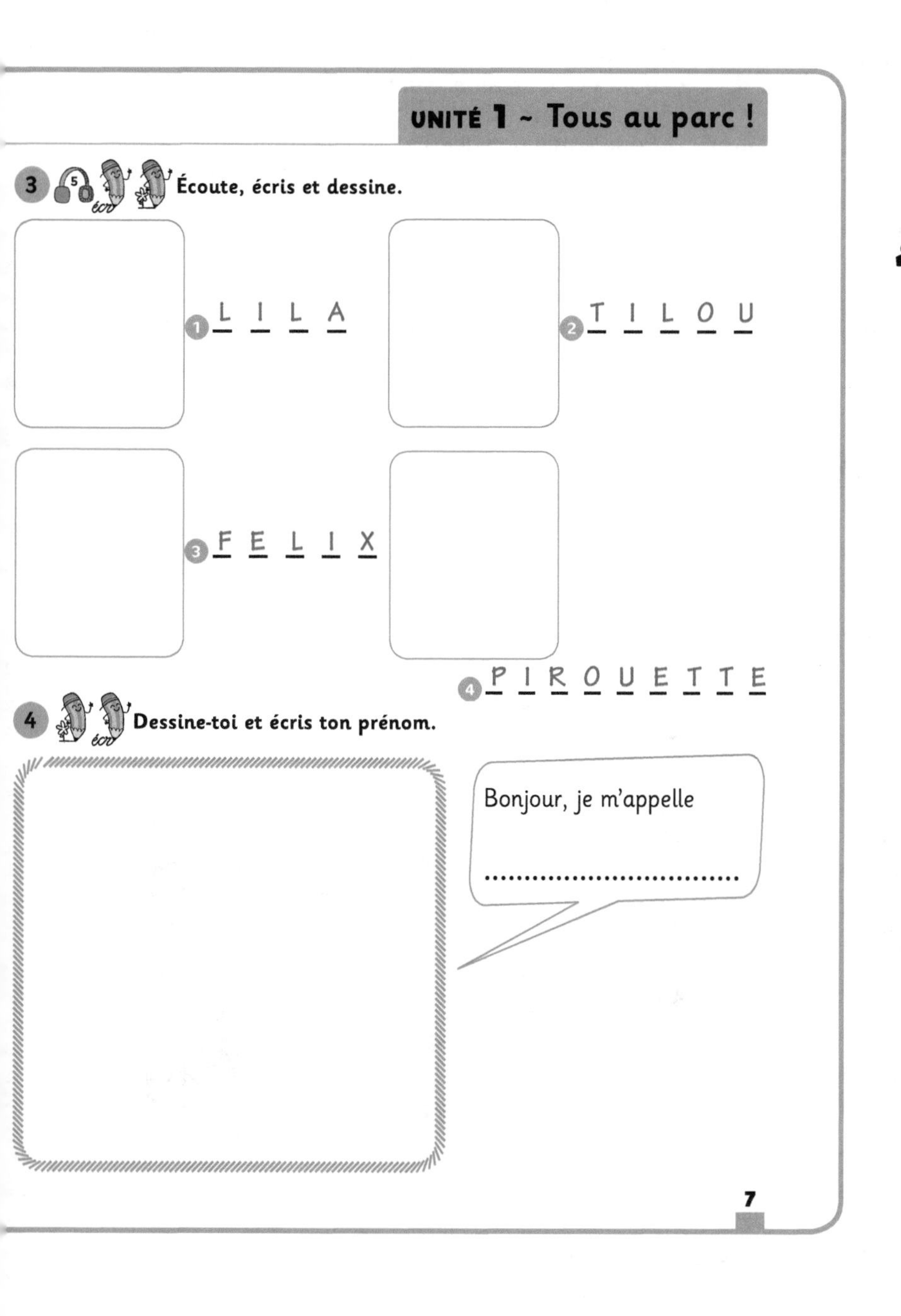

UNITÉ 1 ~ Tous au parc !

3 Écoute, écris et dessine.

1 L I L A

2 T I L O U

3 F E L I X

4 P I R O U E T T E

4 Dessine-toi et écris ton prénom.

Bonjour, je m'appelle

....

7

Activité 3 Écoute et écris, puis dessine.

Écrire, sous dictée de lettres, le nom des personnages de la méthode ; Les dessiner.

• Montrez les pictos et . Montrez les 4 emplacements où les enfants devront écrire. Annoncez à vos élèves qu'ils devront écrire les lettres qu'ils entendent pour former les noms de 4 personnages de la méthode *Zigzag* : *Écoutez et écrivez les lettres des 4 prénoms !*

Conseillez-leur d'écouter une première fois sans écrire. Procédez à une seconde écoute et arrêtez l'enregistrement après chaque nom pour que les enfants aient le temps d'écrire.

• Demandez aux élèves de dire les noms qu'ils ont écrits, puis de dessiner chaque personnage en face de son nom. (Ils pourront faire les dessins à la maison, comme « devoir ».)

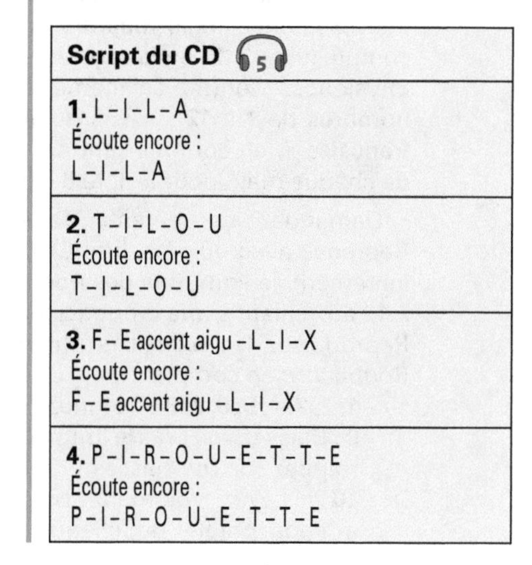

Script du CD 5
1. L - I - L - A Écoute encore : L - I - L - A
2. T - I - L - O - U Écoute encore : T - I - L - O - U
3. F - E accent aigu - L - I - X Écoute encore : F - E accent aigu - L - I - X
4. P - I - R - O - U - E - T - T - E Écoute encore : P - I - R - O - U - E - T - T - E

Activité 4 Dessine-toi, puis écris ton prénom.

Écrire son prénom et faire son portrait.

• Chaque enfant, à son rythme, fait son « autoportrait » et écrit son prénom dans la bulle. Cette activité peut être réalisée à la maison.

1, 2, 3, c'est parti !

Au cours de cette leçon, les enfants vont :
• à l'oral :
– Compter jusqu'à 12
– Dire leur âge / Demander son âge à un camarade : *J'ai 7 ans... Tu as quel âge ?*
– Reproduire une structure rythmique ; dire et mimer une comptine rythmique

• à l'écrit :
– Lire et écrire les nombres de « un » à « douze » – écriture chiffrée et écriture littérale
– Associer une courte phrase à une illustration

Matériel :
À fabriquer : – Cartes-chiffres de 1 à 12 ; Petites cartes-chiffres pour le jeu de Bingo (2 séries de cartes de 1 à 12) ; Cartes-mots nombres de « un » à « douze »
– Pour le jeu de Bingo : Jetons ou petits morceaux de papier (5 par élève) ; votre *sac à malices*
– Pour le mini-jeu de rôle (activité complémentaire) : une fiche d'identité fictive par élève (Prénom/Âge), un micro ou un objet pouvant simuler un micro

Activités de différenciation :
Activité de soutien n° 2, activité 2

LIVRE DE L'ÉLÈVE, p. 10 et 11

  **Écoute et compte avec Madame Bouba.**

Découvrir et dire la suite des nombres de 1 à 12 ; Mémoriser la suite des nombres en faisant appel au mouvement et la mémoire kinesthésique.

• Demandez aux enfants d'observer les illustrations et de dire ce qu'ils voient. Pointez les deux personnages qui sont sur l'illustration et demandez: *Qui est-ce ?* ➜ *Madame Bouba et Félix.* Madame Bouba fait son jogging matinal (*Hop hop 1, 2, 3, 4...* N'hésitez pas à mimer !).

• Faites écouter le CD : Madame Bouba, un peu essoufflée mais toujours énergique, compte jusqu'à 12 en faisant ses exercices physiques. Montrez en même temps les nombres de 1 à 12 sur vos doigts (« à la française », en commençant par le pouce de chaque main pour le 1, le 6 et le 11).

• Demandez aux enfants de se lever. Reprenez avec eux (sans le CD), d'abord lentement, la comptine des nombres de 1 à 12 en veillant à une prononciation claire. Reproduisez les exercices physiques de Bouba tout en comptant:
– **1, 2, 3, 4, 5, 6, 7, 8** : Trottinez (jogging) !
– **9** : Baissez vos bras le long du corps et frappez sur vos cuisses !
– **10** : Levez vos deux bras tendus à l'horizontale de chaque côté de votre corps !
– **11** : Levez vos 2 bras tendus au-dessus de votre tête !
– **12** : Frappez vos deux mains au-dessus de votre tête, bras tendus.

• Faites écouter une seconde fois le CD. Invitez les enfants à compter avec Madame Bouba et à faire les mouvements sur un rythme de plus en plus soutenu : *Comptez avec Madame Bouba !*

Script du CD 7
Madame Bouba : 1, 2, 3, 4, 5, 6, 7, 8, 9, 10, 11, 12.

LEÇON 2 1, 2, 3, C'EST PARTI !

1 Écoute et compte avec Madame Bouba.

Bingo ! Joue avec tes camarades.

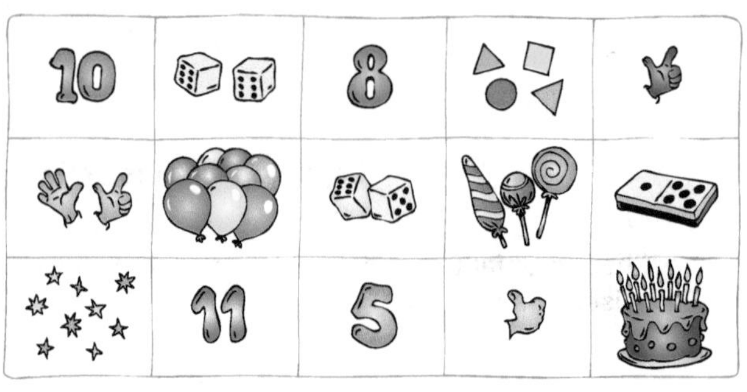

10

Pour commencer :

Si on chantait ?

Réactiver les apprentissages réalisés lors de la séance précédente ; Chanter en français et bouger : il s'agit ici d'une « mise en voix » et « mise en corps » pour bien démarrer la séance.

- Accueillez et saluez vos élèves !
- Proposez aux enfants de commencer la séance en chantant ! Faites réécouter la chanson *Donne-moi ton prénom* (Piste 6, CD 1 Livre de l'élève), puis engagez-les à se remémorer les paroles et les gestes de la chanson.
- Reprenez la chanson en transformant les paroles : Ne chantez plus : *Je m'appelle Félix, Tu t'appelles Lila...*, mais introduisez votre propre prénom et celui des enfants. Organisez une farandole ! Chantez et intégrez progressivement dans la farandole chaque enfant qui donnera son prénom. Si votre groupe-classe est nombreux, sollicitez plusieurs enfants à la fois (*Tu t'appelles... Sara ? Tu t'appelles...* Hugo*? Tu t'appelles... Nina ?*) et intégrez-les simultanément.

Cartes-chiffres

♦ Activité complémentaire. Jeu *du plus rapide.*

Compréhension orale ; Mémorisation des nombres.

- Vous aurez préalablement fabriqué des cartes-chiffres de 1 à 12.
- Montrez les cartes-chiffres de 1 à 12. Faites-les nommer et affichez-les dans l'ordre au tableau de façon à ce qu'elles soient à la hauteur des enfants.

Demandez aux enfants de venir se placer sur deux lignes en file indienne devant le tableau : *Tu viens au tableau Marco s'il te plaît ? Toi aussi Lisa ? ... Tu te mets derrière Marco !* Les élèves forment ainsi deux équipes. Si vous avez une classe nombreuse, vos élèves peuvent se placer sur 3 ou 4 files. Désignez chaque équipe : *Vous êtes l'équipe 1, vous êtes l'équipe 2...*

- Demandez aux enfants d'écouter, puis de toucher très rapidement le nombre que vous nommez. Avant de commencer à jouer, faites un premier essai qui ne compte pas. Dites : *Vous êtes prêts ? C'est parti ! Attention... 4 !* L'enfant qui, le premier, touche la bonne carte marque un point pour son équipe. Notez les points au tableau. Les enfants qui viennent de jouer vont se placer en queue de file.

En cours de jeu, affichez les cartes-chiffres dans le désordre. Vous ajouterez ainsi un enjeu supplémentaire afin que vos élèves ne mémorisent pas seulement l'emplacement, mais aussi la signification de chaque carte-chiffre. À la fin du jeu, quand tous ont participé au moins deux fois, faites compter les points de chaque équipe et félicitez l'équipe qui a gagné : *L'équipe numéro 2 a 7 points, elle a gagné ! Bravo !*

Variante : Proposez à vos élèves de jouer avec des cartes où vous avez dessiné des objets ou des points de couleur en quantités diverses (par exemples : 3 bonbons – 7 fleurs – 9 carrés rouges – 12 ronds bleus...) Les élèves auront d'abord à dénombrer rapidement les objets avant de montrer la bonne carte, ce qui les préparera à l'activité suivante du *Jeu de Bingo*.

2  Bingo ! Joue avec tes camarades.

Dénombrer jusqu'à 12. Compréhension orale : identifier un nombre.

Petites cartes-chiffres

Jetons

- Vous aurez préalablement préparé :
  - 2 séries de petites cartes-chiffres de 1 à 12 à mettre dans votre *sac à malices*
  - 5 jetons ou petits papiers par élève
- Invitez vos élèves à regarder l'activité *: Regardez l'activité 2, page 10 ! Qu'est-ce que c'est ?➜ C'est un jeu de Bingo !* Demandez-leur de nommer les nombres représentés sur chaque ligne. Attirez de nouveau leur attention – lignes 1, 2 et 3 – sur la façon dont on compte sur ses doigts en français en commençant par le pouce pour le chiffre 1.
- Afin que tous ne jouent pas avec les mêmes nombres et gagnent en même temps, demandez à chaque élève de choisir une des 3 lignes de la grille et de l'entourer au crayon à papier (facilement effaçable) : *Prenez un crayon, choisissez une ligne et entourez-la !* Faites en sorte que 2 voisins ne choisissent pas la même ligne. Distribuez ensuite 5 jetons (ou 5 petits papiers) à chaque élève.
- Le jeu commence ! Sortez de votre *sac à malices*, une à une, les petites cartes-chiffres. Dites chaque nombre 2 fois, sans le montrer. Lorsqu'un enfant entend un des nombres de sa ligne, il pose un jeton – ou un petit papier – sur la case correspondante. L'enfant qui le premier a posé ses 5 jetons crie : *Bingo !* Afin de vérifier qu'il ne s'est pas trompé, demandez-lui de nommer ses nombres et comparez-les avec les cartes que vous avez tirées. Si tout va bien, il est déclaré « Champion » et on le félicite : *Bravo, tu as gagné !*
- Faites plusieurs parties. Demandez à un enfant de venir vous assister pour mener le jeu ! C'est lui qui « piochera » les petites cartes dans le sac et les nommera.

3 Écoute et montre la bonne photo.

Comprendre qui parle en associant des indices visuels (photos d'enfants) et sonores (nombre pour l'âge, voix des enfants) ; Apprendre à dire son âge.

• Faites observer l'activité 3, page 11 et demandez aux enfants de dire ce qu'ils voient : *Qu'est-ce que vous voyez ?* ➔ On voit Félix avec un micro. On voit aussi des photos de *garçons* et de *filles.* Annoncez que Félix interviewe ces enfants et leur demande leur âge.

• Invitez vos élèves à‿écouter le CD et à trouver qui parle : *Écoutez et montrez qui parle !*
Faites écouter une première fois. Les enfants essaient individuellement de pointer la bonne photo.

• Procédez à une écoute fragmentée. Arrêtez l'enregistrement après chaque mini-dialogue et demandez de quelle photo il s'agit : *C'est la photo numéro.... ?* Invitez les enfants à dire comment ils ont trouvé la bonne photo ➔ Ils auront certainement identifié des nombres connus, des voix de garçon ou de fille, plus ou moins enfantines.

• Faites écouter le CD une nouvelle fois. Attirez l'attention de vos élèves sur la question que pose Félix : ***Tu as quel âge ?*** et les réponses des enfants : ***J'ai ... ans***. Faites-les répéter à vos élèves. Veillez au respect des liaisons : *Tu as quel‿âge* / J'ai sept‿ans...

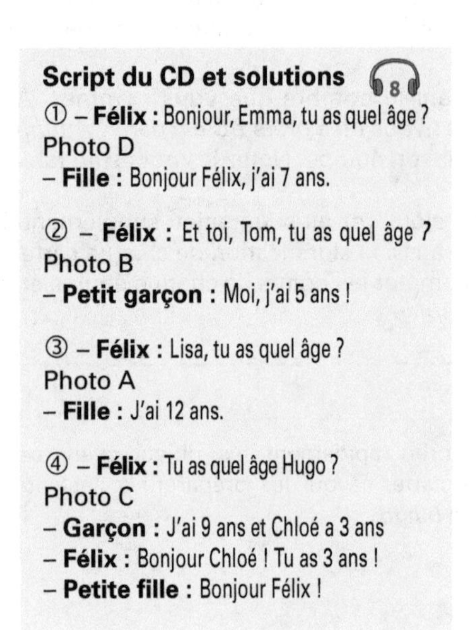

Script du CD et solutions (8)

① – **Félix :** Bonjour, Emma, tu as quel âge ?
Photo D
– **Fille :** Bonjour Félix, j'ai 7 ans.

② – **Félix :** Et toi, Tom, tu as quel âge ?
Photo B
– **Petit garçon :** Moi, j'ai 5 ans !

③ – **Félix :** Lisa, tu as quel âge ?
Photo A
– **Fille :** J'ai 12 ans.

④ – **Félix :** Tu as quel âge Hugo ?
Photo C
– **Garçon :** J'ai 9 ans et Chloé a 3 ans
– **Félix :** Bonjour Chloé ! Tu as 3 ans !
– **Petite fille :** Bonjour Félix !

Script du CD (10)

J'ai 1 an, j'ai 2 ans, j'ai 3 ans, j'ai 4 ans, j'ai 5 ans,
j'ai 6 ans, j'ai 7 ans, j'ai 8 ans, j'ai 9 ans, j'ai 10 ans...
Je suis **GRAND** !

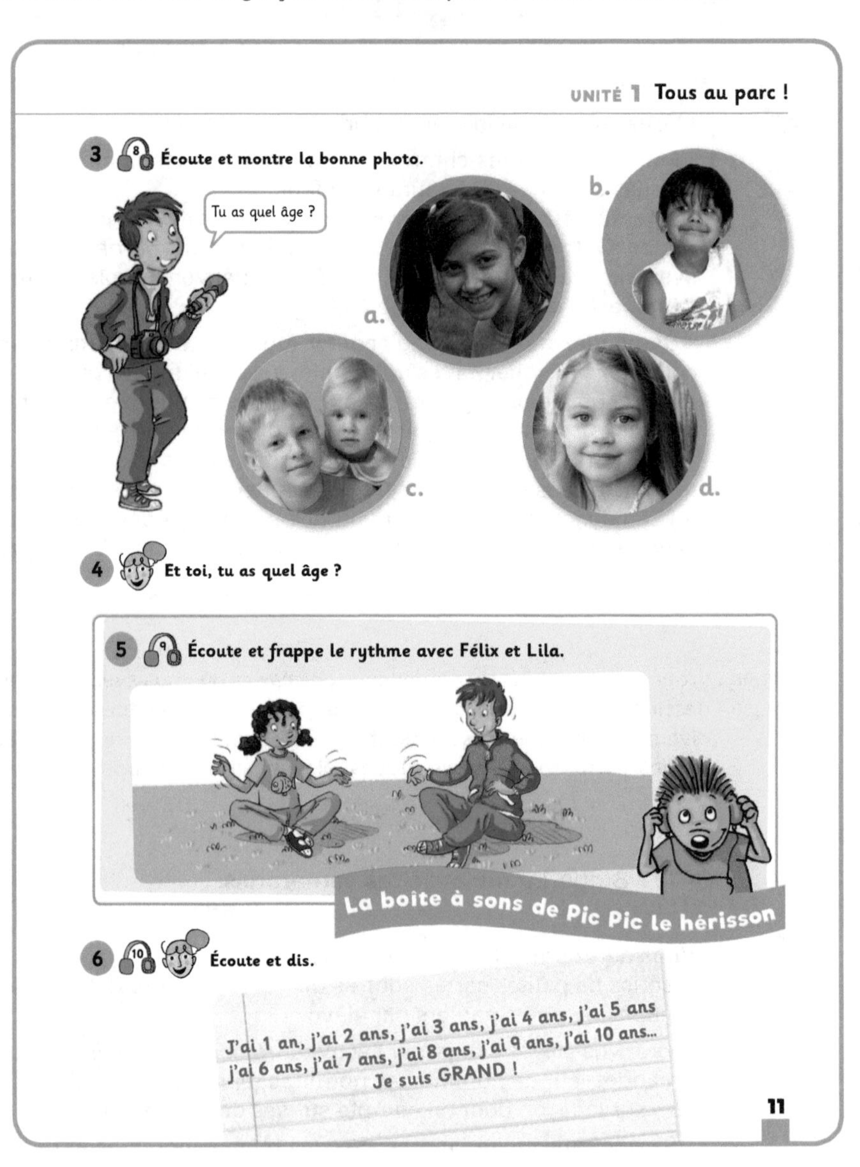

UNITÉ 1 Tous au parc !

3 Écoute et montre la bonne photo.

4 Et toi, tu as quel âge ?

5 Écoute et frappe le rythme avec Félix et Lila.

La boite à sons de Pic Pic le hérisson

6 Écoute et dis.

J'ai 1 an, j'ai 2 ans, j'ai 3 ans, j'ai 4 ans, j'ai 5 ans
j'ai 6 ans, j'ai 7 ans, j'ai 8 ans, j'ai 9 ans, j'ai 10 ans...
Je suis GRAND !

11

4 Et toi, tu as quel âge ?

Dire son âge ; Demander son âge à quelqu'un.

Micro

• **Micro-trottoir.** Posez maintenant la question à vos élèves, avec à la main un objet pouvant simuler le micro d'un interviewer : *Tu as quel âge ?* Faites rapidement passer le « micro » de main en main, de telle sorte que tous les enfants puissent prendre la parole et s'interviewer. Si votre classe est très nombreuse, prévoyez plusieurs « micros » et des interviews en petits groupes afin que l'activité ne dure pas trop longtemps !

Fiche d'identité fictive

♦ Activité complémentaire. Mini-jeu de rôles

Interagir à l'oral : Saluer ; Se présenter (identité fictive) ; Demander et dire son âge.

• Distribuez à chacun de vos élèves une petite fiche d'identité fictive (comprenant le prénom et l'âge d'un enfant) en disant : *Tu es Emma* ; *Tu es Hugo, Tu es Théo*... Prenez-en une également pour vous. Demandez aux enfants de prendre connaissance de leur petite fiche avec leur nouveau prénom et leur âge. Adressez-vous à un élève, et incitez-le à vous répondre :
Par exemple :

- Vous : *Salut !*
- Élève : Bonjour !
- Vous : *Je m'appelle Léa et toi, comment tu t'appelles ?*
- Élève : *Je m'appelle Hugo...* (prénom marqué sur sa fiche)
- Vous : *Tu as quel âge ?*
- Élève : *J'ai 8 ans. (Et toi), tu as quel âge ?*
- Vous : *J'ai 11 ans !*
- Vous : *Salut Hugo !*
- Élève : *Au revoir / salut Léa !*

Léa 11 ans	Hugo 8 ans

• Profitez-en pour expliquer qu'en français, 2 copains ou 2 enfants qui se rencontrent, peuvent se dire « *Salut !* » pour se dire bonjour ou au revoir.

• Invitez vos élèves à se déplacer dans la classe et à interroger quelques camarades pour connaître leur nouveau prénom et leur âge. Passez parmi eux pour les aider.

• À la fin de l'activité, proposez à certains élèves de présenter leur mini-jeu de rôle à toute la classe. Demandez ensuite aux autres élèves ; *Comment il / elle s'appelle ? Il /elle a quel âge ?* Félicitez bien sûr les enfants pour leur prestation !

Voici quelques prénoms que vous pourrez utiliser pour la confection des petites fiches d'identité fictive :
– Prénoms pour les filles : *Amélie, Anna, Camille, Chloé, Clara, Emma, Jade, Julie, Laura, Léa, Lisa, Lucie, Manon, Pauline, Zoé...*
– Prénoms pour les garçons : *Antoine, Camille, Clément, Hugo, Louis, Lucas, Mathis, Nathan, Sacha, Théo, Thomas, Valentin, Victor...*
Les prénoms d'origine espagnole, italienne ou arabe sont aujourd'hui fréquents. On trouve ainsi pour les filles *Chiara, Inès, Leïla, Lola, Samia...* et pour les garçons *Adel, Enzo, Jamal, Matteo, Pablo...*

5 9 Écoute et frappe le rythme avec Félix et Lila.

Activité d'éveil musical : identifier une structure rythmique et la reproduire.

• Découvrir une langue, c'est aussi en découvrir sa musique ! Voici une activité qui permettra à vos élèves d'apprendre à identifier et à reproduire la structure rythmique du français parlé. Il s'agit ici d'une structure rythmique à 3 temps : 2 temps brefs et un temps plus long et plus accentué. Dans la structure rythmique du français parlé, c'est également toujours la dernière syllabe du groupe rythmique qui est la plus marquée.

• Si vous en avez la possibilité, proposez à vos élèves de former un cercle, sinon invitez-les à se mettre debout à côté de leur table. Faites écouter la structure rythmique. Lors de la 2e écoute, engagez les enfants à frapper le rythme dans leurs mains ou sur leurs cuisses comme le font Félix et Lila sur l'illustration. Veillez à ce que tous respectent bien le rythme, le 3e temps étant plus fort et plus long que les 2 autres (*Da da dam*). C'est assez difficile pour certains enfants, mais c'est un entraînement très bénéfique !

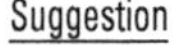

Suggestion : – Sans le CD, expérimentez successivement plusieurs types de frappés, toujours en gardant le même rythme à 3 temps : sur le dos de la main, sur les cuisses, les 2 premiers temps frappés sur les cuisses, le 3e temps plus long frappé dans les mains.

– Demandez aux enfants de frapper dans les mains à tour de rôle (l'un après l'autre), sans rupture et en gardant toujours le même rythme : *Da da dam, da da dam, da da dam...*

6   Écoute et dis.

Dire une comptine : bien la prononcer, respecter son rythme ; Consolider les apprentissages réalisés : dire son âge.

• Faites maintenant écouter la comptine scandée. Demandez aux enfants (L1) ce qu'ils ont reconnu ➜ *J'ai 1 an* ; J'ai 2 ans...

• Proposez-leur de dire la comptine en la mimant : Commencez accroupi, tout petit : *J'ai un an.* Relevez-vous (déroulez-vous) progressivement... *J'ai 4 ans...* Pour terminer sur la pointe des pieds : *j'ai 9 ans, j'ai 10 ans...* Lancez enfin les bras en l'air : *Je suis grand !*
Soyez attentifs à la prononciation du phonème [ɑ̃] qui souvent pose problème.

Activité 1 **Écoute et relie les nombres. Qu'est-ce que tu vois ?**

Écouter et identifier les nombres de 1 à 12 pour dessiner… un skateboard.

• Montrez aux enfants le picto de l'activité et demandez-leur (L1) ce qu'ils devront faire → Écouter le CD et relier des nombres entre eux pour former un dessin. Ils identifieront sans peine ce qui est demandé, ce type d'activité étant très fréquent dans les magazines pour enfants.

• Suggérez-leur d'écouter une première fois en reliant les nombres avec leur doigt, puis une seconde fois avec leur crayon à papier.

• Quand ils ont terminé, demandez-leur ce qu'ils ont dessiné : *Qu'est-ce que vous voyez ?* → *C'est un skateboard !*

Script du CD

1, 5, 8, 3, 9, 11, 2, 6, 12, 4, 7, 10

♦ Activité complémentaire. Introduction des nombres à l'écrit

Découvrir les nombres écrits en lettres.

Cartes-mots

Cartes-chiffres

Vous aurez préalablement préparé 12 cartes-mots correspondant aux nombres de *un* à *douze*.

• Affichez au tableau 12 cartes-mots, en désordre, sans les nommer. Demandez à plusieurs élèves de venir les coller dans l'ordre croissant. Le premier place la carte *un* en tête et prononce le nombre ; le second vient placer la carte *deux* et prononce le nombre, etc.

• Mettez à nouveau les cartes-mots en désordre sur une ligne. Distribuez à 12 élèves les cartes-chiffres de 1 à 12, demandez-leur de venir les placer sous la carte-mot correspondante.

• Faites oraliser chaque mot écrit. Attirez l'attention de vos élèves sur les relations phonie-graphie, notamment sur certaines lettres qui ne se prononcent pas (deu<u>x</u>, troi<u>s</u>, q<u>u</u>atre, se<u>p</u>t…)

LEÇON 2 **1, 2, 3, C'EST PARTI !**

1 Écoute et relie les nombres ! Qu'est-ce que tu vois ?

2 Relie chaque dessin au bon nombre.

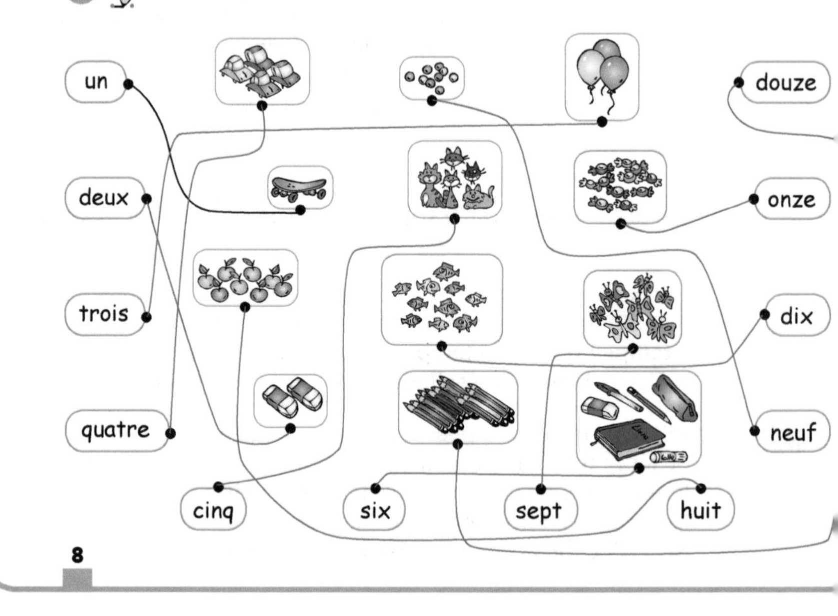

8

Activité 2 **Relie chaque dessin au bon nombre.**

Dénombrer une quantité et l'associer au bon nombre (écriture littérale).

• Montrez aux enfants les étiquettes-mots et les dessins. Comptez ensemble les éléments du premier dessin : 4 (ce sont des voitures, mais il n'est pas nécessaire ici de nommer les différents objets.) Cherchez ensemble l'étiquette-mot qui convient et montrez avec un crayon à papier qu'il faut relier l'étiquette à la bonne image : *Comptez, trouvez le mot et reliez !* Passez auprès des enfants pour vérifier qu'ils relient correctement les nombres aux quantités.

→ ACTIVITÉS DE SOUTIEN : page 55

UNITÉ 1 Tous au parc !

3 Colorie le nombre qui correspond à la quantité d'objets.

	un	sept	six	cinq
	trois	douze	dix	deux
	cinq	quatre	neuf	huit
	quatre	onze	huit	trois

4 Complète.

1 Elle a trois ans.

2 Il a ......six...... ans.

3 Il a douze ans.

4 Elle a neuf ans.

5 Et toi, tu as quel âge ?

J'ai ....

9

Activité 3 Colorie le nombre qui correspond à la quantité d'objets.

Dénombrer une quantité et l'associer au bon nombre (écriture littérale).

• Attirez l'attention des enfants sur le picto et demandez-leur ce qu'ils devront faire → *Compter et colorier le bon nombre !* Là non plus, il n'est pas nécessaire de nommer les différents éléments représentés sur les dessins. Passez parmi les groupes d'enfants et aidez ceux qui en ont besoin.

Activité 4 Complète.

Légender une image.

• Demandez aux enfants de regarder la première illustration et demandez : *La petite fille a quel âge ?*
Veillez à la bonne oralisation de la réponse : *Elle a trois‿ans.* Demandez ensuite à un enfant d'oraliser (lire à haute voix) la petite phrase qui est sous l'illustration : *Lis la phrase s'il te plaît !* Veillez une nouvelle fois à une oralisation correcte, attirez l'attention des enfants sur le *« s »* de *« ans »* qu'on ne prononce pas et sur la liaison *trois ans.*
Précisez aux enfants qu'ils devront, comme sur le modèle, écrire les nombres en lettres. Veillez à ce qu'ils n'oublient pas la majuscule en début de phrase ni le point en fin de phrase.

• Lorsque les enfants ont terminé, faites procéder à une correction oralisée et écrivez les 4 phrases au tableau. Attirez à nouveau l'attention de vos élèves sur la présence des liaisons.

Elle a trois‿ans – Il a six‿ans – Il a douze‿ans – Elle a neuf‿ans.

Activité 5 Et toi, tu as quel âge ?

Compléter une demande (très simple) de renseignement.

• Les enfants devront répondre à une question les concernant : *Et toi, tu as quel âge ?* Attirez l'attention de vos élèves sur l'emploi de *J'ai* huit ans (quand on parle de soi) et d'*Il* a / *Elle* a huit ans, quand on parle de quelqu'un.

Je veux un ballon rouge !

Au cours de cette leçon, les enfants vont :
• à l'oral :
– Identifier et nommer quelques couleurs : *bleu, jaune, orange, rose, rouge, vert*
– Caractériser des objets : *un ballon rouge ; un poisson jaune...*
– Exprimer un souhait : *Félix veut.../ Je veux...*
– Attribuer quelque chose à quelqu'un : *un ballon jaune pour...*
– Placer l'adjectif de couleur après le nom

• à l'écrit :
– Lire et écrire le nom de quelques couleurs
– Colorier une image en fonction d'indications données

Matériel :
– Les 6 cartes-images « ballons de couleurs » n° 7 à n° 12 ; les 6 cartes-images « personnages » n° 1 à n° 6 ; les cartes-images « chanson *Le crocodile* », n° 13 à 17
– Fiche photocopiable n° 3 : une petite carte-image « poisson » ou « ballon » par élève, à colorier
– Votre *sac à malices*
– À fabriquer : 6 cartes-mots « couleurs »

Activités de différenciation :
– Activité de soutien n° 3 : 1 série de 6 cartes-mots « à trous » et lettres mobiles à découper pour 2 élèves
– Activité de soutien n° 4

LIVRE DE L'ÉLÈVE, p. 12 et 13

Pour commencer : Si on disait une comptine ? *(Je suis grand !)*

Entrer progressivement dans la « musique » du français ; Réactiver les apprentissages réalisés lors de la séance précédente : dire son âge.

• Saluez vos élèves, proposez-leur de se mettre debout (en cercle si possible) : *Levez-vous les enfants !* En frappant dans vos mains, reprenez la structure rythmique à 3 temps (*Da da dam)* introduite lors de la leçon précédente (livre de l'élève, activité 5 page 11). Demandez aux élèves s'ils se souviennent du texte qui accompagne ce rythme. Proposez-leur de dire la comptine tout en continuant à frapper dans leurs mains.

• Proposez aux enfants de dire chacun un vers à tour de rôle, l'ensemble de la comptine devant garder toujours le même rythme et rester sans rupture d'un enfant à l'autre.
Exemple : – Vous : *J'ai un an* ; – enfant suivant (É1) : *J'ai 2 ans* ; – É2 : *J'ai 3 ans* – É3 : *J'ai 4 ans...*
Tous ensemble, bras levés : *Je suis grand !*

♦ Activité complémentaire. Introduction du lexique des couleurs et première mémorisation

Écoute active ; Identifier 6 couleurs : rouge, jaune, orange, bleu, vert, rose ; Répéter leurs noms.

Cartes-images

• Sortez les 6 cartes-images « ballon » de votre *sac à malices* et, sans les nommer, distribuez-les à 6 élèves différents. Puis nommez chaque couleur en invitant les élèves à montrer le bon ballon de couleur. Commencez par le mot le plus « transparent » (le plus facilement identifiable en fonction de L1 ou des connaissances éventuelles de vos élèves dans une autre langue étrangère), par exemple : ***« Orange » ? Qui a « orange » ? C'est « orange » ?*** Prononcez plusieurs fois le nom de chaque couleur: ***Qui a « bleu » ? C'est « bleu » ?*** *Vous êtes d'accord ?* Si tous sont d'accord (et vous aussi), proposez à l'élève qui a la bonne carte-couleur de venir la coller au tableau*:* ***Oui, c'est bleu.*** *Viens coller ta carte au tableau !* Les 6 cartes-couleurs sont ainsi collées tour à tour au tableau. Numérotez chaque carte de 1 à 6.

Remarque : Si vos élèves ne trouvent pas immédiatement la bonne couleur, ce n'est pas grave... Aidez-les ! Ce qui importe ici, c'est leur activité cognitive : écouter le nouveau lexique, chercher ensemble et émettre des hypothèses en essayant d'associer un mot à une couleur. La mémorisation des nouveaux mots n'en sera que plus efficace !

• Pointez au tableau chaque carte, nommez sa couleur : *orange, bleu,* rouge, ... et faites répéter plusieurs fois. Progressivement retirez les cartes du tableau et ne montrez que leur emplacement matérialisé par les chiffres de 1 à 6. Les enfants continuent à nommer les couleurs en faisant appel à leur mémoire visuelle.
Pointez les numéros dans le désordre et terminez l'activité en demandant : ***– Le numéro 1, c'est... ?*** → ***– Orange ! – Le numéro 6, c'est... ?***

Script du CD 11

– **Pic Pic :** Je veux un ballon rouge ! Un ba – llon – rouge !
– **Pirouette :** Moi aussi je veux un ballon rouge ! Prends un ballon rose Pic Pic !
– **Pic Pic :** Ah non, pas un ballon rose !
– **Lila :** Et moi...je veux un ballon bleu !
– **Félix :** Ah non, Lila, le ballon bleu c'est pour moi !
– **Lila :** Non, non, Félix ! C'est pour moi ! Prends un ballon orange !
– **Tilou :** Hé hé hé, 2 ballons pour moi, un ballon jaune et un ballon vert !
– **Félix :** Ah non Tilou, 1 ballon, pas 2 ballons !
– **Madame Bouba :** Oh la la la la, saperlipopette, quel tintamarre ! Mais quel tintamarre ! É – cou – tez – moi !

1 🎧11 Écoute et montre les ballons.

Compréhension orale : identifier les personnages et les ballons.

• Faites ouvrir le livre à la page 12. Invitez les enfants à regarder l'illustration et à nommer les personnages. Nous sommes toujours au parc. L'atmosphère n'y est pas très sereine... Pic Pic, Pirouette, Lila, Félix et Tilou, sont en pleine dispute pour des ballons de couleur ! Pic Pic et Pirouette veulent le même ballon ! Lila et Félix veulent aussi le même ballon... Quelle pagaille ! Madame Bouba arrive d'un pas énergique pour mettre de l'ordre !

• Faites écouter l'enregistrement et demandez aux enfants de pointer au fur et à mesure le bon ballon sur leur livre.

• Procédez à une écoute fragmentée, par groupes de personnages : Pic Pic et Pirouette ; Lila et Félix ; Tilou et Félix. Demandez par exemple : – *Qui parle ? ➜ Pic Pic et Pirouette !* – ***Pic Pic veut un ballon... ? ➜ Rouge !*** – *Et Pirouette ?...*

• Faites ensuite répéter les paroles des différents personnages en veillant à ce que les enfants reproduisent, avec une gestuelle appropriée, les différentes intonations marquant le désaccord.

LEÇON 3 JE VEUX UN BALLON ROUGE !

1 Écoute et montre les ballons.

BONBONS GLACES

2 Écoute et donne à chacun son ballon.

12

• Demandez aux enfants de regarder à nouveau l'illustration et d'imaginer ce que va dire Madame Bouba lorsqu'elle dit : *Écoutez-moi !* Recueillez les hypothèses.

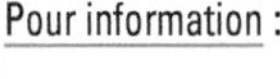

Pour information : « Saperlipopette ! » est une interjection marquant l'étonnement ou l'agacement. Elle n'est pratiquement plus utilisée en langue standard, mais on la trouve encore beaucoup dans les bandes dessinées et les albums pour enfants. Sa sonorité fait penser aux structures syllabiques des comptines et amusettes. Le mot « tintamarre » signifie « vacarme ».

2 🎧12 Écoute et donne à chacun son ballon.

Compréhension orale / production orale : attribuer le bon ballon à chaque personnage.

• Faites observer l'illustration. Madame Bouba remet un peu d'ordre dans cette joyeuse pagaille et attribue un ballon à chacun.

• Demandez aux enfants d'écouter le CD et de pointer sur leur livre le ballon qu'elle donne à chacun.

• Procédez à une écoute fragmentée. Demandez à vos élèves : – ***Pour Tilou... Madame Bouba donne un ballon... ? ➜*** – ***Rouge*** *! – Pour Lila... Madame Bouba donne un ballon... ? ➜ Rose ! Etc.* Afin qu'ils puissent visualiser les réponses, faites coller au tableau la carte-image « ballon de couleur » en face de chaque carte-image « personnage ». À la fin de l'écoute, faites récapituler en engageant vos élèves à dire : *Un ballon rouge pour Tilou ! Un ballon rose pour Lila !...*

Script du CD 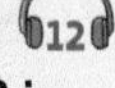

Madame Bouba :
- Alors... un ballon rouge... pour Tilou...
- un ballon rose... pour Lila...
- un ballon vert... pour Pic Pic...
- un ballon jaune... pour Félix...
- un ballon bleu... pour Pirouette...
- Et un ballon orange... pour... ?

Tous en chœur (sauf Bouba) :
- Et un ballon orange pour toi Bouba !

• Si vous le souhaitez, proposez maintenant les activités 1 et 2 page 10 du cahier d'activités (décrites ci-après).

3  La boîte à outils de Pirouette. **Observe et continue.**

Apprendre à observer comment fonctionne la langue : savoir placer les « petits mots » qui indiquent la couleur.

• Faites observer l'activité 3, page 13 et demandez aux enfants (L1) de trouver eux-mêmes ce qu'ils devront faire ➜ Ils devront compléter les étiquettes et donner la couleur de chaque ballon.

• Proposez à deux enfants de lire à haute voix les 2 premières lignes : *Marco, tu veux lire s'il te plaît ?* Puis demandez qui veut continuer *: Qui continue ?*

• À la fin de l'activité, attirez l'attention des enfants sur les petites flèches après le mot *ballon* et demandez-leur pourquoi, à leur avis, elles sont là. On conclura que les « petits mots » qui servent à dire la couleur se placent après le nom : *un ballon rouge, un crayon rouge, un crayon jaune...*

• Et dans ta langue, ça fonctionne comment ? Invitez vos élèves à réfléchir où se placent les « petits mots » qui servent à dire la couleur dans leur langue 1, ou dans une autre langue étrangère qu'ils connaissent. Faites ainsi mettre en évidence les différences ou les ressemblances de fonctionnement entre le français et L1 ou d'autres langues.

Remarque : Beaucoup d'enfants à travers le monde apprennent le français en tant que deuxième langue étrangère, la première langue étrangère apprise étant très souvent l'anglais. En anglais, les adjectifs exprimant la couleur se placent avant le nom. Beaucoup de professeurs de français notent que c'est une source de confusion chez les jeunes enfants qui ont tendance à dire : *un rouge ballon,* surtout si dans leur L1, l'adjectif se place également avant le nom.

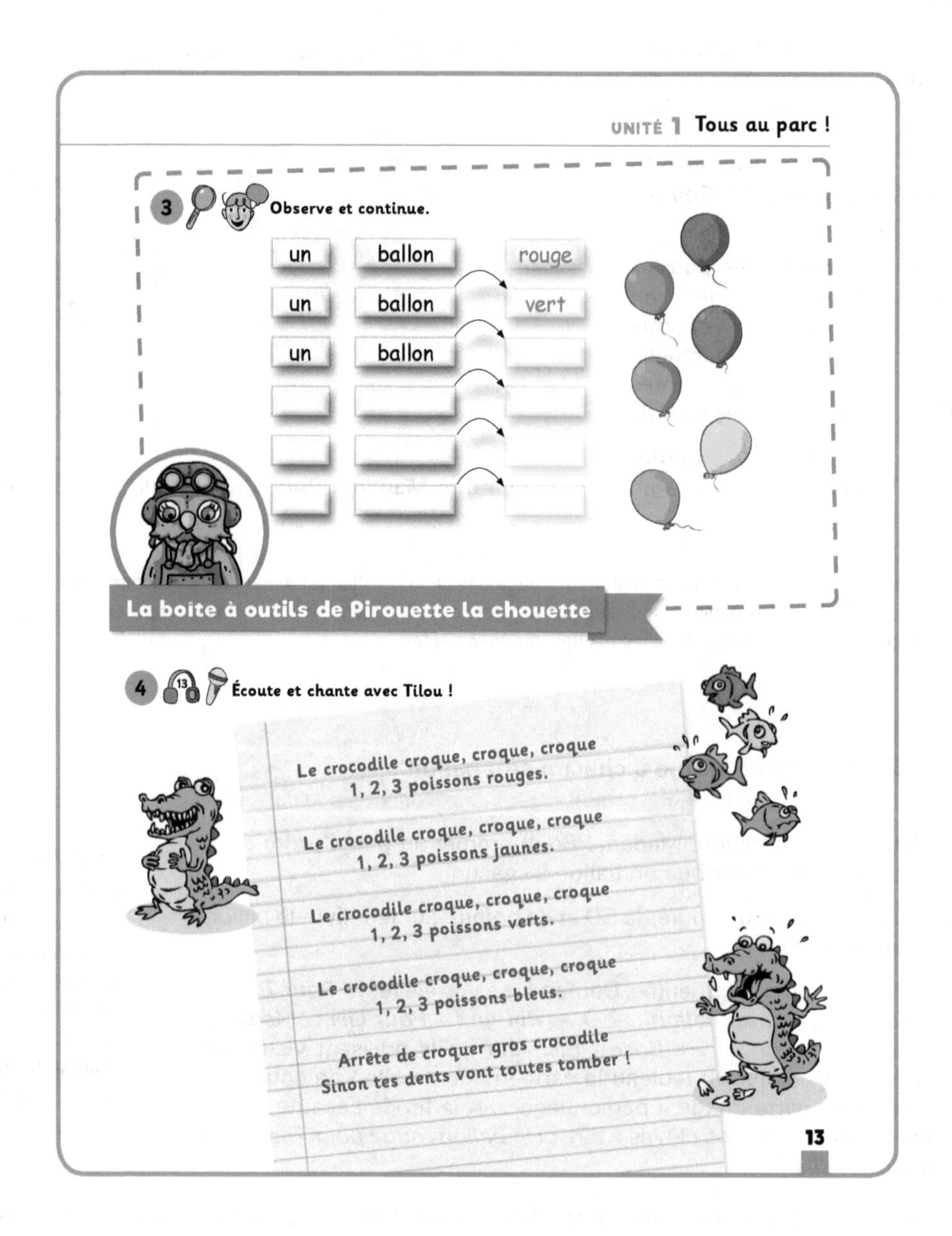

4 Écoute et chante avec Tilou !

Prendre plaisir à chanter, à mimer, à jouer avec les sonorités du français.

• Faites écouter la chanson, livre fermé. Demandez à vos élèves quels sont les mots qu'ils ont reconnus : *crocodile, rouge, jaune, vert, bleu.*

• Expliquez aux enfants qu'il s'agit *d'un crocodile* – collez la carte-image « crocodile » au tableau – *qui croque, croque, croque* – écartez et refermez 3 fois les bras pour simuler la gueule du crocodile qui s'ouvre et se referme – *1, 2, 3 poissons rouges* – comptez sur vos doigts, collez la carte-image « poisson rouge » au tableau – ; *Le crocodile croque, croque, croque aussi* – écartez et refermez à nouveau 3 fois les bras – *1, 2, 3 poissons jaunes* – collez la carte-image « poisson jaune » au tableau. Procédez de même avec les poissons verts et les poissons bleus. Le texte se retrouve ainsi « transcrit » sous forme d'images au tableau.

• Faites écouter une nouvelle fois la chanson, demandez aux enfants de se lever et reprenez avec eux les gestes d'accompagnement. Très vite, ils s'approprieront et chanteront spontanément le texte à structure répétitive.

Remarque : La prononciation du [kr] de *crocodile* et de *croque, croque, croque* peut poser problème à certains de vos élèves. Prenez le temps de dire la comptine vers par vers, jouez avec les mots difficiles à prononcer, transformez-vous par exemple en gros tigre qui grogne, montre les griffes et fait des *krrrr*, d'abord presque imperceptibles, puis progressivement terriblement menaçants !

Script du CD 13	Gestes d'accompagnement
Le crocodile croque, croque, croque	Ouvrez et refermez 3 fois les bras pour simuler la gueule du crocodile.
1, 2, 3 poissons rouges	Comptez 1, 2, 3 sur vos doigts ; montrez l'affichette « poisson rouge ».
Le crocodile croque, croque, croque	Ouvrez et refermez 3 fois les bras pour simuler la gueule du crocodile.
1, 2, 3 poissons jaunes	Comptez 1, 2, 3 sur vos doigts ; montrez l'affichette « poisson jaune ».
Le crocodile croque, croque, croque	Ouvrez et refermez 3 fois les bras pour simuler la gueule du crocodile.
1, 2, 3 poissons verts	Comptez 1, 2, 3 sur vos doigts ; montrez l'affichette « poisson bleu ».
Le crocodile croque, croque, croque	Ouvrez et refermez 3 fois les bras pour simuler la gueule du crocodile.
1, 2, 3 poissons bleus	Comptez 1, 2, 3 sur vos doigts ; montrez l'affichette « poisson vert ».
Arrête de croquer gros crocodile	Votre main fait un signe « STOP ».
Sinon tes dents vont toutes tomber !	Montrez vos dents et symbolisez de la main la chute des dents.

♦ **Activité complémentaire : Salade de couleurs !** (Peut se jouer également dans la cour de récréation.)

Écouter et réagir le plus rapidement possible à une injonction.

• Les élèves sont assis en cercle, sur une chaise ou à l'intérieur de cercles tracés à la craie. Fixez sur le vêtement de chacun avec une petite pince ou de la pâte à fixer une petite carte-image (poisson de couleur ou ballon de couleur).
Vous vous placez au milieu du cercle et dites, par exemple : – ***Les ballons jaunes changent de place !*** Les enfants qui ont une vignette *ballon jaune* doivent vite se lever et s'asseoir les uns à la place des autres. Ou aussi : – ***Les poissons verts et les ballons rouges changent de place !*** *Etc.*
Lorsque vous dites ***Salade de couleurs !***, tous les enfants doivent changer de place !
En cours de jeu, essayez de vous asseoir sur une des chaises vides. L'enfant qui n'a plus de chaise se retrouve au milieu du cercle et devient meneur de jeu.

Remarque : Ce jeu très joyeux est particulièrement tonique ! Il faut par conséquent bien choisir le moment où vous le proposez et éviter de le placer juste avant l'introduction de nouveaux apprentissages réclamant attention et concentration !

Activité 1 Écoute et colorie.

Compréhension orale : identifier des chiffres et des couleurs.

• Demandez à vos élèves de sortir leurs crayons de couleur. Faites écouter une première fois l'enregistrement et demandez-leur de prendre au fur et à mesure la bonne couleur.

• Procédez à une seconde écoute. Proposez aux élèves de colorier seulement la petite pastille située en bas de chaque chiffre. Le coloriage complet des chiffres se fera soit en fin de séance, soit à la maison.

• Vérification collective. Demandez: – *De quelle couleur est le 1 ?* ➜ Rose ! – *De quelle couleur est le 2 ?* Etc.

Script du CD 7

Prends un crayon vert... Colorie le 2 en vert !
Prends un crayon rouge... Colorie le 6 en rouge !
Prends un crayon jaune... Colorie le 4 en jaune !
Prends un crayon rose... Colorie le 1 en rose !
Prends un crayon bleu... Colorie le 3 en bleu !
Prends un crayon orange... Colorie le 5 en orange !

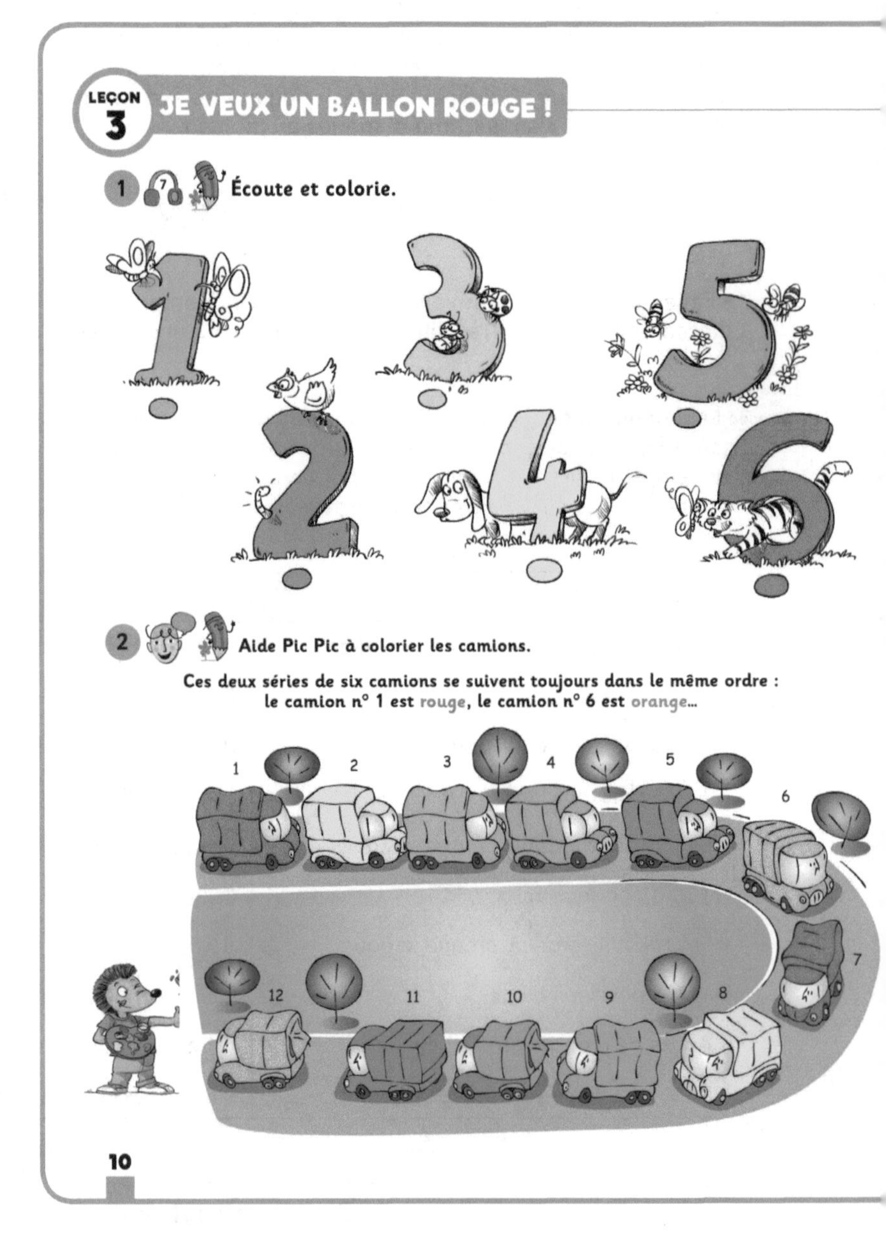
LEÇON 3 JE VEUX UN BALLON ROUGE !

1 Écoute et colorie.

2 Aide Pic Pic à colorier les camions.

Ces deux séries de six camions se suivent toujours dans le même ordre : le camion n° 1 est rouge, le camion n° 6 est orange...

1 2 3 4 5 6 7 8 9 10 11 12

10

Activité 2 Aide Pic Pic à colorier les camions.

Mathématiques : identifier une suite logique ; Production orale : dire quelle est la couleur de chaque camion.

• Voici une activité interdisciplinaire qui sollicite chez les enfants la mise en œuvre de compétences mathématique, logique et langagière. Il s'agit de trouver quelle est la couleur de chaque camion en fonction de sa place dans une suite logique. Pour pouvoir comprendre et réaliser cette activité, les enfants auront besoin que vous les guidiez pas à pas.

Phase orale collective de guidage :

• Pointez sur l'illustration les camions de couleur et demandez aux enfants de nommer ces couleurs ➜ Il y a 6 couleurs différentes : rouge, rose, vert, orange, jaune, bleu.

Comptez ensemble les camions ➜ Il y a en tout 12 camions : 6 camions numérotés de 1 à 6 + 6 camions numérotés de 7 à 12. Il y a donc 2 séries de 6 camions.

Dites que dans chaque série, les six couleurs se suivent dans le même ordre. On voit que le premier camion de la série est rouge. Pointez le camion n° 7 et demandez aux enfants: *De quelle couleur est le camion n° 7 ?* ➜ Logiquement, il est rouge car c'est le premier camion de la deuxième série. Invitez les enfants à colorier le camion n° 7 en rouge.

Pointez ensuite le camion n° 8 et demandez : *De quelle couleur est le camion N° 8 ?* ➜ Il est jaune sur l'illustration. Pointez alors le camion n° 2 : *De quelle est le camion n° 2 ?* ➜ Logiquement, il est jaune aussi. Invitez les enfants à colorier le camion n° 2 en jaune.

• **Phase individuelle**. Demandez ensuite quelle est la couleur du camion n° 3 (rose), puis invitez les enfants à colorier individuellement les camions n° 4, n° 9 et n° 11. Pendant qu'ils réalisent l'activité, guidez les enfants qui ont besoin d'aide.

• **Mise en commun**. Demandez : *Quelle est la couleur du camion n° ... ?*

→ ACTIVITÉS DE SOUTIEN : page 56

Suggestion : Afin de faciliter la compréhension de la tâche mathématique, il peut s'avérer utile d'expliquer l'activité et de réaliser les phases collectives – guidage et mise en commun – à partir d'un support visuel commun. Pour cela, utilisez la version numérique ou affichez au tableau une photocopie agrandie de l'activité 2.

UNITÉ 1 Tous au parc !

3 Relie chaque ballon à son étiquette.

bleu rouge vert rose orange jaune

4 Lis et colorie.

1 Lila a un ballon jaune.

2 Tilou a un poisson orange et un ballon vert.

3 Pirouette a un ballon rose.

4 Bouba a deux ballons : un ballon jaune et un ballon rouge.

11

Activité 3 Relie chaque ballon à son étiquette.

Compréhension écrite : associer un mot écrit à l'image correspondante.

Cartes-mots

Vous aurez préalablement préparé des cartes-mots correspondant aux 6 couleurs.

• Activité préparatoire. Affichez les cartes-mots au tableau. Pointez-les et demandez à quelques enfants de les oraliser: veillez à une prononciation correcte de chaque mot, notamment pour le phonème [ø] de *bleu*, et le *t* muet de *vert* que l'on voit, mais que l'on n'entend pas.

• Demandez ensuite aux enfants individuellement de relier chaque ballon à la bonne étiquette. Passez parmi eux, demandez leur individuellement d'oraliser quelques mots et vérifiez qu'ils les relient bien au bon ballon.

Activité 4 Lis et colorie.

Comprendre un court message écrit.

• Demandez aux enfants de regarder l'exercice et de déduire ce qu'ils devront faire → Ils devront lire les phrases et colorier les dessins selon les indications données.

• Proposez un exemple collectif. Faites oraliser la première phrase → *Lila a un ballon jaune.* Demandez aux enfants de colorier le ballon selon la couleur indiquée.

• Faites ensuite réaliser le reste de l'activité individuellement, sans oralisation préalable des phrases.

• Vérification collective. Faites montrer les coloriages et demandez :
– De quelle couleur est le poisson de Tilou ? → *Orange ! – De quelle couleur est le ballon de Tilou ?...*

Unité 1

BD

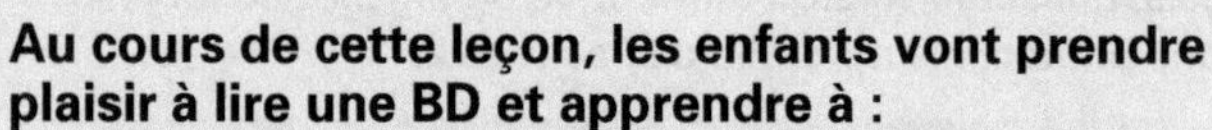

Au cours de cette leçon, les enfants vont prendre plaisir à lire une BD et apprendre à :
- se familiariser avec le type de texte « bande dessinée »
- se repérer dans un document écrit et chercher des indices pour en comprendre le sens
- faire le lien entre ce qu'ils entendent (CD) et ce qu'ils voient / lisent (bulles)
- oraliser une petite saynète

Matériel : Fiche photocopiable n° 4 (Activité *Des lettres et des mots)*. Cartes « mots-silhouettes » à agrandir à la photocopie.

LIVRE DE L'ÉLÈVE, p. 14

1 Lis et écoute.

a. Observer et comprendre.

Se repérer dans l'écrit : mettre en relation texte et illustrations de la BD pour comprendre l'histoire de façon globale.

• Laissez aux enfants le temps d'explorer seuls la BD : observer les vignettes, retrouver dans un nouveau contexte des mots et des expressions connus. Puis demandez leur d'expliquer (L1) ce qu'ils ont compris et pourquoi ce pauvre Tilou s'envole dans les airs…

• Pointez les différentes « vignettes », comptez-les avec vos élèves (il y en a 7). Demandez-leur de dire ce qu'ils voient sur les illustrations de chaque vignette.

• Demandez aux enfants s'ils retrouvent dans les « bulles » des mots ou des expressions connus. Ils connaissent *un ballon*. Demandez-leur que signifie à leur avis *des ballons*.

b. Écouter, observer et comprendre.

Associer un énoncé oral à un texte écrit ; Développer une compréhension fine de la BD ; Percevoir l'humour d'une situation.

• Faites écouter l'enregistrement en entier. Demandez aux enfants de suivre en pointant chaque vignette avec leur doigt.

• Procédez à une écoute fragmentée. Attirez l'attention sur *des ballons, s'il vous plaît et Merci !* Expliquez *Prends les ballons Tilou* ; *Une minute, je reviens* ! en le mimant. Expliquez le mot *barbe à papa*. Demandez aux enfants ce que peut signifier *Bon voyage !*

Script du CD, BD version 1.

- **Lila** : Oh, regardez ! Des ballons !
- **Madame Bouba** : Bonjour monsieur, 5 ballons s'il vous plaît !
- **Le marchand** : Voilà Madame ! Un ballon bleu, un ballon jaune, un ballon rouge, un ballon vert et un ballon rose !
- **Madame Bouba** : Merci Monsieur !
- **Madame Bouba** : Prends les ballons Tilou ! … Une minute les amis, je reviens !
- **Madame Bouba** : Et une barbe à papa s'il vous plaît !
- **Madame Bouba** : Oh, non… Tilou ?!!
- **Félix, Lila, Pirouette, Pic Pic** (en chœur) : Au revoir Tilou ! Bon voyage !

Pour information : La **barbe à papa** est une confiserie, le plus souvent rose, confectionnée avec du sucre. Le sucre se transforme en filaments que l'on enroule autour d'un bâtonnet, jusqu'à former une sorte de boule dont l'aspect fait penser à du coton. Les filaments de barbe à papa fondent instantanément (et agréablement !) dans la bouche. Pour beaucoup d'enfants et d'adultes, c'est une confiserie associée la fête foraine ou à une visite au parc.

2 Donne le bon numéro.

Compréhension orale : Associer un énoncé oral à la bonne vignette.

• Le texte de la BD est enregistré dans le désordre. Faites écouter une première fois l'enregistrement dans son intégralité, les enfants pointent silencieusement la bonne vignette.

• Procédez ensuite à une écoute fragmentée. Les enfants doivent par deux s'entendre pour donner le numéro de la bonne vignette. Demandez-leur de répéter la réplique qu'ils viennent d'entendre. Veillez à une bonne prononciation et au respect de l'intonation !

Pour aller plus loin :

Qui veut lire la BD ?

S'exercer à la lecture à haute voix à partir d'un texte connu à l'oral ; Lire de façon expressive.

• Demandez aux enfants quels sont les personnages qui prennent la parole : *Qui parle ?* Attribuez les rôles à celles et ceux qui le souhaitent, puis faites lire la BD. Veillez au bon respect de la relation graphie-phonie en rappelant aux enfants la façon dont ils viennent à l'étape précédente de prononcer les différentes répliques.

Script du CD, BD version 2

– **Le marchand** : Voilà madame ! Un ballon bleu, un ballon jaune, un ballon rouge, un ballon vert et un ballon rose !
– **Madame Bouba** : Merci Monsieur !
– **Madame Bouba** : Oh, non... Tilou ?!!
– **Madame Bouba** : Prends les ballons Tilou ! ... Une minute les amis, je reviens !
– **Félix, Lila, Pirouette, Pic Pic** (en chœur) : Au revoir Titou ! Bon voyage !
– **Madame Bouba** : Bonjour monsieur, 5 ballons s'il vous plaît !
– **Lila** : Oh, regardez ! Des ballons !
– **Madame Bouba** : Et une barbe à papa s'il vous plaît !

■ Des lettres et des mots.

Activité 1 **Écris chaque mot dans sa silhouette.**

Identifier la silhouette globale d'un mot ; Orthographier correctement un mot.

Fiche photocopiable n° 4

Cartes-mots

a. Affichez au tableau les 6 cartes « mots-silhouettes » préalablement agrandies à la photocopie. Demandez aux enfants d'émettre des hypothèses sur les mots français qu'ils connaissent et qui pourraient correspondre à ces « silhouettes » de mots. Aidez-les si besoin en disant qu'il s'agit des couleurs.
Demandez-leur de chercher quelle silhouette peut correspondre à chaque couleur. Distribuez ensuite les cartes-mots et demandez à quelques enfants de venir coller chaque carte-mot sous la bonne silhouette.

b. Faites faire l'activité 1 page 12.

Activité 2 **Trouve et colorie les nombres de un à douze.**

Reconnaître des nombres en écriture littérale.

• Invitez vos élèves à regarder la grille de mots mêlés et à dire ce qu'ils devront faire : Trouver et colorier les nombres de un à douze.

• Vous pourrez éventuellement procéder à une mise en commun des résultats à partir d'un support visuel collectif (grille projetée au tableau).

DES LETTRES ET DES MOTS

1 Écris chaque mot dans sa silhouette.

bleu rouge jaune vert orange rose

2 Trouve et colorie les nombres de un à douze.

b	a	t	r	o	i	s	e
q	u	a	t	r	e	m	e
s	i	x	a	h	u	i	t
o	u	s	e	p	t	a	n
n	d	o	u	z	e	o	s
z	u	n	l	d	e	u	x
e	r	n	e	u	f	u	s
c	i	n	q	a	d	i	x

12

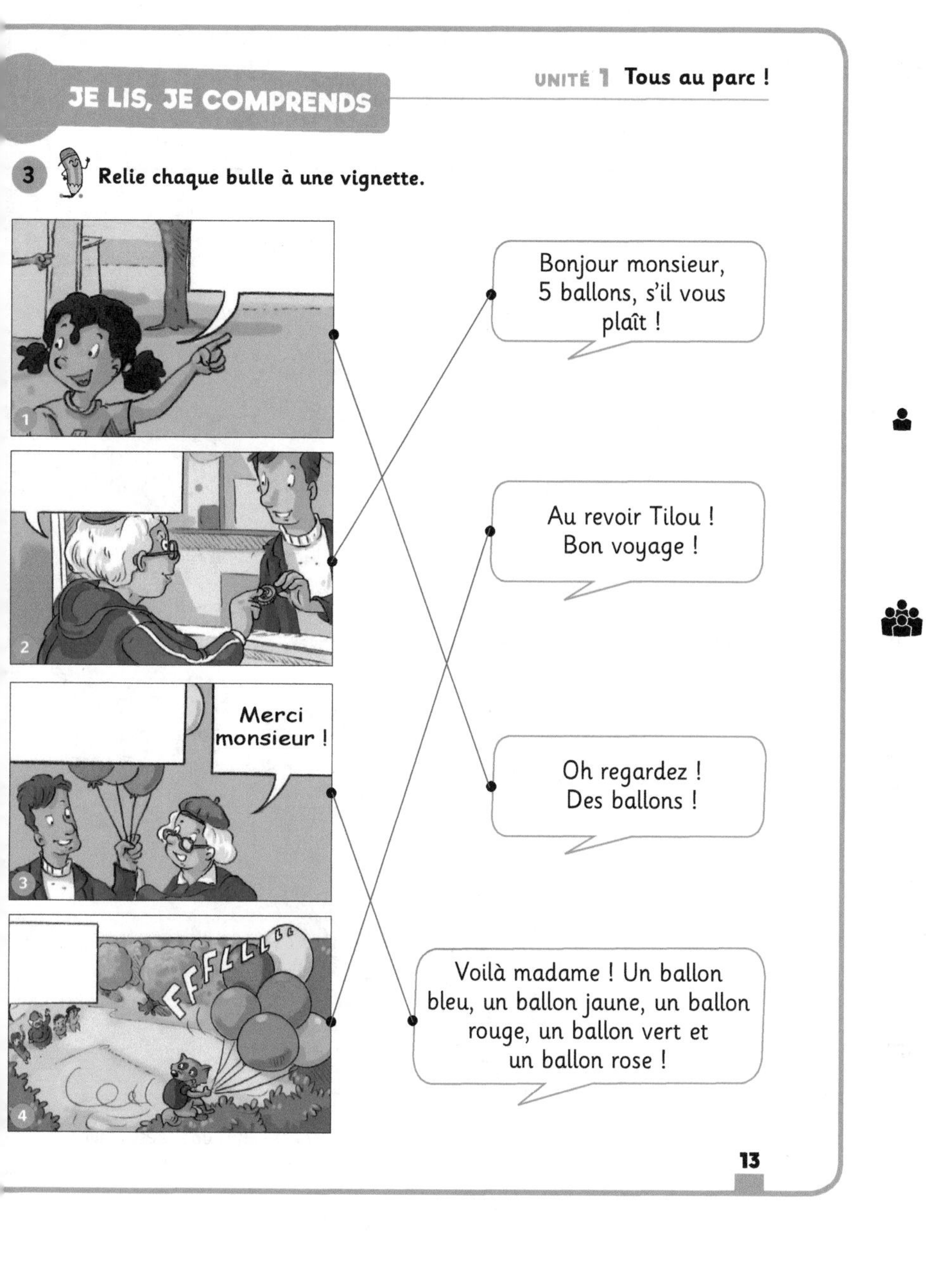

■ Je lis, je comprends.

Activité 3 **Relie chaque bulle à une vignette.**

Compréhension écrite : associer un texte à son illustration.

• Demandez aux enfants d'observer la page 13 de leur cahier d'activités et d'expliquer ce qu'ils auront à faire ➜ Ils devront relier la bonne bulle à la bonne vignette.

• Laissez le temps aux enfants de lire silencieusement chaque bulle et de la relier à sa vignette. Ne procédez pas à une oralisation collective préalable, sinon il ne s'agirait plus d'une activité de compréhension écrite !

• Procédez à une correction collective. Faites oraliser chaque la bulle et demandez à quelle vignette elle correspond : *C'est la vignette... ?*

Au cours de cette leçon, les enfants vont :
- comprendre une fiche de fabrication
- suivre des consignes pour fabriquer une ribambelle
- nommer le matériel nécessaire à la fabrication de la ribambelle : *une feuille de papier, des ciseaux, des crayons de couleur*
- nommer les actions nécessaires à la fabrication de la ribambelle : *plier, dessiner, découper, colorier, écrire*
- réinvestir dans un nouveau contexte les compétences communicatives acquises en cours d'unité : présenter quelqu'un, dire son âge, caractériser quelqu'un.

Matériel :
- Feuille de papier A 4, crayon à papier, crayons de couleurs, ciseaux
- Éventuellement : fiche photocopiable n° 5 (gabarit pour ribambelle)

LIVRE DE L'ÉLÈVE, p. 15

Ce projet s'inscrit dans une dynamique interdisciplinaire puisqu'il fait à la fois appel à des compétences langagières et communicatives (comprendre des consignes orales ou écrites ; présenter quelqu'un et dire son âge), mais aussi à des compétences de motricité fine relevant du domaine des arts plastiques (pliage, dessin, découpage, coloriage). Les jeunes enfants ne sont pas encore très adroits et ont besoin de temps pour réaliser de belles créations manuelles dont ils seront fiers. Prévoyez par conséquent de consacrer toute une séance à la réalisation de ce projet.

■ **Mise en projet des élèves.** Demandez à vos élèves d'ouvrir leur livre à la page 15. Invitez-les à expliquer (L1) ce qu'ils vont devoir faire :
- fabriquer une ribambelle
- sur la ribambelle, représenter des enfants de la classe et écrire leurs prénoms
- présenter sa ribambelle à la classe.

Fabrication de la ribambelle.

Suivre des consignes pour réaliser un objet ; Agir avec application et minutie.

Le découpage de ribambelles est très ludique et laisse une large place à la découverte. On plie, on coupe, et on a toujours une surprise en ouvrant la feuille de papier. On ne sait jamais à l'avance ce que cela va donner.

• Distribuez à chacun une feuille de papier. Puis demandez aux élèves de regarder sur la fiche de fabrication le matériel dont ils auront besoin. Faites sortir le matériel nécessaire et nommez-le : *un crayon, des crayons de couleur* ou *des feutres, des ciseaux.*

• Expliquez et verbalisez les consignes étape par étape, en montrant ce que les élèves devront faire :
– *Plie* : montrez comment plier la feuille en accordéon (3 pliages pour une feuille de format A4).
– *Dessine* : dessinez au tableau une silhouette qui peut ressembler à celle représentée ci-dessous.
– *Découpe* : Attention, pour que la ribambelle reste bien attachée, vos élèves devront veiller à ne pas couper les points de contact entre les différentes silhouettes ! Ces points sont signalés sur le schéma ci-dessous par des flèches.
– *Colorie* : Demandez de dessiner/colorier un enfant de la classe sur chaque silhouette.
– *Écris :* Demandez d'écrire le prénom de chacun des enfants dessinés.

• Les enfants fabriquent individuellement leur ribambelle. Certains auront certainement besoin de votre aide, notamment au cours des premières étapes de la réalisation.

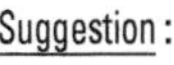

Fabriquez vous-même une ribambelle avant de proposer l'activité à vos élèves. C'est ludique aussi pour les grands ! Vous leur présenterez au cours de la « mise en projet ». Ils pourront ainsi plus facilement imaginer ce qu'ils auront à faire et quel en sera le résultat !

• Celles et ceux d'entre vous qui pensent très fort :« Non, je ne sais vraiment pas dessiner ! », pourront proposer à leurs élèves la fiche pour la classe n° 5 avec une silhouette pré-dessinée ! Vous adapterez bien sûr la démarche en conséquence.

Présentation de la ribambelle.

Production orale : communiquer sa production aux élèves de la classe et présenter les personnages de sa ribambelle.

• Invitez les enfants à présenter leur ribambelle : demandez-leur de montrer et nommer les enfants de la classe qu'ils ont représentés, de dire leur âge, par exemple ➜ *En vert, c'est Emma. Elle a 7 ans.*

• Proposez aux enfants faire une grande ribambelle en assemblant toutes celles qu'ils ont fabriquées. Affichez-la dans la classe !

Unité 1 Le blog de Félix

*Les blogs sont maintenant largement répandus dans le paysage d'internet. Un **blog** est un site web à l'image d'un journal de bord ou d'un journal intime, écrit par un blogueur ou une blogueuse. On peut y trouver des contenus sous forme de textes, d'images, d'éléments multimédias sur lesquels chaque lecteur peut apporter des commentaires.*

Notre ami Félix est un jeune blogueur qui a son propre blog. Il y présente des petits articles accompagnant des photos de voyages, des jeux, des recettes, des dessins ou encore des messages de ses amis.

Apprendre à repérer des informations sur un blog ; Comprendre et dire l'âge de quelqu'un ; Nommer des items de couleur

Résoudre un jeu de logique mathématique (compléter un algorithme)

LIVRE DE L'ÉLÈVE, p. 16

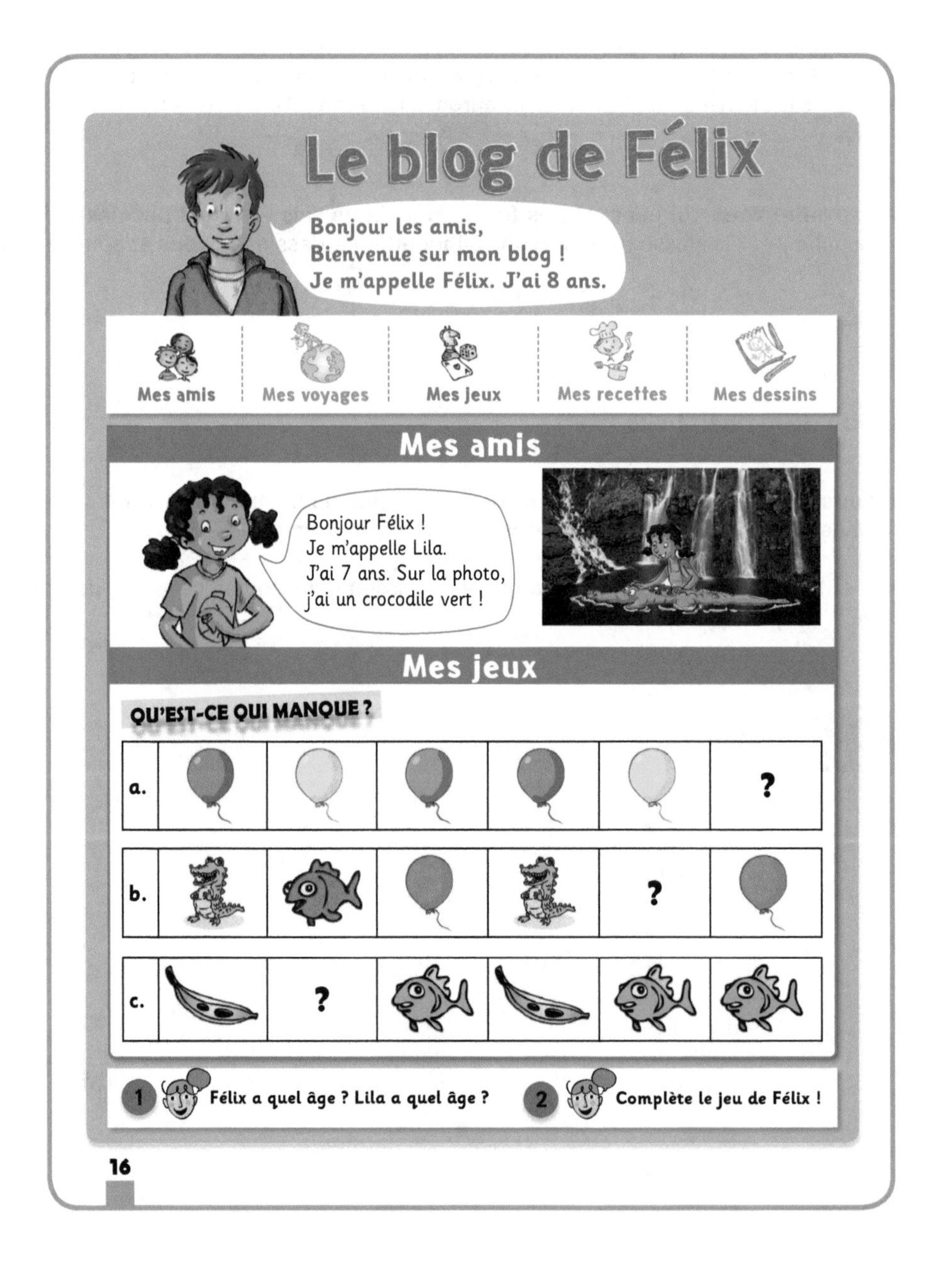

Invitez vos élèves à regarder la page 16 : c'est ***le blog de Félix***. Demandez-leur s'ils savent ce qu'est un blog. S'ils ne savent pas, expliquez-le leur en montrant :

- la photo de Félix. Il se présente.
- La rubrique « Mes amis » sur la page du blog, avec une photo de Lila dont vos élèves ont fait connaissance au cours de l'unité 1.
- La rubrique « *Mes jeux* » où Félix nous propose un jeu des couleurs à compléter
- La barre en haut de page de la page avec toutes les rubriques que l'on pourra trouver dans le blog de Félix : *mes amis, mes voyages, mes jeux, mes recettes, mes dessins.*

Félix a quel âge ? Lila a quel âge ?

• Pointez la question 1 en bas de page et demandez : *Félix a quel âge ? Lila a quel âge ?*

• Invitez les enfants à partir à la recherche de ces informations dans le blog de Félix.

• Recueillez les réponses :

 – Félix a 8 ans. – Lila a 7 ans.

• Faites justifier par la lecture oralisée des deux bulles où Félix et Lila se présentent, en haut de page pour Félix, dans la rubrique « Mes amis » pour Lila.

Complète le jeu de Félix !

• Invitez vos élèves à regarder la rubrique « Mes jeux » et proposez-leur d'expliquer (L1) ce qu'ils devront faire ➜ Ils devront compléter chaque ligne avec le bon item, en respectant pour chaque ligne une suite logique.

• Invitez-les à réfléchir et à trouver la solution avec leur voisin(e).

• Mise en commun : Recueillez les propositions des différents binômes. Vérifiez en faisant verbaliser les items de chaque ligne :

- *Un ballon bleu, un ballon jaune, un ballon vert, un ballon bleu, un ballon jaune,* ***un ballon vert***
- *Un crocodile vert, un poisson rouge, un ballon rose, un crocodile vert,* ***un poisson rouge,*** *un ballon rose.*
- *Une banane,* ***un poisson bleu,*** *un poisson bleu, une banane, un poisson bleu, un poisson bleu.*

Remarque : Vous veillerez à ce que les enfants utilisent bien le bon déterminant (*un ballon, une banane...*) et placent correctement l'adjectif de couleur après le nom.

La vidéo de Félix

Au cours de cette activité, les enfants vont :
- Faire la connaissance de deux enfants français, Pierre et Elsa, qu'ils retrouveront au fil des unités de *Zigzag 1.*
- Apprendre à comprendre une saynète de façon globale grâce à des informations visuelles et sonores : Pierre fête son anniversaire. Il a 8 ans.
- Apprendre à identifier quelques éléments langagiers ciblés : identifier l'âge de quelqu'un, identifier le nombre et la couleur des bougies qui sont sur le gâteau.
- S'approprier un nouveau lexique : l'ami, la bougie, l'anniversaire, bon anniversaire !, le gâteau
- Utiliser et placer correctement les adjectifs de couleurs (réactivation)

LIVRE DE L'ÉLÈVE, p. 17

Matériel :
- 8 cartes-images sur lesquelles vous aurez dessiné des bougies de la couleur de celles qui apparaissent dans la vidéo : rouge (2 cartes), jaune (2 cartes), orange, rose, bleu (2 cartes).

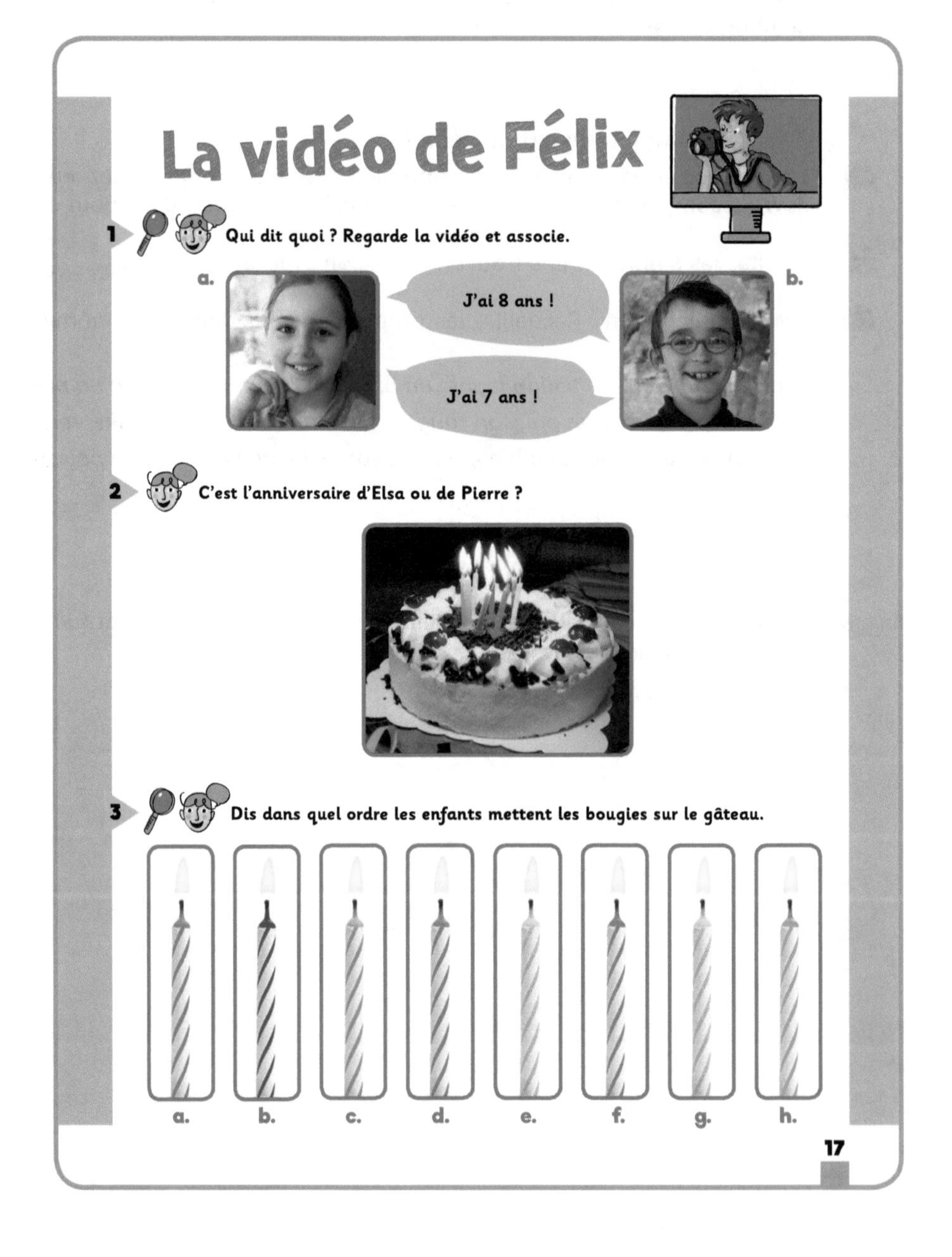

■ **Étape 1**

Pour commencer :

• Livre fermé, annoncez à vos élèves que Félix leur propose une vidéo où ils vont faire la connaissance de deux enfants français.
Demandez-leur de regarder/écouter très attentivement pour identifier leurs prénoms !

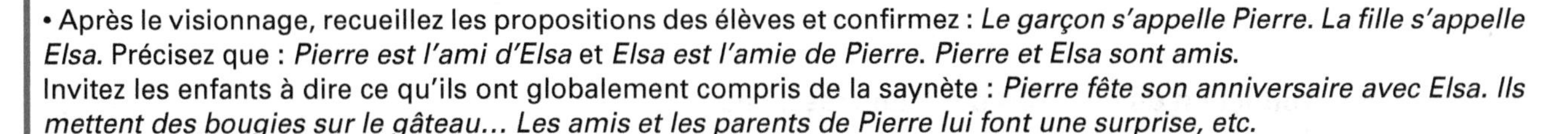

• Après le visionnage, recueillez les propositions des élèves et confirmez : *Le garçon s'appelle Pierre. La fille s'appelle Elsa.* Précisez que : *Pierre est l'ami d'Elsa* et *Elsa est l'amie de Pierre. Pierre et Elsa sont amis.*
Invitez les enfants à dire ce qu'ils ont globalement compris de la saynète : *Pierre fête son anniversaire avec Elsa. Ils mettent des bougies sur le gâteau... Les amis et les parents de Pierre lui font une surprise, etc.*

• Demandez-leur d'expliquer ce qui leur a permis de comprendre : éléments visuels identifiés, gestuelle et mimiques des personnages, énoncés reconnus, etc.
NB : Les échanges se feront en langue 1.

■ **Étape 2**

  **Qui dit quoi ? Regarde la vidéo et associe**

Faites ouvrir le livre à la page 17. Nous retrouvons Pierre et Elsa. Faites oraliser le texte de chaque bulle et demandez : Qui dit « J'ai 8 ans ? » ; Qui dit « J'ai 7 ans ? ». Recueillez les réponses et proposez un nouveau visionnage de la vidéo pour les valider.
Solution : Elsa dit : « J'ai 7 ans ». Pierre dit : « J'ai 8 ans ».

  **C'est l'anniversaire d'Elsa ou de Pierre ?**

Après avoir, si besoin, précisé le sens du mot « anniversaire », invitez les enfants à répondre à la question.

Solution : Oui, c'est bien l'anniversaire de Pierre !
Faites répéter en chœur : ***Bon anniversaire Pierre !***

■ **Étape 3**

  **Écris dans quel ordre les enfants mettent les bougies sur le gâteau.**

Cartes-images

• Affichez en vrac au tableau les 8 cartes-images représentant les différentes bougies de couleur. Pointez chaque carte et nommez-la : ***une bougie rose, une jaune, une bougie bleue, encore une bougie jaune... Etc.*** Invitez les enfants à nommer les bougies avec vous.

• Proposez un nouveau visionnage de la vidéo, avec arrêt sur l'image de chaque bougie. Faites placer les cartes au tableau selon le même ordre que sur le gâteau. Faites nommer : **une bougie bleue... une bougie rouge... une bougie jaune ...une bougie rose... une bougie orange... encore une bougie bleue... encore une bougie rouge... et encore une bougie jaune.**

• Faites écrire au crayon à papier les bougies dans l'ordre sur le livre.

Script
– **Pierre :** Bonjour, je m'appelle Pierre. Aujourd'hui, j'ai 8 ans !
– **Elsa :** Salut, je m'appelle Elsa et j'ai 7 ans. Pierre est mon ami !
– **Pierre :** Une bougie bleue !
– **Elsa :** Une bougie rouge !
– **Pierre :** Une bougie jaune !
– **Elsa :** Une bougie rose !
– **Pierre :** Une bougie orange !
– **Elsa :** Et encore une bougie bleue !
– **Pierre :** Et encore une bougie rouge !
– **Elsa :** Et encore une bougie jaune ! Et voilà 1,2,3,4,5,6,7,8 bougies pour ton anniversaire, Pierre !
– **Papa :** Bravo, les enfants ! Maintenant, j'allume les bougies, d'accord ?
– **Les invités :** Bon anniversaire, Pierre ! Oh non ! Les ballons ! Au revoir les ballons ! Bon voyage !

Ces activités sont destinées à consolider les compétences d'élèves nouvellement apprentis lecteurs en L1 et/ou lecteurs dans un système graphique autre que celui de l'alphabet latin. Elles seront proposées préalablement au travail autonome sur le cahier d'activités.

■ Introduction du nom des personnages à l'écrit.

Favoriser la reconnaissance globale des mots.

• Vous aurez préparé 6 cartes-mots avec le nom des personnages. Écrivez très lisiblement et n'oubliez pas les majuscules en début de nom !

Cartes-images

• Affichez au tableau les 6 cartes-images « personnages ». Faites nommer chaque personnage.
Collez sous chaque carte-image la carte-mot qui lui correspond et faites oraliser chaque mot.

Cartes-mots

• Demandez aux enfants de bien « photographier » les mots dans leur tête, puis retirez-les du tableau. Distribuez-les à 6 élèves et demandez-leur de venir les coller sous la bonne carte-image. Sollicitez l'avis de toute la classe pour valider ou non les propositions.

• Mettez les cartes-mots en vrac au tableau et demandez à quelques enfants de venir les associer aux images correspondantes. Attirez l'attention de vos élèves sur quelques indices saillants que l'on peut facilement identifier et qui permettent de discriminer visuellement chaque mot : les majuscules, le é de Félix, le mot *Pic Pic* en deux parties, le mot le plus long (*Pirouette*), le mot le plus court (*Lila*).

Remarque : Les enfants développent ici une reconnaissance « logographique » des mots : ils les « photographient » et les identifient de façon globale grâce à quelques indices « saillants » facilement repérables.

■ Jeu de Memory – Association image / mot écrit

Exercer la mémoire visuelle ; Consolider la reconnaissance globale des mots.

Cartes-images

Cartes-mots

• Retournez les cartes-images « personnages » qui sont au tableau et collez-les sur une colonne. Retournez les cartes-mots et collez-les, dans le désordre, sur une deuxième colonne, à droite de la première.
Répartissez vos élèves en deux équipes. Un joueur de la première équipe vient au tableau et retourne au hasard une carte de chaque colonne qu'il doit nommer / lire (il les laisse voir un instant à tous). Si les deux cartes – image et mot – correspondent, il les garde et un joueur de son équipe joue à nouveau. Si les 2 cartes ne correspondent pas, il les retourne et c'est au tour d'un enfant de l'autre équipe de jouer. Le vainqueur est l'équipe qui remporte le plus de cartes.

Fiche photocopiable n° 2

Activité de soutien n° 1

• Proposez à vos élèves de jouer au jeu de Memory en sous-groupes de 4 élèves. (2 équipes de deux élèves). Distribuez à chaque groupe un jeu de petites cartes-images (celles qui ont déjà été utilisées en cours de leçon) et un jeu de petites cartes-mots. (Vous les aurez trouvées dans la première partie de la fiche de l'activité de soutien n° 1.)
Les élèves retournent les cartes sur leur table. Chaque équipe essaie de les associer deux à deux, en nommant le personnage représenté et le mot écrit sur chaque carte. Vous guidez les activités en vous déplaçant parmi les différents sous-groupes.

■ Reconstitution du nom des personnages avec des lettres mobiles

Discriminer des lettres ; Les associer correctement pour reconstituer un mot (d'après modèle).

• Préalablement à l'activité : photocopiez la 2e partie de la fiche (lettres mobiles). Vous avez besoin d'un exemplaire pour 2 élèves. Collez chaque exemplaire sur une feuille cartonnée avant de découper les lettres, celles-ci seront ainsi plus rigides et plus facilement réutilisables.

Activité de soutien n° 1

• Distribuez à chaque tandem les 6 cartes-mots (noms des personnages) et un jeu de lettres mobiles. Demandez de reconstituer le nom de chaque personnage avec les lettres mobiles.

■ Entraînement individuel. Entoure le même mot que le modèle.

Discrimination visuelle ; Identification des lettres composant un mot.

Activité de soutien n° 2

• Proposez aux élèves d'effectuer l'activité 1 de la fiche.

Ces activités sont principalement destinées à des enfants non familiarisés avec les caractères de l'alphabet latin.

■ Introduction des nombres à l'écrit.

Favoriser la reconnaissance globale des mots.

• Introduisez les nombres écrits de « un » à « huit ». (Douze mots seraient trop lourds à identifier et à mémoriser).

• Distribuez à vos élèves 8 cartes « chiffres » de 1 à 8. Tracez une grille au tableau (2 lignes, 8 colonnes). Appelez les nombres dans le désordre : *Qui a le 4 ? Qui a le 7 ?* Demandez à l'enfant en possession de la bonne carte de venir la coller dans le bon emplacement de la grille.

1			4			7	

Cartes-mots

• Présentez les cartes-mots dans l'ordre et collez-les dans la grille sous le chiffre correspondant. Pointez chaque carte-mot et faites prononcer aux élèves. Afin de mettre en place progressivement la compréhension du système de relations phonie-graphie, attirez l'attention des enfants sur certaines des initiales des mots ou certains graphèmes (lettres ou groupe de lettres correspondant à un phonème) que vous pouvez mettre en relation avec certaines initiales ou graphèmes présents dans les prénoms des enfant (cf. activités de différenciation unité 0, leçon 2).

• Retirez les cartes-mots de la grille et affichez-les en vrac au tableau. Pointez une des cartes et demandez aux élèves d'oraliser le mot : *Qu'est-ce que c'est ?* Demandez ensuite à plusieurs élèves de venir placer correctement les cartes-mots sous les chiffres dans la grille.

■ Mots stop !

Favoriser la reconnaissance globale des mots.

• Partagez votre groupe classe en deux et formez 2 équipes. Collez une carte-chiffre au tableau. Mettez vos cartes-mots en paquet puis montrez-les une à une. Les enfants doivent dire « ***STOP !*** » quand ils voient la carte-mot qui correspond au chiffre affiché. L'équipe qui la première dit **STOP** ! et lit correctement le mot à haute voix marque un point.

■ Entraînement individuel. Entoure les lettres qui composent chaque mot.

Discrimination visuelle ; Identification des lettres composant un mot.

• Proposez aux élèves d'effectuer l'activité 2 de la fiche n° 2. Demandez-leur d'oraliser les 4 mots écrits (ne le faites pas à leur place !), puis invitez-les à entourer dans la suite des lettres de l'alphabet les lettres composant chaque mot.

Ces activités sont destinées à des enfants non familiarisés avec les caractères de l'alphabet latin.

■ Introduction des cartes-mots « couleurs ».

Discrimination visuelle ; Identifier globalement les mots ; Discriminer des lettres.

Cartes-mots

Cartes-images

• Affichez (sans les nommer) les cartes-mots au tableau. Demandez aux enfants de les observer, puis de nommer les lettres qu'ils reconnaissent. Demandez-leur s'ils reconnaissent certains mots et s'ils peuvent les oraliser.

• Distribuez à 6 enfants les 6 cartes-images « ballons de couleur » et demandez-leur de venir coller au tableau chaque ballon sous la bonne carte-mot. Lorsque toutes les cartes-images sont à la bonne place, faites lire à haute voix chaque carte-mot.

■ Lire dans sa tête et montrer le bon crayon.

Favoriser la reconnaissance globale des mots.

• Demandez aux enfants de prendre leurs crayons de couleurs, rouge, jaune, vert, rose, bleu, orange et de les poser devant eux sur la table. Montrez les cartes-mots une à une, sans les nommer. Chaque enfant lève le crayon de couleur correspondant à la carte que vous montrez.

■ Reconstituer les mots avec des lettres mobiles.

Reconnaissance alphabétique : prendre conscience des différentes lettres qui constituent un mot.

Cartes-mots

• Les mots sont affichés au tableau. Distribuez à chaque binôme une série de 6 cartes-mots à compléter et une série de lettres mobiles. Invitez les enfants à bien observer les mots qui sont au tableau et à trouver les bonnes lettres pour reconstituer chaque mot. Passez parmi les enfants, aidez-les s'ils en ont besoin et faites-les oraliser individuellement les mots reconstitués.

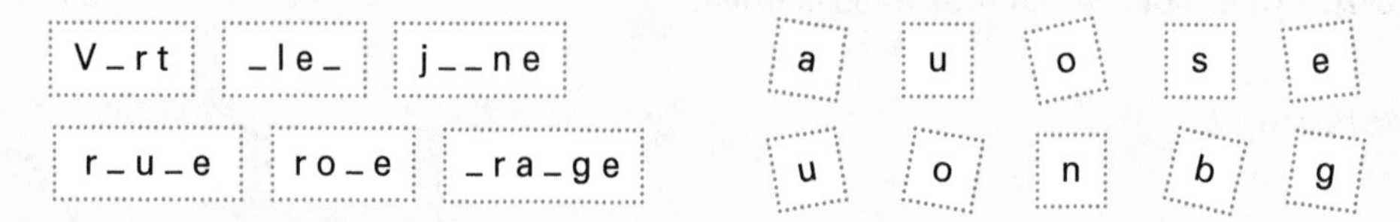

■ Entraînement individuel. Activité 1.

Identifier et comprendre un mot écrit.

Activité de soutien n° 4

Les enfants doivent colorier chaque objet en fonction de la couleur indiquée.

■ Entraînement individuel. Activité 2.

Discrimination visuelle.

Les enfants doivent entourer le même mot que le modèle.

Qu'avons-nous fait… ? Qu'avez-vous appris ? Bilan de l'unité 1

• Prenez le temps de faire avec vos élèves un bilan des apprentissages réalisés au cours de l'unité 1. Cette mise à distance guidée leur permettra de s'engager de façon plus active dans leur apprentissage du français à travers :
– une prise de conscience des savoir faire qu'ils ont développés et des progrès qu'ils ont réalisés (Ils en seront très fiers !)
– une mise en mots des difficultés qu'ils ont rencontrées (et qu'ils vont apprendre à surmonter)

Les enfants sont tout à fait capables de s'engager dans cette activité réflexive de « conscientisation à l'apprentissage », pour peu qu'on les y accompagne avec bienveillance.

• Dites à vos élèves (L1) que vous allez maintenant tous ensemble réfléchir à ce que vous avez fait et déjà appris au cours de l'unité 1. Demandez-leur :
– ***Qu'est-ce que nous avons fait au cours de l'unité 1, vous vous rappelez… ?*** *Ils vont ici rappeler diverses situations et activités…* Recueillez leurs propositions.
– ***Qu'avez-vous appris au cours de l'unité 1 ?*** Les enfants auront tendance ici à énumérer le lexique appris.
– ***Qu'avez-vous appris à faire en français ?*** Engagez les enfants à exprimer ce qu'ils savent faire en termes d'« actes de paroles » ou d'« actions »: Dire son nom, demander le nom de quelqu'un, compter jusqu'à 12, nommer les couleurs, jouer au jeu de Kim, comprendre des petites phrases.
– ***Qu'est-ce que vous savez bien faire ? Qu'est-ce qui vous pose encore problème ?*** Guidez la réflexion des enfants, recueillez leurs réponses et rassurez celles et ceux qui rencontrent des difficultés : donnez des conseils en fonction des difficultés rencontrées et dites qu'au cours des prochaines séances chacun, à son rythme, parviendra à surmonter ses difficultés.

Pour terminer sur une note affective, demandez aux enfants :
– ***Qu'est-ce vous avez particulièrement aimé faire dans l'unité 1 ?***
– ***Quel est le personnage de la méthode Zigzag que vous préférez et pourquoi ?***

Suggestion : S'il y a des activités que certains élèves disent ne pas trop aimer faire, expliquez-leur en quoi elles sont utiles à l'apprentissage du français : pour apprendre à comprendre, à entendre, à prononcer.

Pour aller plus loin

Si vous souhaitez fournir davantage d'informations de type « découvertes culturelles » à vos élèves et/ou effectuer avec eux une visite virtuelle de parcs et jardins publics en France, rendez-vous sur les pages web suivantes :

http://www.senat.fr/visite/jardins.html où vous pourrez feuilleter l'album photos du Jardin du Luxembourg à Paris.

http://www.loisirs-parcdelatetedor.com/francais.htm où vous pourrez prendre connaissance de toutes les attractions proposées aux enfants au Parc de la Tête d'Or à Lyon.

Unité 2 *À la ferme*

Cadre narratif	
Lila vit dans une ferme, entourée d'animaux. Félix et Pirouette lui rendent visite...	
CONTENUS	
Communication	– Identifier / nommer des animaux de la ferme – Identifier les onomatopées des cris des animaux – Compter jusqu'à 20 ; dénombrer une quantité d'objets – Identifier quelques formes géométriques – Expliquer comment réaliser un dessin – Comprendre quelques consignes de classe simples
Phonologie	Identifier la présence du phonème [a] dans un mot Produire des onomatopées
Observation / Structuration de la langue	Utiliser le déterminant « des » Utiliser à bon escient *un* et *une*
Découverte de l'écrit	Lire / écrire les noms des animaux Graphie / Phonie : découvrir que dans certains mots, on voit la lettre « a », mais on ne l'entend pas Lire et comprendre un bref courriel Écrire un bref courriel pour parler de soi
Découvertes (inter)culturelles	Les animaux de la ferme Les onomatopées différentes d'une langue à l'autre et d'une culture à l'autre
Apprendre à apprendre	Comprendre le sens des tâches : Proposer une consigne pour une activité Apprendre à réfléchir à son apprentissage : ce que l'on a appris et que l'on sait faire ; ce qui pose encore problème

Unité 2 Leçon 1 Bonjour les animaux !

Au cours de cette leçon, les enfants vont :

• à l'oral :
– Identifier et nommer quelques animaux de la ferme : *C'est un chien, un âne, un canard, une poule, un coq, une vache, un mouton, un chat*
– Identifier et produire les onomatopées des cris de ces animaux : *Ouah ouah ! Hihan ! Coin coin ! Cot cot codett ! Meuh ! Bêê ! Miaou !*

• à l'écrit :
– Lire et écrire le nom des animaux de la ferme
– Associer une courte phrase à une illustration

• en éveil interculturel :
– découvrir la relativité des usages et des perceptions : le cri (naturel) des animaux n'est pas perçu de la même façon d'une langue à l'autre, d'une culture à l'autre.

Matériel :
– Cartes-images « animaux », n° 18 à 25
– À fabriquer : cartes-mots « animaux » : *un chat, une poule, un canard...* (Ne pas oublier d'écrire le déterminant en plus petits caractères que le nom)

Activités de différenciation :
– Activité de soutien n° 5 (*Entoure les lettres qui composent chaque mot*)

LIVRE DE L'ÉLÈVE, p. 18 et 19

Pour commencer : Et si on chantait ?
Se retrouver tous ensemble au cours d'une activité collective et dynamique ; Rentrer de façon joyeuse et active dans la langue (pour ouvrir les oreilles et réveiller les voix !).

Notre hit parade !
• Saluez vos élèves et proposez-leur de commencer la séance en chantant ! Les enfants connaissent déjà quelques chansons et comptines, demandez-leur laquelle ils ont envie de chanter. Faites procéder à un vote à main levée : *Levez la main pour « Donne-moi ton prénom ! »... Levez la main pour « Je suis grand ! »... Levez la main pour « Le crocodile ! »...* Comptez les mains levées, demandez aux enfants de se lever et chantez tous ensemble (avec ou sans CD) la chanson qui arrive en tête du hit parade de votre classe !

Script du CD 16

– **Félix** : Ah, regarde Pirouette, voilà la ferme de Lila !
(Bruit du tracteur au loin. Le chien de la ferme aboie).
– **Félix** : Tiens, un chien ! Bonjour chien !
(Aboiement joyeux)
– **Pirouette** : Bonjour chien !
(Un âne brait).
– **Félix** : Écoute Pirouette... un âne !
(L'âne brait à nouveau.)
(Le bruit du tracteur cesse).
– **Agriculteur** (au loin) : Bonjour Félix !
– **Félix** : Bonjour monsieur ! Lila est là ?
– **Agriculteur** : Oui, oui, elle est là !
(Un canard cancane.)
– **Félix** : Oh, un canard ! (Une vache meugle.)
Et une vache ! (Un coq chante.)
– **Pirouette** : Cocorico ! Bonjour coq ! (Le coq chante à nouveau, caquètements d'une poule.)
– **Félix** : Oh attention... une poule ! Et là, un mouton ! (Un mouton bêle.)
– **Lila** (au loin) : Bonjour Félix, hou hou Félix !
– **Félix** : Bonjour Lila ! J'arrive !
(Un chat miaule.)
– **Pirouette** : Bonjour chat !

1 Écoute les bruits de la ferme.

Prendre plaisir à identifier un paysage sonore ; Identifier des animaux à leurs cris (éveil à la biologie) ; Comprendre une situation de façon globale.

• Phase de découverte sonore. Demandez aux enfants de s'installer dans le calme, livres fermés, et d'écouter attentivement le document audio qui va suivre. Annoncez-leur qu'ils vont entendre différentes voix et différents bruits, parfois peut-être... surprenants ! Ne dites surtout pas à l'avance de quoi il s'agit, vos élèves seront ravis de découvrir au fil de l'écoute que vous avez convié toute une ferme dans votre salle de classe !

• Après l'écoute, recueillez (L1) toutes les propositions et réactions des enfants, par exemple ➜ Identification de certains bruits et cris d'animaux, identification des personnages Félix, Lila et Pirouette, identification d'un personnage masculin... Réactions d'amusement ou d'étonnement... Demandez où sont Félix, Lila et Pirouette. Laissez les propositions ouvertes, ne les validez pas pour l'instant.

Remarque : Pour les enfants, il s'agit là d'une réelle activité de « découverte du monde ». En effet, beaucoup de petits citadins n'ont jamais entendu le vrai cri de l'âne ni peut-être celui de la vache ! Certaines confusions sont par conséquent possibles et c'est pour cette raison que l'on est ici dans une « vraie » situation de communication où la langue sert à découvrir et à dire le monde.

• Phase de vérification : Découverte de l'illustration. Invitez les enfants à ouvrir leur livre à la page 16. Nous sommes bien à la ferme ! Laissez-les explorer l'illustration et découvrir les différents personnages et éléments sonores qu'ils ont identifiés à l'étape précédente. Félix arrive à vélo, Pirouette l'accompagne. Il dit bonjour au papa (probablement) de Lila qui est dans son tracteur. Les animaux sont dans la cour de la ferme. Lila est assise devant la maison, un cahier dans les mains.

2 Écoute encore et montre les animaux.

Compréhension détaillée : identifier le nom de chaque animal.

• Procédez à une seconde écoute. Faites pointer sur l'illustration chaque animal que Félix nomme. Les cris des animaux permettent aux enfants de repérer le nom de chaque animal.

Cartes-images

• Vérification collective. Dans un coin du tableau affichez dans le désordre les 8 cartes-images des animaux. Numérotez de 1 à 8, au milieu du tableau à hauteur des enfants, huit emplacements pour les ranger dans l'ordre. Procédez à une écoute fragmentée et demandez à quelques enfants de venir placer les cartes-images dans l'ordre, sous le bon numéro. Lorsque la carte-image est collée au bon endroit, prononcez clairement le nom de chaque animal, sans oublier le déterminant qui l'accompagne : ***Un chien... Un âne... Un canard...***

♦ Activité complémentaire. Jeu du *Tourne-carte.*

Reproduction orale ; Consolidation de la compréhension orale : identifier le nom des animaux ; Activation des mémoires visuelles et sonores ; Réactivation des nombres de 1 à 8.

Cartes-images

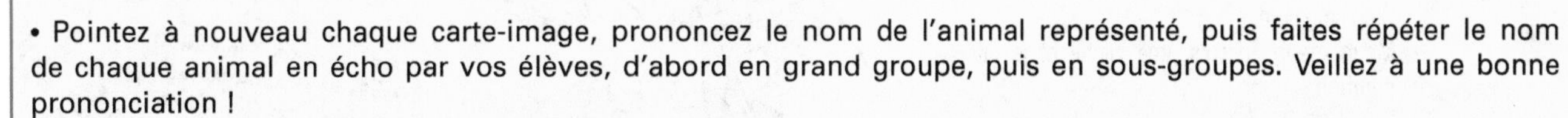

• Pointez à nouveau chaque carte-image, prononcez le nom de l'animal représenté, puis faites répéter le nom de chaque animal en écho par vos élèves, d'abord en grand groupe, puis en sous-groupes. Veillez à une bonne prononciation !

• Retournez les cartes face contre le tableau. Partagez votre classe en 2 équipes. Dites, par exemple : ***Je veux un canard, s'il vous plaît*** ! Les enfants doivent se souvenir du numéro de la carte « canard » et le donner le plus rapidement possible ➜ ***Numéro 3 !*** L'équipe qui la première donne le bon numéro marque un point. On vérifie bien sûr que la réponse donnée est la bonne en retournant la carte.

• Lorsque le jeu est bien engagé, invitez un enfant à devenir meneur de jeu à votre place. Placez les cartes dans un ordre différent, demandez aux enfants de bien les observer, puis retournez-les à nouveau. Ce sera au nouveau meneur de jeu de demander, par exemple : ***Je veux une poule, s'il vous plaît !***

3 Clic clac, Félix fait des photos. Écoute et donne le bon numéro.

Compréhension orale sélective.

• Invitez vos élèves à regarder l'activité 3 page 16. Félix fait des photos et photographie six animaux de la ferme. Pointez les six vignettes numérotées. Faites rappeler le nom de chaque animal.

• Faites écouter l'enregistrement dans son intégralité et demandez à chacun de pointer sur son livre la bonne photo : *Félix fait 6 photos. Écoute et montre la bonne photo !*

• Procédez à une écoute fragmentée. Arrêtez l'enregistrement après chaque « clic-clac » et demandez : *C'est la photo numéro... ?* ➜ Réponse attendue, par exemple : *(C'est la photo) numéro 2 !* Demandez également de nommer l'animal : *C'est un / une... ? C'est un canard !*

Solutions et script du CD

L'ordre des photos est :
2 – 6 – 3 – 1 – 4 – 5

Félix :
Alors, ... Un canard (clic clac) ... Un coq (Clic clac) et ... Une poule (clic clac) ... Super !
... Une vache... Tttt regarde-moi ma jolie ... (Clic clac) et ... Un âne (clic clac). Et maintenant ... Un mouton ? Ah là-bas, il y a un mouton ! (clic clac). Et voilà, super, 6 photos !

Si vous le souhaitez, proposez maintenant les activités 1 et 2, page 14 du cahier d'activités (décrites ci-après).

4 18 Écoute, répète et mime.

Identifier, prononcer, agir avec son corps.

• Invitez vos élèves à regarder l'activité 4, page 17. Pointez les enfants qui sont sur les photos, Lila et Madame Bouba. Demandez (L1) ce qu'ils font ➜ Ils imitent des animaux bien sûr ! On découvre ainsi qu'un chat, un âne, un mouton ou un coq parlent aussi français, mais à leur façon ! Faites émettre des hypothèses à propos des animaux imités : *Quel animal fait hi han ? La vache, le canard... ? Quel animal dit cocorico ? Quel animal fait bêê bêê ?*... Laissez les hypothèses en suspens, la réponse sera donnée par l'enregistrement audio qui va suivre...

• Faites écouter le CD. Les enfants devront identifier quelles sont, en français, les onomatopées[1] de chacun des huit animaux de la ferme qu'ils connaissent : *Écoutez bien, les animaux parlent français ! Qu'est-ce qu'ils disent ?*
Après l'écoute, demandez : *Comment fait l'âne ?* ➜ *(Il fait) hi han ! Comment fait le canard ?* ➜ *(Il fait) coin coin... Comment fait la vache ?* ➜ *Elle fait meuh !* Etc.

• Activité de mime. Procédez à une écoute fragmentée. Faites répéter chaque énoncé et mimer. Demandez à vos élèves de se lever et engagez-les à « ressembler » le plus possible à chaque animal : posture, déplacements, mimiques, onomatopées. Montrez l'exemple bien sûr... Toute votre classe va beaucoup s'amuser à se transformer en moutons, en ânes ou en petits chats !

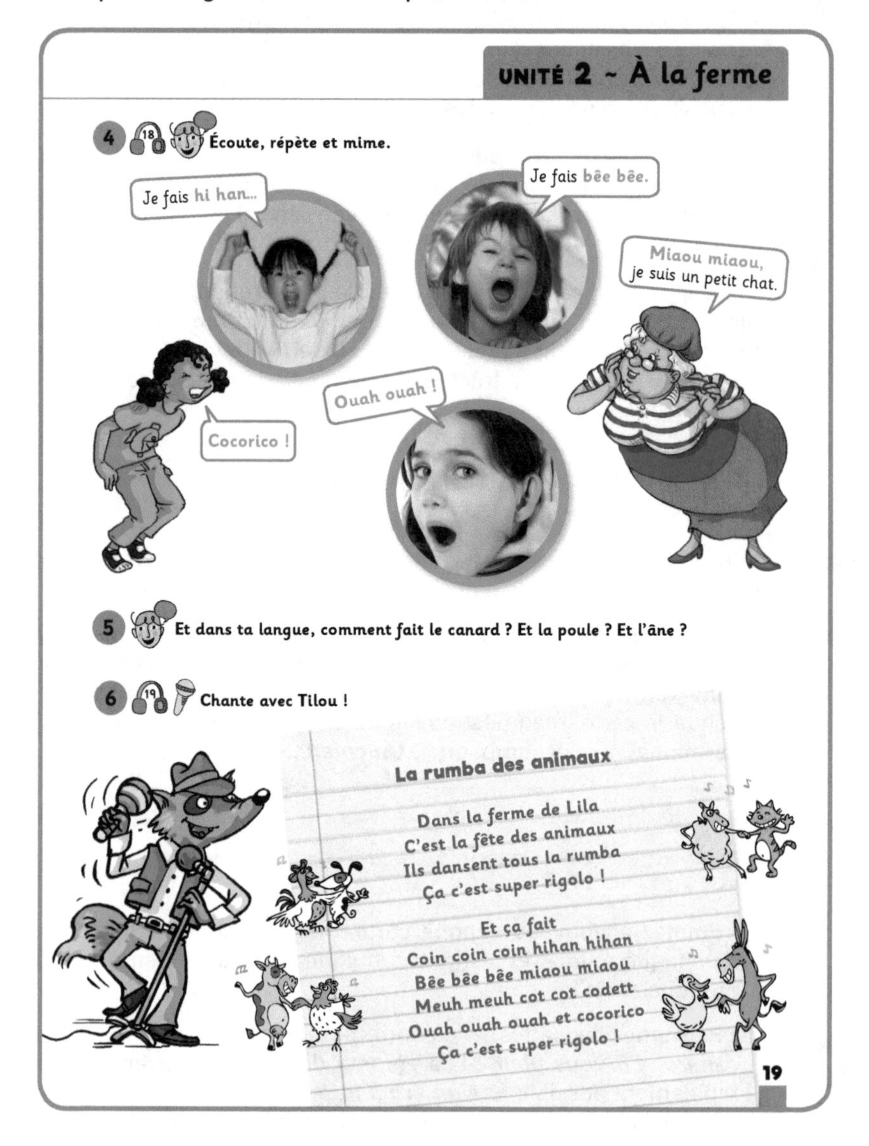

UNITÉ 2 - À la ferme

4 18 Écoute, répète et mime.

Je fais hi han...
Je fais bêê bêê.
Miaou miaou, je suis un petit chat.
Cocorico !
Ouah ouah !

5 Et dans ta langue, comment fait le canard ? Et la poule ? Et l'âne ?

6 19 Chante avec Tilou !

La rumba des animaux

Dans la ferme de Lila
C'est la fête des animaux
Ils dansent tous la rumba
Ça c'est super rigolo !

Et ça fait
Coin coin coin hihan hihan
Bêê bêê bêê miaou miaou
Meuh meuh cot cot codett
Ouah ouah ouah et cocorico
Ça c'est super rigolo !

19

Solutions et script du CD 

– Je fais hi han hi han ! Je suis‿un âne... hi han !
– Coin coin, coin coin ! Je suis‿un canard ! Coin coin coin
– Meuh meuh, je suis‿une vache et je fais meuhhh...
– Bêê bêê, je fais bêê bêê... Je suis‿un mouton !
– Moi je suis‿un coq ! Et je fais... COCORICO !
– Je fais cot cot cot codett ! Cot cot cot codett ! Je suis... ? Une poule !
– Miaou, miaou, je suis‿un petit chat !
– Ouah ouah, ouah ouah ! Je suis... ? Un chien !

Remarque d'ordre chronologique :

Les situations de mime sonore, où la voix et le corps sont pleinement engagés dans l'activité de production, représentent un excellent terrain d'exercice pour le développement de bonnes compétences phonologiques. Attachez ici une attention particulière à la prononciation des diverses onomatopées. Elles traduisent la perception qu'un francophone a du monde sonore, perception évidemment influencée par le système phonétique de la langue. Ainsi, dans les onomatopées françaises des cris d'animaux, on va retrouver des phonèmes spécifiques tels que [ɑ̃] (hi han), [wɛ̃] (coin coin), [wa] (ouah ouah), [ø] (meuh)... On va également retrouver des traits prosodiques spécifiques au français : n'hésitez pas à lancer avec vos élèves de majestueux « Cocoricooo ! » en allongeant à souhait la dernière syllabe sonore... Le coq (français) lui en tout cas ne s'en prive pas !

[1] Les onomatopées sont des mots qui traduisent (imitent) un cri un ou bruit.

5  Et dans ta langue, comment fait le canard ? Et la poule ? Et l'âne ?

Éveil aux langues et aux cultures : apprendre à mettre en regard des pratiques inhérentes au monde francophone et celles en vigueur en L1, ou dans d'autres langues connues.

• Donnez un temps de parole (L1) à vos élèves pour qu'ils expriment les différences et les ressemblances entre les onomatopées françaises et celles en vigueur dans leur L1. Découvrir que, dans une autre langue, les animaux font d'autres bruits est pour eux très surprenant ! Ils vous demanderont d'ailleurs certainement comment *font* d'autres animaux en français... Vous pourrez par exemple leur proposer les onomatopées suivantes :

> le cheval : hiiiiiiiiiii – le cochon : *groin groin* – la grenouille : *coâ coâ* – l'oiseau : *cui cui* – le poussin (à la leçon suivante) : *piou piou*

• Lorsqu'il y a dans la classe des enfants d'origines linguistiques et culturelles diverses, demandez-leur de dire comment fait chaque animal dans leur langue d'origine ou celle de leurs parents. Invitez alors toute votre classe à reprendre en chœur l'onomatopée de la grenouille ou du canard turc, chinois, espagnol ou russe...

6   Chante avec Tilou !

Prendre plaisir à chanter et à mimer ; Réinvestir les apprentissages réalisés au cours de la leçon.

• Invitez les enfants à observer l'illustration de la chanson « *La rumba des animaux* » et à dire ce qu'ils voient : *Qu'est-ce que vous voyez ?* ➜ Tilou chante, il a une maraca dans la main. Les animaux dansent, avec classe et élégance ! Demandez aux enfants : *Qui danse avec qui ?* ➜ *Un coq danse avec un chien, une vache danse avec une poule, un mouton danse avec un chat, un canard danse avec un âne.* Expliquez que la rumba est une danse d'origine sud-américaine, d'où la maraca sur l'illustration.

• Proposez à vos élèves d'écouter la chanson, livre fermé. À la fin de l'écoute, demandez-leur ce qu'ils ont reconnu ➜ Ils identifieront certainement *la ferme de Lila* , *des animaux* ainsi que les diverses onomatopées. Demandez-leur s'ils ont aimé la chanson, puis invitez-les à la chanter avec Tilou !

• Procédez à une écoute fragmentée. Répétez/chantez vers après vers. Expliquez la signification de *C'est super rigolo*, qui en langage familier enfantin signifie *C'est très amusant.* Prenez un grand plaisir à imiter tous les animaux, d'abord lentement, puis sur un rythme « endiablé » !

Script du CD 

La rumba des animaux

Dans la ferme de Lila
C'est la fête des animaux
Ils dansent tous la rumba
Ça c'est super rigolo !

Et ça fait
Coin coin coin hihan hihan
Bêê bêê bêê miaou miaou
Meuh meuh cot cot codett
Ouah ouah ouah et cocorico

Ça c'est super rigolo !

Activité 1 Qu'est-ce que tu entends ? Écoute et numérote les dessins.

Associer un cri à un animal ; Nommer les animaux.

• Demandez aux enfants de regarder l'activité 1 de la page 14. Pointez les dessins. Dites-leur qu'ils vont entendre les huit cris d'animaux, mais dans le désordre. Ils devront écrire sous chaque dessin le numéro du cri entendu. Attirez leur attention sur le pictogramme.

Solution et script du CD 

Cris d'animaux réels

1. mouton
2. chat
3. vache
4. coq
5. âne
6. canard
7. chien
8. poule

• Vérification collective. Demandez aux élèves : *Le numéro 1, c'est... ?* → *C'est un mouton !* Sollicitez l'avis de tous et s'il y a des divergences, faites réécouter le CD pour que tous puissent se mettre d'accord.

 Qu'est-ce que tu entends ? Écoute et numérote les dessins.

 Écoute et entoure le bon dessin.

1   

2   

3   

14

Activité 2 Écoute et entoure le bon dessin.

Écoute sélective : comprendre pour identifier le bon dessin.

• Demandez aux enfants de regarder l'activité 2, page 14. Laissez-leur le temps d'observer les différents dessins des lignes 1, 2 et 3. Puis attirez leur attention sur les logos et.
Faites écouter le CD et entourer sur chaque ligne le bon dessin.

Solution et script du CD 

1. Entoure... « une poule »... « une poule ».
2. Entoure « deux chiens »... « deux chiens ».
3. Entoure « un mouton et deux canards »... « un mouton et deux canards ».

→ ACTIVITÉS DE SOUTIEN : page 88

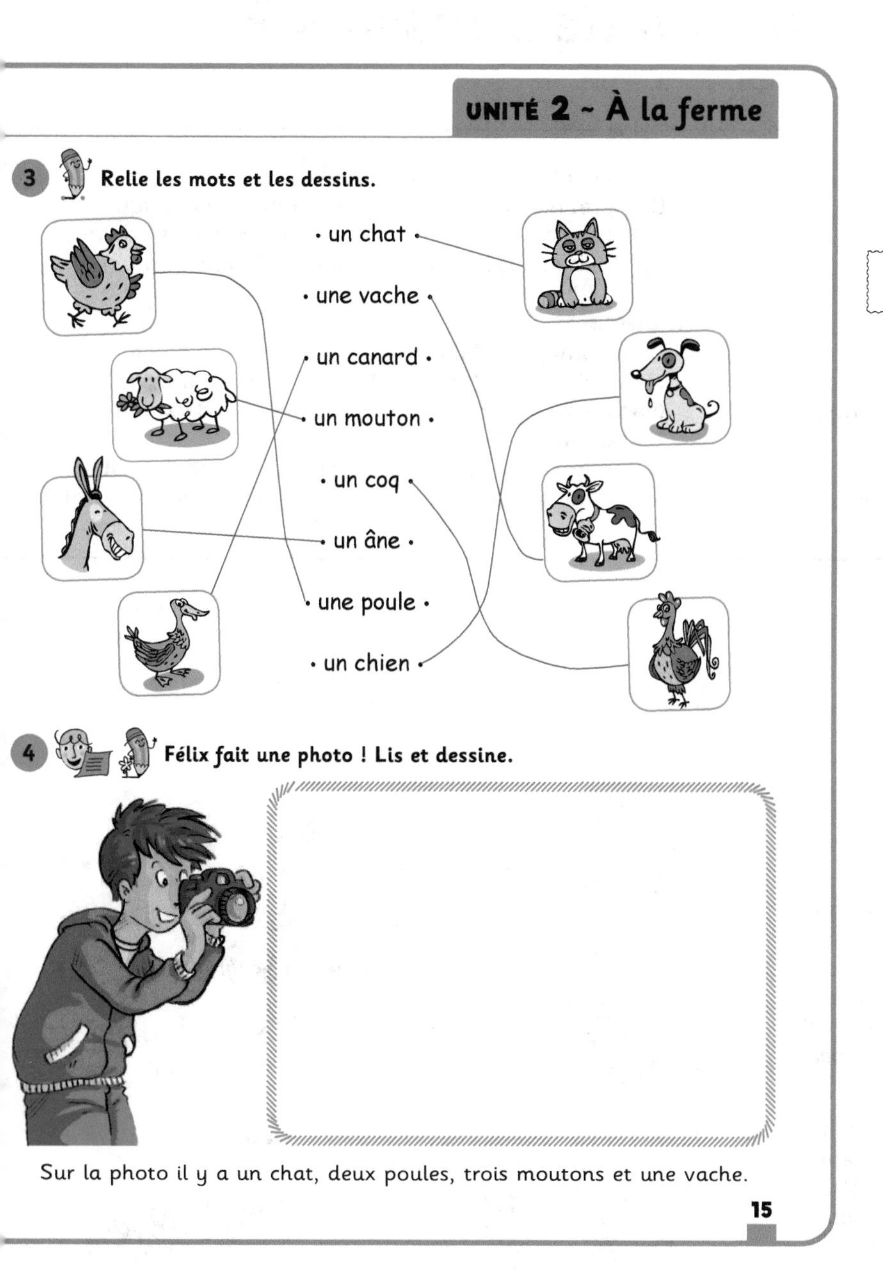

Activité 3  Relie les mots et les dessins.

Phonie-graphie : oraliser correctement un mot écrit ; Compréhension écrite : associer un mot écrit à l'image correspondante.

Cartes-mots

• Activité préparatoire. Affichez les huit cartes-mots « animaux » au tableau. Pointez chacune d'entre elles et demandez à quelques enfants de les lire à haute voix. Veillez à une prononciation correcte de chaque mot, notamment pour les phonèmes [ɔ̃] de mouton, [jɛ̃] de chien, le [v] de vache, les « t » muet et « d » muet à la fin des mots « chat » et « canard ».
Attirez l'attention des enfants sur le phonème [u] de mouton et de poule qui s'écrit avec le graphème « ou ». Demandez à vos élèves s'ils connaissent un autre mot français où l'on entend [u] et que l'on écrit « ou » ➜ *rouge,* rencontré à l'unité précédente.

Une astuce : Si un mot est mal oralisé, montrez la carte-image correspondant. L'enfant se remémorera ainsi la façon dont le mot se prononce à l'oral et pourra alors plus aisément l'associer à sa graphie.

• Demandez aux enfants de relier sur leur cahier chaque mot au bon animal. Passez parmi eux, demandez leur d'oraliser quelques mots et vérifiez qu'ils les relient au bon dessin.

Activité 4  Félix fait une photo ! Lis et dessine.

Compréhension écrite : apprendre à comprendre une consigne écrite ; Apprendre à repérer des mots-clés dans un court texte écrit ; Manifester sa compréhension d'un petit texte écrit par un dessin.

• Compréhension guidée de la consigne. Demandez aux enfants de regarder l'activité 4 et laissez-les trouver ce qu'ils devront faire : lire le petit texte pour comprendre ce qu'il faut dessiner... D'après l'illustration, il s'agit certainement de la photo que Félix est en train de faire.
Attirez leur attention sur le pictogramme. Puis demandez-leur de souligner dans la consigne les deux mots qui désignent les actions qu'ils devront réaliser ➜ « Lis » et « dessine ».

• Compréhension écrite guidée. Invitez les enfants à dire ce qu'ils devront représenter sur la photo de Félix. Pour cela, ils devront lire le petit texte « dans leur tête ». Recueillez les réponses et demandez-leur de les justifier en montrant / soulignant dans le texte les mots qui donnent ces informations ➜ un chat, deux poules, trois moutons, une vache.

• Attirez l'attention des enfants sur les « s » qui sont à la fin des mots « poules » et « moutons ».

Sollicitez leur activité réflexive en leur demandant pourquoi à leur avis il n'y a pas de « s » à « chat » ni à « vache », mais il y a un « s » à la fin du mot « poules » et à la fin du mot « moutons ». S'ils ne trouvent pas seuls, invitez-les à regarder le *petit mot* placé juste avant le nom des animaux (*un – une – deux – trois*) et concluez ensemble que lorsqu'il y en a plusieurs (que c'est au pluriel), on met un « s » à la fin du mot à l'écrit, mais on n'entend pas ce « s » quand on parle / prononce le mot.

• Réalisation de la tâche. Les enfants lisent « dans leur tête » le petit texte, puis dessinent ce qu'ils comprennent. Passez parmi eux pour aider ceux qui en ont besoin.

Il y a combien de poussins ?

Au cours de cette leçon, les enfants vont :

• à l'oral :
– Compter jusqu'à 20
– Dénombrer : *Il y a combien de poussins ? Il y a 20 poussins... Il y a 14 œufs*
– Utiliser en contexte le déterminant pluriel *des*
– Décrire une image, dire ce qu'on y voit : *il y a... / il n'y a pas de...*
– Discriminer la présence du phonème [a] dans un mot

• à l'écrit :
– Constater si une affirmation écrite est vraie ou fausse (en la confrontant à une image)
– Comprendre certaines relations grapho-phonétiques : la lettre « a » présente dans certains mots ne s'entend / se prononce pas toujours (*jaune, croissant, orange*)

Matériel :
– Cartes-images « Maison des sons » : n° 2 (Lila), n° 18 (âne), n° 19 (chat), n° 20 (chien), n° 21 (canard), n° 25 (vache), n° 26 (orange), n° 27 (jaune), n° 28 (ballon)
– Un tambourin (éventuellement)
– À fabriquer : des « cartes-opérations » dont le résultat est compris entre 13 et 20 (cf. activité complémentaire)

LIVRE DE L'ÉLÈVE, p. 20 et 21

Pour commencer :

Mime sonore !

Réactiver les apprentissages réalisés au cours de la leçon précédente : identifier/nommer les animaux ; Caractériser les animaux en imitant leurs cris (onomatopées) ; Jouer et s'exprimer avec son corps pour entrer activement dans la langue.

• Mise en route. Frappez sur votre tambourin. Demandez à vos élèves de se lever et de se déplacer dans la classe au rythme régulier du tambourin (Vous pouvez prendre également des maracas ou frapper dans vos mains !) : *Écoutez le tambourin et marchez en silence dans la classe !*

• Mime et expression corporelle. Toujours au rythme de votre tambourin, invitez les enfants à mimer les animaux que vous nommez : *Vous êtes des chats ! Marchez comme des petits chats ! Miaou !* Faites mimer les huit animaux que les enfants ont appris à nommer et dont ils connaissent les onomatopées : *Maintenant vous êtes des moutons ! Bêê Bêê... Vous êtes des coqs ! Cocorico !...*

• Retour au calme. Afin d'assurer un retour au calme après cette activité joyeuse et peut-être un peu... bruyante, proposez à vos élèves de se déplacer à nouveau lentement et en silence au rythme de votre tambourin.

Script du CD 20

Maman poule et Papa coq ont des poussins
1, 2, 3, 4, 5, 6, 7, 8, 9,10, 11, 12...
... 13, 14, 15, 16, 17, 18, 19, 20 !
Maman poule et Papa coq ont
20 poussins !
Piou piou piou...

Variante : Si vous ne disposez pas de suffisamment d'espace dans votre salle de classe pour conduire l'activité telle qu'elle est décrite ci-dessus, répartissez vos élèves en plusieurs groupes et demandez successivement à chaque groupe de mimer l'animal de son choix en produisant son onomatopée. Les enfants des autres groupes doivent deviner de quel animal il s'agit. Engagez ces derniers à dire : *Vous êtes des canards !... Vous êtes des poules !*

Écoute et compte les poussins.

Découvrir les nombres de 13 à 20 ; Associer un nombre à sa représentation chiffrée ; Utiliser en contexte le déterminant pluriel « des ».

• Faites ouvrir le livre à la page 18. Demandez aux enfants ce qu'ils voient ➜ Une poule et un coq. *Maman poule* et *Papa coq* ont des bébés : *des poussins* ! Pointez les différents poussins de part et d'autre de la poule et du coq.

• Montrez les *poussins* qui sont sur la partie gauche de l'illustration et demandez aux enfants : *Il y a combien de poussins ici ?* ➜ *Il y a 12 poussins bien sûr !* Invitez-les à les compter à voix haute en pointant les bons numéros (dans le désordre sur l'illustration) : *1, 2, 3....*

• Faites écouter le CD : *Écoutez, qu'est-ce que vous entendez ?* Les enfants devront dire après l'écoute quels sont les mots et les bruits qu'ils ont reconnus ➜ Réponses que l'on peut attendre ✚ *Maman poule, papa coq, des poussins, nombres de 1 à 12... Piou Piou Piou* que les enfants vont facilement identifier comme étant l'onomatopée pour le pépiement du poussin... Recueillez toutes les propositions. Elles seront validées lors de l'écoute suivante.

• Procédez à une seconde écoute. Demandez aux enfants de pointer sur l'illustration tous les numéros qu'ils entendent : ***Écoutez, comptez les poussins et montrez les bons numéros !***

• Reprenez la comptine avec les enfants, sans le CD. Comptez à nouveau les poussins afin de faire progressivement mémoriser les nombres de 13 à 20. Veillez à ce que les enfants prononcent correctement le phonème [ɛ̃] que l'on trouve dans *poussin, quinze, vingt* ainsi que tous les nombres nouvellement introduits.

♦ Activité complémentaire. Concours de calcul rapide !

Faire du calcul mental en français ; Comprendre et nommer les nombres de 1 à 20.

Contrairement à certaines idées reçues, beaucoup d'enfants aiment les maths. Proposez-leur de faire du calcul rapide... en français !

• Affichez au tableau, à hauteur des enfants, huit cartes « opérations » sur lesquelles vous aurez écrit des opérations en ligne dont le résultat est compris entre 13 et 20 (voir ci-dessous). Demandez aux enfants d'en donner le résultat : *Six plus huit égale... ? Vingt moins un égale... ?*

Cartes-opérations

• Invitez-les à venir se placer sur deux files devant le tableau. Les élèves forment ainsi deux équipes. Si vous avez une classe nombreuse, les élèves peuvent se placer sur 3 ou 4 files. Désignez chaque équipe : *Vous êtes l'équipe 1, vous êtes l'équipe 2...*

• Demandez aux enfants de bien écouter, puis de toucher rapidement la carte « opération » dont le résultat correspond au nombre que vous nommez. Avant de commencer à jouer, faites un premier essai qui ne compte pas. Dites : *Vous êtes prêts ?... 15 !* L'enfant qui le premier touche la bonne carte *(12 + 3 = ?)* marque un point pour son équipe. Les enfants qui viennent de jouer vont se placer en queue de file. Notez les points de chaque équipe au tableau.

À la fin du jeu, quand tous ont participé au moins deux fois, faites compter les points de chaque équipe et félicitez celle qui a gagné : *L'équipe numéro 2 a 7 points, elle a gagné le concours de calcul ! Bravo !*

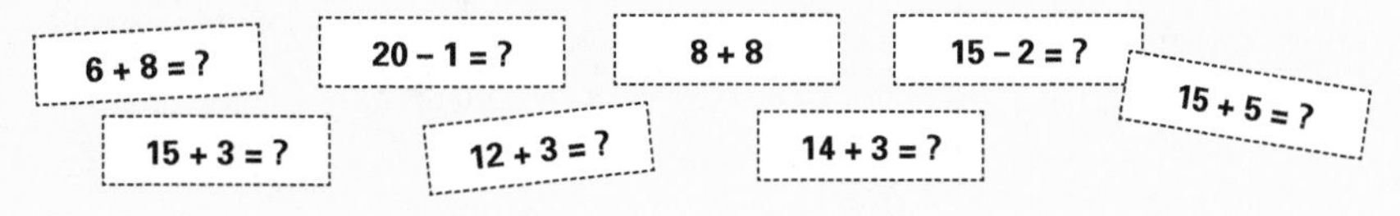

Suggestion : Renseignez-vous sur ce que vos jeunes élèves sont capables de faire en mathématiques. En fonction de leur niveau de compétences, vous leur proposerez soit des additions (s'ils sont au début de l'école élémentaire), soit des soustractions, voire des multiplications (à partir de la deuxième ou troisième classe de l'école élémentaire).

Il y a combien d'œufs ? Écoute et donne le bon numéro.

Dénombrer une quantité ; Compréhension orale : identifier l'image correspondant au bon nombre d'œufs.

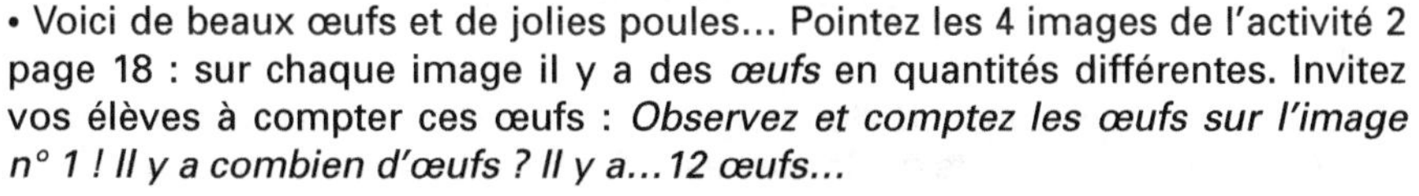

• Voici de beaux œufs et de jolies poules... Pointez les 4 images de l'activité 2 page 18 : sur chaque image il y a des *œufs* en quantités différentes. Invitez vos élèves à compter ces œufs : *Observez et comptez les œufs sur l'image n° 1 ! Il y a combien d'œufs ? Il y a... 12 œufs...*

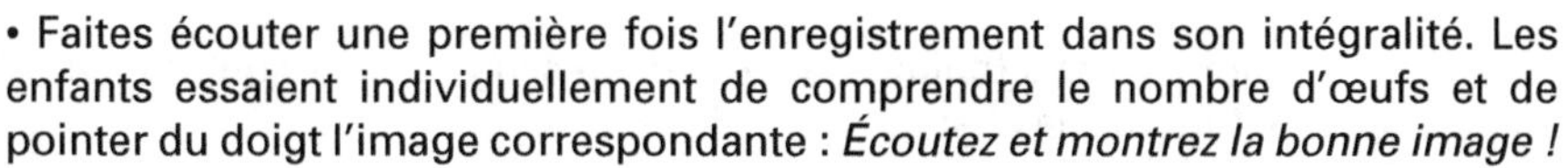

• Faites écouter une première fois l'enregistrement dans son intégralité. Les enfants essaient individuellement de comprendre le nombre d'œufs et de pointer du doigt l'image correspondante : *Écoutez et montrez la bonne image !*

• Procédez à une écoute fragmentée. Demandez de quelle image il s'agit : *C'est quel numéro ? Il y a combien d'œufs... ?* ➜ *C'est le numéro 3. Il y a 16 œufs.*

Solution et script du CD 

1. **Félix :** Il y a... 16 œufs. Oui, il y a 16 œufs ! (Image n° 3)
2. **Bouba :** Il y a... douze œufs ! C'est ça... 1, 2, 3, 4, 5, 6, 7, 8, 9, 10, 11, 12... douze œufs ! (Image n° 1)
3. **Tilou :** Il y a 14 œufs ! qua- torze - œufs ! (Image n° 4)
4. **Lila :** Il y a 18 œufs ! Oh, 18 œufs... ? (Image n° 2)

3  Nomme les 8 différences !

Production orale : dire ce qu'on voit sur une image ; Exprimer les différences qu'il y a entre deux images.

• Invitez vos élèves à observer les images 1 et 2 de l'activité 3, page 21. Il s'agit de camping à la ferme ! Attirez l'attention des enfants sur le chiffre *8* qui apparaît dans la consigne (il y a 8 différences) ainsi que sur les deux pictogrammes « » et « » qui signifient *Observe* et *Dis*. Le jeu des différences étant connu de la plupart des enfants, ils n'auront certainement aucune difficulté à identifier la tâche : observer les deux images et nommer les 8 différences entre l'une et l'autre.

• Pour guider les enfants dans leur prise de parole, dites : Sur *l'image n° 1, il y a des moutons. Et sur l'image numéro 2, il y a aussi des moutons ?... ➜ Non, il n'y a pas de moutons !* Faites comprendre la signification de *il n'y a pas de* avec un geste signifiant la négation ou l'absence de quelque chose. Puis invitez les enfants à montrer et à nommer les 7 autres différences. Veillez à un bon emploi de *il y a* et *il n'y a pas de.*

➜ Solution :

Image n° 1
Il y a 4 vaches.
Il y a 3 moutons.
Il y a un coq avec 4 poussins.
Il n'y a pas d'âne.
Il n'y a pas de canard.
Il y a 2 œufs dans un panier.
Il y a 3 poissons dans la rivière.
Il n'y a pas de crocodile.
Image n° 2
Il y a 5 vaches.
Il n'y a pas de moutons.
Il y a une poule avec 4 poussins.
Il y a un âne à la porte de la ferme.
Il y a un canard en bas de l'image.
Il y a 3 œufs dans un panier.
Il n'y a pas de poissons dans la rivière.
Il y a un crocodile (sur la tente).

UNITÉ 2 À la ferme

3 Nomme les 8 différences. Il y a... Il n'y a pas de...

4 Écoute et lève la main si tu entends le son [a] comme dans .

La boite à sons de Pic Pic le hérisson

5 Écoute et chante !

Am stram gram pic et pic et collegram
Bourre et bourre et ratatam
Am stram gram pique dame !

21

Si vous le souhaitez, proposez maintenant les activités 1 et 2, page 16 du cahier d'activités (décrites ci-après).

4 22 Écoute et lève la main si tu entends le son [a] comme dans .

Discrimination phonétique : identifier le phonème [a] dans un mot ; Prononcer correctement.

• Demandez aux enfants de regarder le pictogramme où l'on voit Pic Pic le hérisson avec des écouteurs sur les oreilles. Pic Pic écoute les sons... Annoncer aux enfants qu'ils vont avec Pic Pic partir à la recherche du son [a] dans les mots qu'ils vont entendre.
Dites aux enfants qu'ils vont entendre huit mots connus (pointez les huit petites vignettes) et qu'ils devront lever la main si dans un mot ils entendent le son [a]. Montrez le chat de la consigne.

• Écoute intégrale. Les élèves lèvent la main lorsqu'ils entendent [a].

• Écoute fragmentée. Pour chaque vignette, demandez aux élèves de lever la main s'ils entendent le son [a].

Cartes-images

• Consolidation. Affichez en vrac au tableau les cartes-images correspondant aux huit vignettes de l'activité. Dessinez une maison qui sera la maison du [a] et collez la carte-image référente « chat » sur le toit de la maison (cf. ci-dessous). Demandez à quelques élèves de venir placer les bonnes cartes-images dans la maison du [a], éloignez les autres. Pointez ensuite chaque carte affichée dans la maison et faites prononcer chaque mot bien distinctement, en ouvrant grand la bouche pour le [a] !

Solution et script du CD 22

1. Canard .... Canard
2. Orange .... Orange
3. Lila .... Lila
4. Chien .... Chien
5. Âne .... Âne
6. Jaune .... Jaune
7. Vache .... Vache
8. Ballon .... Ballon

On entend [a] dans : canard, Lila, âne, vache, ballon

Remarque : Si vous voulez développer chez vos élèves la capacité à discriminer des sons (phonèmes), travaillez à partir de supports sonores (ce que l'on entend) et/ou d'images, mais pas à partir de mots écrits. Ici par exemple, nous avons à l'écrit le cas de mots où il y a la présence de la lettre « a », mais où l'on n'entend pas le [a] à l'oral.

5 Écoute et chante !

Prendre plaisir à jouer avec les sons et les rythmes d'une comptine ; Articuler et prononcer clairement.

• Faites écouter la comptine. À la fin de l'écoute, demandez aux enfants quel est le son qui revient toujours. → C'est bien sûr le « a » d'*Am stram gram* !

• Demandez aux enfants de se lever. Prononcez successivement chaque vers en articulant bien chaque syllabe et en l'accompagnant de gestes qui faciliteront sa prononciation et sa mémorisation (cf. ci-dessous). Demandez aux enfants de répéter et invitez-les à reproduire vos gestes. Veillez à une articulation claire : la présence de nombreux sons consonnes, de *str* et *gr* ne seront pas très faciles à prononcer pour certains de vos jeunes élèves... Les gestes les y aideront.

• Reprenez la comptine en la chantant avec le CD.

Script du CD 23	Gestes d'accompagnement
Am stram gram	Faites le tigre qui griffe sur **gram** : *donnez un coup de patte de haut en bas toutes griffes dehors.*
Pic et pic et collegram	« Piquez » en rythme successivement vos index droit et gauche ; faites à nouveau le tigre sur ***gram***.
Bourre et bourre et ratatam	Frappez 3 fois sur vos cuisses (comme 3 battements de tambour) sur ratatam.
Am stram gram	Faites le tigre qui griffe sur **gram** : *donnez un coup de patte de haut en bas toutes griffes dehors.*
Pique dame !	Pointez un index vers l'avant sur chaque syllabe.

Remarque : Cette très ancienne et très célèbre comptine appartient au registre des « comptines à désigner » qui servent à déterminer qui sera celle ou celui qui commencera une activité ou en sera le meneur de jeu. Ce type de comptines fait très vite partie des rituels de la classe et les enfants se l'approprient par imprégnation. On scande le texte (bien séparer chaque syllabe) en pointant successivement chaque enfant. C'est celui sur qui tombe la dernière syllabe de la comptine qui est désigné. Ne cherchez pas à comprendre ce que signifie *Am stram gram...* ces mots n'ont aucun sens (ni aucune graphie exacte) en français ! Elle est cependant intéressante non seulement pour son rythme et la succession de ses syllabes, mais aussi parce qu'elle appartient de très longue date au patrimoine francophone des comptines et ritournelles enfantines.

Activité 1 Bingo des nombres ! Écoute et joue avec tes camarades.

Compréhension orale : identifier des nombres ; Comprendre des consignes pour agir.

• Faites ouvrir le cahier d'activités. Demandez aux enfants : *Qu'est-ce que vous voyez ?* → Dans chaque case, il y a un nombre ou une addition. Chaque ligne a une couleur différente. Faites nommer les nombres ou le résultat de chaque addition : *Sur la ligne verte, il y a quels nombres ?* Sur la ligne bleue, *il y a quels nombres ?...*
Demandez aux enfants de choisir une des quatre lignes et d'entourer cette ligne : *Choisissez une ligne – verte, bleue, orange ou rouge – et entourez la ligne !*

• Annoncez aux enfants qu'ils devront écouter le CD. S'ils entendent un nombre qui est sur leur ligne – ou qui correspond au résultat d'une des opérations – ils devront dessiner une croix sur la case correspondante. L'enfant qui le premier a dessiné ses 5 croix crie *Bingo !* Afin de vérifier qu'il ne s'est pas trompé, demandez-lui de dire ses nombres et comparez-les à ceux de l'enregistrement. Si tout va bien, il est déclaré *Champion du Bingo !* et on le félicite : *Bravo, tu as gagné !*
Si l'enregistrement n'est pas terminé, continuez à jouer avec le reste de la classe... pour le plaisir !

Script du CD 10
10 – 8 – 13 – 9 – 7 – 16 – 15 – 4 – 19 – 1 – 6 – 14 – 11 – 18 – 3 – 5 – 20 – 2 – 12 – 17

LEÇON 2 IL Y A COMBIEN DE POUSSINS ?

1 Bingo des nombres ! Écoute et joue avec tes camarades.

5 + 2	1	14	20	3 + 5
2 + 2	11	4 + 6	12	19
13	3 + 2	2	11 + 5	9 + 9
2 + 4	12 + 3	9	8 + 9	3

2 Cot cot cot codett ! Observe, lis et coche les bonnes phrases.

a Il y a onze poules. ☒
b Il y a neuf poussins. ☐
c Il n'y a pas de mouton. ☐
d Il n'y a pas de coq. ☒
e Il y a dix-neuf œufs. ☐
f Il y a un chat. ☒

16

Activité 2 Cot cot cot codett ! Observe, lis et coche les bonnes phrases.

Compréhension écrite : lire et comprendre un texte / une image.

• Pointez les pictogrammes et les différentes phrases : a, b, c, d, e, f. Les enfants devront observer l'image, lire et comprendre chaque phrase, puis la cocher si elle correspond à l'image.

• Avant que les enfants effectuent seuls l'activité de compréhension écrite :
– faites-leur rappeler ce que signifie *Il y a* et *Il n'y a pas de* (Montrez sur le texte !).
– faites identifier dans le texte le mot *œufs* que les enfants connaissent sous sa forme orale [ø] – on n'entend ni la lettre *f*, ni la lettre *s* – et le mot *poussin* qu'ils ne connaissent pas encore à l'écrit.
– mais... n'oralisez pas entièrement chaque phrase : ce sera à chacun d'essayer de comprendre individuellement chaque énoncé écrit.

• Les enfants lisent et cochent les réponses individuellement. Déplacez-vous parmi les élèves pour guider ceux qui en manifestent le besoin.

• Mise en commun : faites procéder à une lecture oralisée et demandez si l'affirmation est vraie ou fausse (*Oui !* ou *Non !*). Invitez-les à justifier leur réponse à l'aide de l'image.

Suggestion : Une démarche spécifique est proposée ci-après dans la partie « Pas à pas vers l'écrit » pour les enfants apprentis lecteurs dans un alphabet autre que l'alphabet latin.

→ ACTIVITÉS DE SOUTIEN : page 89

Activité 3 — Écoute et coche si tu entends [a] comme dans  puis colorie.

Discrimination phonétique.

• Pointez les 6 petites vignettes. Annoncez aux enfants qu'ils devront écouter le CD et, s'ils entendent [a] dans le mot, cocher la case qui se situe au bas de la vignette.

UNITÉ 2 À la ferme

3 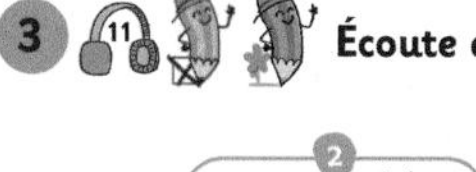 Écoute et coche si tu entends [a] comme dans 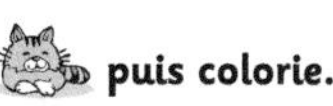 puis colorie.

4 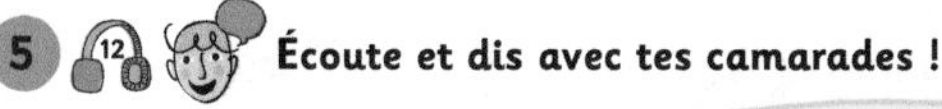 Lis et entoure les mots où tu entends [a].
Écris les mots dans le tableau.

un lama - un croissant - quatre - un âne - jaune - une vache

[a] (j'entends)	[a] (je n'entends pas)
un lama	un croissant
quatre	jaune
un âne	
une vache	

5 Écoute et dis avec tes camarades !

17

Vérification : Procédez à une écoute fragmentée et demandez aux enfants s'ils ont ou non coché la case.

• Demandez aux enfants de colorier les dessins où l'on entend [a].

Script du CD 
4 – un lama – jaune – un âne – un croissant – une vache

Suggestion : Le coloriage entier des vignettes pourra se faire en fin de séance s'il reste du temps, ou à la maison.

Activité 4 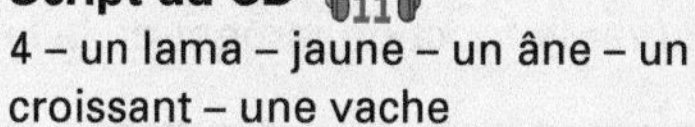 Lis et entoure les mots où tu entends [a]. Écris les mots dans le tableau.

Relation grapho-phonétique : comprendre que parfois on voit la lettre « a » dans un mot, mais on ne l'entend pas.

• Les mots où on entend [a]. Demandez aux enfants de regarder les mots qui sont écrits et d'entourer ceux où l'on entend [a]. Faites ensuite oraliser ces mots.

• Écris les mots dans le tableau. Invitez les enfants à regarder les deux pictogrammes qui sont dans le tableau. Il s'agit d'écrire dans la colonne de gauche (: j'entends) les mots où l'on entend [a], dans la colonne de droite (: je n'entends pas) les mots où l'on n'entend pas [a].
Veillez à ce que les enfants écrivent également le déterminant lorsqu'il y en a un.

• Observation du fonctionnement de l'écrit : Demandez aux enfants d'oraliser les mots qu'ils ont écrits. Demandez-leur de dire ce que tous ces mots ont en commun ➜ Ils ont tous la lettre « a » ! On mettra alors en évidence qu'en français, parfois, on écrit / voit la lettre « a », mais on ne l'entend pas, comme dans *croissant* et dans *jaune*. Invitez vos élèves à trouver d'autres mots connus avec la lettre « a », qu'on entend ou qu'on n'entend pas.

Activité 5  Écoute et dis avec tes camarades !

Dire avec la bonne intonation un petit poème avec des rimes en [a] ; Moduler sa voix en fonction des personnages.

• Dites aux enfants qu'ils vont écouter un petit poème, cahier fermé. Après l'écoute, demandez aux enfants quels sont les mots qu'ils ont reconnus (le lama, le chat).

• Procédez à une écoute fragmentée et faites répéter chaque vers en respectant son rythme et son intonation. Expliquez la signification de *Ça va ? Ça va !* que vous pourrez réutiliser régulièrement dans votre classe.

• **Poème dialogué à trois voix.** Partagez votre classe en 3 groupes : les narrateurs, les lamas et les chats, chaque groupe prenant en charge les paroles qui lui reviennent, avec une gestuelle adaptée :

– Narrateurs : *Bla bla bla et bla bla bla* / Le lama de Panama parle avec le chat Pacha.
– Lama : *Ça va, Pacha ?*
– Chats : *Ça va lama !*
– Lama : *Alors, au revoir Pacha !*
– Chats : *Au revoir lama !*

Dessine avec Lila !

Au cours de cette leçon, les enfants vont :
• à l'oral :
– Nommer des formes géométriques : *un cercle, un triangle, un trait*
– Caractériser des formes géométriques : *un grand triangle, un petit cercle...*
– Situer dans l'espace : *à gauche, à droite, au milieu*
– Observer le fonctionnement de la langue : *un* et *une*

Matériel :
– Un ballon
– Cartes-images correspondant à des noms connus, masculins ou féminins (Unités 1 et 2)
– 2 affiches : une au contour bleu, l'autre au contour rouge (activité 3)
– Fiche photocopiable n° 6 ; craies ou feutres de couleur.

LIVRE DE L'ÉLÈVE, p. 22 et 23

Pour commencer : Si on jouait au ballon ?

Réactiver les apprentissages réalisés au cours de la leçon précédente : compter jusqu'à 20.

• Saluez les enfants et demandez-leur sur un ton joyeux : *Ça va ?* Recueillez leurs réponses : *Oui, ça va ! Ça va bien ! Ça va super bien !*

Ballon

• Formez (si possible) un cercle avec vos élèves. Ballon en main, proposez-leur de compter jusqu'à 20 : *On compte jusqu'à 20 ?* Lancez le ballon en direction d'un enfant en disant ***1***. Celui-ci attrape le ballon et le lance à nouveau au camarade de son choix en disant ***2***. Continuez ainsi jusqu'à 20.

• Toujours en lançant le ballon : – Comptez de 2 en 2 : *2, 4, 6...* ; – Comptez à rebours : *20, 19, 18...* ; -Comptez à rebours de 2 en 2 : *20, 18, 16...*

• Faites du calcul mental. Dites oralement une opération, par exemple ***7 + 8 égale ?*** ; ***5 + 15 = ?*** ... Puis invitez vos élèves à proposer eux-mêmes des opérations à résoudre.

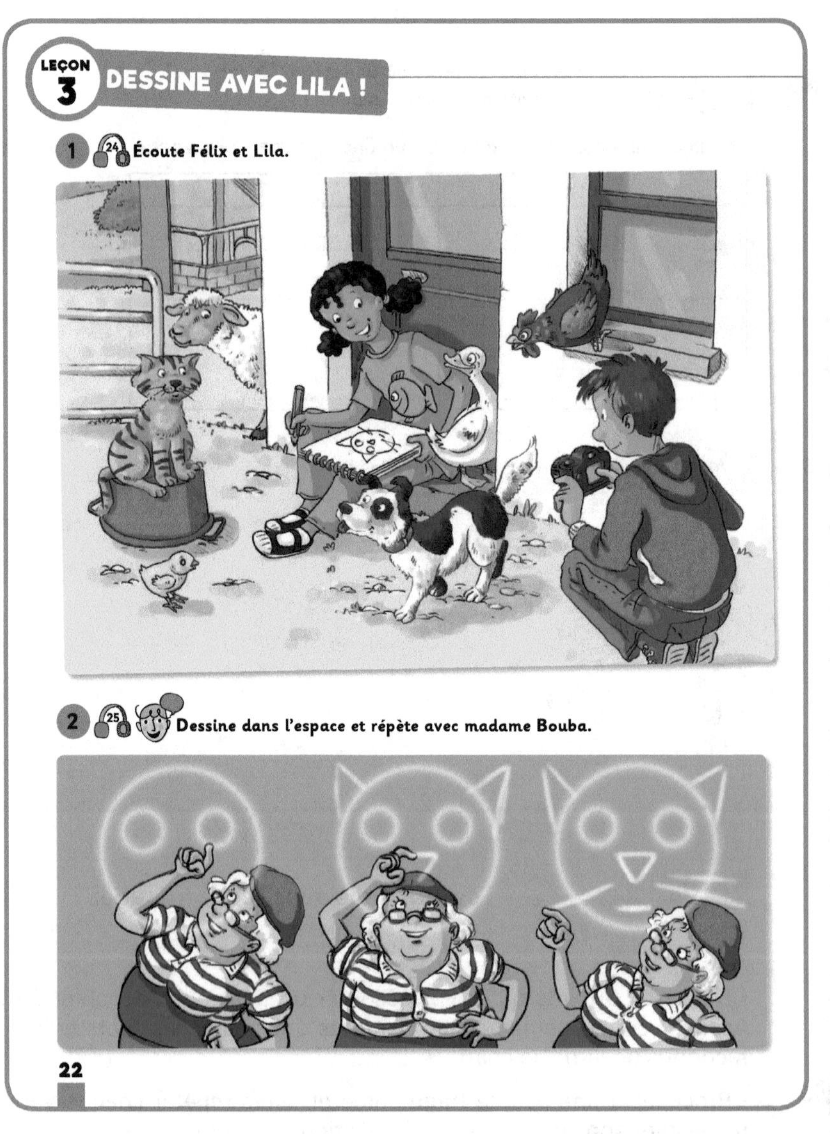

Script du CD 24
Félix : Oh Lila, qu'est-ce que tu dessines ?
Lila : Je dessine Pacha, mon petit chat.
Regarde ! Un grand cercle... et deux petits cercles
Un triangle... deux triangles... trois triangles...
Deux grands traits à droite... deux grands traits à gauche... un petit trait au milieu
Et voilà, c'est Pacha !

Script du CD 25
Madame Bouba :
Un grand cercle... et deux petits cercles
Un triangle... deux triangles... trois triangles...
Deux grands traits à droite... deux grands traits à gauche... un petit trait au milieu
Et voilà, c'est Pacha !

Écoute Félix et Lila.

Compréhension orale : identifier le sens global d'une situation de communication ; Identifier le nom de formes géométriques.

• Demandez aux enfants ce qu'ils voient sur l'illustration de l'activité 1 : *Qu'est-ce que vous voyez ?* ➜ On voit *Lila, Félix* et *des animaux : une poule, un canard, un mouton, un chien, un chat et un poussin.* Félix fait une photo, Lila dessine et parle avec Félix. Attirez l'attention des enfants sur Lila. Demandez : *Qu'est-ce que Lila dessine ?* ➜ Un chat bien sûr... Regardez comme celui-ci pose fièrement juché sur une bassine !

• Procédez à une 1re écoute (compréhension globale). Demandez aux élèves : ***Écoutez Félix et Lila, qu'est-ce qu'ils disent ?*** ➜ Lila explique comment elle dessine son chat avec des formes géométriques. En fonction de la proximité du français avec leur L1, certains enfants pourront identifier les mots *triangles* et *cercles.* L'illustration de l'activité suivante (activité 2) pourra d'ailleurs les guider dans cette hypothèse. Ils identifieront certainement aussi que le chat de Lila s'appelle Pacha.

• Faites écouter une deuxième fois l'enregistrement et dessinez la tête du petit chat au tableau tout en suivant les indications données par Lila. Vos élèves découvriront amusés la tête du chat et auront bien sûr très envie de la dessiner à leur tour !

Dessine dans l'espace et répète avec Madame Bouba.

Reproduction orale : nommer et dessiner des formes géométriques ; Situer dans l'espace : à gauche, à droite, au milieu.

• Invitez les enfants à regarder l'illustration. Madame Bouba dessine le chat de Lila dans l'espace : elle trace les formes géométriques décrites par Lila.
Proposez à vos élèves d'écouter sur le CD les indications de Madame Bouba et d'imiter ses gestes. Demandez-leur de se lever. Placez-vous devant eux, en leur tournant le dos afin que vos gestes ne soient pas « en miroir ». Faites des gestes suffisamment explicites pour que la signification de *grand* et *petit* soit évidente.

• Faites répéter une nouvelle fois sans le CD, plus lentement : *Un grand cercle... et deux petits cercles....* Veillez à ce que les enfants placent « à gauche » et « à droite » là où il le faut !

• Demandez à deux enfants de venir dessiner le chat sur le tableau sous la dictée orale de leurs camarades.

Remarque : Dans les activités 1 et 2, ce sont les formes géométriques et les données spatiales – *à droite, à gauche, au milieu* – qui sont objet d'enseignement ; ce ne sont pas les parties du visage du chat. Vous pourrez bien sûr les nommer, mais sans toutefois insister sur leur mémorisation car il y aurait simultanément trop d'éléments nouveaux !

♦ Activité complémentaire. Le tableau « 3 D » ! Dessine sur le dos de ta/ton partenaire !

Production orale : nommer des formes géométriques ; Devinette tactile : percevoir le tracé d'une forme sur son dos.

• Demandez à vos élèves de se mettre par deux. Chacun tour à tour devra dessiner une forme géométrique sur le dos de son partenaire qui devra deviner de quelle forme il s'agit et la nommer.
Faites un premier exemple avec un élève. Dessinez par exemple sur son dos un grand triangle, puis demandez-lui : *Qu'est-ce que c'est ?* Veillez à ce que l'enfant réponde ➜ *C'est un grand triangle !* Invitez-le à dessiner à son tour une forme sur votre dos et à vous demander : *Qu'est-ce que c'est ?...*
Les enfants réalisent l'activité en binômes. Passez parmi les élèves pour aider ceux qui en ont besoin.

♦ Activité complémentaire. Dictée de formes : Écoute et dessine.

Comprendre des consignes orales : mettre en relation plusieurs informations pour dessiner ; Mémoriser le nom des formes géométriques ; Apprendre à se repérer dans un tableau à double entrée (mathématiques).

Fiche photocopiable n° 6

• Distribuez la fiche n° 6 à vos élèves. Reproduisez rapidement au tableau la grille, puis faites nommer les lettres et les chiffres. Invitez vos élèves à prendre leurs crayons de couleur. Ils devront écouter et dessiner les formes que vous dictez dans la bonne case.

• Faites un exemple collectif afin que tous comprennent comment se repérer sur la grille. Demandez à un enfant de venir au tableau et dites par exemple ➜ *B-2 : Dessine 3 petits cercles verts !* Invitez-le à prendre la bonne craie ou le bon feutre (➜ vert), puis à dessiner les formes demandées dans la bonne case (Montrez l'intersection de la ligne *B* et de la colonne *2*). Procédez ensuite à la dictée de formes, chacun dessinant sur sa propre grille.

Vous pouvez par exemple donner des instructions de ce type ✚ : *A-1 : dessine un grand triangle rouge ! – A-4 : dessine un petit cercle rose ! – B-2 : dessine trois petits cercles verts ! – C-3 : dessine un grand triangle bleu ! – D-1 : dessine deux petits triangles jaunes ! – D-4 : dessine un grand cercle rouge !*

Écoute et dessine

	1	2	3	4	5
A					
B					
C					
D					

• Lorsque la dictée est terminée, procédez à une correction collective.

3 Range dans la boîte bleue ou dans la boîte rouge !

Observer le fonctionnement de la langue : *un / une.*

• a. Observation guidée.

Demandez aux enfants d'observer l'activité 3 de la page 23 *La boîte à outils de Pirouette la chouette* et de dire (L1) ce qu'ils voient ➜ On voit deux boîtes, une bleue (où il est écrit *un*) et une rouge (où il est écrit *une*) ; on voit aussi des cartes-mages avec un contour rouge ou bleu. Pirouette met une carte avec un contour bleu dans la boîte bleue. Faites nommer cette carte aux enfants ➜ *un mouton.*
Invitez les enfants à nommer toutes les cartes que l'on va pouvoir ranger dans la boîte bleue : *On range quelles cartes dans la boîte bleue ?* ➜ Les cartes avec un contour bleu : *un mouton ? un chat, un canard, un crayon, un ballon, un poussin.* Demandez aux enfants (L1) ce que ces cartes ont toutes en commun ➜ Pour toutes ces cartes, il y a ***un*** devant le mot.
Invitez-les ensuite à nommer les cartes que l'on va ranger dans la boîte rouge : *On range quelles cartes dans la boîte rouge ?* ➜ Les cartes avec un contour rouge : *une poule, une vache, une gomme.* Demandez aux enfants (L1) ce que ces cartes ont toutes en commun ➜ Pour ces 3 cartes, il y a ***une*** devant le mot.

• b. Expérimentation.

Cartes-images

Deux affiches

Affichez en vrac au tableau des cartes-images : mots de l'activité + différents mots que les enfants connaissent : « crocodile », « poisson », « coq », etc. Affichez également 2 grandes feuilles, l'une avec un contour bleu (munie d'une étiquette ***un***), l'autre avec un contour rouge (munie d'une étiquette ***une***).
Invitez quelques enfants à venir coller les cartes-images sur la bonne feuille en les nommant avec leur déterminant. Leurs camarades valident (ou non) leurs propositions.
Afin de solliciter la mémoire visuelle de vos élèves, vous pourrez à la fin de cette activité de tri, coller sur chaque carte-image une gommette bleue ou une gommette rouge en fonction de son genre.

Variante : Vos élèves travaillent en binômes. Distribuez à chaque binôme deux grandes feuilles de papier, l'une avec un contour bleu, l'autre avec contour rouge, ainsi que des petites cartes-images (cartes-images réduites) correspondant à des noms connus. Demandez aux enfants de se mettre d'accord pour coller les bonnes cartes sur la bonne feuille.
Procédez ensuite à une mise en commun et demandez à quelques binômes de dire quelles sont les cartes qu'ils ont collées sur la feuille à contour bleu et sur celle à contour rouge. Leurs camarades valident (ou non) leurs réponses.

4 26 Chante avec Tilou !

Prendre à plaisir à chanter la *Chanson de la poule.*

• Pointez sur le livre Tilou avec son micro : il chante la chanson de la poule et compte jusqu'à 9 sur ses doigts (faites nommer les différents chiffres). Montrez sur l'illustration la poule et ses trois œufs. Attirez l'attention des enfants sur la différence de prononciation du mot *œuf / œufs* au singulier et au pluriel :

- un‿œuf **[nœf]** (avec la liaison) ; mon‿œuf **[nœf]**
- des‿œufs **[zø]** (avec la liaison)

• Invitez les enfants à écouter la comptine (livre fermé) et à repérer les mots qu'ils connaissent. À la fin de l'écoute demandez-leur ce qu'ils ont compris : *Qu'est-ce que vous avez compris ?*

• Procédez à une écoute fragmentée. Expliquez rapidement ce qui peut poser des problèmes de compréhension : *Je compte jusqu'à neuf* ; *Avant de pondre mon œuf* ; *en pain d'épices* (sorte de biscuit avec du miel et des épices : cannelle, gingembre...)
Demandez aux enfants de se lever et de scander la comptine, vers par vers. Veillez à une bonne articulation / prononciation et au bon respect du rythme.

Script du CD 

1, 2, 3,
4, 5, 6,
7, 8, 9,
Moi je compte jusqu'à neuf
Avant de pondre mon‿œuf

1, 2, 3,
4, 5, 6,
SI je compte jusqu'à six
Mon‿œuf est‿en pain d'épices

1, 2, 3,
Si je compte jusqu'à trois
Mon‿œuf est‿en chocolat

Suggestion : Sur « *1, 2, 3, 4, 5, 6, 7, 8, 9* » les enfants peuvent compter sur leurs doigts ou frapper sur leurs cuisses.

CAHIER D'ACTIVITÉS, p. 18 et 19

Activité 1 Écoute et numérote les dessins.

Compréhension orale : comprendre la description d'un dessin ; Identifier des formes géométriques.

• Invitez vos élèves à observer les 3 dessins de l'activité 1 : un visage, une fleur et un chat. Pointez les différentes formes géométriques et faites-les nommer, par exemple : *Sur le dessin n° 1, il y a combien de cercles ?... Ils sont de quelle couleur ?... Il y a quelles formes aussi ? ...*

• Faites écouter sur le CD les 3 descriptions et numéroter dans l'ordre les dessins correspondants : *Écoutez et numérotez, 1, 2 ou 3.* Proposez à vos élèves de ne rien écrire à la première écoute, mais de chercher seulement à identifier le bon dessin. Ils pourront vérifier et écrire le bon numéro lors de la deuxième écoute.

• Mise en commun. Pointez chaque dessin et demandez : *C'est quel numéro ?* Faites réécouter chaque description en pointant les différentes formes sur les dessins afin de valider les réponses.

Activité 2 Observe. Il y a combien de triangles, de cercles, de carrés ?

Nommer des formes géométriques.

• Demandez aux enfants : *Qu'est-ce que vous voyez ?* ➜ Une poule, un âne et un cochon représentés avec des formes géométriques *: des cercles, des triangles, des carrés.* (Le mot *carré* est nouveau, le mot *cochon* également !)

• Expliquez la consigne : il faut compter *les triangles, les cercles, les carrés* de chaque figure, puis compléter chaque phrase. Montrez l'exemple de la poule où le nombre quatre est écrit en lettres → *Il y a quatre triangles.* Les enfants réalisent l'activité individuellement.

• Confrontez ensuite les résultats.

Suggestion : Il y a fort à parier que vos élèves auront à leur tour très envie de dessiner des animaux à partir de formes géométriques ! Proposez-leur de créer eux-mêmes des figures et de faire compter les différentes formes à leurs camarades.

Script du CD 13

Numéro 1
Sur le dessin numéro 1, il y a : un grand cercle jaune et 7 petits cercles rouges, ... un grand trait vert et un petit trait rose.
Écoute encore :
Sur le dessin numéro 1, il y a : un grand cercle jaune et 7 petits cercles rouges ; ... un grand trait vert et un petit trait rose.

Numéro 2
Sur le dessin numéro 2, il y a : un grand cercle et deux petits cercles ; trois petits triangles, 2 grands traits à droite,
2 grands traits à gauche et un petit trait au milieu.
Écoute encore :
Sur le dessin numéro 2, il y a : un grand cercle et deux petits cercles ; trois petits triangles, 2 grands traits à droite,
2 grands traits à gauche et un petit trait au milieu.

Numéro 3
Sur le dessin numéro 3, il y a : un grand cercle rouge et deux cercles bleus ; un grand triangle jaune, un petit triangle rose et un trait rouge.
Écoute encore :
Sur le dessin numéro 3, il y a : un grand cercle rouge et deux cercles bleus ; un grand triangle jaune, un petit triangle rose et un trait rouge.

3 Entoure en ◯ ou ◯. Écris un ou une.

..un.. crayon ..un.. triangle ..une. poule ..un.. ballon

..une. vache ..un.. canard ..une. fille ..une. gomme

4 Dessine ton animal préféré. Écris son nom.

Mon animal préféré

C'est ....

Activité 3 **Entoure en ◯ ou ◯. Écris un ou une.**

Employer à bon escient le genre des noms.

• Les enfants devront entourer chaque dessin en bleu ou en rouge, puis écrire sous le dessin, devant le mot, ***un*** (si c'est bleu) ou ***une*** (si c'est rouge). Les enfants réalisent l'activité de façon autonome.

Activité 4 **Dessine ton animal préféré. Écris son nom.**

Dessiner pour parler de soi ; Exprimer ses goûts.

• Expliquez aux enfants la signification du mot *préféré*. Invitez-les à dessiner leur animal préféré, puis à écrire son nom. Rappelez-leur qu'ils ne doivent pas oublier d'écrire *un* ou *une* devant le nom de l'animal !

• Lorsque les dessins sont terminés, invitez vos élèves à présenter leur animal préféré à leurs camarades ➜ *Mon animal préféré, c'est...*

Remarque : Dès le début de l'apprentissage, avoir la possibilité de parler de soi dans la langue qu'on apprend est fondamental ! Les enfants entretenant une relation affective forte aux animaux, il nous semble donc incontournable qu'ils puissent dessiner / exprimer quel est leur animal préféré.
On sait qu'en français on dirait certainement *Mon animal préféré, c'est le chat* et non *c'est un chat*. Vos élèves ne connaissent toutefois pas encore les déterminants définis en français. Par conséquent, et afin de leur laisser le temps d'organiser leurs nouveaux apprentissages (un / une), nous accepterons ici *c'est un chat*. Introduire au cours de cette activité récréative « le » ou « la » risquerait d'être porteur de confusions. Les déterminants définis seront introduits au cours de l'unité 3.

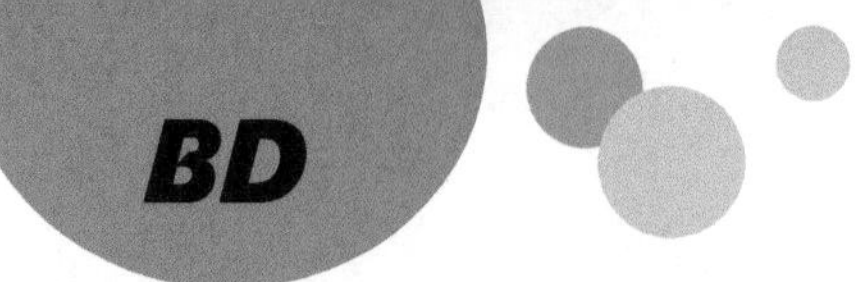

Au cours de cette leçon, les enfants vont prendre plaisir à lire une BD et apprendre à :
- Se repérer dans un document écrit et chercher des indices pour en comprendre le sens
- Faire le lien entre ce qu'ils entendent (CD) et ce qu'ils voient / lisent (illustrations, texte)
- Réactiver le vocabulaire des animaux, les onomatopées des cris des animaux de la ferme
- Oraliser une petite saynète

LIVRE DE L'ÉLÈVE, p. 24

Lis et joue.

a. Observer et comprendre.

Se repérer dans l'écrit : mettre en relation texte et illustrations de la BD pour comprendre l'histoire de façon globale.

• Laissez aux enfants le temps d'explorer seuls la BD : observer les vignettes, retrouver dans un nouveau contexte le nom des animaux, leurs onomatopées, ainsi que l'expression *c'est super rigolo* déjà rencontrée dans la chanson *La rumba des animaux.*

• Demandez-leur d'expliquer (L1) ce qu'ils ont compris : Que fait le petit chat ? Pourquoi ? Pourquoi le papa et la maman chat ont-ils l'air étonnés (vignette n° 9) ? Donnez l'explication de *Mais tu parles quelle langue mon garçon ?!!*

Réponses attendues ➜ Le petit chat part se promener et s'amuse à parler la langue des animaux qu'il rencontre. Il trouve *ça super rigolo* ! Puis quand il rentre à la maison, son papa et sa maman ne comprennent pas ce qu'il dit… Il parle une langue « étrangère » : il parle la langue « lapin » !

Vos élèves, eux, commencent à parler « français »… Vous pouvez leur demander si eux aussi, comme le petit chat, ils trouvent ça « *super rigolo* » !

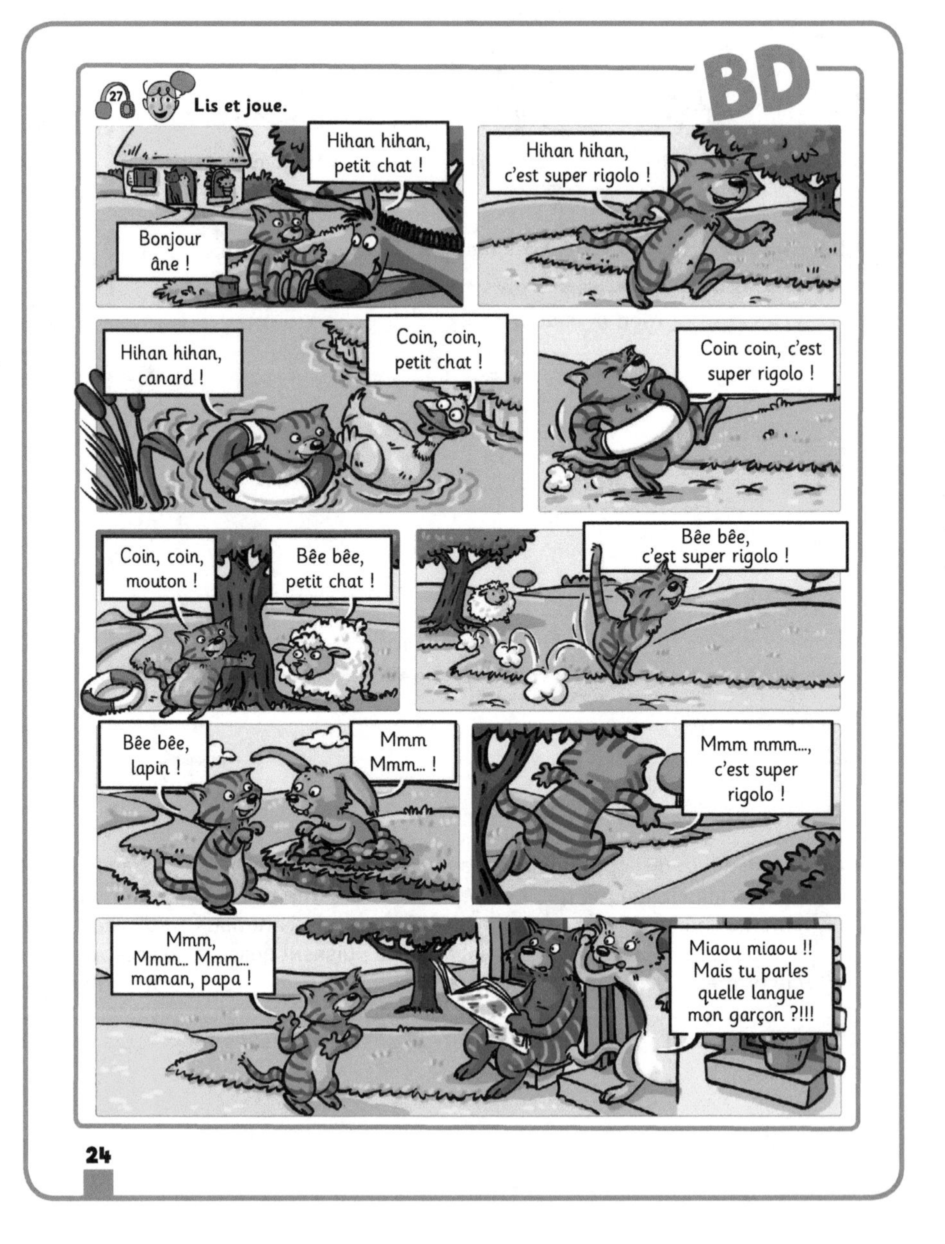

b. Écouter, observer et comprendre.

Associer un énoncé oral à un texte écrit.

• Faites écouter l'enregistrement en entier. Demandez aux enfants de suivre en pointant chaque vignette avec leur doigt.

• Puis procédez à une écoute fragmentée. Faites répéter chaque petit dialogue ou réplique en imitant la voix de chaque personnage et son intonation.

Pour aller plus loin :

Qui veut jouer la saynète ?

S'exercer à la mise en voix d'un texte ; Dire des répliques de façon expressive.

• Demandez aux enfants quels sont les personnages qui prennent la parole : *Qui parle ?* Attribuez les différents rôles – le petit chat, l'âne, le canard, le mouton, le lapin, le papa et la maman chat – à celles et ceux qui le souhaitent. Veillez au bon respect de la relation graphie-phonie en rappelant aux enfants la façon dont ils viennent à l'étape précédente de prononcer les différentes répliques.

Suggestion : Au cours du *Projet* qui va suivre, les enfants vont fabriquer des masques d'animaux de la ferme. Vous pourrez les utiliser pour mettre en scène cette saynète avec des déplacements et des mimes.

Script du CD 

(Un âne brait.)

– **Petit chat :** Bonjour âne !
– **Âne :** Hihan hihan, petit chat !
– **Petit chat :** Hihan hihan, c'est super rigolo !

(Un canard cancane.)

– **Petit chat :** Hihan hihan canard !
– **Canard :** Coin coin petit chat !
– **Petit chat :** Coin coin, c'est super rigolo !

(Un mouton bêle.)

– **Petit chat :** Coin coin mouton !
– **Mouton :** Bêê bêê petit chat !
– **Petit chat :** Bêê bêê, c'est super rigolo !!

(Bruits du lapin...)

– **Petit chat :** Bêê bêê lapin !
– **Lapin :** Mmm... Mmm... !
– **Petit chat :** Mmm... Mmm... ! C'est super rigolo !
– **Petit chat :** Mmm... Mmm... Mmm... Maman, papa !
– **Maman chat :** Miaou miaou !! Mais tu parles quelle langue mon garçon ?!!

■ Des lettres et des mots, p 20.

Activité 1  **Écris le nom des animaux.**

Écrire pour jouer ; Orthographier correctement le nom des animaux.

- Demandez aux enfants de regarder la grille de mots fléchés et d'expliquer ce qu'ils auront à faire ➜ Ils devront écrire dans les cases indiquées par la flèche le nom de l'animal dessiné.

- Les enfants réalisent l'activité en autonomie. S'ils ont des problèmes pour retrouver certains noms ou leur orthographe, invitez-les à regarder comment ils sont écrits à la page 15 de leur cahier d'activités ou dans leur petit dictionnaire à la fin du cahier d'activités.

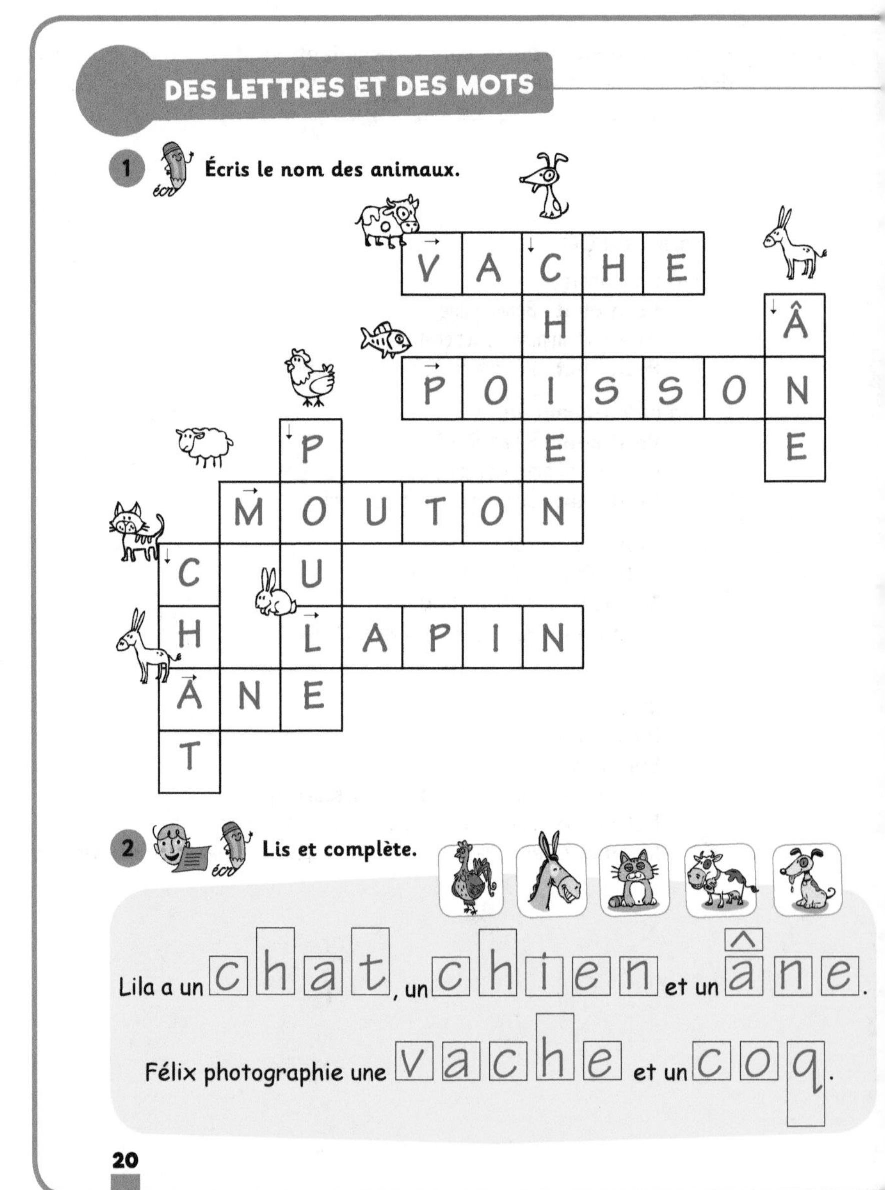
DES LETTRES ET DES MOTS

1 Écris le nom des animaux.

VACHE, CHIEN, ÂNE, POISSON, POULE, MOUTON, CHAT, LAPIN, ÂNE

2 Lis et complète.

Lila a un chat, un chien et un âne.

Félix photographie une vache et un coq.

20

Activité 2   **Lis et complète.**

Mettre en relation un mot et sa silhouette ; Orthographier correctement les noms.

- Invitez les enfants à regarder le petit texte à compléter : les mots ont été remplacés par leurs silhouettes. Il s'agit donc de retrouver quels sont les mots qui vont dans chaque silhouette. Les dessins en haut de l'exercice sont là pour guider les enfants ainsi que les déterminants *un*/*une* dans le texte qui peuvent donner une indication sur le nom qui va suivre.

- Demandez aux enfants de nommer les différents animaux dessinés ➜ *un coq, un âne, un chat, une vache, un chien.*

- Les enfants complètent le texte en autonomie. Passez parmi eux pour guider ceux qui en ont besoin.

- Lorsque les enfants ont terminé, demandez à l'un d'entre eux d'oraliser son petit texte et invitez ses camarades à dire s'ils ont écrit la même chose.

■ Je lis, je comprends, p. 21.

  **Lis le message de Lila.**

Lire et comprendre un message écrit (courriel).

• Il s'agit ici de la première rencontre de vos élèves avec le type de texte « lettre, carte postale, courriel » en français. La démarche proposée ici permet de les guider dans le repérage d'informations et dans la compréhension de ce type de texte. Elle vise également à les conduire à pouvoir réaliser de façon autonome la tâche d'écriture (écrire un courriel) qui leur est proposée dans l'activité 2 de cette même page.

JE LIS, JE COMPRENDS

UNITÉ 2 À la ferme

1 Lis le message de Lila.

Bonjour,
Je m'appelle Lila. J'ai sept ans.
J'ai un petit chat. Il s'appelle Pacha.
J'ai aussi un chien, un âne, un coq,
des poules, des moutons et des vaches.
Et toi, tu as quel âge ? Tu as des animaux ?
Écris-moi vite ! Bisous,
Lila

J'ÉCRIS

1 Écris à Lila.

Bonjour,
Je m'appelle .... J'ai ....
....
....
....
Bisous,
....

21

a. Identifier le type de texte. Demandez aux enfants de regarder le petit texte et posez-leur les questions suivantes (L1) :
– Où peut-on lire habituellement ce genre de petit texte ? ➜ sur un ordinateur, c'est un courriel (ou e-mail).
– Qui a écrit ce courriel ? ➜ C'est Lila ; elle a signé au bas du texte.
– À qui Lila a-t-elle écrit ? ➜ À un(e) ami(e) correspondant(e) ou... aux élèves de la classe (qui devront ensuite lui répondre !). On ne sait pas précisément, puisqu'elle écrit *Bonjour* en tête de son courriel.

b. Partir à l'exploration du texte. Afin de permettre une exploration guidée et collective du texte, affichez ou projetez au tableau le courriel de Lila.

• Laissez à vos élèves le temps de le lire silencieusement « dans leur tête ».

• Puis demandez-leur de dire ce qu'ils ont compris : *Qu'est-ce que Lila écrit dans son courriel ?*

Recueillez les propositions des élèves et demandez-leur de les justifier en venant souligner dans le texte au tableau les mots ou les phrases qui donnent les différentes informations. Ainsi le texte sera progressivement exploré, ses différentes parties en seront collectivement décodées, comprises et oralisées.

• Il vous restera à expliquer la dernière ligne *Écris-moi vite !* Et *Bisous*, petit mot enfantin affectueux en fin de lettre ou de courriel correspondant à *Bises* ou à *Je t'embrasse* dans un langage plus adulte.
Afin d'établir une relation avec L1, demandez à vos élèves ce que l'on écrit dans leur langue 1 à la fin d'un courriel ou d'une petite carte à un ami.

• Faites oraliser le texte par quelques élèves. Attirez l'attention de vos élèves sur les « s » du pluriel qu'on ne prononce pas !

■ J'écris, p. 21.

  **Écris à Lila.**

Écrire un message (courriel) ; Écrire pour parler de soi.

• Proposez à vos élèves de répondre à Lila en complétant le texte de l'activité 2. Demandez-leur ce qu'ils devront écrire (quelles informations) sur les lignes en pointillés.
➜ *Bonjour ; son prénom ; son âge ; si on a des animaux ; comment ils s'appellent.*
Engagez-les à répondre personnellement, mais en s'inspirant du texte de Lila. Avant que les élèves n'écrivent leur texte de façon autonome, rappelez-leur comment exprimer la négation ➜ *Je n'ai pas d'animaux.* (Certains d'entre eux en auront besoin !)

• Les élèves écrivent leur petit texte personnel. Passez parmi eux pour aider ceux qui en ont besoin. Veillez au respect de l'orthographe : incitez-les à consulter leur mini-dictionnaire ou à s'inspirer du courriel de Lila.

Au cours de cette activité, les enfants vont apprendre à :
- Comprendre une fiche de fabrication
- Suivre des consignes pour fabriquer un masque d'animal
- Nommer le matériel nécessaire à la fabrication du masque : *une feuille de papier, des ciseaux, des crayons de couleur, une baguette chinoise*
- Nommer les actions nécessaires à la fabrication du masque : *découper, colorier, fixer*
- Réinvestir dans un nouveau contexte les compétences communicatives acquises en cours d'unité : nommer les animaux, demander à quelqu'un son identité, chanter *La rumba des animaux*.

Matériel :
Fiches photocopiables n° 7 (masques d'animaux à découper), ciseaux, crayons de couleurs, baguette chinoise, pâte à fixer (ou ruban adhésif)

LIVRE DE L'ÉLÈVE, p. 25

Ce projet s'inscrit dans une dynamique interdisciplinaire puisqu'il fait à la fois appel à des compétences langagières et communicatives (comprendre des consignes orales ou écrites ; nommer les animaux, demander / dire à quelqu'un son identité), mais aussi à des compétences de motricité fine (découpage, coloriage). Les jeunes enfants ne sont pas encore très adroits et ont besoin de temps pour réaliser de belles créations manuelles dont ils seront fiers. Prévoyez par conséquent de consacrer toute une séance à la réalisation de ce projet.

• **Mise en projet des élèves.** Demandez à vos élèves d'ouvrir leur livre à la page 25. Invitez-les à expliquer (L1) ce qu'ils devront faire :
1. Fabriquer le masque d'un animal de la ferme en suivant les indications données.
2. Chercher et retrouver tous les animaux de sa famille (les enfants qui ont le même masque) en interrogeant ses camarades.
3. Chanter et danser *La rumba des animaux* avec sa « famille ».

Fabrique le masque de ton animal !

Suivre des consignes pour réaliser un objet ; agir avec application et minutie.

• Choix du masque à découper. Afin que tous vos élèves ne choisissent pas un masque de chat ou de mouton, laissez le hasard décider à leur place qui fabriquera quel masque d'animal ! Distribuez à chacun un petit papier sur lequel vous aurez préalablement écrit le nom d'un des animaux de la ferme : un mouton, un chat, un chien, une poule, un coq, un âne, un canard, une vache. Faites en sorte qu'il y ait un nombre à peu près égal d'animaux dans chaque catégorie. Déposez les fiches (masques à découper) sur une table et demandez à chacun de venir chercher la fiche correspondant au nom de l'animal écrit sur son petit papier.

• Demandez aux élèves de regarder sur la fiche de fabrication quel est le matériel dont ils auront besoin. Faites sortir le matériel nécessaire et nommez-le *: des ciseaux, des crayons de couleur.* La baguette chinoise sera distribuée lorsque les masques seront terminés.

• Expliquez et verbalisez les consignes étape par étape, en montrant ce que les élèves devront faire :
Découpe ton masque – Colorie ton masque – Fixe-le sur une baguette chinoise.

• Les enfants fabriquent individuellement leur masque.

Suggestion : Fabriquez préalablement votre masque. Vous pourrez ainsi pleinement participer à l'activité suivante : cherche et retrouve les animaux de ta famille.

Cherche et retrouve les animaux de ta famille !

Demander / dire à quelqu'un son identité (fictive).

• Proposez à vos élèves de se lever et de cacher leur masque derrière leur dos (vous faites de même avec votre propre masque). Chacun doit retrouver tous les animaux de sa famille. Pour cela il faut se déplacer dans la salle de classe, se rencontrer, se saluer et se demander son identité ➜ ***Bonjour, tu es une poule ? Non, je suis un chat !*** (cf. l'exemple sur le livre de l'élève).
Lorsque toutes les familles sont formées, demandez aux enfants de mettre leur masque devant leur visage et de se présenter : *Vous êtes la famille ? Et vous, vous êtes la famille... ?* Les enfants donnent le nom de leur famille ➜ *La famille Chats ! ... La famille Chiens !* Etc.

Chante et danse la rumba des animaux !

Chanter, danser, mimer, s'amuser...

• Proposez à vos élèves, toujours regroupés par familles, de chanter et danser la rumba des animaux. Invitez-les à s'avancer ou à joyeusement lever en l'air leurs masques lorsqu'ils chantent l'onomatopée du cri de leur famille !

N'hésitez pas tout au cours de la réalisation de ce projet à prendre des photos de vos élèves en train de fabriquer leurs masques, de chanter et de danser. Vous aurez plaisir ultérieurement à regarder ces photos ensemble ; elles seront le support d'intéressantes situations de langage.

Cette page est dédiée à des activités de découverte. Au cours de ces activités de type pluridisciplinaire regroupant des activités d'éveil à la biologie, d'éveil aux langues et à la géographie, les enfants vont apprendre à ouvrir leurs yeux (et leurs oreilles) sur le monde qui les entoure pour découvrir :

- Quelles sont les traces que Lila et différents animaux de la ferme laissent sur le sol ?
- Les différentes onomatopées du cri du coq dans six pays / langues différents.

LIVRE DE L'ÉLÈVE, p. 26

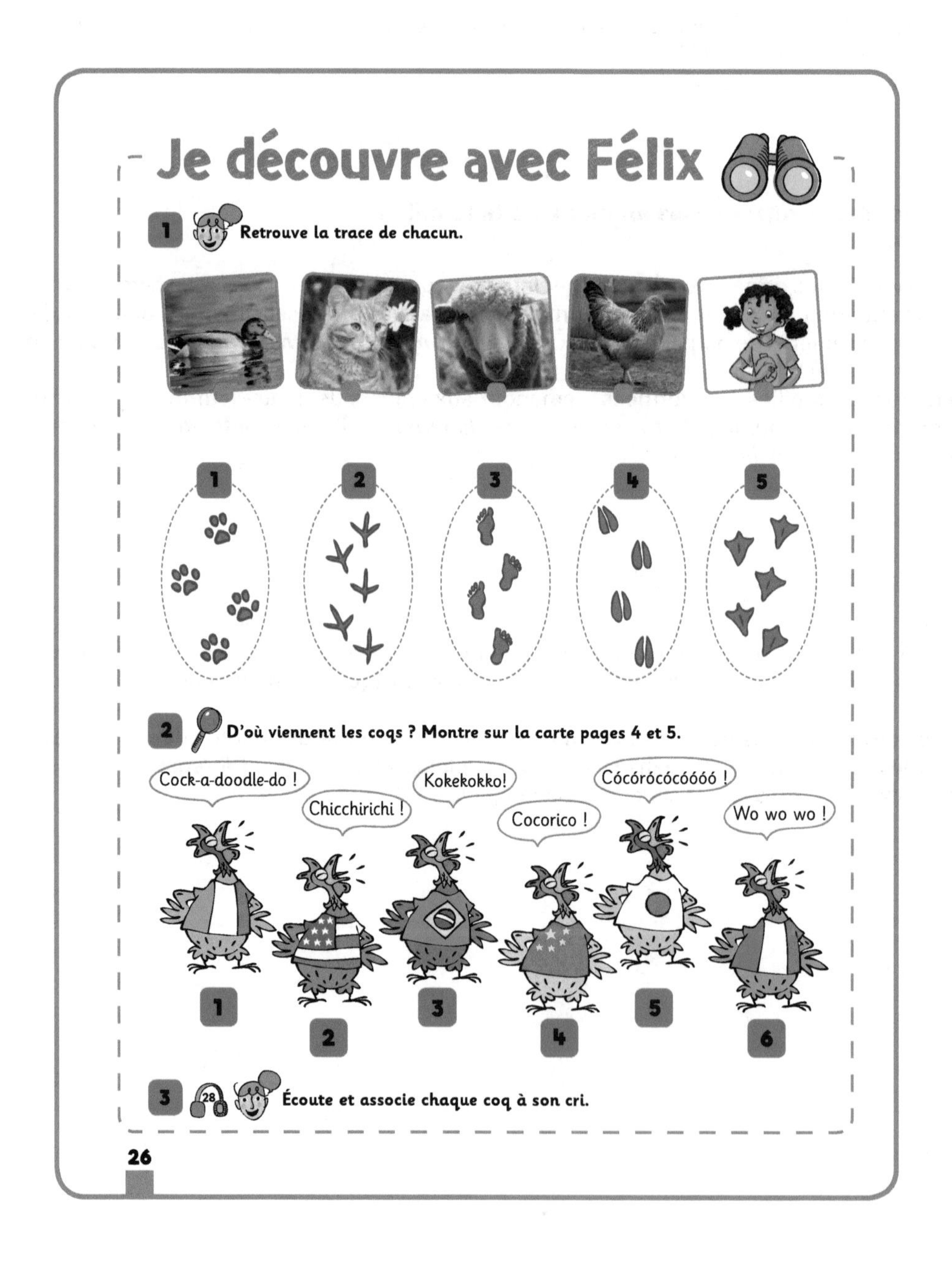

 **Retrouve la trace de chacun.**

Éveil à la biologie : identifier des traces d'animaux (+ celles de Lila) ; Production orale : nommer des animaux.

• Invitez les enfants à regarder les cinq traces numérotées de 1 à 5 et les cinq vignettes au-dessus de ces traces. Pointez chaque trace et demandez quel en est l'auteur : ***Trace numéro 1, qu'est-ce que c'est ?... Un canard ?... Une poule ?...***

➜ *C'est un chat !*

Donnez la parole à plusieurs enfants, recueillez les différentes propositions, puis entendez-vous sur la bonne solution.

Solution :

Trace numéro 1 ➜ un chat
Trace numéro 2 ➜ une poule
Trace numéro 3 ➜ Lila
Trace numéro 4 ➜ un mouton
Trace numéro 5 ➜ un canard

Le chant des coqs !

Géographie : mettre en relation un pays et son drapeau ; situer un pays sur la carte du monde ; Éveil aux langues : le coq chante en différentes langues !

• Présentation de l'activité. Demandez aux enfants d'observer l'illustration. On voit 6 coqs et 6 bulles. Chaque coq porte un tee-shirt avec le drapeau de son pays. Chaque coq a un cri différent en fonction de la langue qui est parlée dans son pays. (Assurez-vous que vos élèves comprennent bien qu'il s'agit de l'onomatopée et non pas du vrai cri du coq qui, lui, chante toujours de la même façon, quel que soit le pays où il vit !)

 **D'où viennent les coqs ? Montre sur la carte page 4 et 5.**

Vos élèves connaissent certainement quelques drapeaux (connaissances en géographie... ou connaissance du mondial de football !)

• Pointez chaque coq et demandez : ***Le drapeau numéro 1, c'est... ?*** Laissez-les proposer une réponse - dans leur L1 certainement - puis donnez la bonne réponse en français ➜ *C'est le drapeau de l'Italie. Le coq numéro 1 vient d'Italie.*

• Procédez de la même manière avec les autres drapeaux / coqs : Le ***drapeau numéro 2, c'est... ?*** Etc.

Invitez vos élèves à situer chaque pays sur la carte du monde pages 4 et 5 de leur livre (ou, pour une meilleure visualisation collective, sur le planisphère de la classe si vous en avez un).

Solution

Numéro 1 : Le coq vient d'Italie
Numéro 2 : Le coq vient des États-Unis
Numéro 3 : Le coq vient du Brésil
Numéro 4 : Le coq vient de Chine
Numéro 5 : Le coq vient du Japon
Numéro 6 : Le coq vient de France

Remarque : N'insistez pas sur *le coq vient de...* ou le coq *vient du...* Ce qui est important ici, c'est que les enfants identifient et situent chaque pays.

  **Écoute et associe chaque coq à son cri.**

• Dites aux enfants qu'ils vont entendre les six coqs chanter, chacun dans sa langue. Ils devront associer chaque cri au bon coq : Écoute et associe chaque coq à son cri !

• Faites écouter une première fois l'enregistrement dans son intégralité. Les enfants essaient « dans leur tête » d'associer chaque cri à l'un des coqs (en repérant le nom du pays ou en associant certaines onomatopées à la représentation qu'ils ont de certaines langues).

• Prodédez ensuite à une écoute fragmentée. Demandez de quel coq il s'agit : ***C'est quel coq ?*** Pour guider vos élèves, attirez leur attention sur le pays d'origine du coq qui est nommé dans chaque petit passage.

Script du CD et solution 28	
1. Cock-a-doodle-do ! Je viens des États-Unis et je chante Cock-a-doodle-do !	**Coq n° 2**
2. Chicchirichi ! Chicchirichi ! Je viens d'Italie ! Chicchirichi !	**Coq n° 1**
3. Kokekokko ! Je viens du Japon ! Kokekokko !	**Coq n° 5**
4. Cocorico ! Cocorico ! Je parle français ! Cocorico !	**Coq n° 6**
5. Cócórócócóóóó ! Je viens du Brésil ! Cócórócócóóóó !	**Coq n° 3**
6. Wo wo wo ! je suis un coq chinois, je viens de Chine ! Wo wo wo !	**Coq n° 4**

Au cours de cette activité, les enfants vont :
- Apprendre à émettre des hypothèses sur le contenu d'un document vidéo
- Apprendre à identifier quelques éléments langagiers ciblés : noms de quelques animaux de la ferme
- Identifier et imiter le cri de quelques animaux de la ferme

LIVRE DE L'ÉLÈVE, p. 27

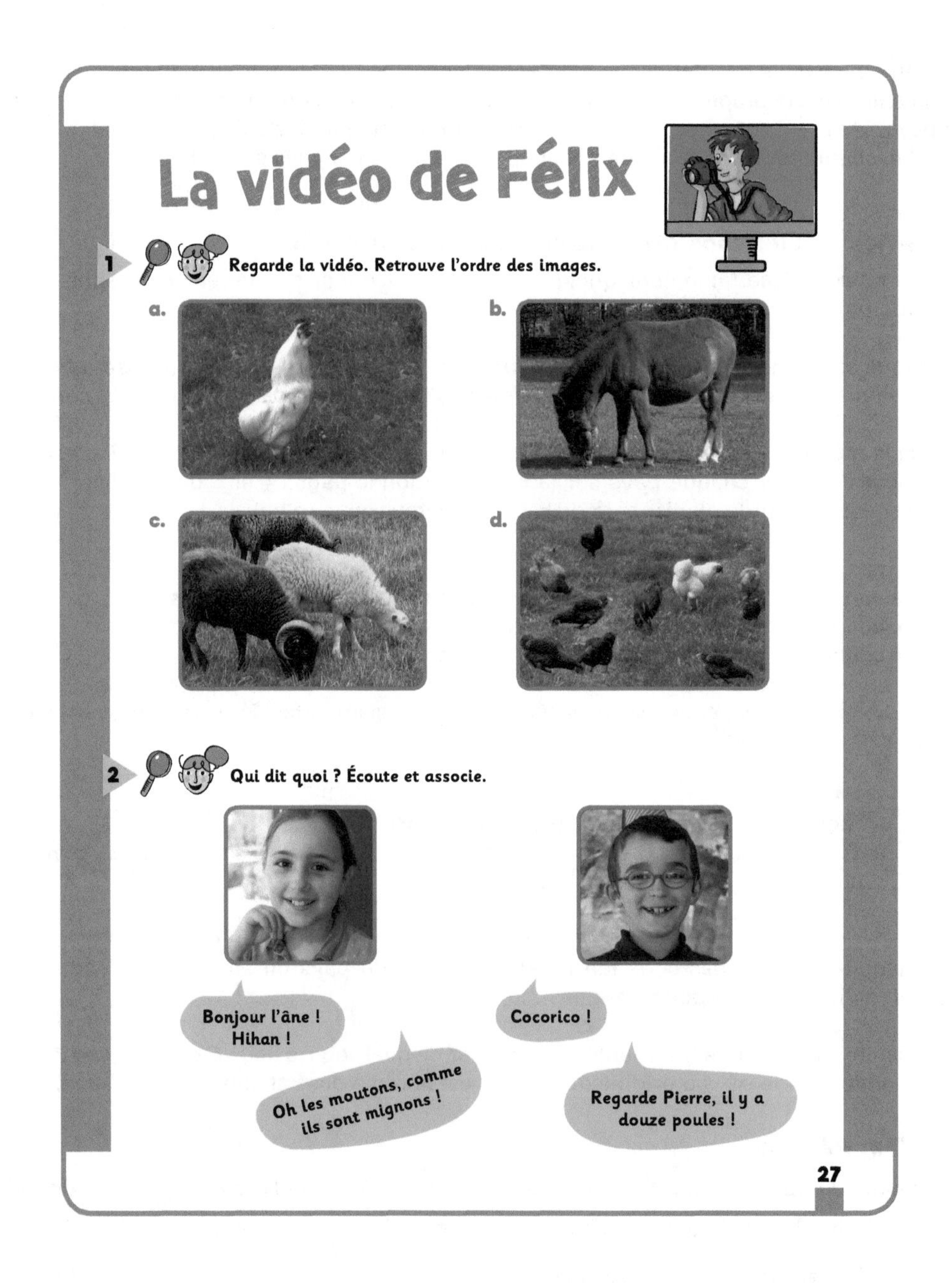

■ Étape 1

Pour commencer :

• Livre fermé, annoncez en langue 1 à vos élèves que Félix leur propose une nouvelle vidéo ! Invitez-les à regarder très attentivement les 10 premières secondes de cette vidéo et à deviner ce qui va se passer ensuite. Procédez si besoin à 2 visionnages.

• Recueillez les réponses et faites justifier.
On entend Pierre et Elsa prononcer les mots « *animaux* », « *ferme* », « cri ». Il s'agit donc certainement d'une vidéo sur les animaux de la ferme et leurs cris !

• Faites visionner la vidéo du début à la fin, puis demandez : *On voit quels animaux sur la vidéo ?* Recueillez les réponses des enfants, pêle-mêle : *des vaches, des moutons, un chat, un chien, un âne, un coq, des poules,* etc.

■ Étape 2

  **Regarde la vidéo. Retrouve l'ordre des images.**

Faites ouvrir le livre à la page 27.
• Pointez les 4 photos de l'activité 1 et faites nommer : *Qu'est-ce que c'est ?... Un coq !... Un âne !... Des moutons !... Des poules !* Lorsqu'il y a plusieurs animaux sur la photo, pointez bien chacun d'entre eux pour faire comprendre l'utilisation du petit mot « *des* ».

• Invitez les enfants à regarder une nouvelle fois la vidéo. Stoppez-la dès que l'une de ces 4 images apparaît à l'écran. Faites nommer. *D'abord, c'est... ? L'image d, des poules !... Après, c'est ?... L'image a, un coq ! Etc.*

Solution : 1 : Image d. des poules. – 2 : Image a. un coq. – 3. Image b. *un âne.* – 4. Image c. des moutons.

  **Qui dit quoi ? Écoute et associe.**

• Faites observer l'activité et oraliser le texte de chaque petite bulle : « Bonjour l'âne ! Hihan ! Cocorico ! », etc.

• Afin d'activer les mémoires visuelle et sonore des enfants, proposez-leur de répondre aux questions avant de procéder à un nouveau visionnage.

• Recueillez les réponses, puis procédez au visionnage de la vidéo pour valider les réponses données.

Solutions :
– Elsa dit : *« Oh les moutons, comme ils sont mignons ! »« Bonjour l'âne ! Hihan ! » « Regarde Pierre, il y a douze poules ! »*
– Pierre dit : *« Cocorico ! »*

♦ Activité complémentaire. Notre vidéo des cris des animaux plurilingues !

Réalisez avec votre téléphone portable une petite vidéo où vos élèves mimeront et imiteront les cris des animaux de la ferme en français et dans leur(s) langue(s) 1 ! Vous pourrez la poster sur le blog de votre école, la communiquer aux parents ou aux correspondants de votre classe.

Script
– **Elsa :** Regarde Pierre, il y a douze poules !
– **Pierre :** Cotcotcodett !
– **Pierre :** Regarde le coq Elsa !
– **Elsa :** Cocorico !
– **Elsa :** Bonjour l'âne !
– **Pierre :** Bonjour l'âne ! Hihan !
– **Pierre :** Il y a dix vaches, Elsa ! Miam, le bon lait !
– **Elsa :** Meuh !
– **Elsa :** Oh les moutons, comme ils sont mignons !
– **Pierre :** Bêe !
– **Elsa et Pierre ensemble :**
Dans la ferme de Lila
C'est la fête des animaux
Ils dansent tous la rumba

Pas à pas vers l'écrit. ACTIVITÉS DE SOUTIEN
Leçon 1

Ces activités sont destinées à des enfants non familiarisés avec les caractères de l'alphabet latin.

■ Introduction des cartes-mots « animaux ».

Discrimination visuelle : identifier globalement les mots.

Cartes-mots

• Affichez, sans les nommer, les 8 cartes-mots au tableau. Invitez les enfants à les observer. Demandez-leur s'ils reconnaissent certains mots et s'ils peuvent les oraliser. Pour les aider, donnez le son initial (et non le nom de la lettre) de chaque mot en pointant la lettre initiale : *ce mot commence par [a]... (âne)... Ce mot commence par [k]...* (canard, coq ; pour l'identification visuelle : le mot coq est plus court que le mot canard)... *Ce mot commence par [ʃ]...* (chien, chat)... *Ce mot commence par [m]...* (mouton)... *Ce mot commence par [v]...* (vache).

Cartes-images

• Distribuez à 8 enfants les 8 cartes-images « animaux » et demandez-leur de venir coller au tableau chaque animal sous la bonne carte-mot. Lorsque toutes les cartes-images sont à la bonne place, faites lire à haute voix chaque carte-mot. Attirez l'attention des enfants sur les « petits mots » *un* et *une* qui sont en haut des cartes.

■ Mots stop !

Favoriser la reconnaissance globale des mots.

Cartes-images

Cartes-mots

• Formez 2 équipes. Collez une des cartes-images au tableau. Montrez une à une chaque carte-mot. Les enfants doivent dire *STOP !* lorsque vous montrez la carte-mot correspondant à la carte-image fixée au tableau. L'équipe qui la première dit *STOP !* et lit correctement le mot à haute voix marque un point.

■ Entraînement individuel – Entoure les lettres qui composent chaque mot.

Activité de soutien n° 4

Les enfants doivent entourer dans la suite alphabétique les lettres qui composent un mot (nom de chaque animal).

Remarque : Lorsqu'il y a 2 fois la même lettre dans un mot, demandez-leur d'entourer 2 fois la lettre (c'est le cas de « mouton » et de « canard »). Attirez leur attention sur le « a » du mot « âne » auquel il faut ajouter une « petit chapeau » ! (accent circonflexe).

Ces activités sont destinées à des enfants non familiarisés avec les caractères de l'alphabet latin.

■ Préparation collective de l'activité 2, page 16 : Cot cot cot codett ! Observe, lis et coche.

Apprendre à décoder et à comprendre un texte écrit.

• Traitez le texte écrit comme une énigme à résoudre et faites de vos élèves apprentis lecteurs des chercheurs d'indices, des questionneurs de texte ! Pour cela proposez-leur une démarche active et progressive de compréhension de l'écrit et montrez-leur qu'ils sont capables de comprendre seuls beaucoup plus qu'ils ne croient !

• Apprendre à observer l'écrit et à y reconnaître des mots connus. Écrivez au tableau (ou présentez sur une affiche préalablement écrite) les phrases ci-dessous : ce sont les 6 phrases que les enfants auront à lire et à comprendre au cours de l'activité 2 de la page 16. Ne les oralisez pas.

Il y a onze poules. Il n'y a pas de coq.

Il y a neuf poussins. Il y a dix-sept œufs.

Il n'y a pas de mouton. Il y a un chat.

• Demandez aux enfants d'observer ces phrases et de trouver tous les mots qu'ils connaissent déjà : *Observez les phrases, vous reconnaissez quels mots ?* Invitez plusieurs élèves à venir entourer au tableau les mots reconnus : *Qui vient au tableau ? ... Tu entoures quel mot ?* Demandez bien sûr aux autres enfants s'ils sont d'accord. Les mots et structures connus à l'écrit sont : *poules, mouton, coq, un chat, il y a, il n'y a pas de*. Certains enfants identifieront peut-être d'autres mots par recoupements grapho-phonétiques...

• Décoder des phrases et les oraliser. Aidez les enfants à décoder et à oraliser chaque phrase. Pour cela, mettez en évidence qu'elles commencent toutes par *Il y a* ou *Il n'y a pas de* : entourez au tableau les « *il y a* » d'une couleur et les « *il n'y a pas de* » d'une autre couleur.
Faites émettre des hypothèses sur certains mots qu'ils n'ont encore jamais rencontrés à l'écrit, mais qu'ils sont capables par recoupements et mises en relation de reconnaître :
- le mot « poussins » commence comme *poule* qu'ils connaissent déjà ; en fonction du contexte, ils reconnaîtront certainement qu'il s'agit du mot *poussin* qu'ils viennent d'apprendre à l'oral.
- quant à *dix-sept*, les enfants connaissent *six* et *sept* à l'écrit, ils pourront par conséquent aisément identifier « dix-sept » puisqu'ils connaissent déjà le nombre dix à l'oral.
- Vous oraliserez vous-même le mot « œufs » difficile à reconnaître.

• Faire seul l'activité de compréhension écrite. Demandez aux enfants d'ouvrir leur cahier d'activités et de regarder l'activité 2 de la page 17. On y retrouve les mêmes phrases qu'au tableau, avec une image illustrant, ou presque, les phrases.
Proposez aux enfants de lire « dans leur tête » à nouveau chaque phrase, de bien regarder l'image et de cocher lorsque la phrase « dit » la même chose que le texte. Faites un premier exemple avec toute la classe, puis chacun travaille à son rythme. Les phrases sur lesquelles vous avez travaillé précédemment sont encore écrites au tableau : ce sont des repères pour les enfants.

• Mise en commun : faites procéder à une lecture oralisée. Demandez à quelques enfants de lire les phrases à voix haute et de dire si l'affirmation est vraie (*Oui !*) ou fausse (*Non !*). Invitez-les à justifier leur réponse à l'aide de l'image.
Veillez à une bonne oralisation de l'écrit en rappelant la phonologie des structures déjà utilisées à l'oral. Attirez l'attention de vos élèves sur les « s » du pluriel (poules, poussins, œufs) que l'on n'entend pas à l'oral.

Qu'avons-nous fait... ? Qu'avez-vous appris ? Bilan de l'unité 2

• Prenez le temps de faire avec vos élèves un bilan des apprentissages réalisés au cours de l'unité 2. Cette mise à distance guidée leur permettra de s'engager de façon plus active dans leur apprentissage du français à travers :
une prise de conscience des savoir faire qu'ils ont développés et des progrès qu'ils ont réalisés.
une mise en mots des difficultés qu'ils ont rencontrées (et qu'ils vont apprendre à surmonter).

• Dites à vos élèves (L1) que vous allez maintenant tous ensemble réfléchir à ce que vous avez fait et appris au cours de l'unité 2. Demandez-leur :
– ***Qu'est-ce que nous avons fait au cours de l'unité 2, vous vous rappelez... ?*** *Ils vont ici rappeler diverses situations et activités...* Recueillez leurs propositions.
– ***Qu'avez-vous appris au cours de l'unité 2 ?*** Les enfants auront tendance ici à énumérer le lexique appris.
– ***Qu'avez-vous appris à faire en français ?*** Engagez les enfants à exprimer ce qu'ils savent faire en termes d'« actes de paroles » ou d'« actions » ➜ nommer les animaux, dire les onomatopées, compter jusqu'à 20, décrire une image et dire les différences avec une autre image... jouer au jeu de Bingo, faire des mots fléchés, comprendre et écrire un courriel pour se présenter...
– ***Qu'est-ce que vous savez bien faire ? Qu'est-ce qui vous pose encore problème ?*** Guidez la réflexion des enfants, recueillez leurs réponses et rassurez celles et ceux qui rencontrent des difficultés : donnez des conseils en fonction des difficultés rencontrées.

Pour terminer sur une note affective, demandez aux enfants :
– ***Qu'est-ce vous avez particulièrement aimé faire dans l'unité 2 ?***

Suggestion : S'il y a des activités que certains élèves disent ne pas trop aimer faire, expliquez-leur en quoi elles sont utiles à l'apprentissage du français : pour apprendre à comprendre, à entendre, à prononcer...

Unité 3 Au pays du goût

Cadre narratif	
Félix et Lila nous entraînent au pays du goût ! Nos amis vont au marché, puis décident de préparer une salade de fruits. Madame Bouba prépare une ratatouille de légumes. Chut !... Elle fait un régime ! Félix, Lila et leurs amis font ensuite un pique-nique au parc et découvrent toute une palette de saveurs sucrées, salées ou acides...	
CONTENUS	
Communication	– Identifier/nommer des fruits et des légumes – Comprendre une recette de salade de fruits – Expliquer la composition d'un plat – Parler de ses goûts – Identifier et catégoriser des saveurs – Dire ce que l'on veut ou ne veut pas
Phonologie	Identifier la présence du phonème [o] dans un mot
Observation / Structuration de la langue	Utiliser à bon escient les déterminants *le*, *la*, *les*
Découverte de l'écrit	Lire / écrire des noms de fruits Comprendre un petit texte et le traduire en dessin Lire et comprendre des informations, les transcrire dans un tableau à double entrée Comprendre et mettre en relation des informations pour résoudre un petit problème de mathématiques Graphie / Phonie : – découvrir que dans certains mots, on voit la lettre « o », mais on n'entend pas le son [o] (*poire*) – découvrir que le son [o] peut s'écrire de différentes façons : *o*, *au*, *eau* (comme dans *gâteau*, *pomme*, *jaune*)
Découvertes (inter)culturelles	– Le marché – Un plat français : la ratatouille – Éveil sensoriel : découvrir et différencier diverses saveurs

Unité 3 Leçon 1 Au marché !

Au cours de cette leçon, les enfants vont :
• à l'oral :
– Identifier et nommer quelques fruits : une *pomme, une fraise, un kiwi, un melon, une banane, une orange, un citron, une poire*
– Identifier les diverses étapes de la réalisation d'une salade de fruits
– Jouer en français au sudoku des fruits
– Dire ce qu'il y a dans une salade de fruits

• à l'écrit :
– Lire et écrire le nom de quelques fruits
– Comprendre un petit texte et le traduire en dessin
– Constater qu'il y a un « s » à la fin des noms au pluriel

Matériel :
– Cartes-images « fruits » n° 29 à 38
– Fiche photocopiable n° 8 (a et b) : cartes-images fruits à découper pour les jeux de sudoku du livre de l'élève (a) et du cahier d'activités (b). Chaque fiche est à photocopier en 4 exemplaires (4 fruits de chaque sorte).

Activités de différenciation :
À fabriquer : Cartes-mots « fruits » : *une orange, une banane, un melon, une pomme, une fraise, un kiwi, un melon, un citron.* Une série de cartes pour le tableau + une série de cartes par sous-groupe d'élèves pour le jeu de Mémory.
– Fiche photocopiable n° 8 (a et b) : une série de 8 cartes-images par sous-groupe pour le jeu de Mémory.
– Activité de soutien n° 6

LIVRE DE L'ÉLÈVE, p. 28 et 29

1 29 Écoute. Qu'est-ce que tu entends ?
Prendre plaisir à identifier les éléments d'un paysage sonore ; Identifier les bruits d'un marché ; Comprendre une situation de façon globale.

• Découverte sonore. Demandez aux enfants de s'installer dans le calme, livre fermé, et d'écouter attentivement le document audio qui va suivre... Ne dites surtout pas à l'avance de quoi il s'agit, vos élèves seront ravis de découvrir par eux-mêmes l'atmosphère sonore d'un marché. À la fin de l'écoute demandez-leur (L1) où sont aujourd'hui Félix et Lila ➜ *Au marché bien sûr !* Invitez-les à dire comment ils l'ont identifié ➜ les voix et intonations des différents marchands ; peut-être les noms de certains fruits : *bananes, kiwis* ; certains prix en euros...

Script du CD 
– **Une marchande :** Poires, qui veut mes belles poires ? 1 euro 20 le kilo, achetez mes belles poires !
– **Un marchand :** Fraises de Provence, goûtez les fraises de Provence, rouges et bien sucrées ! Trois euros le kilo !
– **Une marchande :** 1 euro le kilo de bananes, qui veut des bananes ? 1 euro le kilo !
– **Un marchand :** Kiwis, kiwis d'Italie, 6 kiwis pour 1 euro !

Pour commencer :

Si on disait une comptine ?

Ouvrir ses oreilles et se mettre en voix en chantant la *Chanson de la poule*.

• Frappez le rythme de la *Chanson de la poule* (piste 26, CD1 Livre de l'élève, leçon 3, p. 23) dans vos mains. Demandez à vos élèves : *Écoutez... Vous connaissez cette comptine ?* Ils identifieront certainement la *Comptine de la poule*.

• Scandez avec les enfants les paroles de la chanson. Frappez les chiffres de 1 à 9 dans les mains.

• Répartissez les enfants en 3 groupes, chaque groupe scandant une des trois strophes.

2 (30) Montre les fruits.

Compréhension orale : identifier qui parle ; Introduction du lexique des fruits : identifier le nom des différents fruits.

• Faites ouvrir le livre à la page 28 et observer l'illustration. Nous sommes bien au marché et tous nos amis sont là !

• Invitez les enfants à écouter l'enregistrement et à dire qui parle ➜ Félix, Lila, Tilou : Félix interviewe ses deux amis et leur demande ce qu'ils achètent. Expliquez la signification de *j'achète*.

Cartes-images

• Affichez en vrac au tableau les 6 cartes-images des différents fruits qu'achètent Lila et Tilou : des oranges, des bananes, des fraises, des kiwis, des pommes, un melon.

• Procédez à une écoute fractionnée. Faites d'abord écouter le dialogue entre Félix et Lila. Demandez à un(e) élève de venir sélectionner et coller au tableau les cartes images, dans l'ordre où Lila les nomme. ➜ *des fraises, des kiwis, des bananes, des pommes*. Faites ensuite écouter le dialogue entre Félix et Tilou. Demandez à un(e) autre élève de venir coller les cartes-images, dans l'ordre où Tilou les nomme. ➜ *des oranges, un melon.*

Script du CD (30)

– **Félix** : Qu'est-ce que tu achètes Lila?
– **Lila** : J'achète des fraises et des kiwis.
– **Félix** : Huuuuum, des fraises et des kiwis ! Et qu'est-ce que tu as dans ton panier ?
– **Lila** : J'ai des bananes... et j'ai... des pommes ; oui j'ai des bananes et des pommes !
– **Félix** : Ah Tilou ! Qu'est-ce que tu as dans ton panier ?
– **Tilou** : Moi, j'ai des oranges et... un melon, un gros melon !

♦ Activité complémentaire. Observe et répète !

Reproduction orale : mémorisation du lexique des fruits.

• Au tableau, numérotez chaque carte-image de 1 à 6. Dites en pointant chaque carte: *Lila achète des fraises, des kiwis, des bananes, des pommes. Tilou achète des oranges, un melon.* Faites répéter plusieurs fois. Progressivement retirez les cartes-images du tableau et ne montrez que leur emplacement matérialisé par les chiffres de 1 à 6. Les enfants continuent à nommer les fruits en faisant appel à leur mémoire visuelle. Pointez les numéros dans le désordre et terminez l'activité en demandant : *Le numéro 1, c'est... ?* ➜ *Des fraises ! Le numéro 6, c'est... ?* ➜ *Un melon !*

Cartes-images

3 (31) La salade de fruits de Félix. Écoute et remets dans l'ordre.

Compréhension orale : repérer des mots connus pour reconstituer le sens d'un message.

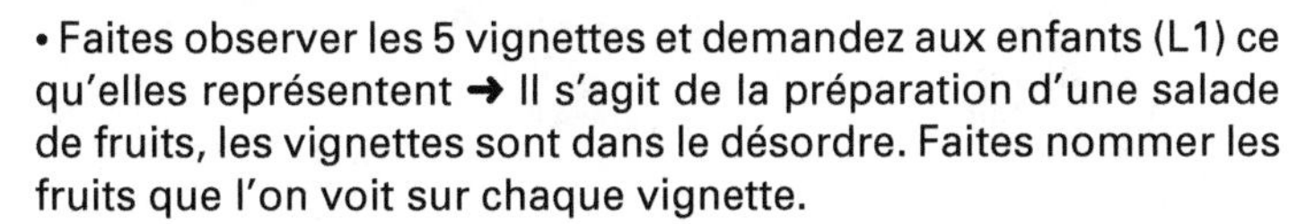

• Faites observer les 5 vignettes et demandez aux enfants (L1) ce qu'elles représentent ➜ Il s'agit de la préparation d'une salade de fruits, les vignettes sont dans le désordre. Faites nommer les fruits que l'on voit sur chaque vignette.

• Félix, Lila et Tilou veulent préparer une salade de fruits. Félix lit la recette à ses amis... Demandez à vos élèves d'écouter et de pointer au fur et à mesure chaque vignette en fonction des différentes étapes de la recette.

• À la fin de l'écoute, demandez-leur quel est d'après eux l'ordre des vignettes. Recueillez leurs différentes propositions, sans toutefois les valider.

Remarque : Les enfants font ici intervenir non seulement leurs compétences de compréhension orale (repérage des différents fruits), mais aussi un peu de bon sens : il est en effet logique de presser les oranges (vignette **a**) avant d'ajouter leur jus dans le saladier (vignette **b**) ! Ce qu'ils entendent sur le CD vient donc consolider leurs hypothèses.

• Vérification. Procédez à une écoute fractionnée, étape par étape et faites désigner la bonne vignette. Montrez sur les illustrations les différentes actions et les ingrédients représentés.

Script du CD (31)	Solution
– **Félix** : Oh ! J'ai une idée ! On fait une salade de fruits ? – **Tilou** : Oh oui ! Une salade de fruits ! – **Lila** : Super Félix ! Tu as une recette ? – **Félix** : Alors, attends, je lis... Recette de la salade de fruits... **1.** Lave les fraises...	Vignette c
2. Épluche la pomme, la banane, le kiwi et le melon.	Vignette d
3. Coupe les fruits en petits morceaux.	Vignette e
4. Presse les deux oranges.	Vignette a
5. Dans un saladier, mélange les fruits coupés avec le jus des oranges et le sucre. Et... bon appétit !	Vignette b

4  Sudoku ! Complète avec tes camarades !

Production orale : nommer les fruits pour compléter une grille de sudoku ; Réaliser une tache en coopération.

• Ce jeu de sudoku sollicite l'intelligence logique et mathématique de vos élèves ! Le but du jeu est de remplir la grille avec une série de 4 fruits : une pomme, un kiwi, une fraise, une banane, de telle sorte que ces 4 fruits se trouvent sur chaque ligne, dans chaque colonne et dans chaque région (un carré de 4 cases). Il ne peut donc pas par exemple y avoir deux pommes ou 2 kiwis sur la même ligne, la même colonne ou dans la même région.

Fiche photocopiable n° 8 - a

• Faites ouvrir le livre à la page 27. Demandez aux élèves de dire (L1) ce qu'ils voient sur l'illustration → S'ils connaissent le jeu, ils identifieront facilement une grille de sudoku avec des fruits.
Reproduisez rapidement au tableau la grille de sudoku telle qu'elle est dans le livre de l'élève : marquez bien la limite entre les 4 régions par des traits plus prononcés. Collez les 7 cartes-fruits de la grille – 1 pomme – 3 kiwis – 2 fraises – 1 banane – dans leurs cases respectives. À côté de la grille, collez en vrac les cartes qui permettront de la compléter :

- 3 cartes *pomme*
- 1 carte *kiwi*
- 2 cartes *fraise*
- 3 cartes *banane*

• Le jeu de sudoku est peut-être déjà connu de vos élèves... Habituellement on y joue avec des chiffres de 1 à 9 – ou de 1 à 4 ou 1 à 6 pour les enfants. Si c'est le cas, faites expliquer la règle. Si les élèves ne connaissent pas le jeu, expliquez son principe en vous appuyant sur la grille que vous venez de reproduire.

• Faites nommer les quatre différents fruits. Attirez l'attention des enfants sur le déterminant qui précède chaque nom : *une pomme, un kiwi...* (Ils ne connaissent pour l'instant ces noms qu'au pluriel).

Solution :

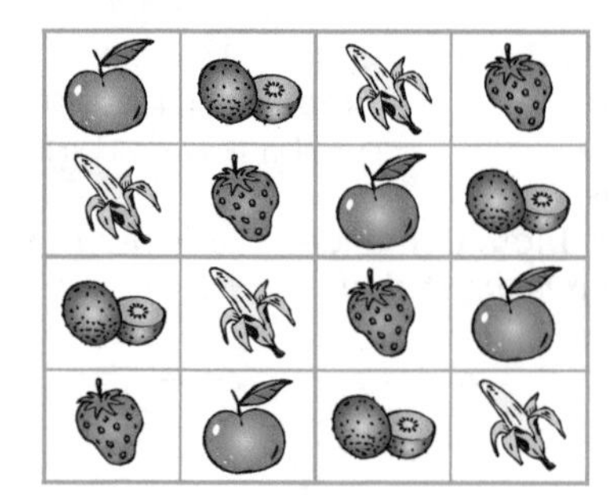

• Montrez la première ligne en haut de la grille où il ne manque qu'un fruit. Demandez en pointant la case vide: *Qu'est-ce qui manque ?* → Il manque *une banane.* Demandez à un enfant de venir coller une banane dans la case.
Montrez ensuite la région en haut à droite où il y a maintenant un kiwi, une fraise et une banane. Pointez la case vide à gauche du kiwi et demandez à nouveau : *Qu'est-ce qui manque ?* → *Il manque une pomme.* Demandez à un enfant de venir coller une pomme dans la case.

• Continuez ainsi, en procédant par élimination jusqu'à ce que la grille soit entièrement complétée. Sollicitez la participation de tous les élèves, demandez-leur s'ils sont d'accord avec les propositions que font leurs camarades. S'ils ne sont pas d'accord, proposez-leur de venir au tableau montrer pourquoi et expliquer leur procédure, par exemple : *Non, c'est une banane... Il y a déjà une pomme ici !* Félicitez vos élèves lorsque la grille de Sudoku est entièrement complétée !

UNITÉ 3 - Au pays du goût

4 SUDOKU ! Complète avec tes camarades.

5 Chante avec Tilou !

Dans la salade de fruits de Bouba
Il y a
Des oranges et des citrons
Des bananes et un melon
Et aussi, et pourquoi pas
Du chococo, du choco, du chococo,
du choco
Du choco, du chocolat ?

Dans la salade de fruits de Bouba
Il y a
Des poires, des pommes, des kiwis,
Des fraises rouges pour faire joli
Et aussi, et pourquoi pas
Du chococo, du choco, du chococo,
du choco
Du choco, du chocolat ?

Miam, miam !

29

 **Chante avec Tilou !**

Prendre plaisir à comprendre et à chanter la chanson *La Salade de fruits de Bouba.*

• Faites observer l'illustration en bas de la page 29. Tilou chante et joue avec des fruits. Sur l'illustration, pointez *un citron* et *une poire* dont les noms ne sont pas encore connus.

• Faites écouter la chanson, livre fermé. Puis demandez aux enfants de dire (L1) ce qu'ils ont compris : noms de fruits connus, la salade de fruits... le chocolat... Et oui, Madame Bouba est tellement gourmande qu'elle met même du chocolat dans sa salade de fruits !

• Procédez à une écoute fragmentée et demandez aux enfants de chanter chaque vers. Veillez à ce qu'ils en respectent bien la mélodie, le rythme et la prononciation.

Script du CD 

Dans la salade de fruits de Bouba
Il y a
Des oranges et des citrons
Des bananes et un melon
Et aussi, et pourquoi pas
Du chococo, du choco, du chococo, du choco
Du choco, du chocolat ?

Dans la salade de fruits de Bouba
Il y a
Des poires, des pommes, des kiwis,
Des fraises rouges pour faire joli
Et aussi, et pourquoi pas
Du chococo, du choco, du chococo, du choco
Du choco, du chocolat ?

Miam miam !

Activité 1  **À chacun son caddie ! Écoute et relie.**

Compréhension orale : identifier le nom des fruits ; Attribuer à chacun son caddie en fonction de son contenu.

• Montrez les 4 caddies de l'activité 1 : Bouba, Pirouette, Pic Pic et Félix ont acheté des fruits au marché. Annoncez aux enfants qu'ils vont écouter le CD et qu'ils devront relier chaque caddie à son propriétaire (pointez le pictogramme).
Faites écouter plusieurs fois. Vous pouvez, si nécessaire, proposer une écoute fragmentée.

• Mise en commun. Demandez : *Le caddie numéro 1, c'est à... ?* ➜ *C'est à Pirouette. Le caddie numéro 2, c'est à... ? etc.* Faites réécouter chaque mini-dialogue pour vérifier les réponses. Faites nommer les fruits qui sont dans chaque caddie ➜ *Dans le caddie de Madame Bouba il y a des kiwis...*

Script du CD 14

– **Interviewer :** Pic Pic, qu'est-ce que tu as dans ton caddie ?
– **Pic Pic :** J'ai des bananes..., des citrons..., et des fraises... Oui, des bananes, des citrons et des fraises !

– **Interviewer :** Bouba, qu'est-ce que tu as dans ton caddie ?
– **Bouba :** Moi, j'ai... des kiwis... des fraises et... des poires. Oui, des kiwis, des fraises et des poires !

– **Interviewer :** Ah, Pirouette ! Qu'est-ce que tu as dans ton caddie ?
– **Pirouette :** Dans mon caddie il y a... des bananes, des pommes... et un melon. Oui... des bananes... des pommes... et un melon !

– **Interviewer :** Et toi Félix ?
– **Pirouette :** Moi, j'ai des oranges, des citrons... et des pommes. Oui, oui, des oranges, des citrons et... des pommes !

Activité 2  **Complète le sudoku avec tes camarades.**

Production orale : Nommer les fruits pour compléter une grille de sudoku ; Réaliser une tache en coopération ; Se repérer sur un tableau à double entrée ; Donner et comprendre une consigne.

• Voici une seconde grille de sudoku (un peu plus compliquée que la première !) avec de nouveaux fruits. Cette grille est une variante de celle qui se trouve sur le livre de l'élève et se présente sous la forme d'un tableau à double entrée : des chiffres et des lettres sont ajoutés en haut et sur le côté gauche de la grille. Cette présentation permettra des interactions orales entre les élèves lors de la mise en commun des résultats.

• Vos élèves connaissent maintenant le principe du jeu et peuvent dans un premier temps compléter la grille sans votre aide. Formez des petits groupes de 3 à 4 élèves. Faites nommer les 4 fruits de la série : *un citron, un melon, une orange, une poire,* puis invitez chaque groupe à compléter la grille de sudoku en dessinant les différents fruits. Ils disposent de 8 minutes ! Annoncez que tous à l'intérieur d'un même groupe doivent coopérer et se mettre d'accord sur un même résultat !

Fiche photocopiable n° 8 - b

• Pendant que les différents groupes complètent leurs grilles, reproduisez au tableau la grille de sudoku sous forme de tableau à double entrée, telle qu'elle est dans le cahier d'activités. Collez les 6 cartes-fruits dans leurs cases respectives. À côté de la grille, collez en vrac les cartes qui permettront de la compléter :

– 3 cartes *citron* – 3 cartes *orange*
– 3 cartes *melon* – 1 carte *poire*

À chacun son caddie ! Écoute et relie.

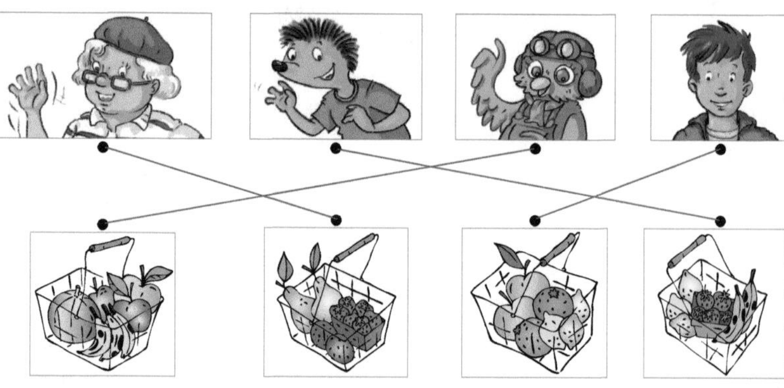

Complète le sudoku avec tes camarades.

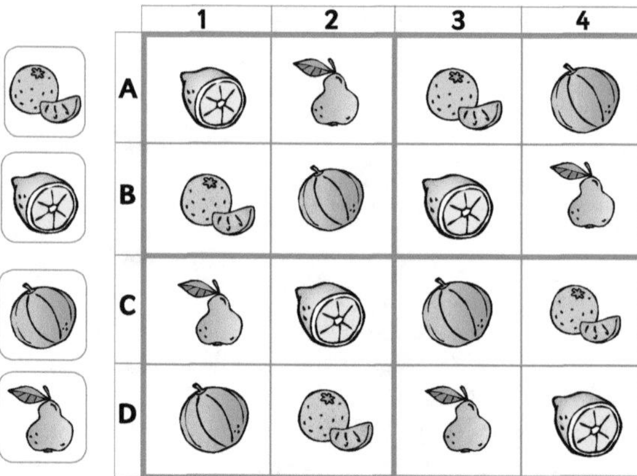

22

→ ACTIVITÉS DE SOUTIEN : page 120

• Mise en commun (après 8-10 minutes de travail par groupes). N'attendez pas que tous les groupes aient terminé, ceci perturberait la dynamique de l'activité. La phase de mise en commun permettra à ceux qui n'ont pas terminé de compléter leur grille.
Faites d'abord compléter la colonne 4 où il ne manque que 2 fruits. Demandez : *Sur la colonne 4, qu'est-ce qui manque ?* → *Un melon et un citron.* Demandez à un enfant de venir au tableau (sans son cahier !) coller les cartes sur la grille : *Colle un melon et un citron sur la colonne 4 !* Invitez les camarades de son groupe à lui dire où précisément coller ces deux cartes → *A-4, colle un melon ; D-4, colle un citron !*
Proposez ensuite de compléter la colonne 3. Demandez à un élève d'un autre groupe de venir au tableau (sans son cahier !) et invitez ses camarades à lui dire quelles cartes coller sur la colonne 3 → *C-3, colle un melon ! C-2, colle...*
Continuez ainsi jusqu'à ce que la grille soit entièrement complétée. Sollicitez la participation de tous les élèves, demandez-leur s'ils sont d'accord avec les propositions que font leurs camarades. S'ils ne sont pas d'accord, proposez-leur de venir au tableau montrer pourquoi et expliquer leur procédure, par exemple : *D-2, ce n'est pas un melon, il y a déjà un melon ici... C'est une orange !*

Activité 3  Complète les phrases.

Compréhension écrite : lire et compléter une phrase en fonction d'une information donnée sur une image ; Production écrite : copier correctement le nom des fruits là où il convient.

• Les noms des fruits n'ont pas encore été introduits à l'écrit. Proposez par conséquent à vos élèves de lire à voix haute les mots donnés en tête d'exercice, en veillant à ce qu'ils les prononcent comme ils l'ont déjà fait au cours des différentes activités orales. Attirez leur attention sur le [ɔ̃] de *melon* et *citron* et sur le [wa] de *poire*.
Afin de continuer la sensibilisation au genre des noms, les déterminants sont ici à nouveau en bleu ou en rouge.

UNITÉ 3 ~ Au pays du goût

 **Complète les phrases.**

une orange - une pomme - un kiwi - une banane - un melon - une fraise - un citron - une poire

1. Lila mange une pomme .
2. Tilou achète une banane et un kiwi .
3. Félix a un melon . Il n'a pas de poire .
4. Pic Pic mange une fraise .
5. Madame Bouba a une banane et une orange.
   Elle n'a pas de citron .

 **Lis et dessine les fruits sur l'arbre.**

Sur l'arbre de Félix et Lila il y a une pomme, des fraises, des oranges, un melon, deux citrons, des bananes et une poire.

23

• Invitez les élèves à lire « dans leur tête » chaque phrase et à la compléter en fonction des informations données sur les illustrations. Passez parmi les enfants pendant qu'ils réalisent l'activité individuellement. Veillez à ce qu'ils orthographient correctement chaque mot.

• Vérification collective. Demandez à quelques élèves de lire à voix haute les différentes phrases complétées. Demandez à leurs camarades de valider (ou non) leurs propositions.

Activité 4 Lis et dessine les fruits sur l'arbre.

Compréhension écrite : lire un petit texte (lecture silencieuse) et dessiner ce qu'on a compris.

• Invitez les élèves à regarder le bel arbre où sont assis Félix et Lila ! Demandez-leur de lire « dans leur tête » le petit texte, puis de dessiner sur l'arbre les fruits indiqués dans ce texte.
Attirez leur attention sur les lettres qui sont en vert dans le texte et demandez-leur (L1) à quoi cela correspond → Le petit mot *des* pour le pluriel, le s à la fin du mot (que l'on n'entend pas !) quand il y a plusieurs fruits (*des* fruits).

• Vérification collective. Lorsque les élèves ont dessiné, demandez à l'un d'entre eux de lire le texte de l'activité à voix haute. Les enfants vérifient que les fruits qu'ils ont dessinés correspondent bien au texte lu.

Madame Bouba fait un régime !

Au cours de cette leçon, les enfants vont :

• à l'oral :
– Identifier et nommer quelques légumes : C'est une *tomate, une courgette, une aubergine, un poivron, un oignon* (légumes qui entrent dans la composition de la ratatouille)
– Proposer quelque chose à quelqu'un / refuser : *Tu veux du chocolat ? Non merci !*
– Dire ce qu'ils aiment et ce qu'ils n'aiment : *J'aime les pommes, je n'aime pas les courgettes.*
– Utiliser en contexte les déterminants *le, la, les*
– Discriminer la présence du son [o] dans un mot

• à l'écrit :
– Relation phonie – graphie : mettre en évidence que :
– Le son [o] peut s'écrire avec les graphèmes *o, au, eau*
– Parfois on voit la lettre « o » dans un mot, mais on ne l'entend pas.

Matériel :
– Cartes-images « Légumes » n° 39 ; n° 41 à n° 45
– 9 cartes-images « Maison des sons » : n° 13 (crocodile), n° 22 (poule), n° 27 (jaune), n° 35 (poire), n° 36 (citron), n° 37 (pomme), n° 38 (orange), n° 39 (tomates), n° 40 (gâteau)
– Cartes-images diverses (animaux, fruits, légumes, ballons...) pour le jeu *Je vais au marché et j'achète...* (Activité 2 du cahier d'activités)

Activités de différenciation
– Cartes-images : n° 27 (jaune), n° 35 (poire), n° 36 (citron), n° 37 (pomme), n° 40 (gâteau), (n° 46) gomme, (n° 47) chocolat, (n° 48) (rouge) + éventuellement n° 8 (rose) et 23 (coq)
– À préparer : cartes-mots correspondantes

LIVRE DE L'ÉLÈVE, p. 30 et 31

Pour commencer : Si on jouait ? Trouve un mot qui commence par la lettre...

Réviser un lexique connu ; Réviser le nom des lettres de l'alphabet et l'orthographe de mots connus.

• Faites rappeler le nom des lettres de l'alphabet : vous pouvez pour cela reprendre la *Chanson de l'alphabet* (cahier d'activités, page 4).
Affichez au tableau différentes cartes-images de fruits, animaux, formes géométriques et couleurs que les enfants connaissent. Faites rapidement nommer les mots représentés.

• Répartissez les enfants en 2 équipes et proposez-leur un jeu de compétition : vous nommez une lettre de l'alphabet et la première équipe qui donne un mot commençant par cette lettre marque un point.
Faites un premier exemple collectivement. Dites par exemple : ***Trouvez un mot qui commence par la lettre « C »*** ! (Nommez la lettre et non le son !) ➜ Réponses possibles : *un canard... un chien... un chat... un cercle... un citron...*
Attention... La compétition commence ! Notez les points de chaque équipe au tableau et félicitez les gagnants à la fin du jeu !

 **La ratatouille de Madame Bouba. Écoute et montre les légumes.**

Introduction du lexique des légumes en situation d'écoute active ; Comprendre une situation de façon globale.

• Faites observer l'illustration de l'activité 1. Nous sommes dans la cuisine de Madame Bouba. Pirouette est là aussi. Madame Bouba épluche des légumes : elle fait une ratatouille !

• Demandez à vos élèves (L1) s'ils ont déjà entendu le mot « ratatouille ». Il y a fort à parier qu'un certain nombre d'entre eux aura vu (et aimé !) le film d'animation *Ratatouille* qui retrace les péripéties dans les cuisines d'un grand restaurant parisien d'un jeune rat qui rêve de devenir un grand chef cuisinier. Annoncez à vos élèves que la ratatouille est un plat français très connu et qu'ils vont maintenant, avec Madame Bouba et Pirouette, découvrir quels en sont les ingrédients.

• Faites écouter le CD. Les élèves essaient d'identifier et de pointer du doigt sur l'illustration les légumes que Bouba met dans la ratatouille, dans l'ordre de l'enregistrement (Les points de repère sont : les couleurs des différents légumes ; certains mots ressemblant éventuellement à L1 tels que *tomates* ou *aubergines*...)

Script du CD 33

– **Pirouette :** Qu'est-ce que tu fais Bouba ?
– **Bouba :** Je fais une ratatouille.
– **Pirouette :** Une ratatouille ? qu'est-ce que c'est ?
– **Bouba :** Alors, dans la ratatouille, il y a des légumes : il y a des tomates bien rouges... des courgettes bien vertes, des aubergines..., ... des poivrons rouges et des poivrons verts... Et aussi des oignons. La ratatouille, Pirouette, c'est TRÈS BON !
– **Pirouette :** Tu veux du chocolat, Bouba ?
– **Bouba :** Non, non, non, Merci ! Hou là là, pas de chocolat !!

Cartes-images

• Fixez en vrac au tableau les cartes-images des différents légumes. Procédez à une écoute fragmentée et invitez un élève à venir les afficher dans l'ordre où Bouba nomme les légumes. Vous l'aidez bien sûr et vous sollicitez l'avis de ses camarades ! Lorsque les images sont dans l'ordre, pointez et nommez les différents légumes : *Dans la ratatouille, il y a des légumes : il y a des tomates, des courgettes, des‿aubergines, des poivrons rouges et des poivrons verts, des‿oignons.* Faites répéter.

• Sur l'illustration, attirez l'attention des enfants sur la tablette de chocolat que tient Pirouette et sur le geste de refus de Madame Bouba. Faites écouter la fin de l'enregistrement et demandez aux enfants ce que Pirouette et Bouba se disent : *Tu veux du chocolat ? – Non, non, non, merci ! Hou là là, pas de chocolat !!* Faites reproduire avec gestes et intonations cette dernière partie du dialogue.

***Jeu du plus rapide.* Je veux des courgettes !**

Compréhension orale ; Mémorisation du nouveau lexique des légumes.

Cartes-images

• Les cartes-images « légumes » sont affichées au tableau. Invitez les élèves à venir se placer sur deux ou plusieurs files devant le tableau (deux ou plusieurs équipes). Désignez chaque équipe : *Vous êtes l'équipe 1, vous êtes l'équipe 2...* Dites par exemple : *Je veux des poivrons verts !* L'enfant qui, en tête de file, pointe le premier la carte « poivrons verts » marque un point pour son équipe. Les enfants qui viennent de jouer vont se placer en queue de file. Notez les points de chaque équipe au tableau et félicitez les vainqueurs !

 **Écoute et donne à chacune son panier.**

Compréhension orale : identifier le contenu de chaque panier ; Production orale : nommer le contenu de chaque panier.

• Invitez les élèves à observer ce qu'il y a dans les 2 paniers. Demandez-leur ce qui est écrit sur chaque étiquette ➜ *Madame Bouba, Pirouette.* Annoncez à vos élèves que Félix interviewe Pirouette et Madame Bouba. Ils devront écouter le CD, puis dire quel est le panier de chacune.

• À la fin de la première écoute, demandez : *Quel est le panier de Madame Bouba, le panier n° 1 ou le panier numéro 2 ? Quel est le panier de Pirouette ?* Recueillez les propositions des élèves, mais ne les validez pas pour l'instant.

• Procédez à une seconde écoute afin de vérifier les réponses. Désignez le panier de l'une et le panier de l'autre et faites nommer le contenu de chaque panier : *Dans le panier de Pirouette, il y a des courgettes, des fraises... des bonbons... : Dans le panier de Madame Bouba, il y a des courgettes, des aubergines... mais il n'y a pas de bonbons et pas de gâteaux !* On conclut que Bouba fait un régime ! C'est d'ailleurs pour cette raison qu'elle ne veut pas non plus de chocolat (activité 1) !

Solution

Panier 1 ➜ Pirouette
Panier 2 ➜ Madame Bouba

Script du CD 

– **Félix :** Qu'est-ce qu'il y a dans ton panier Pirouette ?
– **Pirouette :** Dans mon panier, il y a : des courgettes..., des fraises..., des pommes..., une baguette..., des bonbons... ... et miam, miam, un gâteau !
– **Félix :** Et dans ton panier Bouba, qu'est-ce qu'il y a ?
– **Bouba :** Il y a des courgettes... des aubergines..., des tomates bien rouges et... des poivrons ; ... il y a aussi des carottes et des fraises... Et une baguette !
– **Félix :** Il n'y a pas de bonbons... pas de gâteau dans ton panier Bouba ?
– **Bouba :** Non, non, non, il n'y a pas de bonbons et il n'y a pas de gâteau !
– **Félix :** Mais... Tu fais un régime Bouba ?

Remarque : Les élèves ne connaissent pas tous les mots. Pourtant, pour la plupart, ils auront choisi le bon panier. Les mots encore inconnus dans les répliques de Pirouette et de Madame Bouba – *des bonbons, un gâteau, des carottes* – n'ont pas entravé la réussite de la tâche. Vos élèves apprennent ainsi qu'on peut très bien comprendre une situation – et réussir une tâche – sans chercher à comprendre tous les mots.

 Si vous le souhaitez, proposez maintenant les activités 1 et 2, page 24 du cahier d'activités (décrites ci-après).

Écoute et dis.

Compréhension orale : comprendre ce que Lila aime ou n'aime pas ; Production orale : dire ce qu'on aime ou n'aime pas.

• Faites observer l'illustration de l'activité 3 page 31. Faites nommer ce qui est représenté sur les dessins et introduisez les mots *le fromage* et *violet* qui sont nouveaux. Montrez le cœur et dites, la mine gourmande : *Miam miam, j'aime les pommes !* Dites aussi : *Oh, j'aime les petits chats !* Puis montrez le cœur et dites en faisant la moue : Beurk ! *Je n'aime pas les citrons ! Je n'aime pas les bonbons !*

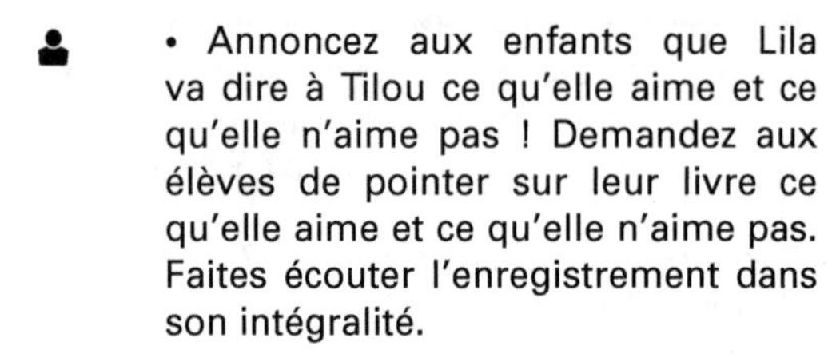

• Annoncez aux enfants que Lila va dire à Tilou ce qu'elle aime et ce qu'elle n'aime pas ! Demandez aux élèves de pointer sur leur livre ce qu'elle aime et ce qu'elle n'aime pas. Faites écouter l'enregistrement dans son intégralité.

• À la fin de l'écoute, demandez : ***Qu'est-ce que Lila aime ? Qu'est-ce qu'elle n'aime pas ?*** Recueillez les propositions des élèves sans toutefois les valider ➜ *Lila aime... Elle n'aime pas...*

• Procédez à une écoute fragmentée pour vérifier les réponses. Faites répéter les répliques de Lila : *J'aime **les** pommes, **le** bleu ..., **la** pizza ... Je **n'**aime **pas le** fromage, ... **les** tomates, ...* Attirez l'attention des enfants sur les petits mots ***le, la, les*** que l'on doit employer avant les noms lorsqu'on veut exprimer ce qu'on aime et ce qu'on n'aime pas.

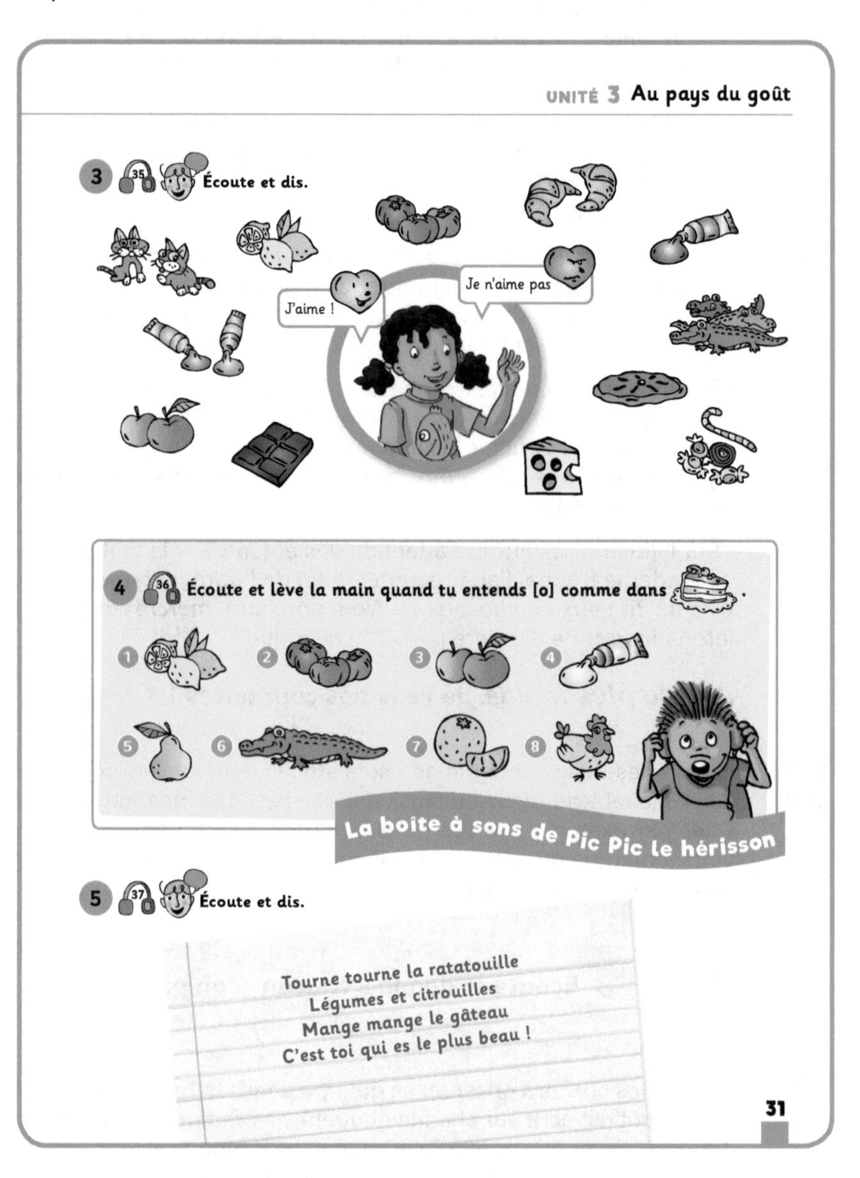

Script du CD 35

– **Tilou :** Qu'est-ce que tu aimes Lila ?

– **Lila :** J'aime les pommes... J'aime les bonbons... J'aime les croissants... J'aime le bleu et le rose... j'aime la pizza et le chocolat et... j'ADORE les petits chats !

– **Tilou :** Et qu'est-ce que tu n'aimes pas ?

– **Lila :** Euh... Je n'aime pas le fromage... Je n'aime pas les tomates... Je n'aime pas les citrons... je n'aime pas les crocodiles et... je n'aime pas le violet !

♦ Activité complémentaire. Interroge ton voisin / ta voisine. Qu'est-ce que tu aimes ? Qu'est-ce que tu n'aimes pas ?

Interactions orales : exprimer ses goûts ; Structuration de la langue : employer à bon escient le, la, les.

• Pointez les différents dessins de l'activité et demandez à un élève : *Qu'est-ce que tu aimes ?* Demandez à un autre élève : *Qu'est-ce que tu n'aimes pas ?* Veillez à ce que les enfants emploient dans leurs réponses : *J'aime / Je n'aime pas **le... la... les...***

• Invitez vos élèves à demander et à dire à leur voisin(e) ce qu'ils aiment ou n'aiment pas, en pointant les divers éléments de l'illustration. Passez parmi eux pour aider celles et ceux qui en ont besoin.

4  Écoute et lève la main si tu entends le son [o] comme dans  .

Discrimination phonétique : identifier le phonème [a] dans un mot ; Prononcer correctement.

• Demandez aux enfants de regarder le pictogramme où l'on voit Pic Pic le hérisson avec des écouteurs sur les oreilles. Annoncer-leur qu'ils vont avec Pic Pic partir à la recherche du son [o].
Ils vont entendre huit mots connus (pointez les huit petites vignettes) et ils devront lever la main si dans un mot ils entendent le son [o] : *Écoutez et levez la main si vous entendez le son [o] comme dans « gâteau » !* (Montrez le gâteau de la consigne.)

• Vérification de l'écoute. Procédez à une écoute fragmentée. Arrêtez l'enregistrement après chaque numéro, demandez aux élèves de lever la main s'ils entendent le son [o].

Cartes-images

• Consolidation. Affichez en vrac au tableau les cartes-images correspondant aux huit vignettes de l'activité. Dessinez une maison qui sera la maison du [o] et collez la carte-image référente « gâteau » sur le toit de la maison. Demandez à quelques élèves de venir placer les bonnes cartes-images dans la maison du [o], éloignez les autres. Pointez ensuite chaque carte affichée dans la maison et faites prononcer chaque mot bien distinctement, en arrondissant bien les lèvres pour le [o] !

• Demandez enfin aux enfants s'ils connaissent d'autres mots que l'on pourrait afficher dans la maison du [o]. Ils vous proposeront peut-être ➜ *coq, cocorico, rose.* Ajoutez ces cartes-images dans la maison.

Script et solution du CD 

1. Tomate... tomate
2. Citron... citron
3. Pomme... pomme
4. Jaune... jaune
5. Poire... poire
6. Crocodile... crocodile
7. Orange... orange
8. Poule... poule

On entend [o] dans : *tomate, pomme, jaune, crocodile, orange*

Remarque : Il existe en français un *o ouvert* [ɔ] comme dans robe, sport, pomme, et un *o fermé* [o] comme dans rose, gâteau, jaune. Nous ne tenons pas compte ici de cette différence qui d'ailleurs en France varie beaucoup d'une région à l'autre. On trouve en effet aussi bien une [rɔz] dans le Sud de la France qu'une [roz] plus au nord. Cette différence tend d'ailleurs aujourd'hui à s'amenuiser et il semblerait qu'on converge actuellement plutôt vers une sorte d'« o » moyen.

5   Écoute et dis.

Petite comptine pour délier les langues...

• Faites écouter la comptine, livre fermé. Demandez aux enfants (L1) ce qu'ils ont compris. Expliquez-leur le mot *citrouille* : une courge de forme ronde et de couleur orange. C'est elle qu'on utilise à Halloween... Et c'est en *citrouille* que s'est transformé le carrosse de Cendrillon ! Expliquez également : C'est *toi qui est le plus beau !*

• Procédez à une écoute fragmentée et faites chanter la comptine vers par vers en ajoutant des gestes. (Demandez aux enfants de se lever.) Le texte est répété 3 fois... de plus en vite, les gestes seront donc de plus en plus rapides !

Script du CD 37	Accompagnement gestuel
Tourne tourne la ratatouille Légumes et citrouilles	En suivant le rythme, tournez avec une main comme à l'intérieur d'une grande marmite ; De l'autre main « tenez » la marmite.
Mange mange le gâteau	En suivant le rythme, portez alternativement main droite et main gauche à la bouche.
C'est toi qui es le plus beau !	Scander le texte en pointant successivement 3 enfants... pour désigner « le plus beau » ou « la plus belle » !

Tout comme *Am stram gram* (Unité 2), vous pourrez utiliser cette comptine comme comptine à désigner : pour décider qui commence une activité ou qui en sera le meneur de jeu.

Activité 1  Bouba fait un régime... Qu'est-ce qu'elle mange ? Qu'est-ce qu'elle ne mange pas ?

Production orale : dire ce que l'on mange ou pas ; Éducation à la santé : identifier les aliments riches en sucre et en graisse.

• Faites observer l'illustration de l'activité 1, page 24. Madame Bouba fait un régime. Proposez un petit remue-méninges (L1) et demandez à vos élèves quels sont les aliments bons, ou pas, pour la santé.

• Demandez : Qu'est-*ce que Madame Bouba mange ?* ➜ *Elle mange des œufs, des poissons, des légumes, des fruits, une salade, une salade de fruits, une ratatouille.* Comme il est prématuré d'introduire ici l'article partitif on acceptera les déterminants indéfinis. *Qu'est-ce qu'elle ne mange pas ?* ➜ *Elle ne mange pas de gâteau, pas de bonbons, pas de chocolat, pas de frites, pas de ketch up.*

Cette activité s'inscrit dans le cadre de l'éveil aux sciences. Elle permettra à vos élèves de réfléchir à leurs propres pratiques alimentaires.

LEÇON 2 BOUBA FAIT UN RÉGIME !

1 Bouba fait un régime : Qu'est-ce qu'elle mange ? Qu'est-ce qu'elle ne mange pas ?

2 Je vais au marché et j'achète ... Écoute et répète, puis joue avec tes camarades !

24

Activité 2 Je vais au marché et j'achète... Écoute et répète, puis joue avec tes camarades.

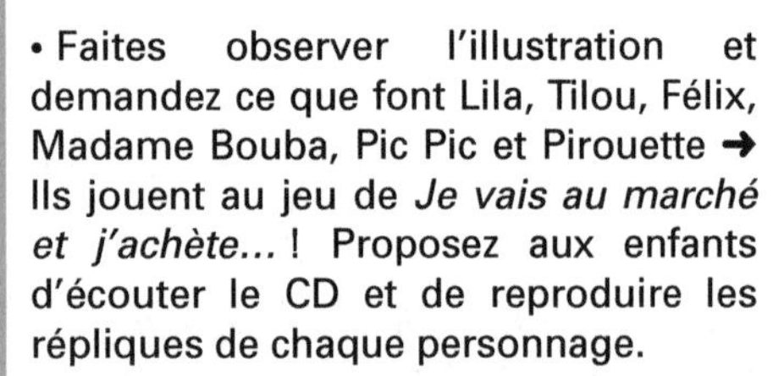

Production orale ; Réactiver un lexique connu ; Utiliser le petit mot « et ».

• Faites observer l'illustration et demandez ce que font Lila, Tilou, Félix, Madame Bouba, Pic Pic et Pirouette ➜ Ils jouent au jeu de *Je vais au marché et j'achète...* ! Proposez aux enfants d'écouter le CD et de reproduire les répliques de chaque personnage.

• Invitez-les à jouer comme Lila et ses amis. Formez (si possible) un cercle avec les élèves et dites par exemple : *Je vais au marché et j'achète des bananes.* Incitez l'élève situé à votre droite à continuer : *J'achète des courgettes et des bananes...* Puis l'élève suivant : *J'achète un gâteau, des courgettes et des bananes... etc.* Dès que la mémorisation devient trop difficile, recommencez une nouvelle série avec un nouvel élève.

Script du CD 15

- **Lila** : Je vais au marché et... j'achète des pommes.
- **Tilou** : J'achète des tomates et des pommes.
- **Félix** : J'achète un melon, des tomates et des pommes.
- **Bouba** : J'achète une pizza, un melon, des tomates et des pommes.
- **Pic Pic** : J'achète des bonbons, une pizza, un melon, des tomates et des pommes.
- **Pirouette** : J'achète des poires, des bonbons, une pizza, un melon, des tomates et des pommes.

Variante : Cartes-images Distribuez aux enfants des cartes-images, chacun devant ajouter dans le jeu l'élément représenté sur sa carte. N'hésitez pas à acheter au marché toutes sortes de choses : un crocodile, un ballon, , un poisson rouge, un canard ou... une Tour Eiffel !

→ ACTIVITÉS DE SOUTIEN : page 121

Activité 3 *Qu'est-ce que tu aimes...*  ? Qu'est-ce que tu n'aimes pas  ? Interviewe tes camarades.

Interagir à l'oral : Demander et dire ce qu'on aime et ce qu'on n'aime pas.

• Montrez la grille d'interview avec les différents aliments représentés au-dessus de chaque colonne. Écrivez dans la colonne *Prénoms* de votre propre cahier d'activités le prénom d'un élève. Demandez-lui : *Qu'est-ce que tu aimes ?* par exemple ➜ *J'aime **les** pommes, **le** chocolat et **le** gâteau.* Dessinez alors un ☺ dans les cases correspondantes. Demandez ensuite : *Qu'est-ce que tu n'aimes pas ?* par exemple ➜ *Je n'aime pas **les** tomates !* Dessinez un ☹ dans la case correspondante.

• Invitez les enfants à écrire 4 prénoms, puis à se déplacer dans la classe pour réaliser leurs interviews. Faites rappeler les questions à poser ➜ *Qu'est-ce que tu aimes ? Qu'est-ce que tu n'aimes pas ?* Annoncez aux enfants qu'ils disposent de 10 minutes !

• Compte-rendu de l'interview. Invitez successivement plusieurs enfants à venir s'asseoir sur une chaise, devant leurs camarades. Demandez aux autres élèves par exemple : *Clara, qu'est-ce qu'elle aime ? Qu'est-ce qu'elle n'aime pas ?* ➜ *Elle aime les pommes, le gâteau... Elle n'aime pas le fromage !* Demandez : *C'est vrai Clara ?*

UNITÉ 3 Au pays du goût

3 Qu'est-ce que tu aimes ☺ ? Qu'est-ce que tu n'aimes pas ☹ ? Interviewe tes camarades.

Prénoms								
....								
....								
....								
....								

 Écoute et coche le dessin si tu entends [o], puis colorie.

 ☐ la poire
 ☒ la gomme
 ☒ le chocolat
  ☒ jaune

 ☐ le citron
 ☐ rouge
 ☒ le gâteau
 ☒ la pomme

 Écris les mots dans le tableau.

[o]	[o] (barré)
la gomme	la poire
le chocolat	rouge
jaune	le citron
le gâteau	
la pomme	

25

Activité 4 Écoute et coche le dessin si tu entends le son [o], puis colorie.

Discrimination phonétique : Identifier le phonème [o] dans un mot.

• Les enfants devront écouter le CD et cocher la petite pastille au bas de chaque vignette s'ils entendent [o] dans le mot. Attirez leur attention sur les mots écrits sous les vignettes. Rappelez que pour le son [a], on voyait parfois la lettre a, mais on n'entendait pas le son [a]. Invitez-les à se concentrer sur leurs oreilles et à ne cocher la pastille que si leurs oreilles entendent bien le [o].

• Vérification. Nommez chaque mot et demandez : *La poire, on entend [o] ?* ➜ *Non, on n'entend pas [o] ! On ne coche pas ! La gomme, ... on entend le [o] ?*

• Faites colorier les dessins où l'on entend [o].

Suggestion : Le coloriage entier des vignettes pourra se faire en fin de séance s'il reste du temps, ou à la maison.

Script du CD 16

La poire – la gomme – le chocolat – jaune – le citron – rouge – le gâteau – la pomme

Activité 5  Écris les mots dans le tableau.

Relation grapho-phonétique.

• Invitez les enfants à regarder les deux pictogrammes qui sont dans le tableau. Ils devront écrire dans la colonne de gauche (👂) les mots où l'on entend [o] ; et dans la colonne de droite (👂̸) les mots où l'on n'entend pas [o]. Veillez à ce qu'ils écrivent le déterminant s'il y en a un.

• Observation / Structuration du fonctionnement de l'écrit : Reproduisez le tableau *J'entends / Je n'entends pas [o].*

• Demandez aux enfants les mots qu'ils ont écrits dans la colonne *J'entends [o]*. Écrivez-les au tableau. Un élève vient souligner les lettres où l'on entend [o]. On conclut que **le son [o] peut s'écrire : o** comme dans *gomme*, **au** *(jaune)*, **eau** *(gâteau)*.

• Faites de même pour la colonne « *Je n'entends pas [o]* ». Dans les trois mots de cette colonne, on voit la lettre o, mais on n'entend pas le son [o] : dans *poire*, *oi* se prononce [wa], dans *rouge*, *ou* se prononce [u], dans *citron*, *on* se prononce [ɔ̃].

Invitez vos élèves à chercher d'autres mots qui s'écrivent avec une lettre *o* que l'on n'entend pas. Par exemple : *Bouba, Tilou, mouton, poisson, melon, croissant...*

C'est sucré ou c'est salé ?

Au cours de cette leçon, les enfants vont apprendre :

• à l'oral :

– Identifier des aliments en fonction de leur odeur / saveur : *Qu'est-ce que ça sent ? Ça sent le fromage ! Qu'est-ce que c'est ? C'est un morceau de fromage !*

– Catégoriser des aliments : *C'est salé, c'est sucré, c'est acide !*

– Exprimer un refus : *Je ne veux pas de...*

– Utiliser à bon escient les déterminants *le, la, les*

• à l'écrit :

– Écrire une petite poésie qui rime

– Écrire la liste de ce qu'ils aiment ou n'aiment pas

Matériel :

– Jeu du *Loto des odeurs* à fabriquer. Vous avez besoin de :

• 8 petites boîtes[1] numérotées de 1 à 8 dans lesquelles vous aurez mis divers aliments, par exemple: un petit morceau de fromage, de banane, d'orange, de citron, d'oignon, de kiwi, de pomme, de poire. Les couvercles des boîtes sont percés pour laisser passer les odeurs (vous pouvez aussi recouvrir les boîtes d'une petite feuille de papier d'aluminium dans laquelle vous aurez fait des trous). Notez sur une feuille les associations numéro / aliment.

• 8 cartes-images correspondant aux 8 aliments qui sont dans chaque petite boîte.

– *Test du goût* :

• des petites assiettes, avec quelques morceaux d'aliments aux saveurs sucrées, salées ou acides : fruits sucrés / acides, pain, fromage, gâteau, oignon...

• un foulard

• des petites cuillères en plastique

– Cartes-images « saveurs » : n° 55 (sucré), n° 56 (salé), n° 57 (acide)

– Fiche photocopiable n° 9 : Loto des odeurs

– Fiche photocopiable n° 10 (un exemplaire pour 2 élèves)

Activités de différenciation :

– Activité de soutien n° 7

LIVRE DE L'ÉLÈVE, p. 32 et 33

Pour commencer :

Le loto des odeurs ! Activité d'éveil sensoriel.

Réviser un lexique connu.

Loto des odeurs

Cartes-images

• Annoncez aux enfants que vous avez apporté une surprise ! Montrez les petites boîtes numérotées de 1 à 8, montrez les petits trous dans le couvercle de chaque boîte. Expliquez qu'il y a un aliment différent dans chacune d'elles (montrez les cartes-images représentant ces aliments).

• Dessinez au tableau une grille de loto à 8 cases et collez-y les différentes cartes-images. Faites nommer les huit aliments.

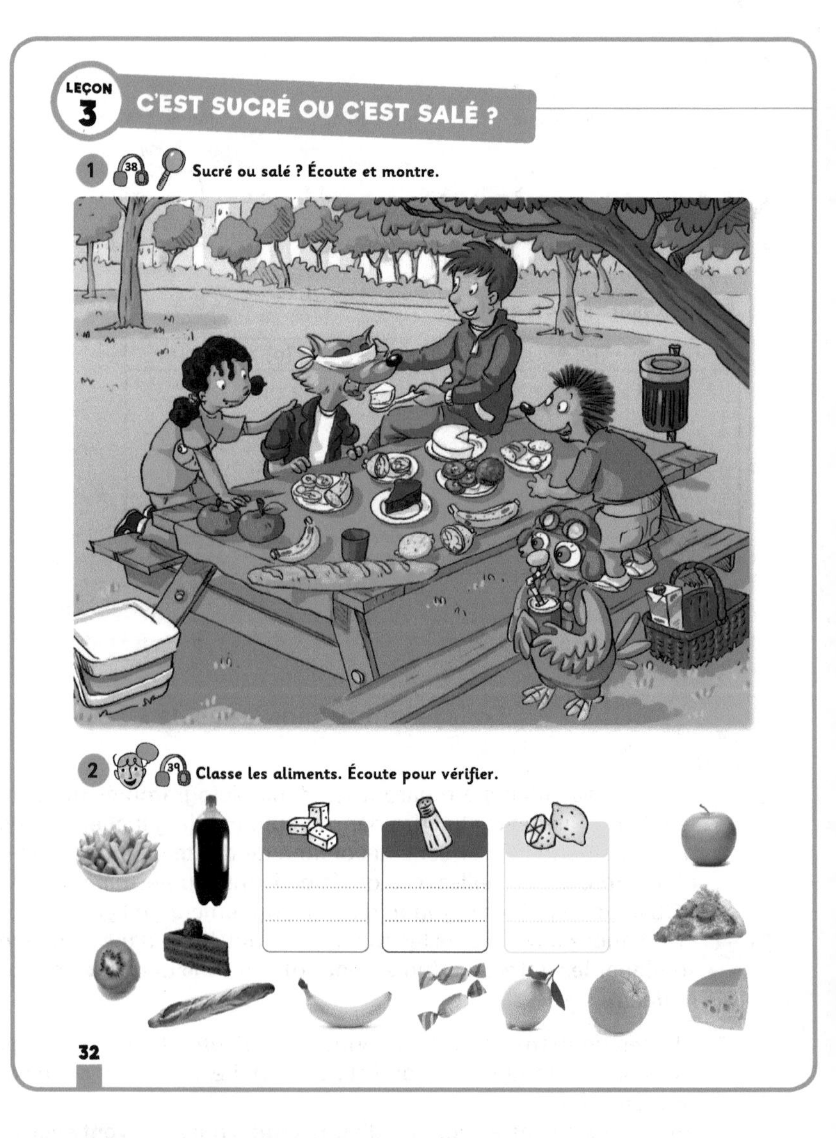

[1] Utilisez par exemple des petites boîtes opaques de fromage blanc ou des boîtes à pellicules photo.

Variante 1 :

Faites sentir chaque boîte. Demandez : *Qu'est-ce que ça sent ? ... La boîte numéro 1 sent... ? ➜ Le fromage !* Écrivez *1* dans la case où est représenté le fromage. S'il y a plusieurs réponses pour un même numéro, acceptez les propositions divergentes et notez-les. Lorsque la grille est remplie, faites vérifier les réponses en ouvrant les boîtes ➜ *Dans la boîte, numéro 1, il y a...* ***un morceau de*** *fromage ! Dans la boîte numéro 2, il y a... un* ***morceau de*** *banane !*

Variante 2 :

Fiche photocopiable n° 9

Proposez aux enfants de jouer par petits groupes de 4 à 5 élèves.
Distribuez à chaque groupe une série de 8 boîtes et une grille de loto à compléter. Les enfants devront sentir chaque boîte et se mettre d'accord pour écrire le bon numéro sous le bon aliment.
Une mise en commun collective permettra aux différents groupes de confronter leurs résultats et de compléter la grille qui est au tableau. S'il y a désaccord, on vérifie en ouvrant la boîte : ➜ *Le numéro 4... c'est le citron ! Non, le numéro 4, c'est... l'orange !*

1 38 Sucré ou salé ? Écoute et montre !

Apprendre à nommer diverses saveurs : sucré, salé, acide.

• Faites ouvrir le livre à la page 30. Nos amis font un pique-nique au parc ! Pointez la table et demandez aux enfants : *Qu'est-ce qu'il y a sur la table ? ➜ Il y a une baguette, des bananes, des pommes, un fromage... un morceau de gâteau...* Pointez Félix et Tilou. Demandez aux enfants de dire (L1) ce qu'ils font ➜ Tilou, les yeux bandés, doit deviner ce que Félix lui met dans la bouche : ils font un test du goût.

• Faites écouter l'enregistrement. Chaque élève pointe sur l'illustration les aliments que Félix met dans la bouche de Tilou : *Écoutez et montrez les aliments !*

• Procédez à une écoute fragmentée, aliment par aliment.
Aliment 1. Demandez : – *Qu'est-ce que Tilou goûte ? ➜ Un morceau de fromage !*
Dites : – *Le fromage, c'est salé ou c'est sucré ? ➜ C'est salé !*
Fixez la carte-image « salé » au tableau.
Procédez de la même manière pour les autres aliments.

Script du CD 38

– **Félix** : Tilou, Ouvre la bouche ! C'est sucré ou salé ?
– **Tilou** : Euh... C'est salé, c'est un morceau de fromage, un morceau de camembert !! Oui, c'est salé !!
– **Félix** : Oui, très bien Tilou ! Le fromage, c'est salé !
– **Lila et Pic Pic** : Bravo Tilou, c'est salé !

– **Félix** : Et là, sucré ou salé ?
– **Tilou** : Euh... C'est sucré... c'est un morceau de banane !
– **Félix** : Oui, bravo, gagné ! C'est sucré !
– **Pirouette** : Ah oui, la banane, c'est sucré !

– **Félix** : Et... Maintenant ?
– **Tilou** : Oh, Pou... Pou... iiiiiiih !! Oh la la la ! C'est acide !!!
C'est un morceau de citron ! Oh...
Je n'aime pas le citron !
– **Félix** : Oui, le citron, c'est très acide !

■ Test du goût ! Activité d'éveil sensoriel.

Production orale : nommer des aliments et les qualifier ; Éveil sensoriel gustatif : identifier diverses saveurs.

Assiette test du goût

• Proposez à vos élèves de faire comme Félix et ses amis et organisez un test du goût dans la classe ! Disposez sur une table des petites assiettes sur lesquelles vous aurez mis des morceaux d'aliments salés, sucrés ou acides. Dites la comptine *Tourne tourne la ratatouille* pour désigner l'enfant qui sera le premier testeur : *Qui commence ? ... Tourne tourne la ratatouille...*
• Bandez les yeux de l'enfant avec un foulard. Demandez: *Ouvre la bouche !* Mettez un morceau d'aliment dans la bouche de l'enfant, puis demandez: *C'est sucré, c'est salé ou c'est acide ?* Demandez ensuite : *Qu'est-ce que c'est ? ➜ C'est un morceau de...*
• Passez l'activité en relais à d'autres enfants qui deviendront meneurs de jeu ou testeurs.

2 39 Classe les aliments. Écoute pour vérifier.

Production orale : qualifier des aliments ; Éveil sensoriel, éveil aux sciences : apprendre à catégoriser divers aliments en fonction de leur saveur : sucré, salé, acide.

• Invitez les enfants à regarder l'activité 2 et à dire ce qu'ils voient ➜ On voit 3 étagères avec les symboles « salé », « sucré », « acide ». On voit aussi divers aliments qu'il faudra ranger dans l'une ou l'autre étagère.

• Proposez aux enfants de réfléchir avec leur voisin(e) et de ranger chaque aliment dans la bonne étagère.
• Mise en commun. Demandez :
– *Qu'est-ce qui est sucré ? ➜ La banane,... – Qu'est-ce qui est salé ? ➜ Le fromage,... – Qu'est-ce qui est acide ? ➜ Le citron,...*
Recueillez toutes les propositions des enfants, sans toutefois les valider.

• Proposez de vérifier les réponses en écoutant le CD. Arrêtez l'enregistrement après chaque catégorie et comparez avec les propositions initiales des enfants.

Script du CD 39

Dans les aliments sucrés, il y a : le gâteau, les bonbons, le coca cola, l'orange, la pomme, la banane et le kiwi.
Dans les aliments salés, il y a : le fromage, la baguette, les frites et la pizza.
Dans les aliments acides, il y a : le citron, mais aussi l'orange, et parfois la pomme et le kiwi.

Si vous le souhaitez, proposez maintenant les activités 1 et 2, page 26 du cahier d'activités (décrites ci-après).

Aide Pirouette à ranger ses courses.

Observation/Structuration de la langue : utiliser à bon escient le, la, les.

• **Étape 1.** Faites observer l'illustration de l'activité page 31. Nous sommes à la caisse d'un supermarché ; pointez le tapis roulant et les paniers et demandez : *Qu'est-ce que Pirouette achète* ? Les enfants nomment les différents articles ➜ *Elle achète* ***un*** *melon,* ***une*** *pizza,* ***un*** *skateboard,* ***des*** *bonbons...*

• **Étape 2.** Dans quel panier Pirouette va-t-elle continuer à ranger ses courses? Demandez aux enfants de réfléchir et de dire (L1) comment ils vont procéder pour ranger chaque objet. Laissez-les émettre des hypothèses...➜ Ils remarqueront certainement les codes couleurs déjà connus :

- le bleu pour le masculin (un/le) : dans le panier bleu, Pirouette a déjà rangé ***le*** ballon et ***le*** chocolat.
- le rouge pour le féminin (une/la) : dans le panier rouge, Pirouette a déjà rangé ***la*** gomme et ***la*** poule.
- le vert pour le pluriel (des/les) : dans le panier vert, Pirouette a déjà rangé les poires et les crayons de couleurs. Demandez aux enfants pourquoi les crayons de couleurs dans un sac bleu et les poires sont dans un sac rouge ? ➜ Parce que pour *les* ou *des*, le nom peut être masculin / bleu (un/le crayon de couleur) ou féminin / rouge (une/la poire).

• Proposez aux enfants, par deux, d'aider Pirouette à ranger ses courses ! Accordez-leur quelques minutes pour réfléchir avec leur voisin(e) aux objets qu'ils vont ranger dans chaque panier.

• Mise en commun. Demandez :

- *Qu'est-ce que vous rangez dans le panier bleu ?* ➜ ***Le*** *gâteau,* ***le*** *melon,* ***le*** *fromage,* ***le*** *camion,* ***le*** *skateboard.*
- *Qu'est-ce que vous rangez dans le panier rouge ?* ***La*** *pizza,* ***la*** *banane,* ***la*** *pomme.*
- *Qu'est-ce que vous rangez dans le panier vert ?* Sac bleu *:* ***les*** *kiwis,* ***les*** *bonbons ;* Sac rouge : ***les*** *tomates,* ***les*** *oranges,* ***les*** *courgettes,* ***les*** *fraises.*

Sollicitez l'avis de tous. S'il y a des désaccords, demandez aux enfants de justifier leurs propositions ➜ On dit *un, une...*

Remarque : La différence dans l'emploi de un/le, une/la, des/les pose souvent problème dans l'apprentissage du français, surtout si cette notion défini/indéfini n'est pas présente en L1.
L'activité *Aide Pirouette à ranger ses courses !* permet de présenter la différence entre les deux types d'articles définis/indéfinis dans deux situations pragmatiques différentes :

1. On veut désigner quelque chose dont il n'a pas encore été question : on utilise alors *un, une, des.* Cf. Étape *1 de l'activité :* on découvre les différents achats de Pirouette : ***un*** camion, ***une*** pomme, ***des*** fraises...

2. On veut désigner quelque chose que l'on connaît déjà : on utilise alors *le, la, les.* Cf. Étape 2 de l'activité : on range les achats de Pirouette découverts et désignés à l'étape précédente : ***le*** *camion* dans le panier bleu, ***la*** *pomme* dans le panier rouge, ***les*** *fraises* dans le panier vert.

UNITÉ 3 Au pays du goût

3 Aide Pirouette à ranger ses courses.

le

la

les

La boîte à outils de Pirouette la chouette

4 40 Chante avec Tilou !

Je brosse, brosse, brosse
Je suis la brosse à dents
Je brosse, brosse, brosse
Les dents des enfants

Je ne veux pas de gâteaux
Je ne veux pas de bonbons
Je ne veux pas de boissons sucrées
Non, stop ! Je suis fatiguée
Je ne veux plus brosser !

Je ne veux pas de gâteaux
Je ne veux pas de bonbons
Je ne veux pas de boissons sucrées
Non, stop ! Je suis fatiguée
Je veux me reposer !

33

4 040 Chante avec Tilou ! Le blues de la brosse à dents !

Prendre plaisir à chanter la chanson *Le blues de la brosse à dents / éducation à la santé dentaire.*

• Attirez l'attention des enfants sur les deux brosses à dents qui sont sur l'illustration ! L'une est très fatiguée ! Demandez (L1) aux enfants d'imaginer pourquoi elle est aussi fatiguée ! Recueillez leurs propositions ➜ Elle travaille trop ! Elle brosse trop les dents des enfants (mimez l'action) !

• Faites écouter une première fois la chanson dans son intégralité, livre fermé. Après l'écoute, demandez aux enfants ce qu'ils ont compris ➜ Ils proposeront certainement quelques mots ou expressions déjà connus… et quelques éléments de compréhension globale. Étayez leurs réponses et expliquez que si la brosse à dents est tellement fatiguée, c'est parce qu'elle a trop de travail : les enfants mangent trop de gâteaux, de bonbons et d'aliments sucrés alors que c'est tellement mauvais pour les dents !

• Proposez une écoute fragmentée. Faites reproduire et chanter chaque strophe de la chanson. Faites mimer l'action de brosser les dents sur le refrain. Faites des gestes de refus sur chaque strophe : *Je ne veux pas de… Non, stop ! Je ne veux plus…* Expliquez : *Je ne veux plus brosser ; Je veux me reposer.*

• Lorsque les enfants se sont bien approprié les paroles et la mélodie de la chanson, ils pourront en découvrir le texte et faire le lien entre ce qu'ils ont chanté et ce qu'ils lisent (lien oral / écrit).

Script du CD 040

Je brosse, brosse, brosse
Je suis la brosse à dents
Je brosse, brosse, brosse
Les dents des enfants
} Refrain

Je ne veux pas de gâteaux
Je ne veux pas de bonbons
Je ne veux pas de boissons sucrées
Non, stop ! Je suis fatiguée
Je ne veux plus brosser !

Je ne veux pas de gâteaux
Je ne veux pas de bonbons
Je ne veux pas de boissons sucrées
Non, stop ! Je suis fatiguée
Je veux me reposer !

CAHIER D'ACTIVITÉS, p. 26 et 27

Activité 1 **Découpe et colle les aliments dans le tableau. Compare avec tes camarades.**

Classer des aliments selon leurs saveurs.

Fiche photocopiable n° 10

• Demandez aux enfants de sortir leurs ciseaux et leur tube de colle. Distribuez à chacun la fiche avec les vignettes à découper.

• Faites réaliser l'activité : découper les différentes vignettes et les placer, sans les coller, dans la bonne colonne du tableau. Consigne : Découpez *les vignettes et placez-les dans le tableau !*

• Invitez les enfants à comparer leur tableau avec celui de leur voisin(e) et à procéder si besoin aux changements nécessaires.

• Procédez à une mise en commun des résultats ; faites nommer les éléments qui sont dans chaque colonne. Sollicitez l'avis de toute la classe. *Qu'est-ce qui est sucré ? Qu'est-ce qui est salé ? Qu'est-ce qui est acide ?*

– Faites coller les vignettes.

Remarque : la pomme, l'orange et la fraise peuvent, en fonction de la perception des enfants, appartenir aux colonnes 1 et 3.

Activité 2 **Au pays des rimes. Lis la petite poésie, écris les prénoms.**

Compréhension écrite / Phonologie : insérer dans un texte des mots qui riment.

• Faites observer le texte et demandez aux enfants de quel type de texte il s'agit ➜ C'est une petite poésie... On la reconnaît à sa forme ! Faites lire le premier vers : *La pomme, c'est pour Tom.* Demandez aux enfants d'expliquer ce qu'ils devront faire ➜ Lire le texte « dans sa tête », et compléter chaque vers avec le prénom qui rime avec l'aliment dessiné. Pointez chaque vignette et oralisez vous-même tous les prénoms. Les enfants pourront ainsi entendre la façon dont ils se prononcent et trouver à l'étape suivante le mot avec lequel ils riment.

ou

• Sans avoir fait oralisé préalablement l'ensemble du texte, laissez les enfants compléter la poésie, individuellement ou par deux.

• Mise en commun. Quelques enfants oralisent leur poésie. On vérifie que les prénoms proposés riment bien avec les mots dessinés.

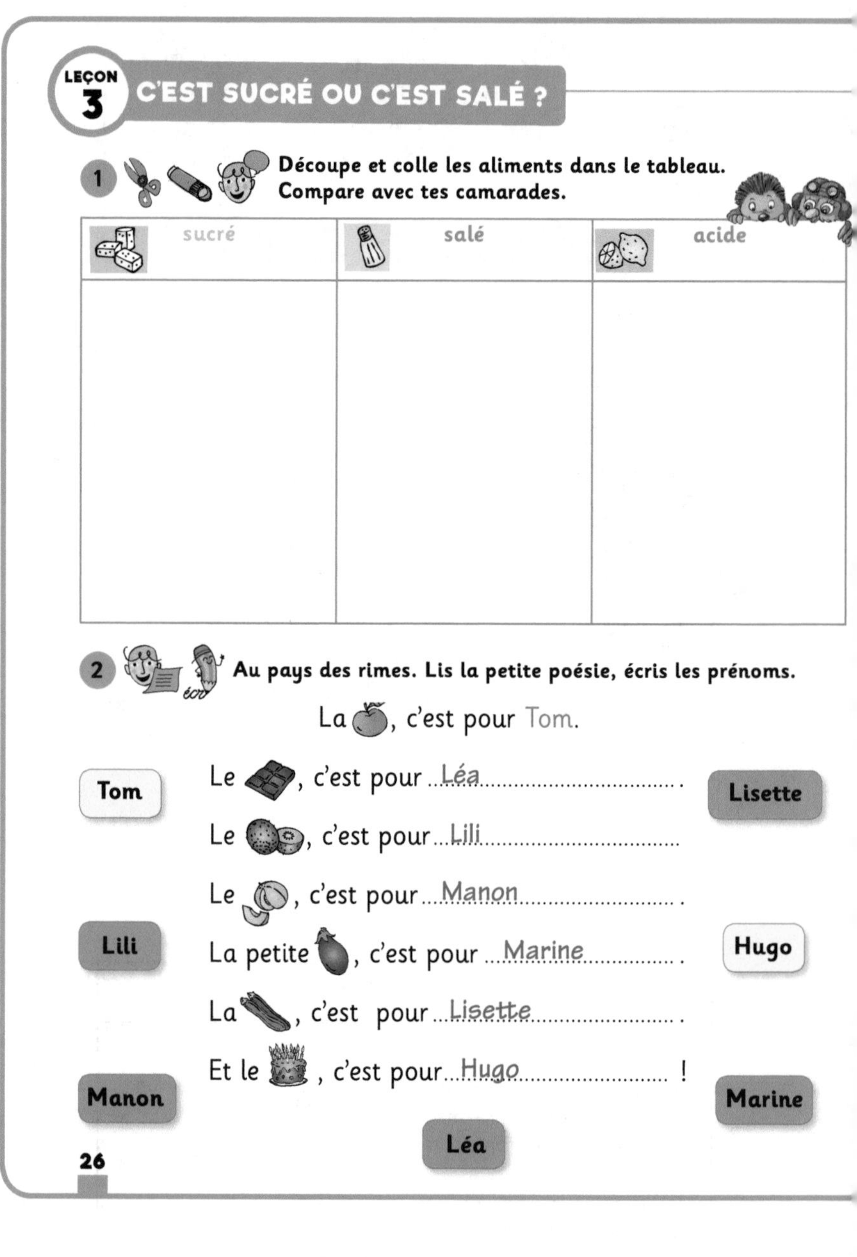

LEÇON 3 C'EST SUCRÉ OU C'EST SALÉ ?

1 **Découpe et colle les aliments dans le tableau. Compare avec tes camarades.**

sucré	salé	acide

2 **Au pays des rimes. Lis la petite poésie, écris les prénoms.**

La [pomme], c'est pour Tom.

Le [chocolat], c'est pour Léa.

Le [kiwi], c'est pour Lili.

Le [melon], c'est pour Manon.

La petite [aubergine], c'est pour Marine.

La [cerise], c'est pour Lisette.

Et le [gâteau], c'est pour Hugo !

Tom — Lili — Manon — Léa — Lisette — Hugo — Marine

26

→ ACTIVITÉS DE SOUTIEN : page 121

3 **Lis et complète avec le - la - les.**

1. Lila aime ..les.. .
2. ...le.... de Lila s'appelle Pacha.
3. Pacha aime ..le.... et ..la... .
4. Félix photographie ..les... et ...le.... de Lila.

4 **Écris et dessine ce que tu aimes et ce que tu n'aimes pas.**

J'aime	Je n'aime pas
....	....
....	....
....	....
....	....

Miam miam ! J'adore le gâteau au chocolat !

27

Activité 3 Lis et complète avec *le – la – les.*

Structuration de la langue : Employer à bon escient le, la les ; Compréhension écrite : réactiver un lexique connu pour comprendre des phrases.

• Invitez les élèves à prendre un stylo bleu, un stylo rouge et un stylo vert et à compléter les phrases en ajoutant devant chaque dessin le petit mot qui convient, dans la couleur qui convient.

• Lorsque les enfants ont terminé, proposez-leur d'oraliser les différentes phrases. Veillez à une prononciation correcte.

Activité 4 Écris et dessine ce que tu aimes et ce que tu n'aimes pas.

Production écrite : compléter un tableau pour exprimer ses goûts.

• Invitez les enfants à écrire dans chaque colonne du tableau ce qu'ils aiment et n'aiment pas. Rappelez-leur qu'ils doivent utiliser les petits mots *le, la, les.* S'ils ont des doutes sur la façon dont on écrit certains mots, invitez-les à vérifier dans les diverses activités de leur cahier d'activités ou à la fin dans *Mon petit dictionnaire*. Avant qu'ils ne commencent, attirez à nouveau leur attention sur le « s » que l'on doit écrire à la fin des mots au pluriel.

Au cours de cette leçon, les enfants vont prendre plaisir à lire une BD et apprendre à :
- Se repérer dans un document écrit et le lire pour en comprendre le sens
- Réinvestir à l'écrit des apprentissages langagiers réalisés au cours de l'unité : proposer / refuser quelque chose ; exprimer ses goûts
- Faire le lien entre ce qu'ils entendent (CD) et ce qu'ils voient / lisent (illustrations, texte)
- Oraliser une petite saynète

LIVRE DE L'ÉLÈVE, p. 34

  **Lis, écoute et joue.**

a. Observer, lire et comprendre.

Se repérer dans l'écrit : mettre en relation texte et illustrations de la BD pour comprendre l'histoire.

• Laissez aux enfants le temps d'explorer seuls la BD : observer les illustrations des vignettes et lire le texte des bulles pour comprendre l'histoire de façon globale.

• Demandez-leur d'expliquer (L1) ce qu'ils ont compris, sans toutefois trop intervenir dans leurs propositions... ➜ On est dans la cuisine de Madame Bouba, elle regarde par la fenêtre. Madame Bouba fait un régime : elle refuse les bonbons que lui propose Lila... On sonne à la porte, c'est Monsieur Pierre ! (Peut-être les enfants reconnaîtront-ils le marchand de légumes du marché !) Bouba part avec lui sur sa moto.
Les enfants évoqueront certainement les petits cœurs qui s'échappent du pot d'échappement de la moto... Demandez-leur ce qu'ils signifient ➜ Et oui, Bouba est amoureuse ! Dans la dernière vignette, faites retrouver la phrase qui donne cette information ➜ *Bouba est amoureuse !* Pour vos jeunes élèves, c'est d'ailleurs un mot important qui suscitera certainement quelques réactions amusées dans votre classe ! À sept ou huit ans, on a parfois déjà une « amoureuse » ou un « amoureux » secret !

b. Écouter, observer et comprendre.

Associer un énoncé oral à un texte écrit.

• Faites écouter l'enregistrement en entier. Demandez aux enfants de suivre en pointant chaque vignette avec leur doigt.

• Procédez à une écoute fragmentée. Expliquez : *C'est trop sucré ! ; Un régime ? Mais pourquoi ?!* Faites répéter chaque petit dialogue ou réplique en imitant la voix de chaque personnage, son intonation et sa gestuelle.

Pour aller plus loin :

On joue la saynète ?

S'exercer à la mise en voix et en espace d'un texte ; Dire des répliques de façon expressive.

• Répartissez vos élèves en petits groupes de 8 (approximativement). Demandez aux enfants quels sont les personnages qui prennent la parole : *Qui parle ?* Invitez-les à attribuer à l'intérieur de chaque groupe les différents rôles : Lila, Bouba, Tilou, Monsieur Pierre, Félix, Pirouette et Pic Pic.

• Invitez les différents groupes à mettre la saynète en espace, en tenant compte des informations visuelles données sur les différentes vignettes. Invitez-les à réfléchir aux points suivants : Qui fait / dit quoi ? Où ? Comment ? Passez parmi les différents groupes pour aider et conseiller (prononciation, placements et déplacements, expression corporelle).
• Invitez les groupes qui le souhaitent à présenter leur saynète à la classe. Applaudissez et félicitez les acteurs pour leur prestation !

Script du CD 

– **Félix :** C'est à toi Pirouette ! Tu joues ?

1. – **Lila :** Tu veux des bonbons Bouba ?
– **Bouba :** Non, non, merci, je ne veux pas de bonbons !

2. – **Tilou :** Tu n'aimes pas les bonbons?

3. – **Bouba :** Euh... C'est trop sucré ! Je fais un régime
– **Tilou :** Un régime !!! Mais, pourquoi ??

4. DILING ! DILING !

5. – **Bouba :** Oh ! Bonjour Monsieur Pierre !
– **Monsieur Pierre :** Bonjour Madame Bouba ! Allez, on y va ?

6. – **Bouba :** Au revoir les amis !
– **Félix, Pic Pic, Pirouette, Lila, Tilou :** Waouh ! Bouba est AMOUREUSE ? ?!

■ Des lettres et des mots, p. 28

Activité 1 **Mots en escaliers ! complète la grille.**

Écrire pour jouer ; Orthographier correctement les mots ; Épeler.

• Invitez les élèves à observer la grille en escalier et les vignettes de l'activité 1. Demandez-leur (L1) s'ils peuvent expliquer ce qu'il faut faire.
➜ Compléter chaque ligne de la grille avec un mot. Chaque mot correspond à un des dessins.

• Faites rapidement compter le nombre de cases qu'il y a dans chaque ligne de la grille en escalier ➜ de 4 à 11 cases. Les mots à écrire devront donc avoir entre 4 et 11 lettres. Montrer la vignette « citron ». Demandez à vos élèves combien il y a de lettres dans le mot citron ➜ 6 lettres. *Citron* s'écrit donc sur la ligne où il y a six cases.
Attirez l'attention des enfants sur la vignette **bonbons** et sur la vignette **crocodiles** où il y a plusieurs bonbons et plusieurs crocodiles. Demandez leur ce qu'il faudra ajouter à la fin du mot ➜ un « s ».

• Les enfants réalisent seuls l'activité. Procédez ensuite à une mise en commun. *Demandez : Ligne 1, quel est le mot ? Tu peux épeler le mot « kiwi » s'il te plaît ?* Quelques élèves viennent successivement écrire un mot au tableau sous dictée de leurs camarades. Les autres vérifient qu'ils ont bien écrit le bon mot avec la bonne orthographe dans leur cahier.

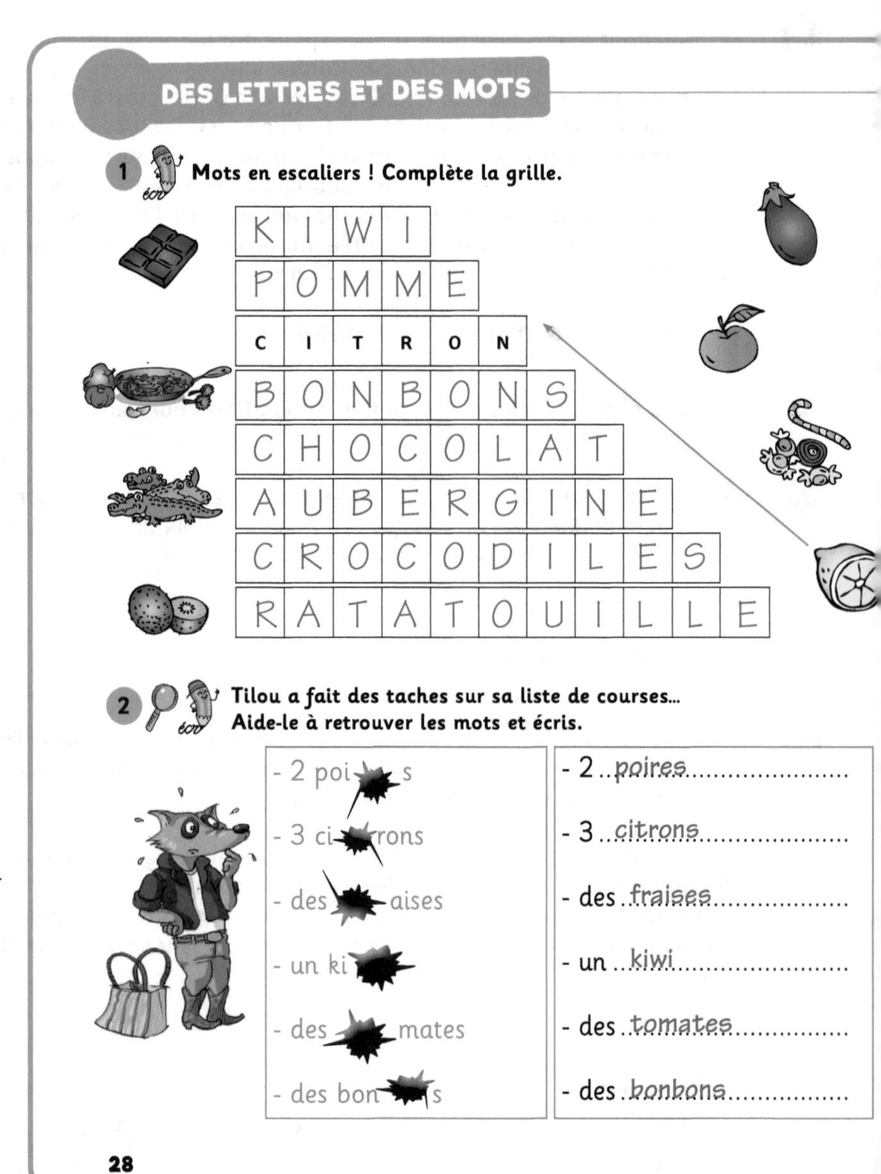

Activité 2 **Tilou a fait des taches sur sa liste de courses… Aide-le à retrouver les mots et écris !**

Orthographier correctement des mots.

• Tilou n'est vraiment pas très soigneux… Sa liste de courses est tellement tachée qu'il ne parvient même plus à lire les mots ! Suggérez aux enfants de l'aider en ajoutant les lettres qui manquent.

• Lorsque les élèves ont complété la liste, demandez à certains d'entre eux d'oraliser les différents mots et de les épeler.

■ Je lis, je comprends, p. 29

  **Lis et dessine dans le tableau :  ou.**

Compréhension écrite : lire et comprendre des informations ; Transcrire ces informations dans un tableau à double entrée ; Utiliser le petit mot *mais*.

Il s'agit ici d'une tâche exigeante puisque les enfants devront lire et comprendre des informations, puis se repérer dans un tableau à double entrée pour y inscrire ces informations. Cette activité met en jeu à la fois des compétences langagières et des compétences mathématiques de repérage dans un tableau.

UNITÉ 3 **Au pays du goût**

JE LIS, JE COMPRENDS

 **Lis et dessine dans le tableau** 

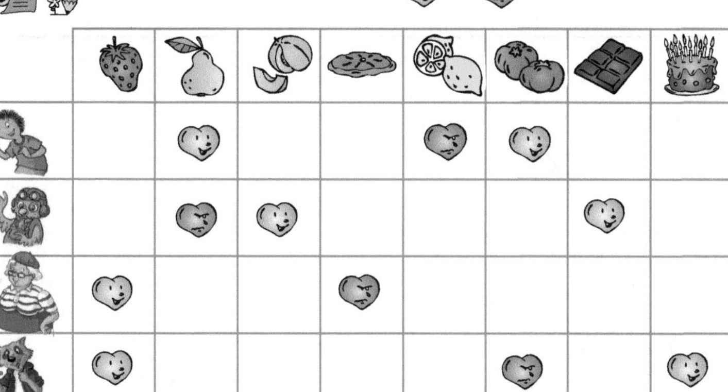

1.								
2.								
3.								
4.								

1. Pic Pic aime les poires et les tomates, mais il n'aime pas le citron.
2. Pirouette n'aime pas les poires, mais elle aime le melon et le chocolat.
3. Madame Bouba aime les fraises, mais elle n'aime pas la pizza.
4. Tilou aime les fraises et le gâteau, mais il n'aime pas les tomates.

  **Lis et aide Lila à compter !**

Lila achète 2 kilos d'oranges, 1 melon,
1 kilo de tomates et 1 kilo de fraises.
Ça fait combien ?

...2... + ...3... + ...2... + ...4... = ...11...

Ça fait ...11... euros.

 • Projetez le tableau à double entrée sur le tableau de la classe (ou reproduisez-le rapidement en collant les cartes-images en haut de chaque colonne et en écrivant le nom des 4 personnages dans la colonne de gauche). Demandez aux enfants de dire ce qu'ils voient ➜ En haut de chaque colonne des aliments, sur le côté du tableau à gauche Pic Pic, Pirouette, Madame Bouba et Tilou.

• Invitez les enfants à lire la première phrase : *Pic Pic aime les poires et les tomates, mais il n'aime pas les citrons.* Expliquez la signification du petit mot *mais* qui marque l'opposition entre deux éléments. Demandez : *Qu'est ce que Pic Pic aime ?* ➜ Les poires et les tomates : On constate alors que dans le tableau sur la première ligne (Pointez les deux cases !) il y a un cœur souriant dans la colonne « Poires » et dans la colonne « Tomates ». *Qu'est-ce que Pic Pic n'aime pas ?* ➜ Les citrons : On constate qu'il y a un cœur grimaçant sur la première ligne dans la colonne « Citrons ».

 ou

• Invitez les enfants à lire « dans leur tête » les trois phrases suivantes et à compléter le tableau, individuellement ou en collaboration avec leur voisin(e). Aidez les enfants qui en ont besoin à se repérer dans le tableau.

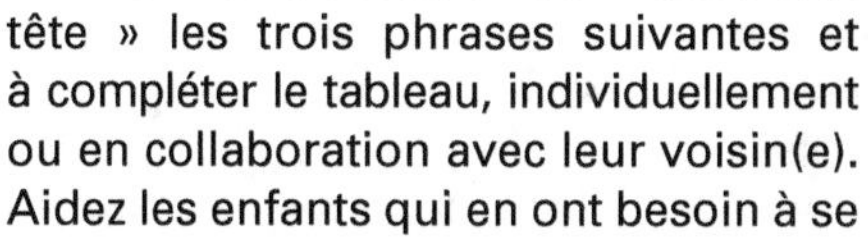

• Vérification collective. Demandez à un enfant d'oraliser la première phrase pendant qu'un de ses camarades dessine ce qu'il comprend dans les bonnes cases du tableau. Demandez aux autres élèves s'ils sont d'accord. Ceux qui ne sont pas d'accord devront bien sûr dire pourquoi.

Activité 2 **Lis et aide Lila à compter.**

Compréhension écrite : comprendre et mettre en relation des informations pour résoudre un problème de mathématiques ; Expliquer sa démarche.

Annoncez à vos élèves qu'ils vont résoudre un problème de mathématiques ! Lila est au marché, elle achète des fruits et des légumes. Combien doit-elle payer (en euros) ?... *Ça fait combien ?* Invitez les enfants à :
- lire le texte du problème et à identifier ce qu'elle achète.
- regarder les illustrations pour connaître les prix.
- calculer combien elle paie.

• Mise en commun des résultats : Demandez aux différents groupes : *Lila paie combien ? Ça fait combien ?* ➜ *Ça fait ... euros.* Recueillez les diverses propositions puis demandez à un enfant de venir et faire le calcul au tableau.

2 kilos d'oranges... Ça fait 2 euros (2 x 1 euro).	**2**
1 melon... Ça fait 3 euros.	**+ 3**
1 kilo de tomates... Ça fait 2 euros.	**+ 2**
1 kilo de fraises... Ça fait 4 euros.	**+ 4**
	11

Au cours de cette activité, les enfants vont :
- Suivre des consignes pour « faire » : fabriquer un petit livre
- Nommer le matériel nécessaire à la fabrication du livre : *des feuilles de papier, des ciseaux, des crayons de couleur, de la colle*
- Nommer les actions nécessaires à la fabrication du livre : *dessiner, colorier, découper, coller, écrire*
- Réinvestir dans un nouveau contexte les compétences communicatives acquises en cours d'unité : nommer des aliments
- Dire ce que l'on aime et ce que l'on n'aime pas, utiliser le petit mot *mais*

Matériel :
- Fiche photocopiable n° 11 : Par élève : 3 exemplaires des pages *J'aime – Je n'aime pas*
- 2 feuilles de papier en format A4, agrafées de façon à former un petit livret à 6 pages : 1 livret par élève
- Feuilles de papier pour dessiner
- Ciseaux, crayons de couleurs, colle

LIVRE DE L'ÉLÈVE, p. 35

• **Mise en projet des élèves.** Demandez à vos élèves d'ouvrir leur livre à la page 35. Invitez-les à expliquer (L1) ce qu'on leur propose de faire au cours du *Projet* :
1. Fabriquer un livre des *J'aime – Je n'aime pas*
2. Présenter le livre à leurs camarades

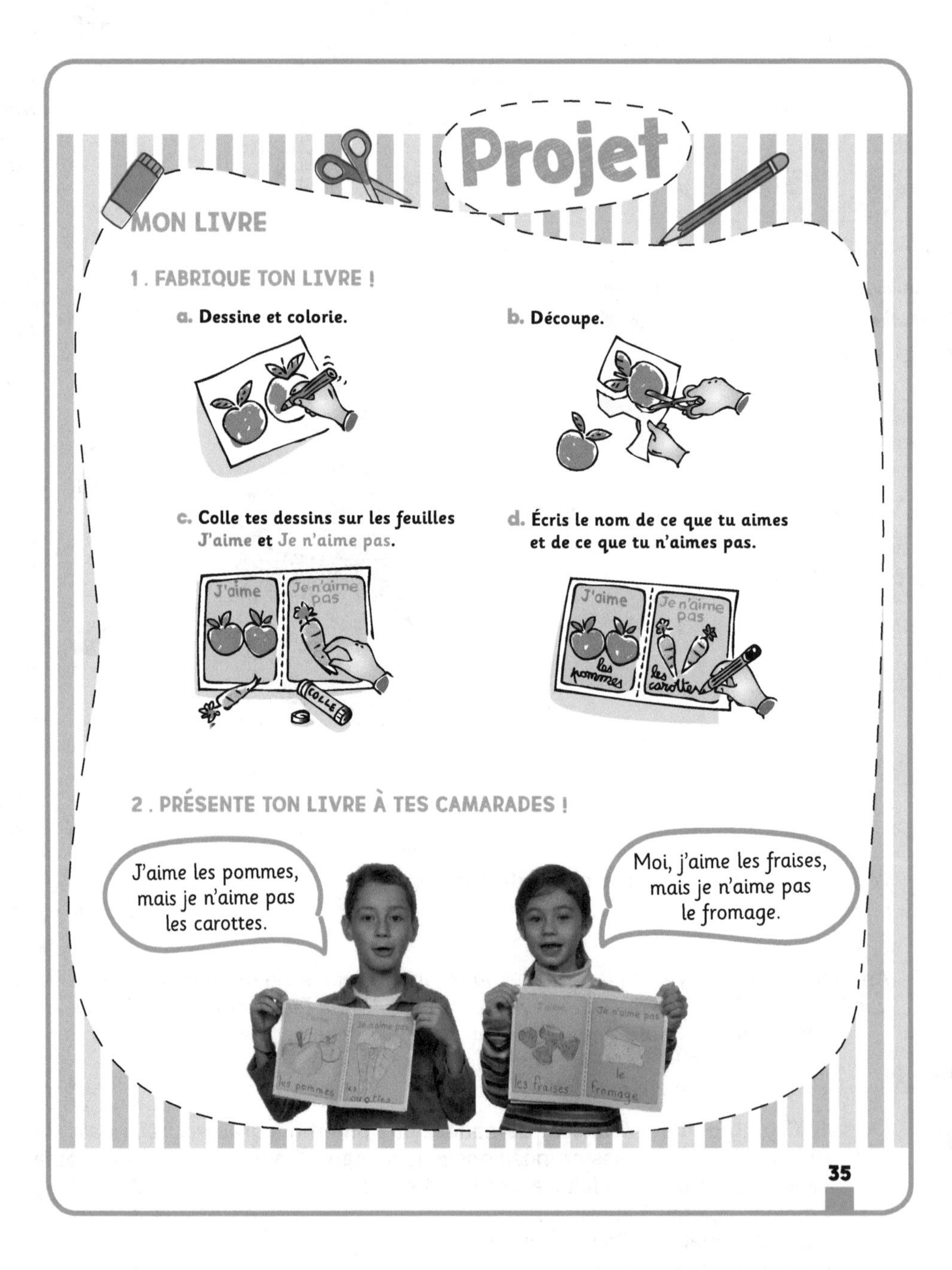

1 Fabrique ton livre !

Suivre des consignes pour réaliser un objet ; Dessiner et écrire pour exprimer ce que l'on aime et ce que l'on n'aime pas.

Fiche photocopiable n° 11

Étape 1 (représentée par des dessins sur le livre de l'élève)

• Expliquez et verbalisez les consignes étape par étape, en montrant ce que les élèves devront faire :

a. Dessiner et colorier ce qu'ils aiment (3 choses différentes) ; dessiner et colorier ce qu'ils n'aiment pas (3 choses différentes).
b. Découper soigneusement chaque dessin ;
c. Coller chaque dessin sur une feuille *J'aime* ou *Je n'aime pas*. (Montrez les feuilles que vous distribuerez par la suite.)
d. Écrire sous chaque dessin le nom de ce qu'ils aiment ou n'aiment pas (sans oublier *le*, *la* ou *les* !).

• Distribuez à chacun 3 feuilles *J'aime* et 3 feuilles *Je n'aime pas*.

• Demandez aux élèves de regarder sur la fiche de fabrication quel est le matériel complémentaire dont ils auront besoin. Faites sortir le matériel nécessaire et nommez-le avec les enfants : *des ciseaux, des crayons de couleur, un stylo ou un crayon à papier.*

Lee enfants confectionnent leurs pages individuellement. Aidez ceux qui en ont besoin et veillez à ce que les différents mots soient écrits correctement.

Étape 2 (n'est pas représentée sur le livre de l'élève)

Feuilles de papier de format A4, agrafées

• Lorsque les enfants ont terminé leurs différentes pages, distribuez à chacun le petit livret (les 2 feuilles format A4 agrafées). Montrez les 6 pages intérieures et faites-les numéroter de 1 à 6. Chaque enfant collera sur les pages 1, 3 et 5 ses fiches *J'aime* et sur les pages 2, 4 et 6 ses fiches *Je n'aime pas,* de façon à ce que l'on ait, lorsque le livret est ouvert, une page *J'aime* et une page *Je n'aime pas* face à face.

• Sur la « première de couverture », les enfants écriront leur prénom et leur nom (le nom de l'auteur !) ; Ils pourront coller ou dessiner un cœur et écrire la première partie du titre : *J'aime.* Sur la quatrième de couverture, ils pourront coller ou dessiner un cœur (grimaçant) et écrire la seconde partie du titre : Je *n'aime pas.*

2 Présente ton livre à tes camarades !

Prendre la parole en continu pour lire à haute voix ; Dire ce que l'on aime et n'aime pas.

• Invitez les élèves à prendre la parole et à présenter leur livret à leurs camarades. Engagez-les à utiliser le petit mot *mais* qui marque l'opposition entre deux éléments ➜ *J'aime les pommes, mais je n'aime pas les carottes !* Toute la classe découvre les (belles !) productions de chacun.

Prolongement : Valorisez les productions de vos élèves et organisez une exposition dans le hall de l'école ! Les enfants seront ravis et fiers de faire connaître leurs productions à leurs camarades !

Au cours de cette activité, les enfants vont :
- Apprendre à repérer des informations sur un blog
- Voyager à travers la francophonie et découvrir deux types de marché.

LIVRE DE L'ÉLÈVE, p. 36

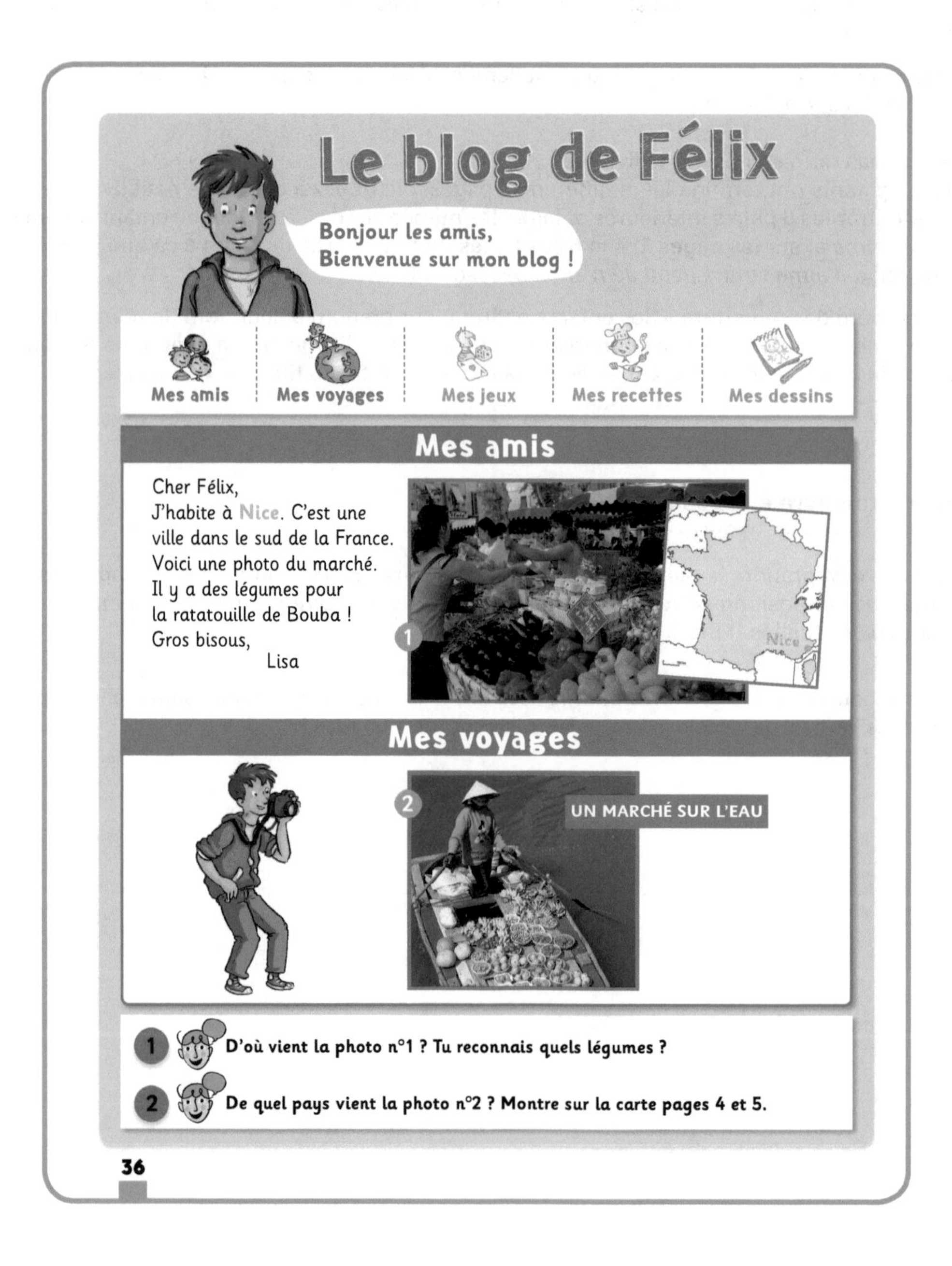

• Invitez vos élèves à regarder ***le blog de Félix***. Demandez aux enfants de décrire les photos qui sont sur le blog : *Qu'est-ce que vous voyez sur les photos ?* ➜ *Deux marchés : un marché dans une ville, un marché sur l'eau.*

D'où vient la photo n° 1 ? Tu reconnais quels légumes ?

• Demandez d'où vient la photo numéro 1. Pour répondre, les enfants devront chercher l'information à la fois dans le petit message et sur la carte de France proposée sur la page du blog. ➜ La photo vient de Nice, dans le sud de la France.

• Faites observer plus précisément la photo et demandez à vos élèves de nommer les légumes qu'ils reconnaissent : *Il y a quels légumes ?* ➜ Sur la photo, *il y a des poivrons rouges, verts et jaunes, des aubergines, des oignons.* Ajoutez que l'on voit aussi sur le stand du basilic, herbe aromatique entrant dans la composition de nombreuses recettes du sud de la France dont la ratatouille, des choux fleurs, des radis, des haricots verts et des œufs.

• Faites lire silencieusement le message qui est sur le blog, puis demandez :
– Qui écrit ? ➜ *Lisa* (Il y a sa signature.) – À qui ? ➜ *À Félix* (il y a l'entête : *Cher Félix). Lisa est une amie du blog de Félix.* – Où habite Lisa ? ➜ *À Nice. Lisa envoie une photo du marché de Nice à Félix.* – Pourquoi ? ➜ *Il y a les légumes pour la ratatouille de Bouba.*
Expliquez à vos élèves que la ratatouille est une spécialité culinaire de la ville de Nice.

• Faites lire le message de Lisa à voix haute.

De quel pays vient la photo n° 2 ? Montre sur la carte pages 4 et 5.

• Félix nous présente une de ses photos de voyage. Demandez de quel pays vient la photo numéro 2. Certains de vos élèves identifieront sans peine le Vietnam grâce au chapeau conique porté par la marchande de fruits. Le Vietnam fait partie du monde de la francophonie. On trouve des marchés sur l'eau – ou marchés flottants - dans le delta du Mékong, dans le sud du pays. Faites nommer les fruits que les enfants peuvent reconnaître ➜ *des bananes, des mangues, etc.*
Faites situer le Vietnam sur la carte, pages 4 et 5 du livre de l'élève.

• Demandez à vos élèves quels fruits et légumes on trouve sur les marchés de leur ville ou de leur région : *Ici, en ..., Il y a quels fruits et légumes sur les marchés ?* Recueillez leurs réponses.

Au cours de cette activité, les enfants vont :
- Découvrir et comprendre une recette (ingrédients et étapes) afin de pouvoir la réaliser ensuite en classe ou à la maison.
- Apprendre à identifier quelques éléments langagiers ciblés : noms de fruits, actions en lien avec la réalisation d'une recette
- S'approprier quelques structures ou mots nouveaux : un délicieux dessert, les raisins blancs, les raisins noirs, coupe, ajoute...

LIVRE DE L'ÉLÈVE, p. 37

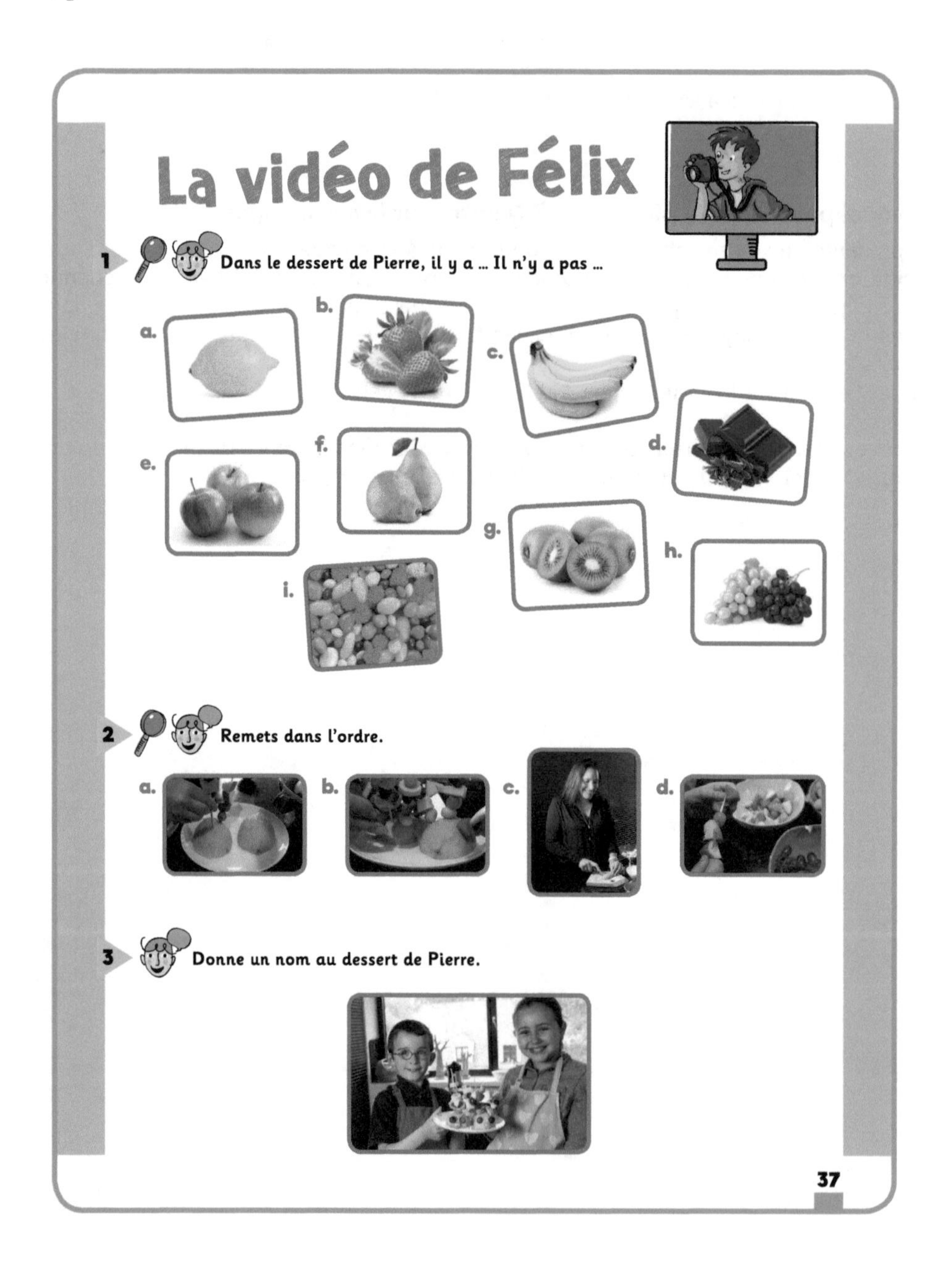

■ **Étape 1**

Pour commencer :

• Livre fermé, annoncez à vos élèves qu'ils vont retrouver leurs nouveaux amis Elsa et Pierre dans une nouvelle vidéo de Félix !

• Invitez-les à regarder la vidéo très attentivement et à repérer le plus d'informations possible !

• Recueillez ensuite les informations identifiées : fruits, actions, détails de la recette, personnages.

■ **Étape 2**

1 Dans le dessert de Pierre. Il y a... Il n'y a pas de...

• Faites ouvrir le livre à la page 37. Pointez les photos de l'activité 1 et demandez : *Qu'est-ce que vous voyez ?* Réponses attendues : ... Un citron, des fraises, des bananes, etc.

• Invitez les enfants à se souvenir de la recette précédemment visionnée et à dire ce qu'il y a ou n'y a pas dans le dessert de Pierre : *Dans le dessert de Pierre il y a... un citron... Il y a des fraises... des bananes... Il n'y a pas de...*

• Procédez à un nouveau visionnage pour vérifier les réponses, puis faites reformuler :
Dans le dessert de Pierre il y a un citron, des fraises, des kiwis, des pommes, des poires, des raisins noirs, des raisins blancs et des bonbons. Il n'y a pas de chocolat.

2 Remets dans l'ordre.

• Faites observer l'activité et demandez aux enfants de remettre les photos de la vidéo dans l'ordre.

• Recueillez leurs propositions (vraisemblablement c. d. a. b, selon la chronologie des étapes photographiées).

• Procédez à un nouveau visionnage de la vidéo avec arrêt sur image à chaque étape. Oralisez chaque étape et faites mimer l'action réalisée : « ***Coupe les fruits en morceaux. / Mets les morceaux de fruits sur les cure-dents. / Etc.*** »

3 Donne un nom au dessert de Pierre.

Recueillez les propositions des enfants. On s'entendra sur « *dessert-hérisson* », mais toute forme de créativité sera bien entendu recevable !

♦ **Activité complémentaire. Notre « dessert hérisson » !**
Apportez en classe les ingrédients et ustensiles nécessaires et réalisez la recette de Pierre avec les enfants de votre classe en suivant les étapes de réalisation de la recette pas à pas sur la vidéo.

Script

– **Pierre :** Bonjour. Aujourd'hui, je vais faire un délicieux dessert avec des fruits. C'est une surprise pour Elsa.
– **Elsa :** Miam ! J'aime les fruits, c'est sucré !
– **Pierre :** Pour mon dessert, j'ai des bananes, un citron, des fraises, des raisins noirs et des raisins blancs, des kiwis, des pommes, des poires et des cure-dents !
– **Elsa :** Et des bonbons ! Je veux des bonbons !
– **Pierre :** Et des bonbons, bien sûr Elsa ! Alors, avec un adulte, coupe le citron en deux parties. Coupe les fruits en morceaux. Mets les morceaux de fruits sur les cure-dents. Ajoute des bonbons. Pose les deux moitiés de citron sur le plat. Pique les brochettes sur les citrons. Ajoute deux raisins noirs pour les yeux et un bonbon rouge pour la bouche. Et maintenant Elsa, qu'est-ce que c'est ?
– **Elsa :** C'est un chat !
– **Pierre :** Non, ce n'est pas un chat !
– **Elsa :** C'est un lapin ?Pierre : Mais non, ce n'est pas un lapin !
– **Elsa :** C'est un... hérisson ?
– **Pierre :** Oui, bravo, c'est un hérisson ! Il y a même deux hérissons !
– **Elsa :** Aïe, ça pique ! Miam, c'est bon !

Ces activités sont destinées à des enfants non familiarisés avec les caractères de l'alphabet latin.

■ Introduction des cartes-mots « fruits ».

Discrimination visuelle ; Identifier globalement les mots.

Cartes-mots

Fiche photocopiable n° 8 - a et b

• Affichez (sans les nommer) les 8 cartes-mots au tableau. Invitez les enfants à les observer. Demandez-leur s'ils reconnaissent certains mots et s'ils peuvent les oraliser. Pour les aider, donnez le son initial (et non le nom de la lettre) de chaque mot en pointant la lettre initiale : *Ce mot commence par [b]... (banane)... Ce mot commence par [k]... (kiwi)... Ce mot commence par [p]... (pomme, poire)..., Ce mot commence par [f]... (fraise)... Ce mot commence par [s]...* (*citron*)... *Ce mot commence par [m]...* (*melon*)... *Ce mot commence par [o]...* (*orange*).

• Distribuez à 8 enfants les 8 cartes-images « fruits » et demandez-leur de venir coller au tableau chaque fruit sous la bonne carte-mot. Lorsque toutes les cartes-images sont à la bonne place, faites lire à haute voix chaque carte-mot. Attirez l'attention des enfants sur les « petits mots » *un* et *une* qui sont en haut des cartes.

■ Jeu de Memory – Association image / mot écrit

Exercer la mémoire visuelle ; Consolider la reconnaissance globale des mots.

Cartes-mots

Fiche photocopiable n° 8 - a et b

• Retournez les cartes-images « fruits » qui sont au tableau et collez-les sur une colonne. Retournez les cartes-mots et collez-les, dans le désordre, sur une deuxième colonne, à droite.
Répartissez vos élèves en deux équipes. Un joueur de la première équipe vient au tableau et retourne au hasard une carte de chaque colonne, qu'il doit nommer / lire (il les laisse voir un instant à tous). Si les deux cartes – image et mot – correspondent, il les garde et un joueur de son équipe joue à nouveau. Si les 2 cartes ne correspondent pas, il les retourne et c'est au tour d'un enfant de l'autre équipe de jouer.

Cartes-mots

• Proposez à vos élèves de jouer au jeu de Memory en sous-groupes de 4. Distribuez-leur un jeu de petites cartes-images et un jeu de petites cartes-mots. Vous guidez les activités en vous déplaçant parmi les différents sous-groupes.

Fiche photocopiable n° 8 - a et b

Activité de soutien n° 6

■ Entraînement individuel – Discrimination visuelle.

Identifier de façon globale le nom des fruits ; Identifier les lettres qui composent chaque mot.

• **activité 1** : Entourer le même mot que le modèle.
• **activité 2** : Entourer dans la suite des lettres de l'alphabet les lettres composant 4 noms de fruits.

Pas à pas vers l'écrit. ACTIVITÉS DE SOUTIEN
Leçon 2

Ces activités sont destinées à des enfants non familiarisés avec les caractères de l'alphabet latin.

Activités préparatoires à la réalisation des activités 4 et 5, page 25.

■ Introduction des cartes-mots.

Identification de chaque mot écrit.

Cartes-images

Cartes-mots

• Fixez au tableau les cartes-images correspondant aux vignettes de l'activité 4 : *la poire – la gomme – le chocolat – jaune – le citron – rouge – le gâteau – la pomme.* Faites nommer chaque élément représenté.
Fixez, dans le désordre, les cartes-mots correspondantes. Demandez à quelques enfants de venir associer les cartes-mots aux cartes images.
Les mots gomme, chocolat et gâteau sont nouveaux à l'écrit. Invitez les enfants à expliquer leurs procédures d'identification des nouveaux mots, par exemple ➜ *gomme* sera facilement identifiable de par sa ressemblance avec *pomme, gâteau* commence comme *gomme...*

■ Écoute et pointe le bon mot.

Identification de chaque mot écrit.

• Retirez les cartes-images du tableau et déplacez les cartes-mots. Demandez à quelques élèves de venir pointer sur le tableau les mots que vous nommez : *Rouge* ! *Le chocolat ! La gomme !... Jaune !...*

Pas à pas vers l'écrit. ACTIVITÉS DE SOUTIEN
Leçon 3

■ Entraînement individuel.

Les enfants devront associer des mots écrits à un dessin et à une silhouette. Ils pourront ensuite réutiliser ces mots dans l'activité 4 décrite ci-dessus pour exprimer ce qu'ils aiment ou n'aiment pas.

Activité de soutien n° 7

• Distribuer la fiche aux enfants. Demandez leur d'oraliser les mots écrits dans la colonne de gauche (pour faciliter le travail d'identification des mots, projetez si possible la fiche de travail au tableau.). Les enfants émettent des hypothèses en fonction des mots et des graphèmes qu'ils connaissent déjà. Ils sont également guidés par la présence des articles *le, la, les* et par les dessins qui représentent les mots à lire. Invitez-les à expliquer comment ils font pour identifier chaque mot.

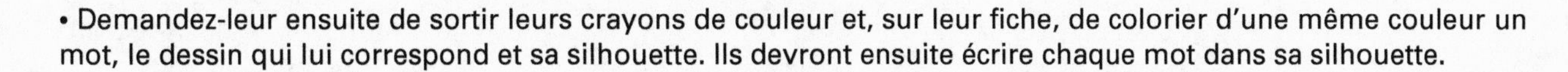

• Demandez-leur ensuite de sortir leurs crayons de couleur et, sur leur fiche, de colorier d'une même couleur un mot, le dessin qui lui correspond et sa silhouette. Ils devront ensuite écrire chaque mot dans sa silhouette.

• Dites à vos élèves (L1) que vous allez maintenant tous ensemble réfléchir à ce que vous avez fait et appris au cours de l'unité 3. Demandez-leur :

– ***Qu'est-ce que nous avons fait au cours de l'unité 3, vous vous rappelez... ?*** *Ils vont ici rappeler diverses situations et activités...* Recueillez leurs propositions.

– ***Qu'avez-vous appris au cours de l'unité 3 ?*** Les enfants auront tendance ici à énumérer le lexique appris : les fruits, les légumes, les aliments sucrés, salés...

– ***Qu'avez-vous appris à faire en français ?*** Engagez les enfants à exprimer ce qu'ils savent faire en termes d'« actes de paroles » ou d'« actions » ➜ Nommer certains fruits, légumes ou aliments, dire ce que l'on aime et ce que l'on n'aime pas, identifier des saveurs, identifier le son [o] et savoir l'écrire... jouer au sudoku, résoudre un petit problème de maths...

– ***Qu'est-ce que vous savez bien faire ? Qu'est-ce qui vous pose encore problème ?*** Guidez la réflexion des enfants, recueillez leurs réponses et rassurez celles et ceux qui rencontrent des difficultés : donnez des conseils en fonction des difficultés rencontrées.

• Pour terminer sur une note affective, demandez aux enfants :

– ***Qu'est-ce vous avez particulièrement aimé faire dans l'unité 3 ?***

S'il y a des activités que certains élèves disent ne pas trop aimer faire, expliquez-leur en quoi elles sont utiles à l'apprentissage du français : pour apprendre à comprendre, à entendre, à prononcer...

Pour aller plus loin

Si vous souhaitez fournir davantage d'informations de type « découvertes culturelles » à vos élèves, rendez-vous sur les pages web suivantes :

http://www.disney.fr/ratatouille/ Le très beau site français du film d'animation Ratatouille (réalisé par Brad Bird, 2007) propose de superbes images de synthèse de la ville de Paris et du restaurant Chez Gusteau où se déroule l'histoire. On y retrouve tous les personnages du film et des extraits vidéo.

www.legout.com Soutenue par le Ministère de l'agriculture et par le Ministère de l'éducation nationale, ***la Semaine du goût*** existe en France depuis 1990. De nombreuses manifestations ont lieu dans les écoles :
– leçons de goûts où des chefs et des professionnels des métiers de bouche viennent dans les classes faire découvrir de nouveaux mets aux enfants ;
– ateliers de découvertes sensorielles qui permettent de découvrir les plaisirs du monde gustatif ainsi que des habitudes alimentaires venues d'autres pays.

http://www.teteamodeler.com/cuisine/recettes-cuisine.asp Le très riche site périéducatif *Tête à Modeler* propose des recettes illustrées faciles à faire avec et pour les enfants (les plus grands apprécient aussi !). On y trouve des recettes emblématiques du patrimoine culinaire enfantin tels la pâte à crêpes, le gâteau au yaourt ou le croque monsieur.

CAHIER D'ACTIVITÉS, p. 30 et 31

Les activités des pages *Je m'entraîne 1* proposent de faire le point sur ce que chaque élève est capable de faire en français, sur les compétences acquises et celles qui sont en voie de l'être. Elles vous fourniront une photographie des capacités communicatives de chacun à mi-parcours de *Zigzag,* niveau 1.

La typologie des tâches proposées s'appuie sur les épreuves du DELF *Prim* A1.1.

- **Compréhension orale**
  - Comprendre qui parle et de quoi on parle (activité 1).
  - Comprendre quelqu'un qui parle de ses goûts (activité 2).
- **Compréhension écrite**
  - Comprendre une liste de courses (activité 1).
  - Associer une phrase simple au dessin correspondant (activité 2).
- **Production écrite**
  - Écrire le nom de quelques animaux, avec le bon déterminant un/une (activité 1).
  - Compléter une fiche et donner des informations sur soi : nom, âge, goûts (activité 2).
- **Production orale**
  - Décrire des images : dénombrer et décrire des ballons (couleurs), dénombrer des personnes, nommer des aliments ; comparer deux images : dire ce qu'il y a ou ce qu'il n'y a pas sur l'une et sur l'autre.

J'ÉCOUTE, JE COMPRENDS

1 17 Qui parle ? Écoute et écris le numéro du dialogue sous chaque image.

n° 2

n° 4

n° 1

n° 3

2 18 Écoute et dessine. Qu'est-ce que Félix aime ? Qu'est-ce qu'il n'aime pas ?

					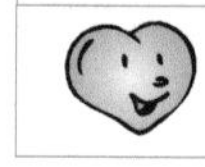

30

J'écoute, je comprends, p. 30

Activité 1 17 **Qui parle ? Écoute et écris le numéro du dialogue sous chaque image.**

Script du CD (deux enregistrements) 17

Dialogue n° 1
- **Homme :** Tu as quel âge, Théo ?
- **Garçon :** J'ai 7 ans
- **Homme :** Oh, 7 ans !

Dialogue n° 2
- **Homme :** La poule a combien de petits poussins ?
- **Petite fille :** La poule a 8 poussins.
- **Femme :** 8 poussins ! Ils sont mignons !

Dialogue n° 3
- **Femme :** Tu veux le ballon rouge ou le ballon jaune ?
- **Petite fille :** Je veux le ballon jaune s'il te plaît
- **Femme :** Alors d'accord ! Le ballon jaune !

Dialogue n° 4
- **Fille :** Bonjour monsieur ! 3 ballons s'il vous plaît !
- **Homme :** Voilà mademoiselle ! 3 ballons !

Activité 2 18 **Écoute et dessine ce que Félix aime ou n'aime pas.**

Script du CD (deux enregistrements) 18
- **Femme :** Qu'est-ce que tu aimes Félix ?
- **Félix :** J'aime les fraises,... le fromage..., les poires... et les tomates.
- **Femme :** Ah ah, tu aimes les fraises, le fromage, les poires et les tomates... Et qu'est-ce que tu n'aimes pas ?
- **Félix :** Je n'aime pas... les kiwis et... Je n'aime pas le gâteau au chocolat !
- **Femme :** Ah bon, tu n'aimes pas le gâteau au chocolat ? ... Et pas les kiwis ?

JE LIS, JE COMPRENDS

JE M'ENTRAÎNE AU DELF PRIM

1 Madame Bouba va au marché. Entoure ce qu'elle doit acheter.

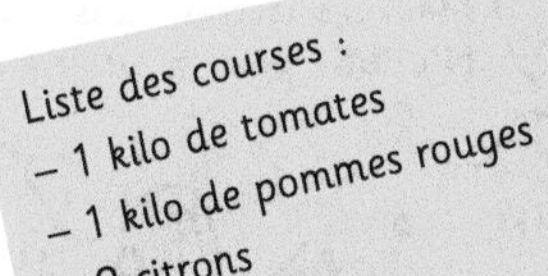

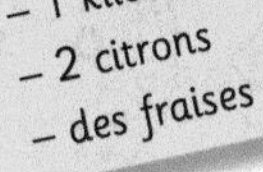

2 Entoure la phrase qui correspond au dessin.

a. Louise a un petit chien et trois poissons rouges.

b. Louise a un petit chien et deux poissons rouges.

c. Louise a un petit chat et deux poissons rouges.

a. Dans le panier il y a des tomates, des courgettes et un citron.

b. Dans le panier il y a des courgettes et des citrons.

c. Dans le panier il y a des tomates et des courgettes, mais il n'y a pas de citron.

31

Je lis, je comprends, p. 31

Activité 1 **Madame Bouba va au marché. Entoure ce qu'elle doit acheter.**

Activité 2 **Entoure la phrase qui correspond au dessin.**

CAHIER D'ACTIVITÉS, p. 32 et 33

J'écris, p. 32

Activité 1 **Mets les lettres dans l'ordre et écris le nom des animaux. N'oublie pas un ou une !**

Activité 2 **Lis la fiche de Lila. Complète ta fiche !**
Résultat attendu : l'élève complète la fiche en fournissant des renseignements personnels semblables à ceux qui sont donnés sur la fiche de Lila.

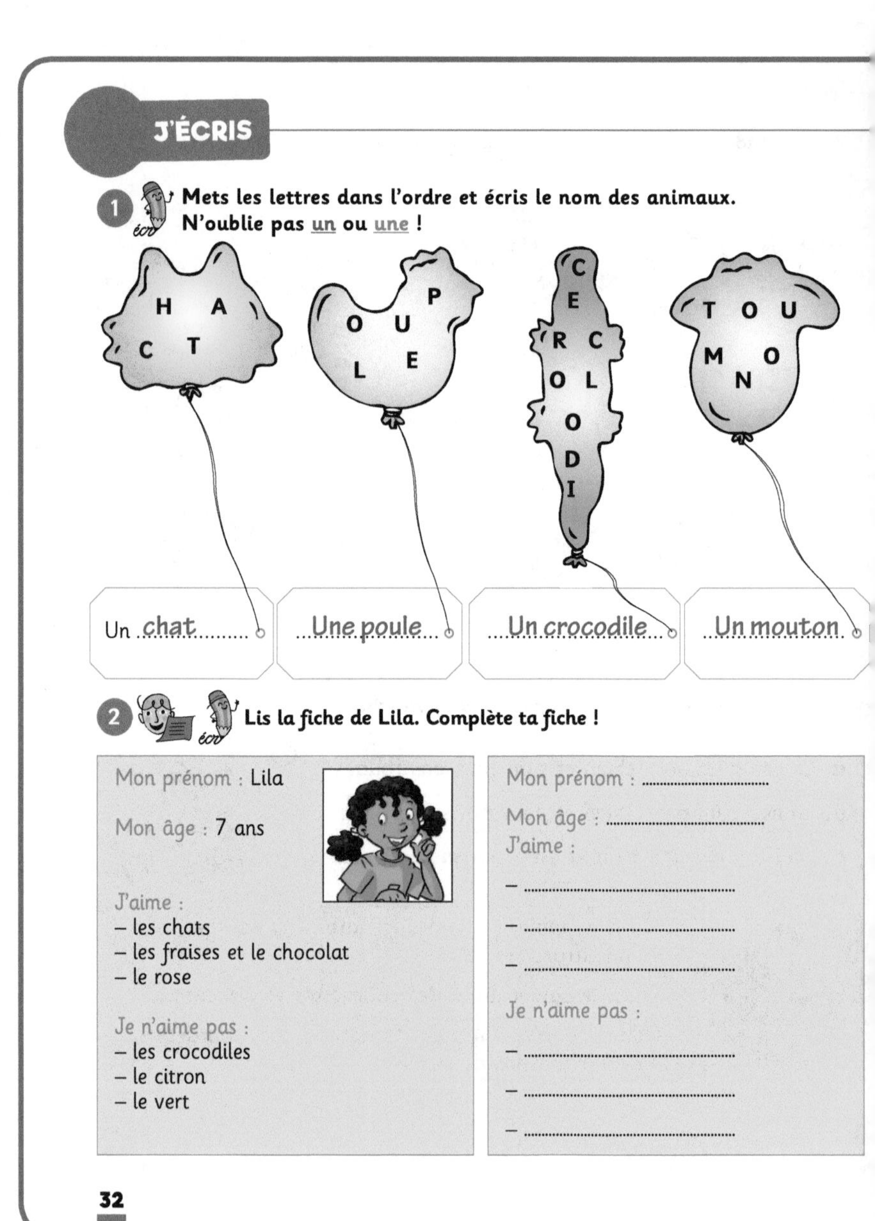

JE M'ENTRAÎNE AU DELF PRIM

1 Observe les 2 dessins et nomme les 9 différences.

33

Je parle, p. 33

Activité 1 **Observe les 2 dessins et nomme les 9 différences.**

Les neuf différences à nommer sont :

Image 1
– Il y a huit enfants : 3 filles et 5 garçons. – Le garçon a 8 ans. – Le garçon s'appelle Théo. – Sur la table, il y a un gâteau aux fraises. – Une fille mange une pomme. – Il y a 10 ballons. 2 roses, 2 verts, 1 rouge, 2 bleus, 2 orange, 1 jaune – Il y a des fruits sur la table : des pommes, des poires, des bananes, des oranges, des fraises, des kiwis. – Il y a un chien. – Il y a un skateboard.
Image 2
– Il y a huit enfants : 4 filles et 4 garçons. – Le garçon a 7 ans. – Le garçon s'appelle Léo. – Sur la table, il y a un gâteau au chocolat. – La fille mange une fraise. – Il y a 12 ballons : 2 roses, 2 verts, 1 rouge, 2 bleus, 2 orange, 1 jaune et sur la table, il y a en plus un ballon rouge et un ballon jaune. – Il y a des fruits sur la table, mais il n'y a pas de fraises. – Il y a un chat. – Il n'y a pas de skateboard.

LIVRE DE L'ÉLÈVE, p. 38 et 39

À mi-parcours des apprentissages de Zigzag 1, la double-page « Les jeux du Club Zigzag » propose à vos élèves de réactiver et réutiliser, dans un cadre ludique, récréatif et coopératif, les apprentissages langagiers développés au cours des 3 premières unités.

Le matériel complémentaire dont vous aurez besoin :
Activité 1 : Petites cartes-images correspondant différents items de la grille de Bingo ;
Activité 2 : cartes-images « animaux » pour la grille de sudoku (4 chiens, 4 chats, 4 canards, 4 poules)
Activité 4 : cartes-images pour la maison des sons (maison du [a] et du [o])

1 Bingo ! Joue avec tes camarades.

Réactiver divers éléments lexicaux déjà rencontrés Compréhension orale : Identifier un nombre

Petites cartes-images

Vous aurez préalablement :
– agrandi et photocopié l'activité 1, puis découpé les petites cartes-images correspondant à chaque item. Vous aurez ensuite placé ces petites cartes dans votre *sac à malices* !

Jetons

– préparé 5 jetons ou petits papiers par élève

• Invitez vos élèves à regarder l'activité : *Regardez l'activité 1, page 38 ! Qu'est-ce que c'est ? → C'est un jeu de Bingo !* Demandez-leur de nommer les items représentés sur chaque ligne : *un chat, une pomme, un mouton, etc.*

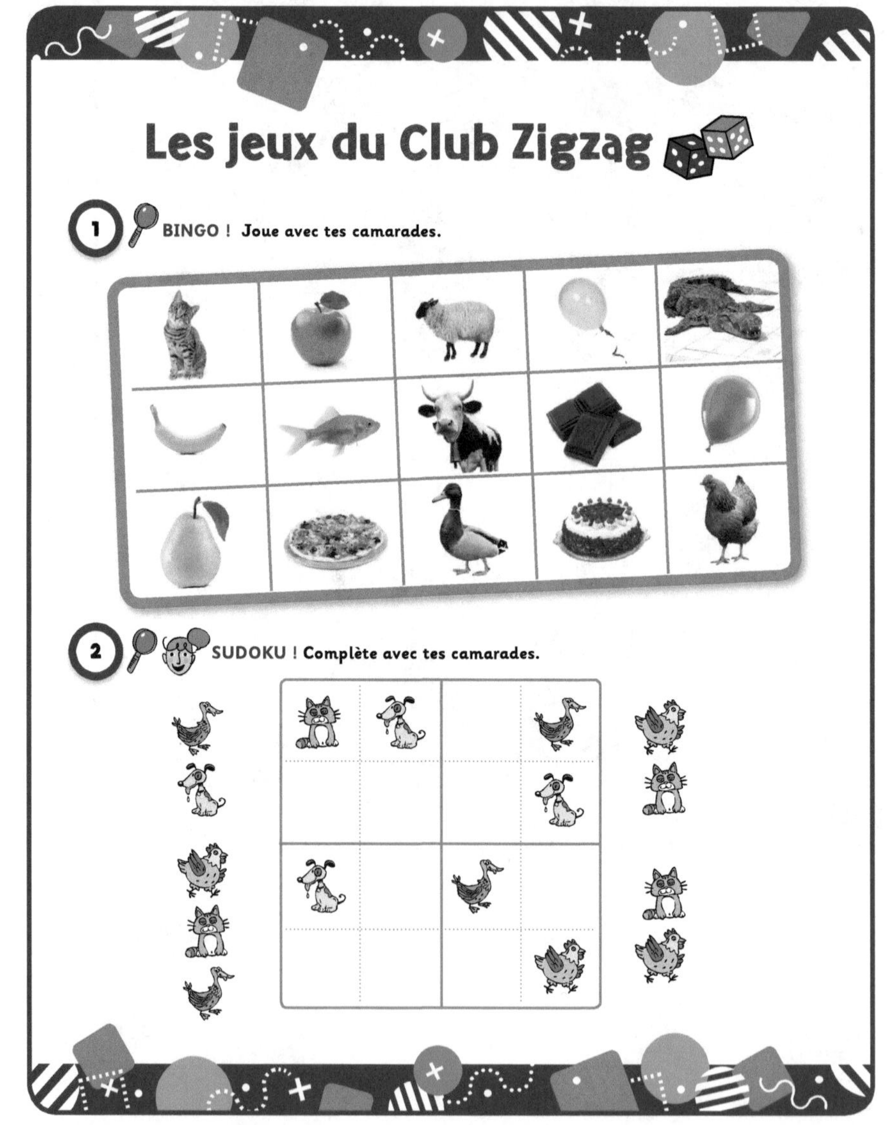

• Afin que tous ne jouent pas avec les mêmes items et gagnent en même temps, demandez à chaque élève de choisir une des 3 lignes de la grille et de l'entourer au crayon à papier (facilement effaçable) : *Prenez un crayon, choisissez une ligne et entourez-la !* Faites en sorte que 2 voisins ne choisissent pas la même ligne. Distribuez ensuite 5 jetons (ou 5 petits papiers) à chaque élève.

• Le jeu commence ! Sortez de votre *sac à malices*, une à une, les petites cartes-images. Nommez chaque item 2 fois, sans le montrer. Lorsqu'un enfant entend un des items de sa ligne, il pose un jeton - ou un petit papier - sur la case correspondante. L'enfant qui le premier a posé ses 5 jetons crie : *Bingo !* Afin de vérifier qu'il ne s'est pas trompé, demandez-lui de nommer ses différents items et comparez-les avec les cartes que vous avez tirées. Si tout va bien, il est déclaré « Champion » et on le félicite : *Bravo, tu as gagné !*

• Faites plusieurs parties. Demandez à un enfant de venir vous assister pour mener le jeu ! C'est lui qui « piochera » les petites cartes dans le sac et les nommera.

Sudoku ! Complète avec tes camarades !

Production orale : Nommer les animaux pour compléter une grille de sudoku ; Réaliser une tache en coopération.

Ce jeu de sudoku sollicite l'intelligence logique et mathématique de vos élèves ! Le but du jeu est de remplir la grille avec une série de 4 animaux : un chat, un chien, un canard, une poule, de telle sorte que ces 4 animaux se trouvent sur chaque ligne, dans chaque colonne et dans chaque région (un carré de 4 cases) une seule et unique fois. Il ne peut donc pas par exemple y avoir deux chiens ou 2 canards sur la même ligne, la même colonne ou dans la même région.

• Projetez ou reproduisez au tableau la grille de sudoku telle qu'elle est dans le livre de l'élève. Collez les 7 cartes-animaux de la grille dans leurs cases respectives. À côté de la grille, collez en vrac les cartes qui permettront de la compléter : - 3 cartes *chat,* 3 cartes *poules,* 2 cartes *canard,* 1 carte *chien.*

Cartes-images animaux

• Demandez aux élèves de dire (L1) ce qu'ils voient sur l'illustration ➜ Ils reconnaitront le principe du jeu de sudoku déjà rencontré au cours la leçon 1 de l'unité 3 (sudoku des fruits).

• Faites nommer les quatre différents animaux sur la grille. Attirez l'attention des enfants sur le déterminant qui précède chaque nom : *un canard, une poule...*

• Montrez la première ligne en haut de la grille où il ne manque qu'un animal. Demandez en pointant la case vide : *Qu'est-ce qui manque ?* ➜ *Il manque*... une poule ! Demandez à un enfant de venir coller la carte-poule dans la case.

Montrez ensuite la région en haut à droite où il y a maintenant un canard, un chien et une poule. Pointez la case vide à droite du chien et demandez à nouveau : *Qu'est-ce qui manque ?* ➜ *Il manque un chat !* Demandez à un enfant de venir coller la carte-chat dans la case.

• Continuez ainsi, en procédant par élimination jusqu'à ce que la grille soit entièrement complétée. Sollicitez la participation de tous les élèves, demandez-leur s'ils sont d'accord avec les propositions que font leurs camarades. S'ils ne sont pas d'accord, proposez-leur de venir au tableau montrer/dire pourquoi et expliquer leur procédure, par exemple : *Non, c'est un canard... Il y a déjà un chat ici !*

Félicitez vos élèves lorsque la grille de Sudoku est entièrement complétée !

 Observe et dis.

Compréhension écrite : lire et comprendre chaque petite phrase. Production orale : Nommer divers éléments lexicaux. Repérage dans l'espace : situer sur un tableau à double-entrée.

• Faites observer la grille de jeu. Invitez vos élèves à expliquer (L1) ce qu'ils auront à faire ➜ Ils devront - lire « dans leur tête » chacune des 7 phrases, - rechercher dans la grille l'item mentionné dans chaque phrase, - compléter chaque phrase en indiquant où se trouve cet item dans la grille (coordonnées).

• Réalisez le premier exemple collectivement. Demandez à un élève de lire à voix haute la première phrase « Il y a une pomme dans la case C3 ». Faites pointer sur le livre la case C3 qui se trouve à l'intersection de la ligne C et de la colonne 3. Invitez vos élèves à suivre la *ligne C* et *la colonne 3* avec le doigt depuis la case C3.

• Proposez aux élèves de compléter les 6 lignes restantes avec leur voisin(e).

• Mise en commun : Faites oraliser chaque phrase et recueillez les réponses. Demandez à la classe de valider chaque réponse proposée et de la justifier en suivant du doigt les lignes et colonnes correspondant au placement de l'item.

1. Il y a une pomme dans la case C3
2. Il y a un kiwi dans la case D2
3. Il y a une poire dans la case D4
4. Il y a une pizza dans la case A1
5. Il y a des bonbons dans la case B2
6. Il y a des fraises dans la case A4
7. Il y a un citron dans la case C1

Qu'est-ce qu'il y a dans la maison du  et du ?

Phonologie : Identifier dans un mot la présence du phonème [a] ou du phonème [o].

Vos élèves vont partir avec Pic Pic à la recherche des sons [a] et [o]. Pour cela, ils devront dire dans quelle maison placer chaque petite vignette.

• Affichez en vrac les dix cartes-images correspondant aux dix petites vignettes. Faites nommer au fur et à mesure.

Dessinez au tableau les deux maisons à cinq fenêtres et collez sur le toit de chacune d'elle la carte-image « chat » ou la carte-image « gâteau ».

• Pointez les cartes-images et demandez : *Qu'est-ce que vous mettez dans la maison du [a] de chat ? Qu'est-ce que vous mettez dans la maison du [o] de gâteau ?*

• Recueillez les propositions des enfants et faites coller au fur et à mesure les cartes-images correspondantes dans la bonne maison.

• Pour conclure l'activité, faites nommer les cartes-images appartenant à chaque maison ➜

– *Dans la maison du [a] de « chat », il y a : un âne, une pizza, un canard, un ballon, des bananes.*

– *Dans la maison du [o] de « gâteau », il y a : un crocodile, une orange, un coq, rose, jaune.*

Unité 4 Les Olympiades des enfants

Cadre narratif	
Félix fait un reportage aux Olympiades des enfants. Tous ses amis sont là : Lila fait du judo, Tilou fait de la gymnastique et Madame Bouba des rollers, Pirouette fait du foot et Pic Pic de la natation... Madame Bouba et Tilou nous entraînent même dans une folle leçon de gym rythmique. Lila gagne la compétition de judo et reçoit la médaille d'or... Rien de tel enfin qu'un bon goûter pour récompenser chacune et chacun de ses efforts ! Mais... petit problème ! Pic Pic et Pirouette ont disparu !	
CONTENUS	
Communication	– Parler de ce que l'on fait / dire quel sport on pratique – Identifier certaines parties du corps – Donner et comprendre des instructions pour le jeu de *Jacques a dit* – Exprimer une finalité – Situer dans l'espace
Phonologie	Identifier le nombre de syllabes sonores dans un mot Identifier la présence du phonème [ɔ̃] dans un mot
Observation / Structuration de la langue	Utiliser à bon escient *du, de la* : *Elle fait du judo, de la natation...* Utiliser à bon escient les pronoms personnels *il, elle, ils, elles*
Découverte de l'écrit	Lire / écrire les noms de certains sports Comprendre un petit texte et le traduire en dessin
Découvertes (inter)culturelles	Les enfants et le sport

Unité 4 Leçon 1 Tous sportifs !

Au cours de cette leçon, les enfants vont :
• à l'oral :
– Dire quel(s) sport(s) ils pratiquent
– Identifier le(s) sport(s) pratiqué(s) par quelqu'un

• à l'écrit :
– Associer deux parties de phrases pour reconstituer une information
– Compléter un message avec les lettres manquantes

Matériel :
– Des cartes-images « aliments » À choisir entre les n° 29 et 54 (sauf n° 46, n° 48)
– 6 cartes-images « sport » n° 58 à 63 : 2 séries pour le de jeu de Memory
– Fiche photocopiable n° 12 (a) : Vignettes « sports » : 2 séries de vignettes par sous-groupe d'élèves pour le jeu de Memory en petits groupes

Activités de soutien :
– À préparer : cartes-mots pour phrases puzzle ; Activité de soutien n° 8

Pour commencer :

Je lis sur tes lèvres !

Production orale / compréhension orale ; Réactiver des apprentissages réalisés au cours des leçons précédentes : dire ce que l'on aime, utiliser à bon escient *le, la, les.*

Cartes-images

• Montrez rapidement la série de cartes-images « aliments » et prenez discrètement une des cartes. Placez-vous face à vos élèves et demandez-leur de vous regarder. En articulant bien, mais sans émettre un seul son, dites par exemple : *J'aime le fromage !* Les élèves observent les mouvements de vos lèvres et disent : *Tu aimes le fromage !* Montrez alors votre carte afin que tous puissent vérifier qu'il s'agissait effectivement de la carte *fromage.*

• Faites venir un enfant devant la classe, faites-lui tirer discrètement une carte et demandez-lui : *Qu'est-ce que tu aimes ?* L'élève articule la phrase, sans émettre un seul son : *J'aime + le / la / les + nom représenté sur sa carte-image...* Passez l'activité en relais à plusieurs élèves. Veillez à ce que *le, la, les* soient employés à bon escient.

  Écoute le reportage de Félix et montre.

Parler du sport que l'on fait (introduction des différentes structures).

• Faites ouvrir le livre à la page 40. Félix fait un reportage au *Stade de Petits Champions* pour les Olympiades des enfants ! On le voit au bas de la page avec son appareil photo et son micro.

• Proposez à vos élèves d'écouter le reportage et d'en suivre le déroulement en montrant du doigt la bonne photo. À la fin de l'écoute, demandez-leur comment ils ont fait pour identifier chaque photo ➔ Les points de repère sont les noms des personnages, les bruitages liés à chaque type d'activté sportive, la couleur de certains maillots, les noms « transparents » de certains sports.

• Procédez à une écoute fragmentée. Dites à la suite de chaque extrait : *Pirouette fait du foot ! Pic Pic fait de la natation !* Demandez à vos élèves de répéter et affichez la carte-image correspondante au tableau.
Faites le lien entre ce que l'on voit sur chaque photo et ce que l'on entend sur l'enregistrement, notamment les commentaires sportifs : Un *but pour les bleus ! Bravo les bleus !* (Vignette a : foot) ; *Allez Bouba !* (Vignette c : roller) ; *Oui, panier ! 2 points pour les verts !* (Vignette d : basket) ; *Elle a gagné ! Bravo ! Tu es une championne !* (Vignette f : judo).

Script du CD 

– **Félix :** Bonjour les amis ! Bienvenue au stade des Petits Champions ! Il y a un match de foot ; Ho ho ! Pirouette fait du foot !
– **Des enfants :** Allez les bleus ! Ouiiii, buuut !
– **Félix :** Un but pour les bleus ! Bravo les bleus !
– **Félix :** Ah, voilà la piscine ! Pic Pic fait de la natation !
– **Une voix :** Attention : 1, 2, 3, partez !
– **Félix :** Ah ! La course de rollers ! C'est parti ! Madame Bouba fait du roller !
– **Des enfants :** Allez Bouba ! Allez Bouba ! Allez Bouba !
– **Madame Bouba :** Bonjour Félix !
– **Félix :** Voilà un match de basket ! Un enfant lance le ballon ... Oui, panier ! 2 points pour les verts !
– **Félix :** Tilou est là aussi ! Tilou fait de la gymnastique !
– **Tilou :** Et 1, 2, 3, 4, 5, et 1, 2...
– **Félix :** Voilà Lila... Elle est en kimono sur le tatami ; elle fait du judo. Elle a gagné !! Bravo Lila ! Tu es une championne !
– **Des enfants :** Bravo ! Bravo Lila !

  Répète le rap et mime.

Parler du sport que l'on fait : mémorisation des nouvelles structures à travers le rythme et le mouvement.

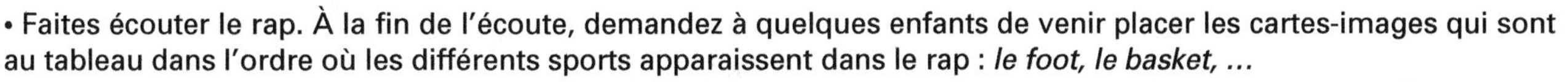
• Faites écouter le rap. À la fin de l'écoute, demandez à quelques enfants de venir placer les cartes-images qui sont au tableau dans l'ordre où les différents sports apparaissent dans le rap : *le foot, le basket, ...*

• Demandez à vos élèves de se lever et invitez-les à scander le rap : faites reproduire chaque vers et mimer chaque activité sportive (Cf. Accompagnement gestuel ci-dessous). Les cartes-images qui sont dans l'ordre au tableau permettent de retrouver sans difficulté, et donc sans rupture de rythme, la succession des différentes activités.

Script du CD	**Accompagnement gestuel** correspondant aux éléments soulignés
Je fais du foot, passe – passe – but !	Pointez du doigt votre propre poitrine, shootez 2 fois dans un ballon fictif, puis levez les bras en l'air.
Tu fais du basket, tong – tong – tong !	Pointez un doigt en avant, regardez dans la même direction, puis mimez 3 dribbles de la main.
Il fait de la natation, plich, plich, plach !	Pointez un doigt sur le côté, regardez devant vous, puis mimez 3 mouvements de crawl
Je fais du judo, ho – he – ho !	Pointez du doigt votre propre poitrine, puis mimez une prise de judo sur 3 temps.
Tu fais du roller, roule, roule, roule !	Pointez un doigt en avant, regardez dans la même direction, puis mimez un déplacement à roller, sur 3 temps.
Elle fait de la gymnastique, fan-tas-tique !	Pointez un doigt sur le côté, regardez devant vous, puis levez les bras, sautez en l'air, sur 3 temps.

3 Écoute et montre la bonne photo.

Compréhension orale : identifier de qui on parle.

• Demandez aux enfants d'observer les 4 photos de l'activité 3 page 41 et de dire ce qu'ils voient : *Qu'est-ce que vous voyez sur les photos ?*

Photo a ➜ un garçon et un monsieur (son papa peut-être ?) Photo b ➜ un garçon et une fille
Photo c ➜ deux filles Photo d ➜ un garçon

• Faites écouter le CD et pointer sur le livre la bonne photo : *Écoutez et montrez la bonne photo !*

• Procédez à une écoute fragmentée. Stoppez l'enregistrement après la présentation de chaque personne ou groupe de personnes et demandez : *C'est la photo a, b, c ou d ?* Invitez vos élèves à justifier leurs réponses avec les informations entendues : *Qui est-ce ? ... Il / Elle a quel âge ?* ➜ *C'est Pierre. Il a huit ans... C'est Léa. Elle a sept ans... C'est le papa de Théo, etc.*

4 Qui fait quoi ? Écoute, montre et dis.

Compréhension et production orale : identifier qui fait quel sport ; Structuration de la langue : utiliser en contexte *Il fait / ils font.*

• Pointez les 6 petits pictogrammes représentant les différents sports. Annoncez aux enfants qu'ils devront écouter le CD et montrer du doigt le sport que fait chacun. Après l'écoute, demandez qui fait quoi : *Pierre fait quel sport ? Et Léa ? Max fait quel sport ? etc.* Recueillez les réponses, sans toutefois les valider.

• Validation des réponses. Procédez à une écoute fragmentée, photo par photo. Faites répéter les 4 énoncés. Veillez à ce que les enfants reproduisent bien la différence entre ***fait*** et ***font*** ➜ Pierre et Léa (deux ou plusieurs personnes) ***font*** *du judo et de la gymnastique !* Max (une seule personne) ***fait*** *du foot et du basket !* ...

Solution

L'ordre dans lequel les photos sont présentées est :
1. Photo b ; **2.** Photo d ;
3. Photo a ; **4.** Photo c.

Script du CD 3

1. Voilà Pierre et Léa. Pierre a huit ans. Léa a sept ans.
2. Et là, voilà Max ! Il a sept ans.
3. Théo a huit ans. Il est sur la photo avec son papa.
4. Là, c'est Emma et là Louise. Emma a six ans, Louise a huit ans.

Script du CD 4

Pierre et Léa font du judo et de la gymnastique.
Max fait du foot et du basket.
Théo adore le sport ! Il fait du roller avec son papa.
Emma et Louise font de la natation.

Cartes-images

Fiche photocopiable n° 12

♦ Activité complémentaire. Memory du sport !

Production orale : dire ce que quelqu'un fait (activité sportive) ; Exercer sa mémoire visuelle.

• Fixez au tableau sur 2 colonnes deux séries de cartes-images « sport », faces cachées. Répartissez vos élèves en deux équipes. Dites une petite comptine (*Tourne tourne la ratatouille* ou *Am stram gram*) pour désigner quelle équipe commence ! Un joueur de la première équipe vient au tableau et retourne au hasard une des cartes de chaque colonne. Il doit nommer chaque carte, par exemple ➜ ***Il fait** du foot !* / ***Il fait** de la gymnastique !* Lorsque les deux cartes sont identiques, il les garde et un joueur de son équipe vient jouer à nouveau. Si ce n'est pas le cas, il les retourne et c'est au tour de l'équipe adverse de jouer. L'équipe victorieuse est celle qui remporte le plus de cartes !

• Proposez à vos élèves de jouer au *Memory du sport* en sous-groupes de 4 (2 équipes de deux élèves). Distribuez à chaque groupe un jeu de petites cartes-images « sports » (2 séries de 6 cartes). Les élèves retournent les cartes sur leur table et essaient tour à tour de les associer deux à deux, en nommant ce qui est représenté sur chaque carte. Vous guidez les activités en vous déplaçant parmi les différents sous-groupes.

  Chante avec Tilou ! *C'est génial !*

Prendre plaisir à comprendre et à chanter une chanson !

• Faites écouter la chanson, livre fermé, puis demandez aux enfants de dire (L1) ce qu'ils ont compris. Faites récapituler toutes les activités dont on parle dans la chanson ➜ *Je fais du foot ; Je fais du judo, Je fais du vélo, Je fais du roller.* Introduisez ➜ *Je fais de la danse.*

• Procédez à une écoute fractionnée. Faites répéter chaque vers en le scandant et en l'articulant clairement. Marquez par une gestuelle adaptée la différence entre ***Je fais...*** et ***Il / Elle fait*** : pointez votre propre poitrine (*Je*) ou désignez une tierce personne (pour *Il / elle*). Expliquez les expressions nouvelles : C'est *génial !* (super !) – *tous les matins – l'après-midi – mes copains – champion de judo – Je fonce à cent à l'heure ! (Je vais très vite).*

• Faites chanter chaque couplet en veillant au bon respect de la mélodie, du rythme et de la prononciation.

Variante : Demandez à une fille de chanter le premier couplet et à un garçon de chanter le second couplet. Toute la classe reprend en chœur, comme un écho, les deux derniers vers de chaque couplet en désignant du doigt l'enfant qui vient de chanter.

Script du CD 

C'est génial tous les matins
Je fais du foot avec mes copains
C'est génial l'après-midi
Je fais du foot aussi
C'est génial l'après-midi
Elle fait du foot aussi

Je suis champion de judo
Je fais de la danse et du vélo
Et sur mes super rollers
Je fonce à cent à l'heure !
Et sur ses super rollers
Il fonce à cent à l'heure !

Lien oral – écrit : Lorsque les enfants se sont bien appropriés les paroles et la mélodie de la chanson, ils pourront en découvrir les illustrations et le texte et faire le lien entre ce qu'ils ont chanté et ce qu'ils lisent.

Activité 1  Écoute et frappe dans tes mains. Dessine le nombre de syllabes frappées.

Phonologie : identifier le nombre de syllabes sonores dans un mot.

Cette activité qui sensibilise les enfants à la phonologie des mots et favorise une bonne prononciation, se déroule en deux étapes.

a. Écoute et frappe dans tes mains. Demandez aux enfants de regarder les 6 petites vignettes de l'activité 1 représentant chacun un garçon ou une fille en train de faire du sport. Annoncez-leur qu'ils vont écouter les 6 phrases correspondantes et qu'ils devront frapper les mots dans leurs mains, comme sur le modèle qu'ils entendent. Faites le premier exemple avec eux.

	Script du CD 19	Activité des élèves
1	*– Il fait du judo. – Il fait du* **x x** *– Il fait du...*	a. Ils écoutent la phrase. b. Ils écoutent la phrase où le mot *judo* est remplacé par 2 frappés. c. Ils reproduisent les 2 frappés correspondant aux 2 syllabes sonores du mot *judo.*
2	*Elle fait de la natation. – Elle fait de la* **x x x** *– Elle fait de la...*	
3	*Il fait du foot. – Il fait du* **x** *– Il fait du...*	
4	*Elle fait du basket. – Elle fait du* **x x** *– Elle fait du...*	
5	Elle fait de la gymnastique. – *Elle fait de la* **x x x** *– Elle fait de la...*	
6	*Il fait du roller. – Il fait du* **x x** *– Il fait du...*	

b. Dessine le nombre de syllabes frappées. Montrez les pointillés qui se trouvent sous chaque vignette. Sur les premières, il y a deux petites croix qui représentent les 2 syllabes sonores du mot *judo.* Invitez les enfants à dessiner sous chaque vignette le nombre de syllabes frappées. Passez parmi les élèves pour vérifier que le nombre de traits correspond bien au nombre de syllabes sonores.

LEÇON 1 TOUS SPORTIFS !

1 Écoute et frappe dans tes mains. Dessine le nombre de syllabes frappées.

1 Il fait du ......XX............ 2 Elle fait de la XXX............... 3 Il fait du X....................

4 Elle fait du XX................ 5 Elle fait de la XXX............... 6 Il fait du ....XX...............

2 Qui fait quoi ? Entoure d'une même couleur et dis.

Alice Tom Emma Théo Hugo Mina

34

Activité 2 Qui fait quoi ? Entoure d'une même couleur et dis.

Production orale : dire ce que quelqu'un fait.

Des fils entremêlés relient chaque prénom (fille en rouge ; garçon en bleu) à une activité sportive. Il s'agit de retrouver, en suivant chaque fil, qui fait quoi.

• **Entoure d'une même couleur.** Montrez les deux items entourés d'une même couleur : (Alice ; le basket). Demandez : *Que fait Alice ?* ➜ ***Elle** fait du basket.* Invitez à entourer d'une même couleur un prénom et l'activité sportive à laquelle il est relié. Conseillez-leur de bien suivre le tracé de chaque fil avec leur crayon !

• **Mise en commun :** ***Qui fait quoi ?*** Demandez : *Que fait Tom ?* ➜ *Il fait du judo !* ou *Qui fait de la natation ?* ➜ *C'est Hugo !*

→ ACTIVITÉS DE SOUTIEN : page 162

Activité 3 Qui fait quoi ? Relie.

Compréhension écrite : relier les deux parties d'une même phrase.

Nous retrouvons les mêmes six prénoms qu'au cours de l'activité précédente. Il s'agit maintenant, en fonction des informations précédemment recueillies (Qui fait quoi ?) de relier chaque prénom à l'information écrite qui convient.

• Faites un premier exemple avec toute la classe : demandez à un élève de lire à voix haute le premier extrait de phrase : *fait du foot*. Demandez : *Qui fait du foot ?* → *C'est Mina !* Invitez les élèves à relier « *fait du foot* » à Mina, puis à oraliser la phrase *Mina fait du foot*. (Veillez à faire relier de telle sorte que le prénom – sujet se place en tête de phrase.)

• Demandez aux enfants de lire « dans leur tête » tous les petits morceaux de phrase et de les relier au bon personnage.

• Vérification collective : Faites oraliser toutes les phrases : *Mina fait du foot ; Emma fait de la gymnastique ; Théo fait du roller ; Tom fait du judo ; Alice fait du basket ; Hugo fait de la natation.*

Remarque : Profitez de cette activité pour mettre en évidence que, quand on parle du sport que l'on fait :
– Lorsque le mot est masculin (faites-le souligner en bleu !), on dit *Mina fait **du** judo !*
– Lorsque le mot est féminin (faites-le souligner en rouge !), on dit *Emma fait **de la** gymnastique !*

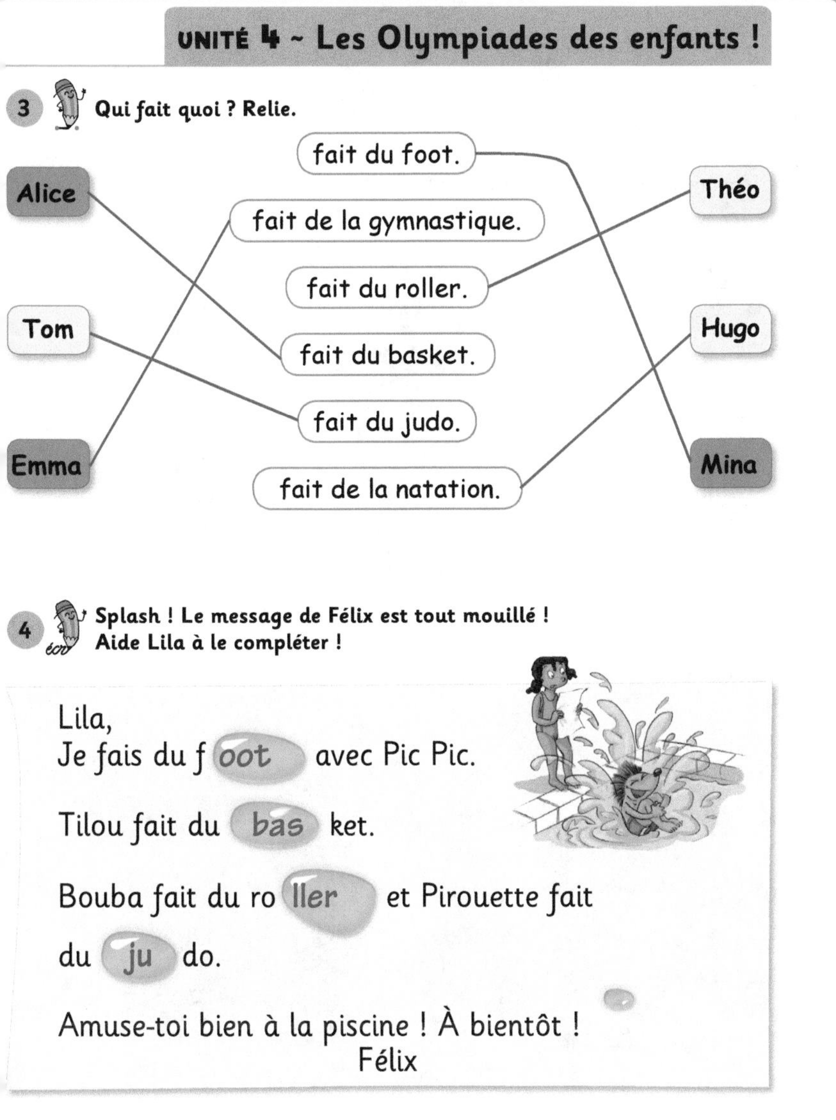

UNITÉ 4 ~ Les Olympiades des enfants !

3 Qui fait quoi ? Relie.

Alice — fait du basket.
Tom — fait du judo.
Emma — fait de la gymnastique.
Théo — fait du roller.
Hugo — fait de la natation.
Mina — fait du foot.

4 Splash ! Le message de Félix est tout mouillé ! Aide Lila à le compléter !

Lila,
Je fais du f oot avec Pic Pic.
Tilou fait du bas ket.
Bouba fait du ro ller et Pirouette fait du ju do.
Amuse-toi bien à la piscine ! À bientôt !
Félix

35

Activité 4 Splash ! Le message de Félix est tout mouillé ! Aide Lila à le compléter !

Compréhension écrite : lire et comprendre un court message ; Production écrite : orthographier correctement des mots.

• Invitez les enfants à regarder le message adressé à Lila. Demandez qui a écrit le message → C'est Félix : il y a sa signature en bas du message. Malheureusement Pic Pic a sauté dans l'eau de la piscine et le message est tout mouillé ! Proposez à vos élèves de le lire « dans leur tête » et de le compléter avec les lettres qui manquent. Engagez-les à vérifier l'orthographe des mots dans l'activité précédente n° 3.

• Vérification : Faites oraliser chaque phrase du message par quelques élèves. Invitez-les à épeler les différents mots à compléter.
Expliquez les formules de fin de message : Amuse-*toi bien ! À bientôt !*

Unité 4 Leçon 2 *Une leçon de gymnastique !*

Au cours de cette leçon, les enfants vont :
• à l'oral :
– Nommer différentes parties du corps *: la tête, la main, le bras, le doigt, la jambe, le pied.*
– Comprendre des instructions : *Lève les bras, tape des pieds...*
– Situer dans l'espace : *en avant, en arrière*
– Exprimer une finalité : *un kimono... pour faire du judo*
– Identifier dans un mot la présence du phonème [ɔ̃]

• à l'écrit :
– Lire et écrire le nom des parties du corps
– Associer un petit texte descriptif à son illustration
– Écrire des mots où l'on entend [ɔ̃]

Matériel :
– Illustrations de magazines : activités sportives
– 12 cartes-images « Le Memo de Lila » : n° 58 à 69 ; carte-image n° 28 (ballon de foot)
– Cartes-images « Maison des sons » : ballon (n° 28), bonbon (n° 72), main (n° 71), melon (n° 34), orange (n° 38), poisson (n° 14), judo (n° 63), poivrons (n° 45), natation (n° 59)
– Fiche photocopiable n° 12 (a et b) : cartes images « Mémo de Lila » : une série de 12 cartes par petits groupes

<u>Activités de soutien</u> :
– À préparer : Cartes-mots « parties du corps »

Pour commencer :

Micro-trottoir ! *Qu'est-ce que tu fais comme sport ?*

Production orale : réactiver des apprentissages réalisés au cours de la leçon précédente ; Parler de soi : dire quel sport on fait.

• Faites réviser les structures liées aux activités sportives. Fixez au tableau les cartes-images « sport », complétez-les avec des illustrations que vous aurez trouvées dans divers magazines et demandez en pointant une image : *Qu'est-ce qu'il / elle fait comme sport ?* ou *Qu'est-ce qu'ils / elles font comme sport ?* ➜ *Il / elle fait* ou *ils / elles font du judo, de la natation... de la danse, du vélo...*

Micro

• Prenez en main un micro fictif et interviewez vos élèves : *Qu'est-ce que tu fais comme sport ?* ➜ *Je fais du / de la...* Faites passer le « micro » de main en main, pour qu'un grand nombre d'enfants puissent prendre la parole et s'interviewer mutuellement. Donnez aux enfants, si nécessaire, le vocabulaire complémentaire dont ils peuvent avoir besoin pour parler du sport qu'ils pratiquent : *Je fais du ski, du snowboard, du skateboard, du patin à glace, du tennis, de l'équitation, du baseball...*

LIVRE DE L'ÉLÈVE, p. 42 et 43

1  Écoute et fais de la gymnastique avec Tilou et Bouba.

Identifier / nommer différentes parties du corps.

• Faites ouvrir le livre à la page 42. Tilou et Madame Bouba font de la gym ! Demandez aux enfants de suivre sur le CD la séance de gym des deux amis.

• Demandez aux enfants de se lever. Placez-vous devant vos élèves, dans le même sens qu'eux et suivez ensemble les instructions du CD... C'est parti pour une séance de gym !

1. ➜ Levez les bras à la verticale. ➜ Tournez la tête sur le côté. ➜ Frappez dans vos mains, bras levés. ➜ Faites un demi-tour sur vous-même.
2. ➜ Baissez les bras de chaque côté du corps. ➜ Tournez la tête sur le côté. ➜ Tapez des pieds. ➜ Faites à nouveau un demi-tour sur vous-même ! (Vous vous retrouvez ainsi en position de départ.)
3. Faites un pas en avant, un pas en arrière. ➜ Pliez les jambes. ➜ Claquez des doigts !
Et... Recommencez !

• Demandez aux enfants de faire les mouvements tout en répétant les instructions données sur le CD ➜ *Lève les bras ! Tourne la tête ! ...*

Remarque : Les enfants se souviennent certainement de la chanson *Youpi ! C'est parti* (Unité 0, page 7) où ils ont déjà chanté *Avec Félix et Lila, on tape des pieds, on lève les bras... Avec Félix et Lila, on frappe des mains, on claque des doigts ! Et on crie Hourra !*

Script du CD 6

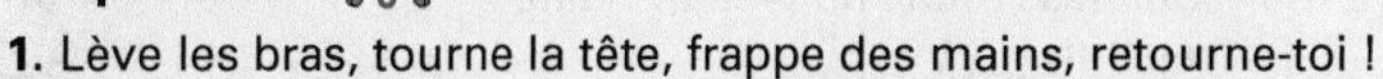

1. Lève les bras, tourne la tête, frappe des mains, retourne-toi !
2. Baisse les bras, tourne la tête, tape des pieds, retourne-toi !
3. En avant, en arrière, plie les jambes et claque des doigts !
Encore une fois !

♦ Activité complémentaire. Et maintenant, vite, une petite douche !

Comprendre et agir : mémoriser le lexique des différentes parties du corps ; Réactiver le lexique de certaines parties du visage (Unité 1).

• Après le sport, rien de tel qu'une bonne petite douche pour se rafraîchir ! Dites à vos élèves que vous allez tous ensemble prendre une douche ! Mimez la situation.
Ouvrez les robinets, l'eau de la douche ruisselle...La température est parfaite... Mettez du gel douche dans vos mains... Et frottez énergiquement !
Donnez les instructions suivantes et exécutez-les tous ensemble :

– Frottez-vous la tête ! Frottez-vous le front ! Frottez-vous le nez et le menton ! Frottez-vous les bras ! Frottez-vous bien les mains ! Frottez-vous aussi les doigts ! Frottez-vous les jambes ! Frottez-vous les pieds !

Puis rincez-vous bien sous le jet de la douche, fermez les robinets, sortez de la douche, prenez une serviette...
Donnez de nouvelles instructions, dans un ordre différent. Vous n'exécuterez que la première avec vos élèves afin de vérifier ensuite leur compréhension orale :

– Séchez-vous la tête ! Séchez-vous le front ! Séchez-vous les jambes ! Séchez-vous les bras ! Séchez-vous les pieds ! Séchez-vous les mains ! Séchez-vous les doigts ! Séchez-vous le nez et le menton !

Vous voilà maintenant tous frais et dispos pour continuer la séance !

   Jacques a dit !

Comprendre des instructions.

• Invitez vos élèves à regarder l'activité 2, page 42 et proposez-leur de jouer avec Félix au jeu de *Jacques a dit !* C'est un jeu auquel jouent beaucoup d'enfants dans les pays francophones. Au Québec, le jeu s'appelle *Jean dit !*
Expliquez la règle du jeu. Dites par exemple : *Jacques a dit : Lève les bras ! Jacques a dit : Baisse les bras !* Engagez vos élèves à exécuter la consigne.
Puis dites : *Tourne la tête !* Expliquez alors aux enfants que lorsque l'instruction n'est pas précédée de *Jacques a dit*, il ne faut surtout pas l'exécuter, sinon on est éliminé du jeu !

Script du CD 7

Félix :

– Jacques a dit : Lève les bras !	– Baisse la jambe !
– Jacques a dit : Baisse les bras !	– Jacques a dit : Baisse la jambe !
– Jacques a dit : Tape des pieds !	– Frappe des mains !
– Tourne la tête !	– Jacques a dit : Lève la tête !
– Jacques a dit : Tourne la tête !	– Retourne-toi !
– Jacques a dit : Claque des doigts !	– Jacques a dit : Frappe des mains !
– Jacques a dit : Lève une jambe	

• Faites écouter l'enregistrement : Attention, le jeu commence ! Procédez à une écoute fragmentée en arrêtant l'enregistrement après chaque instruction si vous l'estimez nécessaire.

Si vous le souhaitez, proposez maintenant les activités 1 et 2 de la page 36 du cahier d'activités (décrites ci-après).

3  Le mémo de Lila. Associe les cartes.

Production orale : exprimer une finalité ; Nommer des objets.

• Faites observer l'activité 3 à la page 43 du livre de l'élève : Lila joue au Memory. Devant elle, deux séries de cartes sont éparpillées sur le sol : une série verte et une série mauve. Sur chaque carte mauve, il y a un sport différent ; sur chaque carte verte, il y a un objet à associer à chaque sport.

• Nommez avec les enfants les 6 objets représentés sur les cartes vertes : *un panier de basket, un ballon de foot, un kimono, un cerceau* (mot nouveau), *un casque* (mot nouveau), *des lunettes* (mot nouveau). Faites répéter.

• Faites associer les cartes deux à deux. Lila dit : *Un kimono... pour faire du judo !* Proposez aux enfants de continuer :

➜ *– Un panier pour... faire du basket !*
– Un ballon pour... faire du foot !
– Un cerceau pour... faire de la gymnastique !
– Un casque pour... faire du roller !
– Des lunettes pour... faire de la natation !

♦ Activité complémentaire. On joue au Memory ?

Production orale (consolidation) : exprimer une finalité ; Nommer des objets.

Cartes-images

• Fixez au tableau sur deux colonnes les cartes-images du Mémo de Lila : – sur la colonne de gauche : les objets ; sur la colonne de droite : les sports. Retournez les cartes face contre le tableau. Formez deux équipes et désignez par une petite comptine celle qui commence. Le premier joueur vient retourner deux cartes, d'abord une carte de la colonne de gauche, puis une carte de la colonne de droite. Incitez-le à dire en montrant tour à tour chaque carte, par exemple ➜ *Des lunettes* (carte 1) *pour faire... du judo (carte 2)* ! Dans ce cas, l'association ne marche pas et c'est au tour d'un élève de l'équipe adverse de jouer.
Lorsque deux cartes retournées peuvent être associées, l'équipe garde ces deux cartes et continue à jouer. Le vainqueur est l'équipe qui remporte le plus de cartes !

Fiche photocopiable n° 12 - a et b

• Proposez à vos élèves de jouer en petits groupes. Distribuez-leur les vignettes du Mémo de Lila à découper.

4  Qu'est-ce qu'il y a dans la maison du  ? Écoute et dis.

Phonologie : Identifier la présence du phonème [ɔ̃] dans un mot.

• Annoncer aux enfants qu'ils vont avec Pic Pic partir à la recherche du son [ɔ̃] comme dans *ballon*. Montrez la maison avec le ballon sur le toit : C'est la maison du son [ɔ̃].
Dites-leur qu'ils vont entendre huit mots connus (pointez les huit petites vignettes) et devront, à la fin de l'écoute, dire quels mots on peut mettre dans les cinq fenêtres de la maison du [ɔ̃].

• Faites écouter la première partie de l'enregistrement jusqu'au jingle. Puis demandez : *Qu'est-ce que vous mettez dans la maison du [ɔ̃] ?* Recueillez les propositions des enfants.

• Vérification de l'écoute. Faites écouter la deuxième partie de l'enregistrement, puis faites répéter chaque mot appartenant à la maison du [ɔ̃].

Cartes-images

• Consolidation. Affichez en vrac au tableau les cartes-images correspondant aux huit vignettes de l'activité. Dessinez une maison qui sera la maison du [ɔ̃] et collez la carte-image référente « ballon » sur le toit de la maison. Demandez à quelques élèves de choisir et placer les bonnes cartes-images dans la maison du [ɔ̃], éloignez les autres. Pointez ensuite chaque carte affichée dans la maison et faites prononcer chaque mot bien distinctement, en arrondissant bien les lèvres, un doigt posé sur une narine (voyelle nasale) pour le [ɔ̃].

Script du CD 

Dans la maison du [ɔ̃], il y a un ballon. Qu'est-ce qu'il y a aussi ?
- Un bonbon ? ...
- Une main ? ...
- Un melon ? ...
- Une orange ? ...
- Un poisson ? ...
- Le judo ? ...
- Des poivrons ? ...
- La natation ? ...

Dans la maison du « on », il y a :
- un bonbon
- un melon
- un poisson
- des poivrons
- la natation !

Activité 1  Écoute et numérote.

Compréhension orale : identifier ce que quelqu'un fait (actions motrices / partie du corps).

• Demandez à vos élèves de regarder les six vignettes de l'activité 1. Sur chaque dessin, on voit un enfant en train de faire de la gymnastique : il lève les bras, elle claque des doigts...

• Invitez vos élèves à écouter le CD, à identifier ce que fait chacun et à écrire le bon numéro sous chaque vignette. Proposez aux enfants d'écouter une première fois l'enregistrement en pointant du doigt chaque vignette, mais sans rien écrire. Proposez une seconde écoute où ils numéroteront les vignettes.

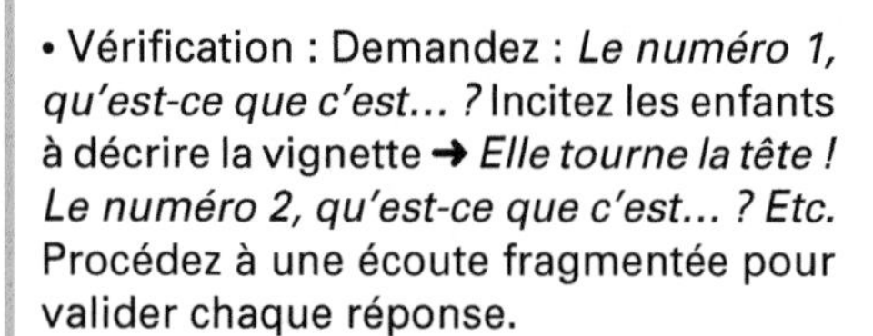

• Vérification : Demandez : *Le numéro 1, qu'est-ce que c'est... ?* Incitez les enfants à décrire la vignette ➜ *Elle tourne la tête ! Le numéro 2, qu'est-ce que c'est... ? Etc.* Procédez à une écoute fragmentée pour valider chaque réponse.

Script du CD (x 2)

1. Elle tourne la tête.
2. Il lève les bras.
3. Elle tape des pieds.
4. Il baisse les bras.
5. Il plie les jambes.
6. Elle claque des doigts.

Activité 2 Observe et écris chaque mot dans sa silhouette.

Compréhension écrite : associer un mot écrit à l'image correspondante ; Mettre en relation un mot et sa silhouette ; Orthographier correctement les mots.

• Demandez aux enfants de regarder l'activité, puis d'expliquer (L1) ce qu'ils devront faire : lire chaque mot et l'écrire dans sa silhouette, en face de la partie du corps qui convient.
Faites oraliser les 6 mots en tête d'exercice. Veillez à une prononciation correcte de chaque mot, notamment pour les phonèmes [wa] de *doigt*, [ɛ̃] de *main*, [ɑ̃] de jambe. Attirez l'attention de vos élèves sur le s muet à la fin de *bras*, le ***d*** muet à la fin de pied, les ***g*** et ***t*** muets à la fin de *doigt* que l'on voit, mais ne prononce pas.

• Les enfants écrivent chaque mot dans sa silhouette, sans oublier de le faire précéder du petit mot « le » ou « la ».

→ ACTIVITÉS DE SOUTIEN : page 163

3 Lis, puis écris le nom de chaque extra-terrestre sous le bon dessin.

1. Galax a trois pieds, deux bras et quatre mains. Il a une tête avec 3 yeux.
2. Mobix a trois jambes, quatre bras et une tête avec deux nez.
3. Lenax a deux jambes, quatre mains avec six doigts et un gros nez vert.
4. Bozix a deux bras, deux mains, deux jambes, mais il n'a pas de pieds.

Bozix | Galax | Lenax | Mobix

4 Écoute et coche si tu entends le son [ɔ̃] comme dans (ballon).

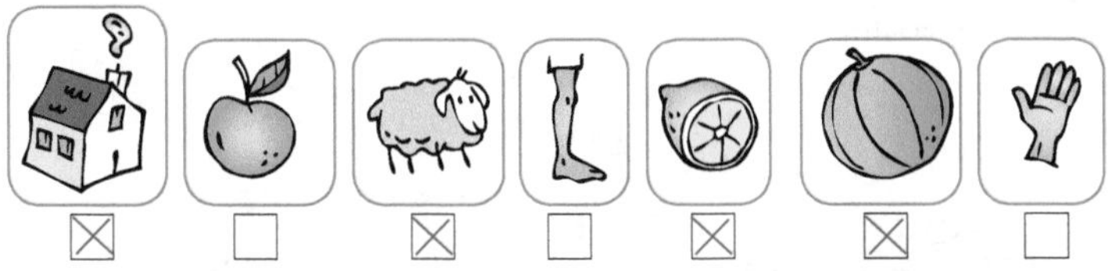

☒ ☐ ☒ ☐ ☒ ☒ ☐

5 Colorie les mots où tu entends [ɔ̃]. Écris-les dans la maison.

le ballon | la poule
le pomme | la jambe
le citron | la natation
le mouton | le judo
la main | le poisson

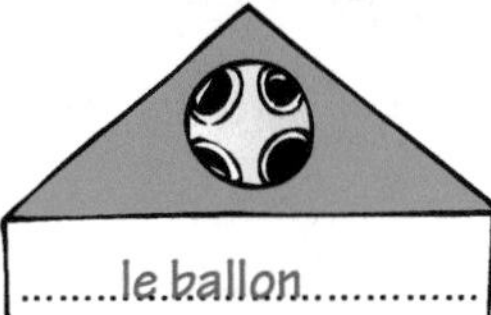

le ballon
le citron
le mouton
la natation
le poisson

37

Activité 3 Lis, puis écris le nom de chaque extra-terrestre sous chaque dessin.

Compréhension écrite : associer un petit texte descriptif à son illustration.

• Les enfants devront lire « dans leur tête » chacune des phrases, observer chaque dessin, puis écrire le prénom de chaque extra-terrestre sous la bonne illustration. Ils devront pour cela réactiver leurs connaissances des nombres et des parties du corps.

• Les enfants réalisent individuellement l'activité.

• Vérification collective. Demandez comment s'appelle chaque extra-terrestre : *Comment s'appelle l'extra-terrestre n° 1 ? → Il s'appelle Bozix !* Faites oraliser chacune des quatre phrases afin de pouvoir valider chaque réponse.

Suggestion pour des enfants apprentis lecteurs :

Afin de permettre à tous de se repérer dans le texte écrit, projetez l'activité au tableau. Demandez aux enfants de lire toutes les phrases « dans leur tête », puis de proposer un nom pour chaque extra-terrestre (chaque dessin). Après un temps d'échanges collectifs, procédez phrase par phrase : faites montrer et entourer dans chaque phrase les différents mots-clés qui permettent de trouver qui est qui.

Activité 4  Écoute et coche si tu entends le son [ɔ̃] comme dans .

Phonologie (consolidation) : Identifier dans un mot la présence du phonème [ɔ̃].

• Pointez les 7 petites vignettes. Demandez aux enfants d'écouter chaque mot et de cocher la petite pastille au bas de chaque vignette s'ils entendent [ɔ̃] dans le mot. Les enfants réalisent individuellement l'activité.

• Vérification. Nommez chaque mot et demandez : « *La maison », on entend* [ɔ̃] *? → Oui, on entend [ɔ̃] ! On coche ! La pomme, on entend [ɔ̃] ? Non, on n'entend pas [ɔ̃] ! On ne coche pas ! Etc.*

Script 
une maison – une pomme – un mouton – une jambe – un citron – un melon – une main.

Activité 5  Colorie les mots où tu entends [ɔ̃]. Écris-les dans la maison.

Phonie-graphie : écrire les mots où l'on entend le phonème [ɔ̃] ; Identifier dans ces mots la graphie du phonème [ɔ̃].

• Invitez les enfants à lire « dans leur tête » toutes les étiquettes-mots de l'activité 5 et à colorier les mots qu'ils pourront écrire dans la maison du [ɔ̃]. Ce sont tous des mots bien connus à l'oral ; ils viennent de les entendre au cours de l'activité précédente, ou les ont entendus au cours de l'activité *La maison des sons* du livre de l'élève.

• Vérification : Faites nommer les mots coloriés et écrivez-les au tableau. Demandez à un élève de venir souligner dans chaque mot les lettres où on entend [ɔ̃] : **le ballon, le citron, le mouton, la natation, le poisson**

• Faites écrire ces mots dans la maison du [ɔ̃].

Mais où sont Pic Pic et Pirouette ?

Au cours de cette leçon, les enfants vont :

• à l'oral :
– Localiser dans l'espace : *elle est sur le tatami : ils sont sous la table*
– Utiliser à bon escient les pronoms personnels : *il, elle, ils, elles*

• à l'écrit :
– Lire et comprendre un énoncé pour résoudre un petit problème de logique
– Manifester leur compréhension d'une phrase par un dessin
– Utiliser à bon escient les pronoms : *il, elle, ils, elles*

Pour commencer :

On joue à *Jacques a dit* ?

Production orale / compréhension orale ; Réactiver des apprentissages réalisés au cours des leçons précédentes : nommer des parties du corps ; Comprendre et donner des instructions.

• Proposez à vos élèves de jouer à nouveau à *Jacques a dit !* Ajoutez de nouvelles instructions et réactivez ainsi du vocabulaire appris au cours de précédentes séances ou certaines consignes faisant partie des rituels de votre classe : *Claquez des doigts ! Tournez la tête à droite,... à gauche ! Frottez-vous la tête... les yeux... le menton... le pied gauche ! Faites du roller ! Faites du basket ! Retournez-vous !... Asseyez-vous ! Levez-vous ! Prenez un crayon vert !*

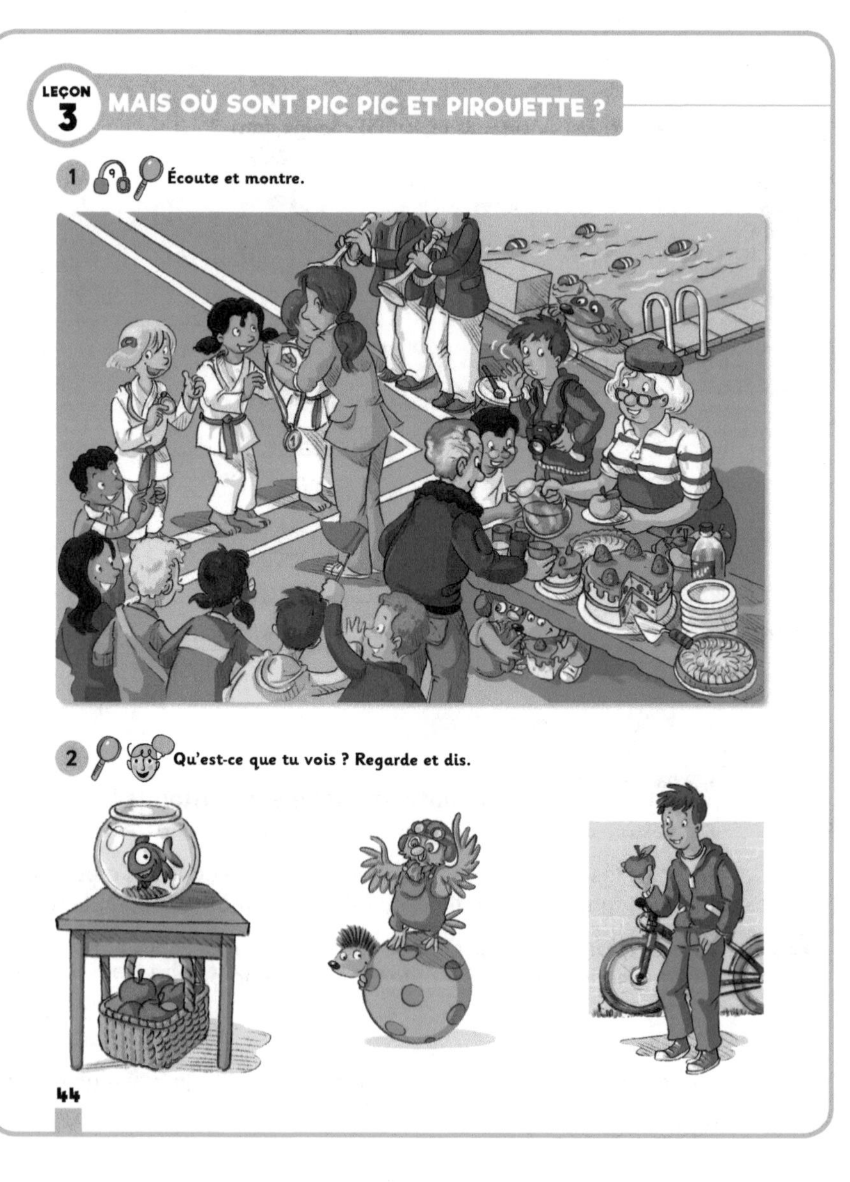

LEÇON 3 MAIS OÙ SONT PIC PIC ET PIROUETTE ?

1 Écoute et montre.

2 Qu'est-ce que tu vois ? Regarde et dis.

44

LIVRE DE L'ÉLÈVE, p. 44 et 45

1   Écoute et montre.

Localiser dans l'espace ; Introduction des localisateurs : sur, sous, dans, devant, derrière.

• Faites ouvrir le livre à la page 44. C'est la fin des Olympiades. Lila a gagné la compétition de judo et tous sont réunis pour la remise des médailles. Il y a même un goûter pour récompenser les petits sportifs ! Mais où est Pirouette ? Où est Pic Pic ? Félix part à leur recherche...

• Demandez aux enfants d'écouter Félix et de pointer avec lui les différents personnages. Peut-être retrouveront-ils ensemble Pic Pic et Pirouette... ?
À la fin de l'écoute, demandez-leur s'ils ont retrouvé Pic Pic et Pirouette. Vous les voyez... Ils grignotent en catimini un gros gâteau aux fraises, bien cachés sous la table du goûter ! Quels gourmands !

• Procédez à une écoute fragmentée. Pointez sur l'illustration chaque personnage et demandez : ***Où est** Lila* ? Faites répéter chaque réplique : *Elle **est sur** le tatami... **Où est** Tilou ? Il **est dans** la piscine... Où est Madame Bouba ? Elle **est derrière** la table du goûter... Où est Monsieur Pierre ? Il **est devant** la table du goûter... **Où sont** Pic Pic et Pirouette ? Ils **sont sous** la table, avec un gros gâteau aux fraises...*

Script du CD 

– **Félix :** Mais où sont Pic Pic et Pirouette... ?
Lila est sur le tatami... Tilou est... dans la piscine. ... Madame Bouba est derrière la table du goûter. ... Monsieur Pierre devant la table...
Hou hou Pic Pic ? ... Pirouette ?
– **Pic Pic et Pirouette :** Félix ! Hou hou ! On est là ! Hou hou !
– **Félix :** Oh !! ... Ils sont là, sous la table... avec un gros gâteau aux fraises ! ... !! Hé ! Bon appétit les amis !

♦ Activité complémentaire. CLIP CLAP ! Jeux de mains...

Activité de mémorisation : situer dans l'espace.

• Placez-vous face à vos élèves, votre main gauche à plat devant vous au niveau de votre poitrine (elle reste fixe), votre main droite se déplace pour marquer les différentes localisations (si vous êtes gaucher ou gauchère, inversez les mains !)
Demandez aux enfants de se lever. Dites sur un rythme soutenu en faisant les gestes d'accompagnement ci-dessous :

– ***Sur** la main ?*	Frappez la main droite sur la main gauche !
– ***Sous** la main ?*	Frappez la main droite sous la main gauche !
– ***Devant** la main ?*	« Plongez » la main droite devant la main gauche !
– ***Derrière** la main ?*	« Plongez » la main droite derrière la main gauche !
– ***Non !***	Votre index dit non !
– ***Dans** la main !*	La main gauche attrape le poing droit et l'enveloppe !

• Faites répéter plusieurs fois, de plus en plus vite !

2   Qu'est-ce que tu vois ? Regarde et dis.

Production orale : décrire une image ; Situer des personnes ou des objets dans l'espace.

• Afin de laisser à chacun le temps de réfléchir et de s'exercer, proposez d'abord aux élèves de travailler par paires. Demandez-leur d'observer les trois illustrations, puis, de décrire ce qu'ils voient à leur voisin(e), chacun devant décrire au moins une image. Passez parmi les enfants pour aider ceux qui en ont besoin.

• Après quelques minutes d'échanges oraux à l'intérieur de chaque binôme, demandez à toute la classe : *Qu'est-ce que vous voyez sur les trois dessins ?* Sollicitez les propositions et les réactions du maximum d'enfants.

Illustration 1 ➔*Il y a un poisson **sur** la table (dans un bocal). Il y a un panier **sous** la table. Il y a des pommes **dans** le panier.*

Illustration 2 ➔*Pirouette est **sur** le ballon. Pic Pic est **derrière** le ballon.*

Illustration 3 ➔*Félix est **devant** un vélo (Il y a un vélo **derrière** Félix). Il a une pomme **dans** la main.*

Si vous le souhaitez, proposez maintenant les activités 1 et 2, à la page 38 du cahier d'activités (décrites ci-après).

3  Écoute, observe et dis.

Observer le fonctionnement de la langue pour utiliser à bon escient *il, elle, ils, elles.*

Pirouette invite les enfants à réfléchir au fonctionnement du français : Quand dit-on : *Il ? Elle ? Ils ? Elles ?*

• **Observation.** Demandez aux enfants d'observer les cinq dessins. Faites nommer les différents personnages : On voit un garçon (1), une fille (2), deux garçons (3), trois filles (4), deux filles et un garçon (5).
Faites écouter attentivement le CD et pointer chaque dessin.
Procédez à une écoute fragmentée, dessin par dessin. Demandez où sont les personnages. Les enfants répondent en répétant chaque énoncé.

– Où est le garçon ? ➜ ***Il‿est*** *sous la table. – Où est la fille ?* ➜ ***Elle‿est*** *dans la piscine. – Où sont les garçons ?* ➜ ***Ils sont*** *sous la table. – Où sont les filles ?* ➜ ***Elles sont*** *dans la piscine. – Où sont les enfants ?* ➜ ***Ils sont*** *sur le tatami.*

UNITÉ 4 Les Olympiades des enfants

3 Écoute, observe et dis. Quand dit-on il ? elle ? ils ? elles ?

1 Il est sous la table.
2 Elle est dans la piscine.
3 Ils sont sous la table.
4 Elles sont dans la piscine.
5 Ils sont sur le tatami.

La boite à outils de Pirouette la chouette

4 Chante avec Tilou !

Vous savez faire du ski ?
Attention, c'est parti !

Pouces en avant, coudes en arrière
Et tchic et tchac, et tchic et tchac,
et tchic et tchac, ha ha
Et, tchic et tchac, et tchic et tchac,
et tchic et tchac, ha ha !
Pouces en avant, coudes en arrière, jambes pliées...
... pieds rentrés
...la tête dans les épaules...
... les fesses en arrière...
et un cheveu sur la langue !

Et tsic et tsac, et tsic et tsac...

45

Script du CD (10)

1. Il est sous la table.
2. Elle est dans la piscine.
3. Ils sont sous la table.
4. Elles sont dans la piscine.
5. Ils sont sur le tatami.

• **Analyse / Conceptualisation** : Posez aux enfants la question suivante : Quand dit-on en français : *Il ? Elle ? Ils ? Elles ?* Recueillez les différentes réponses et mettez avec les élèves en évidence que :

1. Quand il y a un seul garçon (ou un nom masculin / bleu), on dit « *il* » pour parler de ce garçon (ou de ce nom).
2. Quand il y a une seule fille (ou un nom féminin / rouge), on dit « *elle* » pour parler de cette fille (ou de ce nom).
3. Quand il y a plusieurs garçons (ou plusieurs noms masculins / vert), on dit « ils » pour parler de ces garçons (ou de ces noms).
4. Quand il y a plusieurs filles (ou plusieurs noms féminins / vert), on dit « elles » pour parler de ces filles (ou de ces noms).
5. Quand il y a des garçons et des filles (ou des noms masculins et féminins), on dit « ils » pour parler de ces enfants (ou de ces noms), même s'il n'y a qu'un seul garçon et plusieurs filles, comme sur l'illustration.

Attirez également l'attention des élèves sur le singulier *Il / elle* ***est*** et le pluriel ***Ils / elles sont.***

♦ **Activité complémentaire. Le tableau vivant !**

Appropriation et utilisation en contexte de la notion grammaticale que l'on vient de mettre en évidence.

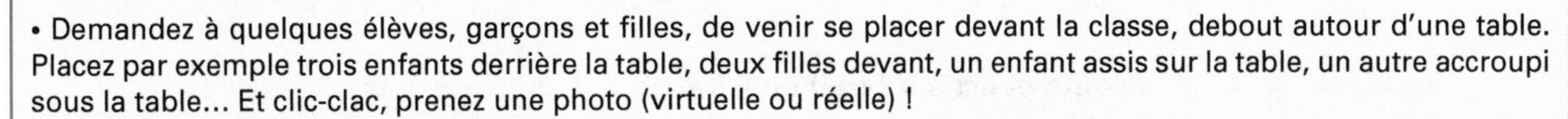

• Demandez à quelques élèves, garçons et filles, de venir se placer devant la classe, debout autour d'une table. Placez par exemple trois enfants derrière la table, deux filles devant, un enfant assis sur la table, un autre accroupi sous la table... Et clic-clac, prenez une photo (virtuelle ou réelle) !

• Les enfants restent en place. Demandez à leurs camarades de décrire la photo. Demandez par exemple : – *Où sont Marco, Max et Nina ?* ➜ ***Ils sont*** *derrière la table !– Où sont Léa et Julie ?* ➜ ***Elles sont*** *devant la table ! – Où est Tom ?* ➜ ***Il est*** *sous la table !*

• Invitez d'autres enfants à venir se faire photographier !

Si vous disposez d'un appareil photo numérique et du matériel informatique nécessaire pour les projeter, prenez plusieurs photos de ces « tableaux vivants ». Vos élèves seront ravis de les découvrir à la séance suivante et cela fournira à tous une bonne occasion de réactiver les apprentissages !

4  Chante avec Tilou. *Vous savez faire du ski ?*

S'amuser et chanter avec Tilou en mettant en action diverses parties du corps !

• Annoncez aux enfants qu'ils vont apprendre à faire du ski avec Tilou ! Invitez-les à se lever et à former un cercle (si possible). Faites écouter le CD. Mimez avec les enfants l'accumulation de toutes les postures. Sur le refrain *Tchic et tchac...,* tournez sur vous-même dans un sens, puis dans l'autre en suivant le rythme de la comptine. Attention, c'est parti pour une leçon de ski... un peu « particulière », avec éclats de rire et bonne humeur assurés !

• Expliquez l'expression « avoir un cheveu sur la langue » : on dit que quelqu'un a *un cheveu sur la langue* lorsqu'il zézaye, c'est-à-dire lorsqu'il prononce [z] les sons [ʒ] ou [ʃ]. Ainsi, pour le dernier refrain on chantera *tsic et tsac...* au lieu de *tchic et tchac* ! Soyez toutefois prudent, si dans votre classe certains enfants ont eux-mêmes ce petit problème de langage, n'insistez pas afin de ne pas les mettre mal à l'aise.

• Lorsque la chanson est connue à l'oral, les enfants pourront en découvrir le texte et faire le lien entre ce qu'ils ont chanté et ce qu'ils lisent.

Script du CD 

Vous savez faire du ski ? Attention c'est parti !
Pouces en avant, coudes en arrière
Et tchic et tchac, et tchic et tchac et tchic et tchac ha ha
Et tchic et tchac, et tchic et tchac et tchic et tchac ha ha !

Pouces en avant, coudes en arrière,
Jambes pliées...
Et tchic et tchac, et tchic et tchac et tchic et tchac ha ha
Et tchic et tchac, et tchic et tchac et tchic et tchac ha ha !

Pouces en avant, coudes en arrière, jambes pliées,
Pieds rentrés
Et tchic et tchac, et tchic et tchac et tchic et tchac ha ha
Et tchic et tchac, et tchic et tchac et tchic et tchac ha ha !

Pouces en avant, coudes en arrière, jambes pliées,
Pieds rentrés, la tête dans les épaules...
Et tchic et tchac, et tchic et tchac et tchic et tchac ha ha
Et tchic et tchac, et tchic et tchac et tchic et tchac ha ha !

Pouces en avant, coudes en arrière,
Jambes pliées, pieds rentrés, la tête dans les épaules
Les fesses en arrière...
Et tchic et tchac, et tchic et tchac et tchic et tchac ha ha
Et tchic et tchac, et tchic et tchac et tchic et tchac ha ha !

Pouces en avant, coudes en arrière,
Jambes pliées, pieds rentrés, la tête dans les épaules
Les fesses en arrière
Et un cheveu sur la langue !
Et tsic et tsac, et tsic et tsac et tsic et tsac ha ha
Et tsic et tsac, et tsic et tsac et tsic et tsac ha ha !

Activité 1 Écoute et écris V (vrai) ou F (faux).

Compréhension orale : identifier diverses postions dans l'espace.

• Demandez à vos élèves d'observer attentivement les six vignettes. Ils vont entendre six affirmations différentes et devront écrire dans chaque petite case ***V*** si l'affirmation est vraie, ***F*** si l'affirmation est fausse.

• Faites écouter l'enregistrement une première fois dans son intégralité. Invitez les enfants à écouter et à observer les vignettes, mais à ne rien écrire.

• Procédez à une écoute fragmentée. Les enfants écrivent ***V*** ou ***F*** sur leur cahier d'activités.

• Vérification. Faites écouter à nouveau chaque affirmation et demandez aux élèves si l'affirmation est vraie ou fausse. Faites justifier.

LEÇON 3 MAIS OÙ SONT PIC PIC ET PIROUETTE ?

1 Écoute et écris V (vrai) ou F (faux).

1 V · 2 F · 3 F · 4 V · 5 F · 6 V

2 Qui est qui ? Lis et écris le prénom de chaque enfant.

Max est derrière Lisa. Hugo est devant Flora.

1 ...Flora... 2 ...Hugo... 3 ...Max... 4 ...Lisa...

38

Script du CD 

1. Pirouette mange une fraise. Elle est sous la table.
2. Les tomates sont dans le panier.
3. Madame Bouba est sur la moto, derrière Félix.
4. Pirouette est sur le vélo de Félix.
5. Tilou fait du judo. Il est sous le tatami.
6. Madame Bouba et Pic Pic sont devant la ferme.

Activité 2 Qui est qui ? Lis, puis écris le prénom de chaque enfant.

Compréhension écrite : lire pour jouer.

Cette activité met en jeu les capacités de déduction logique de vos élèves.

• Pointez sur le cahier d'activités les quatre enfants. Ils se suivent en file indienne dans l'ordre suivant : une fille, un garçon, un garçon, une fille. À partir de deux informations écrites : *Max est derrière Lisa. Hugo est devant Flora,* les élèves doivent trouver qui est qui et écrire le prénom de chacun sous le bon dessin.

• Proposez à vos élèves de résoudre à deux ce petit problème de logique.

• Vérification : Dessinez de façon schématique les quatre silhouettes au tableau. Proposez à un tandem de venir donner sa solution et écrire chaque prénom sous la bonne silhouette. Faites justifier. Les repères sont : garçon – fille / derrière – devant.

→ ACTIVITÉS DE SOUTIEN : page 163

3 **Complète avec : il - elle - ils - elles.**

1. Lila aime le sport. Elle fait de la gymnastique.

2. Félix et Tilou sont au parc.
Ils font du skateboard.

3. Où sont Bouba et Pirouette ?
Elles sont dans la piscine.

4. Où est Pic Pic ? Il est sous la table.

5. Félix et Lila sont à la ferme. Ils dessinent Pacha.

4 **Lis et dessine.**

Il fait du foot.	Elles font du roller.
Elle a un ballon rose sur la tête.	Ils lèvent les bras.

Activité 3 **Complète avec :** ***il – elle – ils – elles.***

Structuration de la langue : utiliser à bon escient les pronoms : *il, elle, ils, elles.*

• Faites rappeler à vos élèves la règle d'emploi de : *il – elle – ils – elles,* élaborée précédemment en classe.

• Individuellement, les enfants complètent chaque phrase avec le bon pronom.

• Vérification. Demandez à quelques enfants d'oraliser les différentes phrases. Attirez leur attention sur le *ent* de *dessinent* que l'on voit, mais n'entend pas ou ne prononce pas. Expliquez qu'il y a *ent* parce que plusieurs personnes dessinent, ici Félix et Lila.

Activité 4 **Lis et dessine.**

Compréhension écrite : manifester sa compréhension par un dessin.

• Les élèves doivent lire attentivement chaque phrase et faire le dessin correspondant aux informations données.

• Vérifiez si les dessins de chacun correspondent bien aux phrases à illustrer.

Unité 4 BD

Au cours de cette leçon, les enfants vont prendre plaisir à lire une BD et apprendre à :
- Réinvestir à l'écrit des apprentissages langagiers réalisés au cours de l'unité 4 (nommer des parties du corps, décrire des actions motrices) pour comprendre une bande dessinée
- Faire le lien entre ce qu'ils entendent (CD) et ce qu'ils voient / lisent (illustrations, texte)
- Oraliser une petite saynète

Matériel :
- À fabriquer : Cartes-mots pour l'activité 1, page 40 du cahier d'activités

LIVRE DE L'ÉLÈVE, p. 46

1 12 Découverte de la BD. Lis et écoute.

a. Observer, lire et comprendre.

Se repérer dans l'écrit : mettre en relation texte et illustrations de la BD pour comprendre l'histoire.

• Laissez aux enfants le temps d'explorer seuls la BD : observer les vignettes et lire le texte des bulles pour comprendre l'histoire de façon globale.

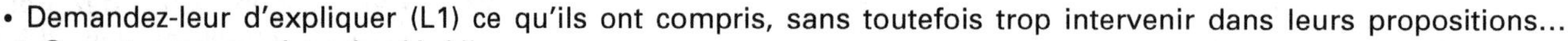

• Demandez-leur d'expliquer (L1) ce qu'ils ont compris, sans toutefois trop intervenir dans leurs propositions...
➜ On est sur une piste de ski. Lila apprend à faire du ski avec Tilou qui joue au moniteur de ski. Lila est très prudente et Tilou... bien maladroit ! Il chute et passe la ligne d'arrivée sur les fesses, pour le plus grand plaisir de Félix qui fait une superbe photo et de Pic Pic et Pirouette qui trouvent ça vraiment super rigolo !

b. Écouter, observer et comprendre.

Associer un énoncé oral à un texte écrit.

• Faites écouter l'enregistrement en entier.
Demandez aux enfants de suivre en pointant chaque vignette avec leur doigt.

• Procédez à une écoute fragmentée. Faites répéter chaque petit dialogue ou réplique en invitant les enfants à imiter la voix de chaque personnage, son intonation et sa gestuelle.

Script du CD 12

1. – **Tilou** : *Ah ! J'adore le ski ! C'est génial !*
   – **Lila** : Euh... Je fais comment Tilou ?
2. – **Tilou** : *C'est très facile ! Regarde, les bâtons dans les mains...*
3. – **Tilou** : *Les coudes en arrière...*
4. – **Tilou** : *Les jambes pliées...*
   – **Lila** : Comme ça, Tilou ?
5. – **Tilou** : *Oui, c'est bien Lila ! Et... Aaaaaah !*
6. – **Pic Pic et Pirouette** : *Et les fesses par terre !*
   – **Félix :** Merci pour la photo Tilou !

2 Donne le bon numéro.

Compréhension orale : associer un énoncé oral à la bonne vignette.

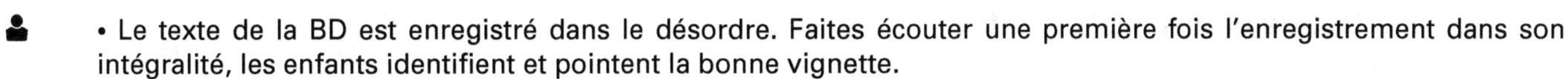

• Le texte de la BD est enregistré dans le désordre. Faites écouter une première fois l'enregistrement dans son intégralité, les enfants identifient et pointent la bonne vignette.

• Procédez ensuite à une écoute fragmentée. Les enfants donnent le numéro de la bonne vignette.

Script du CD

– **Tilou :** Les coudes en arrière !

– **Tilou :** Ah ! J'adore le ski ! C'est génial !
– **Lila :** Euh... Je fais comment Tilou ??

– **Pic Pic et Pirouette :** Et les fesses par terre !
– **Félix :** Merci pour la photo Tilou !

– **Tilou :** C'est très facile ! Regarde, les bâtons dans les mains...

– **Tilou :** Oui, c'est bien Lila ! Et... Aaaaaaah !

– **Tilou :** Les jambes pliées...
– **Lila :** Comme ça, Tilou ?

Pour aller plus loin :

Qui veut jouer la BD ?

S'exercer à la lecture à haute voix à partir d'un texte connu à l'oral ; Lire de façon expressive.

• Demandez aux enfants quels sont les personnages qui prennent la parole : *Qui parle ?* Attribuez les rôles à celles et ceux qui le souhaitent. Demandez-leur de parler à voix haute afin d'être entendus par toute la classe. Veillez au bon respect de la relation graphie-phonie en rappelant aux enfants la façon dont ils viennent à l'étape précédente de prononcer les répliques.

Des lettres et des mots, p. 40.

Activité 1 **Mets les mots dans l'ordre, puis écris une phrase. Attention, il y a un intrus dans chaque série !**

Structuration de la langue : choisir et mettre des mots dans l'ordre pour composer une phrase correcte ; Orthographe : copier correctement des mots.

La tâche exige des élèves qu'ils identifient les mots et qu'ils opèrent des choix grammaticaux : choisir entre *du* et *de la*, entre *fait* et *font*, entre *pomme* et *pommes*.

• Demandez aux enfants d'observer les différentes étiquettes-mots : ils devront les remettre dans l'ordre pour former et écrire trois phrases. Mais attention, il faudra bien réfléchir car dans chaque série il y a un intrus, c'est-à-dire un mot que l'on ne peut pas accepter parce qu'il ne permet pas de faire une phrase correcte.

Cartes-mots

• Vérification collective. Fixez les cartes-mots de chaque série au tableau. Demandez à trois élèves de venir former chacun une phrase et faites valider leurs propositions par leurs camarades. S'il y a des enfants qui ne sont pas d'accord, invitez-les à expliquer pourquoi. Vous donnerez ainsi à vos élèves l'occasion d'expliquer leur choix grammaticaux et d'expliquer eux-mêmes le fonctionnement de la langue. C'est plus efficace que lorsque c'est le professeur qui le fait !
Vérifiez dans le cahier de vos élèves que les mots ont été orthographiés correctement.

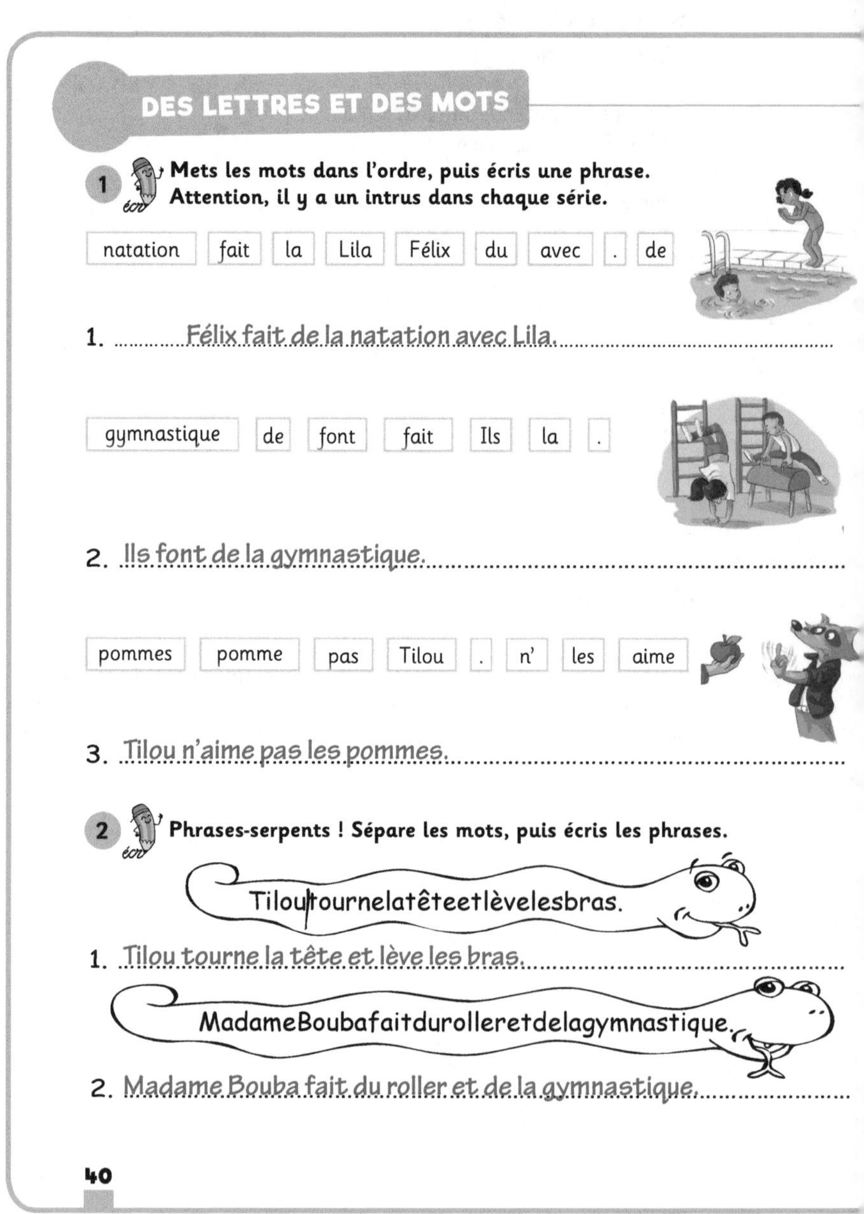

Activité 2 **Phrases-serpents ! Sépare les mots, puis écris les phrases.**

Structuration de la phrase : identifier les mots qui composent une phrase.

• Invitez les enfants à regarder les deux phrases serpents : tous les mots sont attachés !
Il faut donc comme sur le modèle de la première phrase séparer chaque mot de son voisin par un trait.

• Vérification collective : faites oraliser les deux phrases.

■ Je lis, je comprends, p 41.

Activité 1 **Observe l'affiche. Quelles informations trouves-tu ?**

Compréhension écrite : lire et comprendre une affiche ; Explorer un texte en français, émettre des hypothèses et trouver des informations ciblées.

• Découverte globale. Invitez les enfants à observer l'affiche. Demandez-leur (L1) quelles informations donne cette affiche. Recueillez les propositions.

JE LIS, JE COMPRENDS

UNITÉ 4 **Les Olympiades des enfants !**

1 Observe l'affiche. Quelles informations trouves-tu ?

2 Entoure la date.

3 Entoure le nom de la ville.

J'ÉCRIS

1 Choisis 2 sports et complète ta fiche d'inscription !

Ville de Besançon
Grandes Olympiades des enfants
Le 19 avril

Nom : ....

Prénom : ....

Âge : ....

Sport 1 : ....

Sport 2 : ....

J' le sport !

41

• Prise d'informations ciblées. Demandez (L1) :

- Où ont lieu les Olympiades ? ➜ Au stade de la Malcombe à Besançon (c'est une ville dans l'Est de la France, près de la Suisse).
- Qui peut participer ? ➜ Les enfants de 7 à 12 ans.
- Quels sports peut-on faire ? ➜ Du judo, de la gymnastique, du foot, du basket, du roller, de la natation.
- Quel jour ont lieu les Olympiades ? ➜ Le 19 avril.
- De quelle heure à quelle heure ? ➜ De 10 heures à 17 heures.
- Où trouver des informations complémentaires sur les Olympiades des enfants ? ➜ Sur le site web www.besanconsport.fr ➜ En téléphonant au 03 81 17 14 13.

• Invitez les enfants à localiser les différentes informations sur l'affiche. Si vous en avez la possibilité, projetez le texte, afin de permettre une visualisation collective.

Activités 2 et 3 **Entoure la date et le nom de la ville.**

• Demandez aux enfants d'entourer sur l'affiche : le nom de la ville ➜ Besançon ; la date ➜ Le 19 avril.

■ J'écris p 41.

Activité 1 **Choisis 2 sports et complète ta fiche d'inscription.**

Production écrite : compléter un formulaire.

• Faites oraliser les différentes rubriques à renseigner (Nom, prénom, âge...) et demandez aux enfants de remplir leur propre fiche d'inscription.

Au cours de cette activité, les enfants vont :
- Lire et comprendre une règle du jeu
- Expliquer une règle du jeu
- Interagir à l'oral pour jouer

Matériel :
- 1 feuille de papier par élève ; 2 dés par groupe d'élèves

LIVRE DE L'ÉLÈVE, p. 47

Il s'agit ici pour les élèves de lire pour pouvoir agir et mener à bien une activité liée au plaisir (jouer). Ce projet fait appel à la fois à des compétences communicatives écrites (comprendre une règle du jeu pour pouvoir jouer avec ses camarades ; identifier à l'écrit différentes parties du corps), à des compétences communicatives orales (interagir pour jouer) ainsi qu'à des compétences sociales (respecter les règles d'un jeu, respecter ses partenaires).

• **Mise en projet des élèves.** Demandez à vos élèves d'ouvrir leur livre à la page 47 et invitez-les à expliquer (L1) ce que la page *Projet* leur propose de faire :
1. Lire et comprendre la règle du jeu *du bonhomme*
2. Jouer

1 Lis et comprends la règle du jeu.

Comprendre une « règle du jeu ».

• Annoncez à vos élèves qu'ils vont, comme le propose le *projet*, jouer ensemble au jeu *du bonhomme*. Mais, avant de jouer, ils devront préalablement comprendre comment le jeu fonctionne !

– Compréhension globale. Demandez aux enfants de lire la règle du jeu « dans leur tête », puis d'expliquer (L1) ce qu'ils ont compris. Recueillez leurs propositions.

– Compréhension détaillée. Projetez le texte au tableau. Vos élèves sont peut-être déjà familiarisés avec ce type de texte en L1. Demandez-leur (L1) à quoi on reconnaît qu'il s'agit d'une règle du jeu. Identifiez avec eux, en les faisant entourer d'un trait, les différentes sous-parties caractéristiques (en vert dans le texte) : *Joueurs ; matériel ; but du jeu ; Règle du jeu.*
Amenez les enfants à expliquer la règle du jeu à partir du texte illustré.

- **Joueurs.** *On joue à combien de joueurs ?* ➜ 3 joueurs
- **Matériel.** *On joue avec quoi ?* ➜ Un crayon, une feuille de papier, deux dés[1].
- **But du jeu.** *Quel est le but du jeu ? (Que faut-il faire ?)* ➜ Dessiner un bonhomme
- **Règle du jeu.** *On joue comment ?* ➜ Il faut lancer les dés, compter les points, dessiner une partie du bonhomme. Faites oraliser (et montrer) les différentes parties du corps correspondant aux différents points ; Expliquez les mots nouveaux *le ventre* et *joker* (on dessine ce qu'on veut).
- ***Qui gagne ?*** ➜ Le joueur qui finit le premier le bonhomme.

2 Joue avec 2 camarades !

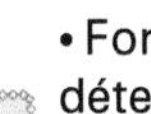

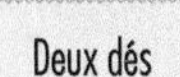

• Formez des petits groupes de 3 élèves. Distribuez à chaque groupe une feuille de papier par élève et deux dés. Faites déterminer à l'intérieur de chaque groupe qui commence (proposez à chaque groupe de dire une petite comptine à désigner) et dans quel sens se font les tours de jeu : *Qui commence ? Et après, c'est le tour de qui ?*

• Le jeu commence ! Chacun à l'intérieur du groupe vérifiera que le joueur qui a lancé les dés dessine bien la partie du corps correspondant au nombre de points affichés sur les dés. Cela signifie que durant toute la partie, les enfants devront, dans un constant va-et-vient entre le jeu et le texte de la règle du jeu, associer le nombre de points avec les différentes parties du corps du bonhomme. Faites poursuivre le jeu jusqu'à ce que tous aient terminé leur bonhomme.

• Pendant le jeu, passez parmi les groupes et faites en sorte que la communication sociale se déroule en français : *C'est mon tour / C'est à moi ! C'est à toi ! ... Lance les dés ! ... 6 points ! Je dessine les 2 bras... J'ai gagné ! ...*

[1] À préciser, pour faciliter la mise en œuvre du jeu : un crayon et une feuille de papier par élève.

LIVRE DE L'ÉLÈVE, p. 48

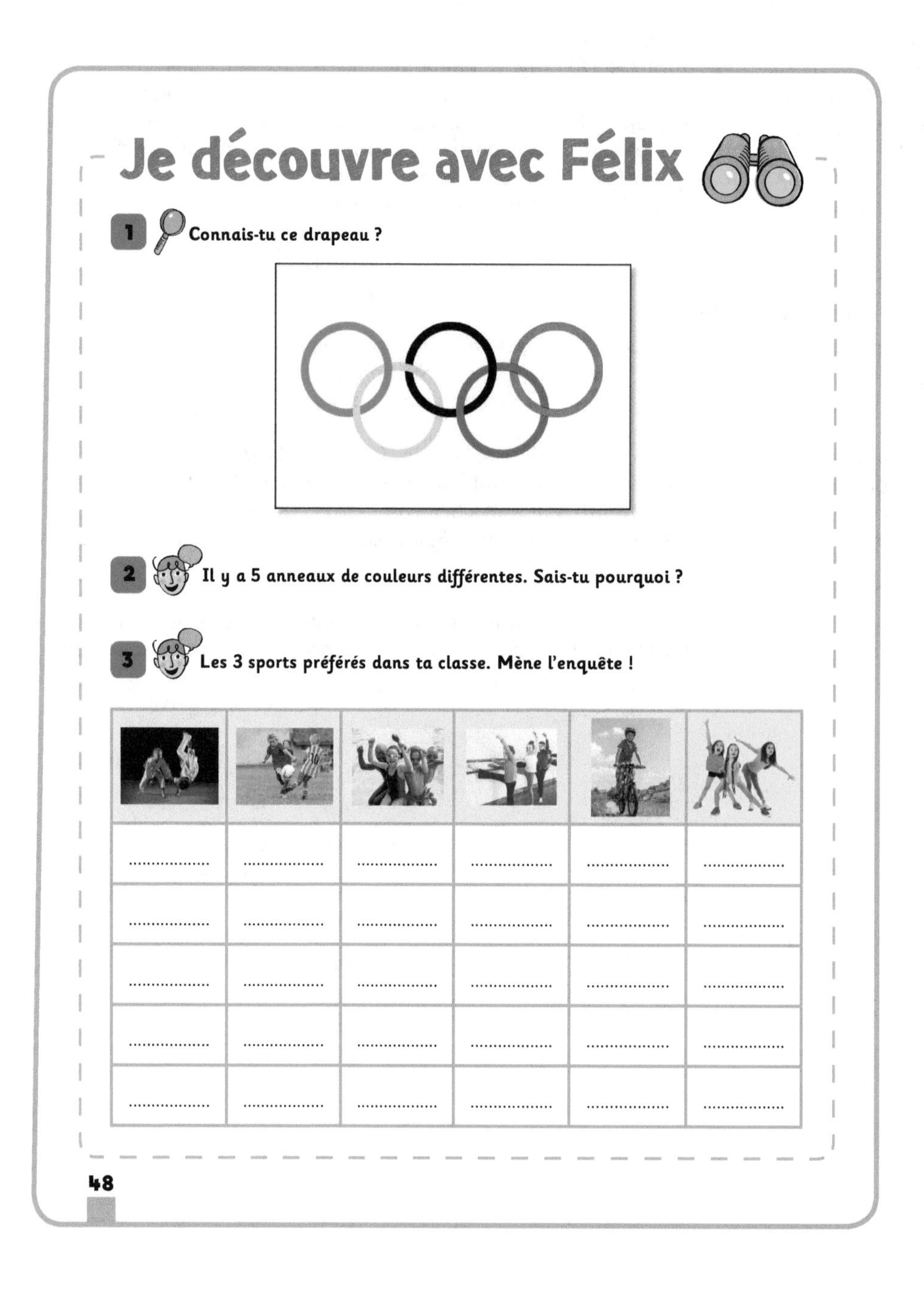

1 Connais-tu ce drapeau ?

Découvrir un drapeau et ce qu'il représente (Jeux Olympiques).

Tous les quatre ans, les Jeux olympiques reviennent à l'actualité et suscitent beaucoup d'engouement, notamment chez les enfants qui, à travers la télévision, découvrent des disciplines sportives et des athlètes venus du monde entier.

• Invitez les enfants à dire (L1) s'ils connaissent ce drapeau et s'ils l'ont déjà vu... → *C'est le drapeau olympique.* Demandez-leur de préciser ce que sont les *Jeux olympiques.*

• Faites nommer des sports d'hiver (JO d'hiver) et des sports d'été (JO d'été). Demandez aux enfants s'ils connaissent des athlètes ayant gagné des médailles d'or et quelle est leur nationalité.

Pour information : Les Jeux Olympiques ont été créés en Grèce, à Olympie (d'où leur nom), au 8e siècle avant J.-C.
C'est le français Pierre de Coubertin qui, en 1896, prendra l'initiative de faire renaître les Jeux Olympiques. Depuis, ils ont lieu tous les 4 ans, avec une alternance de deux ans entre les JO d'hiver et les JO d'été. Les Jeux Olympiques d'hiver existent depuis 1924.

2 Il y a 5 anneaux de couleurs différentes. Sais-tu pourquoi ?

• Faites nommer les couleurs des 5 anneaux du drapeau.

• Demandez aux élèves (L1) ce que ces 5 anneaux de couleur peuvent représenter. Recueillez leurs propositions → Ils représentent les cinq continents et sont entrelacés pour symboliser la rencontre d'athlètes du monde entier.

Si vous souhaitez développer davantage le thème des jeux Olympiques avec vos élèves, vous trouverez des informations adaptées à leur âge sur les sites francophones suivants :
www.petitweb.lu ; www.momes.net/ ; www.teteamodeler.com/dossier/olympisme.asp

3 Les 3 sports préférés dans ta classe. Mène l'enquête !

Interagir à l'oral : Demander et dire quel sport on préfère.

• Montrez la grille d'interview avec les différents sports représentés au-dessus de chaque colonne. Faites nommer chaque sport / activité : *le judo, le foot, la natation, la danse, le vélo, la gymnastique.* Annoncez à vos élèves qu'ils vont mener une enquête pour savoir quels sont les 3 sports préférés de la classe.

• Faites rappeler aux enfants les questions qu'ils devront poser → Qu'est-ce que tu préfères... *Le judo ? Le foot ... ?* Faites rappeler également la bonne formulation de la réponse : Je préfère la gymnastique...

• Invitez les enfants à se déplacer dans la classe munis de leur livre et d'un crayon pour interviewer leurs camarades et écrire le prénom de chacun sous son sport préféré. Annoncez-leur qu'ils disposent de 10 minutes ! Déplacez-vous parmi eux pour aider celles et ceux qui en ont besoin.

• Compte-rendu de l'interview. Projetez au tableau la grille d'interview ou affichez les cartes-images correspondant aux 6 différents sports / activités. Pointez chaque image et demandez :

– *Dans la classe, qui préfère le judo ? Levez la main !*

Comptez les mains levées et notez le nombre au tableau sous l'image correspondante. Procédez ainsi avec chaque sport / activité, puis désignez les 3 sports préférés de la classe, par exemple :

– *Dans notre classe, 9 enfants préfèrent le foot, 6 enfants préfèrent la natation, 4 enfants préfèrent la gymnastique.*
– *Les 3 sports préférés de la classe sont le foot, la natation et la gymnastique !*

Au cours de cette activité, les enfants vont :
- Apprendre à émettre des hypothèses sur le contenu d'un document vidéo
- Apprendre à identifier quelques éléments langagiers ciblés : actions en lien avec les parties du corps, activités sportives
- Jouer au jeu de mime et réutiliser en contexte des éléments langagiers découverts en cours d'unité.

LIVRE DE L'ÉLÈVE, p. 49

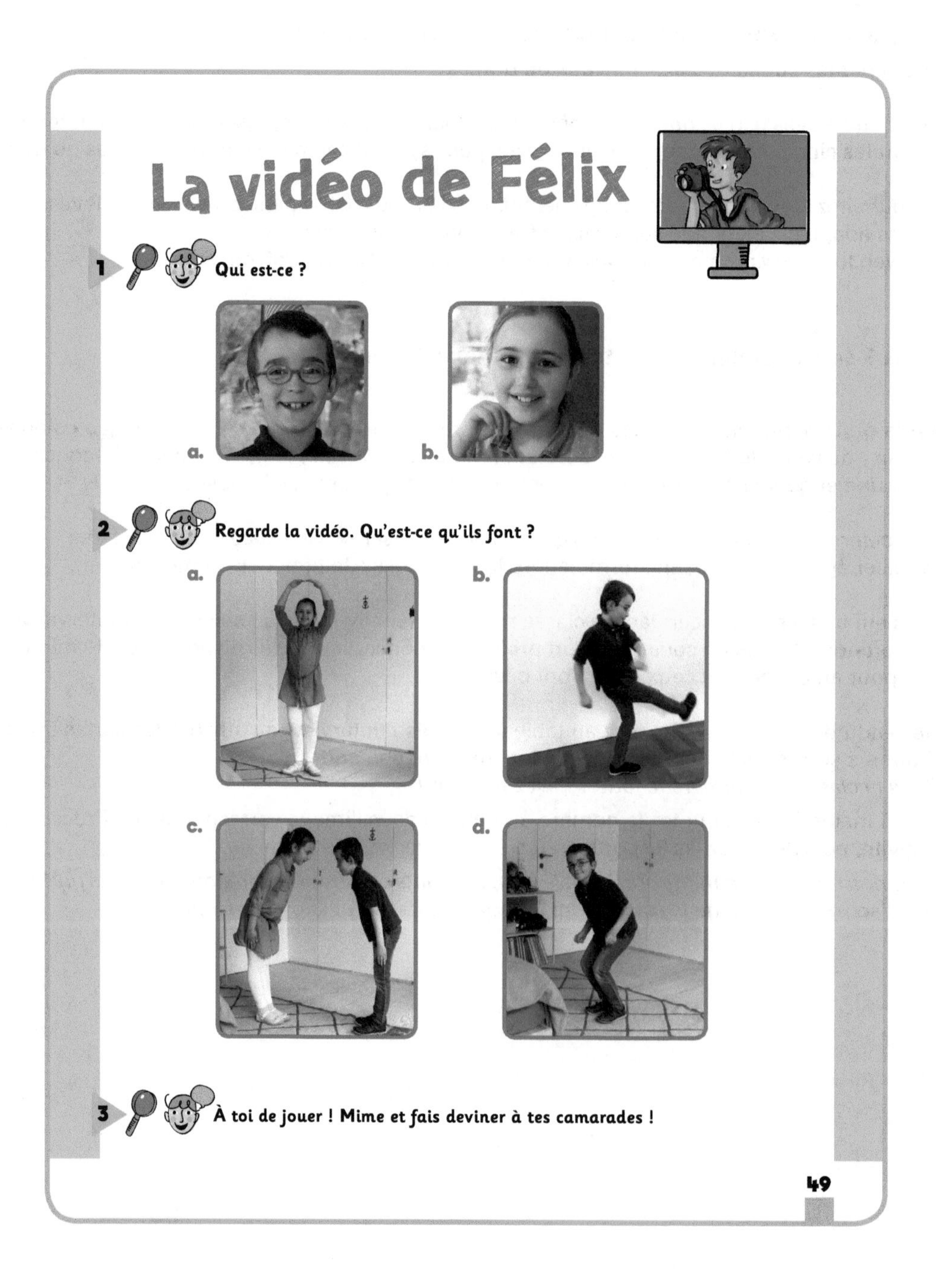

■ Étape 1

• Livre fermé, annoncez à vos élèves que Félix leur propose de découvrir une nouvelle vidéo ! Pierre et Elsa seront certainement à nouveau au rendez-vous.

• Invitez les enfants à regarder la vidéo ... sans le son. Ils devront observer et essayer de mémoriser tout ce qui se passe !

• Après le visionnage, demandez : *Qu'est ce Pierre et Elsa font ?* Réponse attendue : *Ils font un jeu de mime !*

• Procédez à un second visionnage de la vidéo, avec le son cette fois. À chaque question « *Qu'est-ce qu'il / elle fait ?* », faites un arrêt sur image et invitez vos élèves à répondre à la question. Validez ensuite les réponses en visionnant la suite de la vidéo.

■ Étape 2

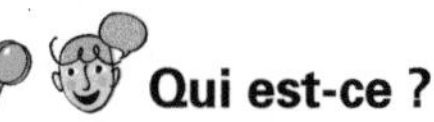

1 Qui est-ce ?

Faites ouvrir le livre à la page 49. Pointez les 2 photos de l'activité 1 et demandez : *Qui-est-ce* ? Vos élèves auront bien sûr reconnu Pierre et Elsa !

2 Qu'est-ce qu'ils font ?

• Faites observer l'activité. Pointez chaque photo et demandez : *Qu'est-ce qu'ils font* ?

• Recueillez les réponses des enfants :

a. Elsa/Elle fait de la danse.
b. Pierre/Il fait du foot.
c. Pierre et Elsa/Ils font du judo.
d. Pierre/Il fait du ski.

• Procédez à un troisième visionnage, avec arrêt sur image à chaque mime. Attirez l'attention de vos élèves sur les actions corporelles de Pierre et Elsa nommées dans la vidéo : *Elsa lève les bras* ; Pierre plie les genoux, etc. Faites décrire ainsi chaque action.

• Recueillez les réponses.

3 À toi de jouer ! Mime et fais deviner à tes camarades !

• Proposez à vos élèves de jouer par deux, comme Pierre et Elsa.

• Demandez d'abord à chaque binôme de s'entraîner de la façon suivante : l'un mime et l'autre prépare une petite présentation de son camarade. Par exemple : *Il lève la jambe. Qu'est-ce qu'il fait ?*

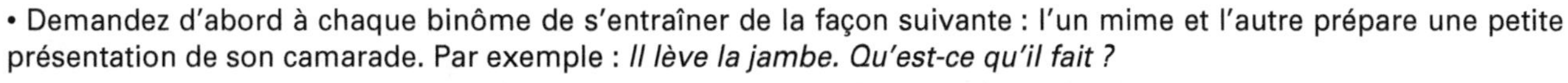

• Chaque binôme se présente ensuite devant la classe et fait jouer les autres enfants.

♦ Activité complémentaire. Notre vidéo des mimes !
Réalisez avec votre téléphone portable une petite vidéo de vos élèves qui comme Pierre et Elsa jouent en français au jeu du mime. Vous pourrez la poster sur le blog de votre école, la communiquer aux parents ou l'envoyer à des correspondants !

Script

– **Voix off :** Bonjour. Tu connais le jeu du mime ? Alors, observe bien Elsa et Pierre et trouve les sports qu'ils miment. À toi de jouer !
– **Voix off :** Elsa lève les bras. Qu'est-ce qu'elle fait ? Elsa fait de la danse !
– **Voix off :** Pierre plie les genoux. Qu'est-ce qu'il fait ? Pierre fait du ski !
– **Voix off :** Elsa plie les jambes et les bras. Qu'est-ce qu'elle fait ? Elle fait de la natation !
– **Voix off :** Pierre tend sa jambe et son pied. Qu'est-ce qu'il fait ? Il fait du foot !
– **Voix off :** Pierre et Elsa baissent la tête pour se saluer. Qu'est-ce qu'ils font ? Ils font du judo !
– **Voix off :** Et toi qu'est-ce que tu fais ? Mime et fais deviner ton sport à tes camarades !

■ Phrases-puzzle. Activité préparatoire à l'activité 3, page 35 du cahier d'activités.

Compréhension écrite : identifier des mots et structures connus à l'oral ; Activité de structuration : mettre des mots dans l'ordre pour composer une phrase.

Cartes-mots

• 1. Situation problème. Affichez au tableau les grandes cartes-mots ci-dessous, sur deux lignes. Invitez les enfants à, « dans leur tête », lire les mots puis former deux phrases correctes en remettant les étiquettes dans l'ordre. Rappelez-leur qu'il y a un point à la fin de chaque phrase et que chaque phrase commence par un mot avec une majuscule !

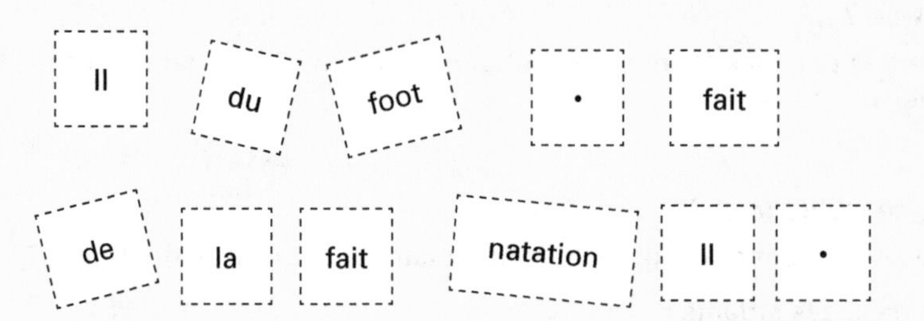

• Demandez à 2 enfants de venir au tableau mettre les cartes dans l'ordre et oraliser leur phrase. Sollicitez l'avis de la classe pour valider (ou non) les propositions.

Les repères possibles pour des enfants apprentis lecteurs sont notamment :

- La connaissance des structures et des mots à l'oral.
- Chaque phrase commence par *Il fait.*
- *du* et *de la* sont facilement identifiables, *la* étant déjà connu.
- Le mot *« natation »* se termine par *on* comme *mouton, melon...*
- Si le mot écrit *« foot »* est difficilement identifiable, dites qu'il commence par le son [f].

Remarque : Cette activité de structuration de la langue sera également profitable à vos élèves déjà lecteurs ; Compliquez-leur un peu la tâche en mélangeant toutes les étiquettes et en proposant des phrases où un nombre plus important de choix grammaticaux s'imposent, par exemple : *Tilou fait de la natation. / Léa et Madame Bouba font du roller.*

Activité de soutien n° 8

■ Entraînement individuel. Découpe les étiquettes. Colle les étiquettes pour compléter chaque phrase.

Compréhension / Production écrite

Il s'agit de :

- identifier les mots écrits sur des étiquettes ;
- découper les étiquettes mots ;
- les coller de façon à compléter 4 phrases illustrant chacune une image.

Il fait du judo – Il fait de la gymnastique – Il fait du basket – Il fait du roller

Les enfants réalisent l'activité individuellement. Vérifiez qu'ils identifient correctement chaque mot et collent les étiquettes au bon endroit.

Pas à pas vers l'écrit. ACTIVITÉS DE SOUTIEN
Leçon 2

■ Introduction des cartes-mots.

Identification globale des mots écrits : la tête, le bras, la main, le doigt, la jambe, le pied.

Cartes-mots

• Affichez les six cartes-mots (parties du corps) au tableau, sans les nommer. Invitez les élèves à oraliser chaque carte. Si les enfants ont des difficultés à oraliser un mot, pointez la première lettre en donnant le premier phonème, par exemple : *Ce mot commence par [t] !*

• Montrez une partie de votre corps, par exemple, votre tête ou votre main. Un élève devra venir au tableau montrer et oraliser le mot correspondant.

• **Jeu de Kim.** Les élèves ferment les yeux. Enlevez un ou plusieurs mots (vous pouvez mélanger ou non les mots restants). Les élèves doivent retrouver et dire le ou les mot(s) manquant(s).

Pas à pas vers l'écrit. ACTIVITÉS DE SOUTIEN
Leçon 3

■ Phase collective de préparation aux activités 3 et 4 du cahier d'activités.

Les activités 3 et 4 contiennent des mots qui n'ont jamais été rencontrés à l'écrit. Pour que les enfants puissent réaliser ces activités de façon autonome sur leur cahier, il est nécessaire qu'ils puissent en identifier les mots nouveaux. Proposez-leur par conséquent une activité préparatoire avec visualisation collective (projetez le texte au tableau ou recopiez les différentes phrases). Faites identifier les mots nouveaux à l'écrit : *font, sont, skateboard, dans, derrière, sur…* Assurez-vous également de la compréhension écrite des mots des différentes phrases de l'activité 4 avant de proposer aux enfants de les dessiner.

Qu'avons-nous fait... ? Qu'avez-vous appris ? Bilan de l'unité 4

Dites à vos élèves (L1) que vous allez tous ensemble réfléchir à ce que vous avez fait et appris au cours de l'unité 4. Demandez-leur :

– ***Qu'avez-vous appris au cours de l'unité 4 ?*** Les enfants auront tendance ici à énumérer le lexique appris.

– ***Qu'avez-vous appris <u>à faire</u> en français ?*** Engagez les enfants à exprimer ce qu'ils savent faire en termes d'« actes de paroles » ou d'« actions » ➜ dire quel sport on fait ; nommer des parties du corps, faire de la gymnastique, jouer au Memory, chanter la chanson *Et tchic et tchac*, dire où est quelqu'un ou quelque chose, comprendre la règle du jeu du bonhomme...

– ***Qu'est-ce que vous savez bien faire ? Qu'est-ce qui vous pose encore problème ?*** Guidez la réflexion des enfants, recueillez leurs réponses et rassurez celles et ceux qui rencontrent des difficultés : donnez des conseils en fonction des difficultés rencontrées.

Pour terminer sur une note affective, demandez aux enfants :

– ***Qu'est-ce que vous avez particulièrement aimé faire dans l'unité 4 ?***

S'il y a des activités que certains élèves disent ne pas trop aimer faire, expliquez-leur en quoi elles sont utiles à l'apprentissage du français : pour apprendre à comprendre, à entendre, à prononcer...

Unité 5 Au cirque !

Cadre narratif	
Félix et ses amis nous entraînent dans l'univers magique du cirque ! Nous faisons la connaissance de Rose, enfant du cirque, et de toute sa famille. Le clown Papino s'habille pour le spectacle… Sous le chapiteau, le spectacle est superbe ! Que d'émotions !	
CONTENUS	
Communication	– Identifier les vêtements du clown – Demander et dire ce que l'on met – Décrire quelqu'un – Présenter la famille de Rose ; Présenter sa propre famille – Exprimer ses émotions / sensations – Exprimer l'intensité d'une émotion ou d'une sensation – Exprimer l'appartenance
Phonologie	Identifier la présence du phonème [ɑ̃] dans un mot.
Observation / Structuration de la langue	Utiliser *mon, ma, mes*
Découverte de l'écrit	– Associer un court texte descriptif à une illustration – Former des mots à partir de syllabes-puzzle – Écrire une liste de vêtements à emporter en voyage – Légender l'album-photos de Tilou – Écrire un court texte descriptif (le défilé de mode) – Écrire une devinette
Découvertes culturelles	Le monde du cirque

Qu'est-ce que tu mets Papino ?

Au cours de cette leçon, les enfants vont :

• à l'oral :
- Identifier les vêtements du clown : *le pantalon, le tee-shirt, le chapeau, le manteau, les chaussures, la cravate*
- Dire ce que l'on fait : *Je mets un tee-shirt !*
- Décrire quelqu'un, dire ce qu'il porte : *Il porte un tee-shirt rouge, un pantalon bleu et des chaussures bleues...*

• à l'écrit :
- Associer un court texte descriptif à une illustration ; colorier une image en fonction d'indications données dans un petit texte
- Écrire la liste de ce qu'ils mettent dans leur valise pour partir en voyage avec Rose et Papino

Matériel :
- Cartes-images « vêtements de Papino » n° 72 à 77 ; Fiche photocopiable n° 13 : texte à « trous » de la chanson « Le clown »
- À fabriquer : Cartes-mots pour compléter le texte à trous + affiche « texte à trous » pour le tableau

Activités de différenciation :
- Cartes-images « vêtements » : n° 72 à 79
- À fabriquer : - cartes-mots correspondantes
  - cartes-mots pour phrase-puzzle
- Activité de soutien n° 9

LIVRE DE L'ÉLÈVE, p. 50 et 51

Pour commencer : Et si on chantait ?

Se retrouver tous ensemble au cours d'une activité collective et dynamique ; Rentrer de façon joyeuse et active dans la langue (pour ouvrir les oreilles et réveiller les voix !).

Notre hit parade !

• Saluez vos élèves et proposez-leur de commencer la séance en chantant ! Les enfants connaissent maintenant plusieurs chansons et comptines, demandez-leur laquelle ils ont envie de chanter. Recueillez tous les titres ! Faites procéder à un vote à main levée. Comptez les mains levées. Demandez aux enfants de se lever et chantez (avec ou sans CD) la chanson qui arrive en tête du hit parade de votre classe !

Script du CD 14

- **Rose :** Papino, qu'est-ce que tu mets pour le spectacle ?
- **Papino :** Alors, ma petite Rose... Je mets un tee-shirt jaune et mon grand pantalon rouge et jaune.
- **Rose :** Tu mets le manteau rouge ou le manteau violet ?
- **Papino :** Je mets le manteau rouge. Avec un pantalon rouge et jaune, un manteau rouge, c'est joli, non ?
- **Rose :** Et tu mets quelles chaussures ?
- **Papino :** Ah oui, les chaussures... euh, je mets... les chaussures orange. Oh, et ma cravate, j'oublie ma cravate... !
  Je mets ma cravate... bleue !
- **Rose :** Dépêche-toi Papino ! Vite, tu entends, le spectacle commence !
- **Papino :** J'arrive, j'arrive ! Saperlipopette, mon chapeau ! Où est mon chapeau ?
- **Rose :** Mais, il est sous la table ton chapeau, Papino !

2 Qui est-ce ? Écoute et associe.

50

❶ 014 Écoute et montre les vêtements de Papino.

Introduction du nouveau lexique : identifier en situation d'écoute active les vêtements du clown ; Reproduction orale du nouveau lexique.

• Invitez les enfants à observer l'illustration de l'activité 1. Nous sommes au cirque, dans la roulotte du clown Papino. Rose aide Papino à s'habiller pour le spectacle qui va bientôt commencer et lui apporte ses vêtements.

• Faites écouter le dialogue entre Rose et Papino. Demandez aux élèves de pointer sur leur livre les différents vêtements que Papino choisit de mettre. Proposez 2 écoutes successives.

Remarque : Les enfants seront en mesure d'identifier les différents vêtements grâce à leur couleur (*le tee-shirt jaune, le pantalon rouge et jaune, les chaussures orange...*) et le chapeau grâce à sa localisation (*sous la table*). Bien sûr, on ne leur dira pas avant l'écoute comment faire ! Il est important de les laisser eux-mêmes trouver la bonne stratégie d'écoute.

Cartes-images

• Écoute fragmentée. Dans un coin du tableau fixez en vrac les 6 cartes-images « vêtements de Papino ». Procédez à une écoute fragmentée et invitez quelques élèves à venir fixer au tableau les vêtements du clown selon leur ordre d'apparition sur le CD. Nommez successivement chaque vêtement : *un tee-shirt, un pantalon, un manteau, des chaussures...* N'employez pas maintenant, pour introduire le nouveau lexique, les déterminants définis ou possessifs que l'on entend dans le dialogue.

• Pointez au tableau chaque image et récapitulez avec les élèves ce que met Papino : ***Papino met un tee-shirt jaune, un pantalon rouge et jaune, un manteau...*** Faites répéter en veillant au bon respect de la prononciation.

♦ Activité complémentaire. Je m'habille... Je me déshabille !

Compréhension orale : identifier et mémoriser le nom de chaque vêtement.

• Invitez vos élèves à mimer avec vous les différentes actions que vous nommez : Je *me lève et je m'habille...* Puis en vous appliquant bien à « enfiler » chaque vêtement : *Je mets un tee-shirt ! Je mets une chaussette ! Je mets une autre chaussette ! Je mets un pantalon ! Je mets une cravate ! Je mets un manteau ! Je mets une chaussure ! Je mets une autre chaussure ! Oh, j'oublie mon chapeau... Je mets un chapeau ! Voilà, je suis habillé(e) !*

• Puis commencez à vous déshabiller *: Maintenant Je me déshabille ! J'enlève mon chapeau !* « Posez » délicatement votre chapeau sur votre chaise... et continuez à donner les différentes instructions, cette fois-ci dans un ordre différent, et sans mimer vous-même l'action : *J'enlève mon manteau, j'enlève mes chaussures, j'enlève mon tee-shirt...* Vous vérifierez ainsi si vos élèves peuvent mimer chaque action et commencent à mémoriser le nouveau vocabulaire.

❷ 015 Qui est-ce ? Écoute et associe.

Compréhension orale : identifier qui est qui ; Production orale : nommer les personnages, dire ce qu'ils portent.

• Pointez sur le livre de l'élève les quatre dessins où l'on voit Lila, le clown, Madame Bouba et Félix. Faites observer les vêtements que chacun porte. Demandez à vos élèves d'écouter l'enregistrement audio et de montrer du doigt le dessin correspondant à chaque description.

• Procédez à une écoute fragmentée. Après chaque description, demandez aux enfants : *Qui est-ce ? → C'est Félix !* Invitez les élèves à décrire chaque personnage → *Il porte un tee-shirt rouge, un pantalon bleu, des chaussures rouges...* Faites réécouter le CD afin de valider les réponses données.

Script du CD 	Solutions
1. Il porte un tee-shirt rouge, un pantalon bleu et des chaussures rouges. Qui est-ce ?	Félix
2. Elle porte un manteau vert, un chapeau jaune et des chaussures jaunes. Qui est-ce ?	Madame Bouba
3. Elle porte une jupe rouge, un tee-shirt blanc et des chaussures rouges. Qui est-ce ?	Lila
4. Il porte un tee-shirt rouge, un pantalon rouge, une cravate jaune et des chaussures orange. Qui est-ce ?	Le clown

Remarque : Les mots *porte, une jupe* et *blanc* sont ici nouveaux. Ils ne feront cependant pas obstacle à la compréhension : le verbe *porte* est récurrent dans chaque description ; Le tee-shirt blanc et la jupe rouge de Lila seront identifiés par élimination.

❸ Trouve les 7 différences.

Production orale : décrire une image.

• Invitez les enfants à travailler par paire. Avec leur voisin(e), ils devront trouver et nommer (en français !) les 7 différences qu'il y a entre l'image 1 et l'image 2. Déplacez-vous parmi vos élèves et incitez-les à utiliser les structures et le vocabulaire connus.

• Mise en commun. Faites nommer les 7 différences ➜ *Sur l'image numéro 1, le clown a un tee-shirt rouge ; sur l'image n° 2, il a un tee-shirt bleu...* Sollicitez l'avis de tous pour confirmer ou compléter les réponses.

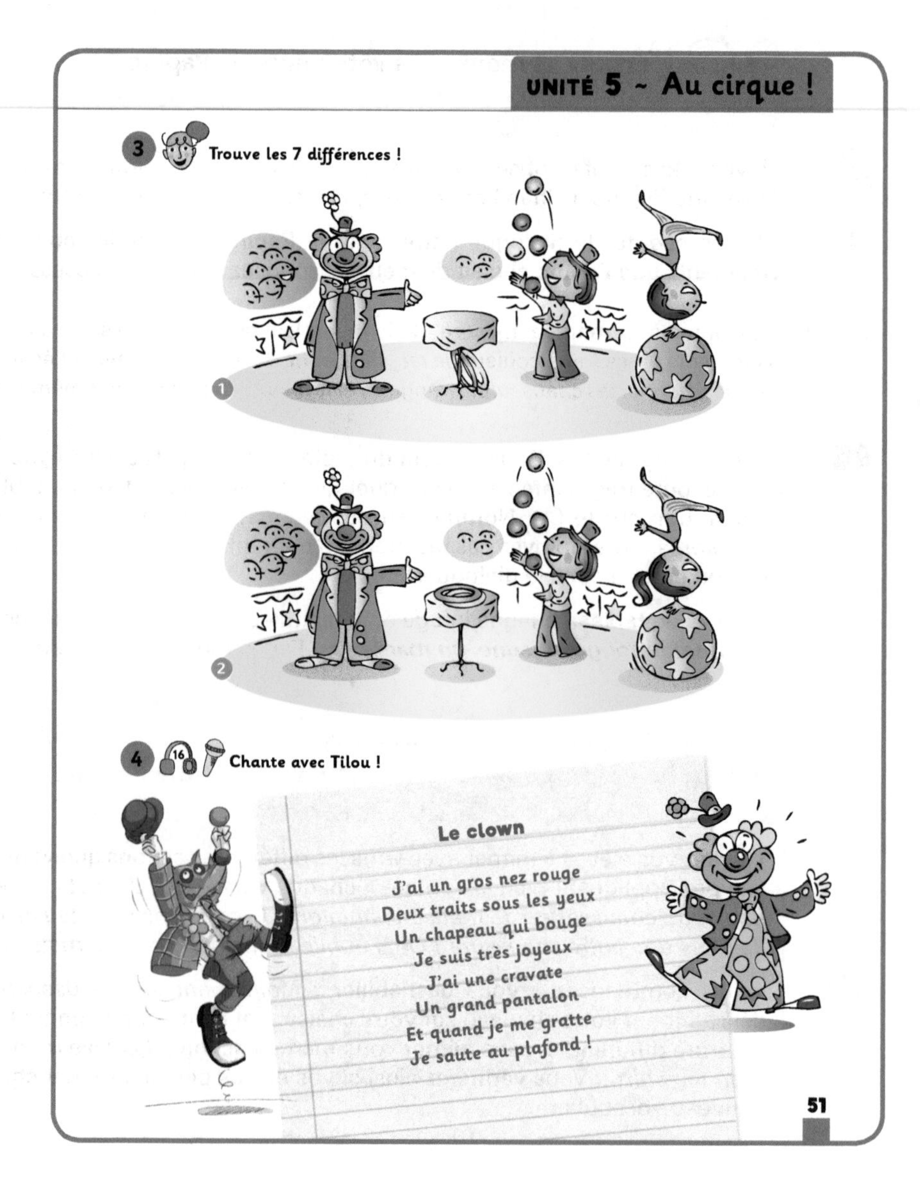

UNITÉ 5 ~ Au cirque !

3 Trouve les 7 différences !

1

2

4 16 Chante avec Tilou !

Le clown

J'ai un gros nez rouge
Deux traits sous les yeux
Un chapeau qui bouge
Je suis très joyeux
J'ai une cravate
Un grand pantalon
Et quand je me gratte
Je saute au plafond !

51

Solution :

Image n° 1	Image n° 2
Le clown a un tee-shirt rouge sous son manteau.	Le clown a un tee-shirt bleu sous son manteau.
Le clown a deux chaussures rouges.	Le clown a une chaussure rouge et une chaussure jaune.
Il y a deux cerceaux sous la table.	Il y a deux cerceaux sur la table.
Le garçon (jongleur) a un chapeau bleu.	Le garçon (jongleur) a un chapeau vert.
Les balles du garçon sont : rouge, orange, violette, verte, jaune.	Les balles du garçon sont : rouge, orange, violette, verte, bleue.
Il y a un garçon sur un ballon de gymnastique.	Il y a une fille sur un ballon de gymnastique.
Il a un pantalon jaune et bleu.	Elle a un pantalon jaune et rouge.

 Chante avec Tilou ! Le clown.

• Faites écouter la chanson (livre fermé). À la fin de l'écoute demandez aux enfants (L1) s'ils ont aimé la chanson et ce qu'ils en ont compris.

• Demandez aux enfants de se lever. Invitez-les à chanter avec vous la chanson. Associez des gestes aux paroles, ils donneront la signification des mots nouveaux !

Script du CD 16

Le clown	Accompagnement gestuel
J'ai un gros nez rouge	Pointez votre nez d'un petit geste circulaire !
Deux traits sous les yeux	Dessinez deux traits sous vos yeux !
Un chapeau qui bouge	Mains en « chapeau pointu », faites bouger votre chapeau sur votre tête !
Je suis très joyeux	Avec un grand sourire !
J'ai une cravate	Ajustez le nœud de votre cravate !
Un grand pantalon	Remontez votre grand pantalon !
Et quand je me gratte	Grattez-vous partout !
Je saute au plafond !	Sautez en l'air, mains en l'air !

♦ **Activité complémentaire. Option : La chanson… à trous !**

Compléter à l'écrit un texte lacunaire ; Oraliser un texte en respectant une bonne relation graphie-phonie.

Affiche texte à trous de la chanson

• Lorsque les enfants auront chanté plusieurs fois la chanson et qu'ils en connaîtront bien la forme orale, faites-leur découvrir le texte écrit en leur proposant de le reconstituer.
Affichez le texte à trous reproduit sur une affiche ou projetez-le. Fixez en vrac les cartes-mots à placer dans les « trous ».

Cartes-mots

• Proposez d'abord aux élèves de lire le texte « dans leur tête » et d'essayer de le compléter avec les cartes-mots. Faites remarquer aux élèves que chaque vers commence par une majuscule et qu'il n'y a pas de ponctuation (parce qu'il s'agit du type de textes « chansons – poèmes »).
Invitez ensuite quelques élèves à venir coller les mots au bon endroit dans le texte. Demandez-leur d'oraliser (ou de chanter) le vers où ils ont placé le mot. Sollicitez leurs camarades afin qu'ils valident ou non les propositions : *Vous êtes d'accord ?*

• Lorsque le texte est entièrement reconstitué, faites-le lire à haute voix en veillant au respect d'une bonne relation graphie-phonie. Si les enfants éprouvent certaines difficultés (ils auront parfois tendance à lire comme dans leur langue 1, c'est-à-dire en reproduisant le système de relation graphie-phonie en vigueur en L1), proposez-leur de se remémorer la façon dont ils ont chanté le vers.

Fiche photocopiable n° 13

• Proposez de chanter la chanson avec la version instrumentale (piste 57, CD 2), en suivant le texte des yeux.

Le ....
J'ai un gros nez ....
Deux traits .... les yeux
Un .... qui bouge
Je suis très joyeux
J'ai une ....
Un grand ....
Et quand je me gratte
..... saute au plafond !

sous
rouge
chapeau
pantalon
cravate
clown
Je

Suggestion : Afin de permettre aux enfants de pouvoir réfléchir tout en exerçant des manipulations sur le texte, l'activité de reconstitution pourra être proposée dans un premier temps en travail par paire. Il faudra donc distribuer à chaque tandem une photocopie du texte à trous et des étiquettes-mots à découper.

Activité 1 Écoute et numérote les dessins.

Compréhension orale : identifier un personnage d'après sa description physique (ce qu'il porte).

• Faites ouvrir le cahier d'activités à la page 42 et demandez aux enfants d'observer les trois dessins de l'activité 1 : on y voit trois personnages différents. Invitez vos élèves à écouter la description de chaque personnage et à écrire le bon numéro sous le bon dessin. Chaque description est répétée 2 fois.

• Vérification : Demandez par exemple : *Le numéro 1, c'est la vignette a, b ou c ?* Incitez les enfants à justifier leur proposition en décrivant la vignette ➜ *C'est la vignette b ... Elle porte un pantalon vert, un tee-shirt rose et des chaussures roses !* Procédez à une écoute fragmentée pour valider chaque réponse.

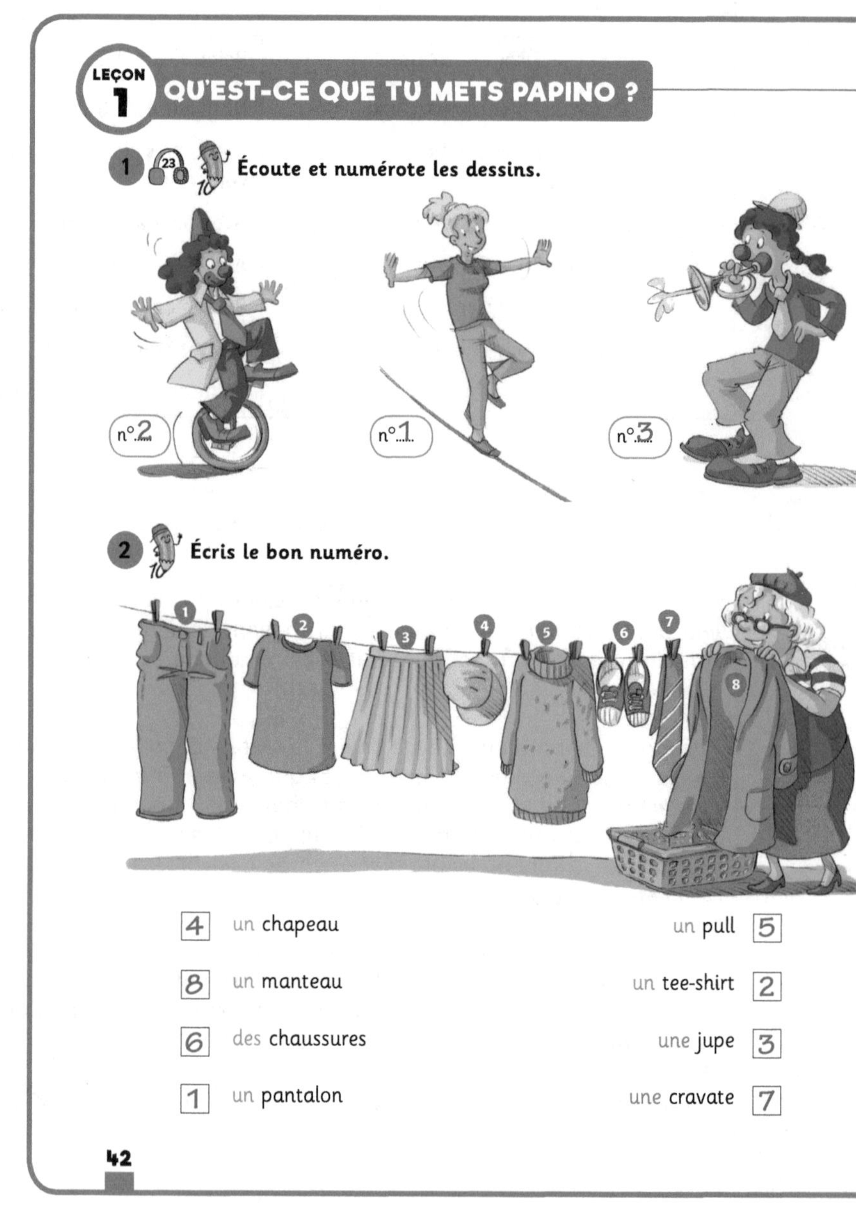

LEÇON 1 QU'EST-CE QUE TU METS PAPINO ?

1 Écoute et numérote les dessins.

n°2 n°1 n°3

2 Écris le bon numéro.

4	un chapeau	un pull	5
8	un manteau	un tee-shirt	2
6	des chaussures	une jupe	3
1	un pantalon	une cravate	7

42

Script de l'audio (x 2) 

Numéro 1.
Elle porte un pantalon vert et un tee-shirt rose. Elle porte aussi des petites chaussures roses.

Numéro 2.
Elle porte un pantalon rouge, un manteau jaune et une cravate bleue. Elle porte aussi des chaussures bleues. Elle a un chapeau rouge sur la tête.

Numéro 3.
Elle porte une cravate jaune et un tee-shirt bleu. Elle porte aussi un pantalon vert et des chaussures bleues. Elle a un petit chapeau jaune.

Activité 2 Écris le bon numéro.

Compréhension écrite : associer un mot à un dessin.

• Madame Bouba étend son linge (et ses chaussures !) sur la corde à linge ! Chaque vêtement est numéroté de 1 à 8. Invitez les enfants à lire « dans leur tête » les 8 mots et à écrire dans la petite case prévue à cet effet le numéro du vêtement correspondant.

• Vérification : Faites oraliser les mots écrits et demandez le numéro du vêtement correspondant : *Un chapeau... C'est quel numéro ?* ➜ *C'est le numéro 4 !*

• Attirez l'attention de vos élèves sur les différents déterminants : bleu, rouge ou vert. Vous pouvez faire souligner « des » chaussures en rouge, pour signifier que si le mot chaussures est ici au pluriel (il y a 2 chaussures !), c'est un mot féminin.

Découverte du système de relation graphie-phonie. Veillez à une bonne oralisation des différents mots :
– Attirez l'attention des enfants sur les mots *chap**eau***, *mant**eau***, *ch**au**ssures* ou l'on entend [o] comme dans « gâteau » alors qu'on ne voit pas la lettre « o », mais les graphèmes *eau* ou *au* ;
– Le mot *pull* est nouveau. Il sera identifié soit par analogie avec L1, soit par déduction (c'est celui qui reste !). Veillez à la bonne prononciation du [y] de *p**u**ll*, de *j**u**pe* et de *chauss**u**res*.

→ ACTIVITÉS DE SOUTIEN : page 194

UNITÉ 5 ~ Au cirque !

3 Lis les petits textes, écris le bon prénom sur chaque étiquette, puis colorie.

Dans la valise de Papino il y a un pantalon bleu, deux tee-shirts (un vert et un rouge), des chaussures rouges, un chapeau vert, une cravate jaune et des lunettes bleues.

Dans la valise de Rose il y a un pantalon jaune, une jupe orange, un tee-shirt rose, un pull bleu, un chapeau jaune, des chaussures roses et des balles.

..........Rose..........

.........Papino.........

4 Tu pars en voyage avec Rose et Papino ! Qu'est-ce que tu mets dans ta valise ? Dessine et écris.

Je mets dans ma valise :

....

....

....

....

....

43

Activité 3 Lis les petits textes, écris le bon prénom sur chaque étiquette, puis colorie.

Compréhension écrite : associer un court texte descriptif à une illustration ; Colorier une image en fonction des indications données dans le texte.

• Faites observer l'activité et demandez à vos élèves de dire (L1) ce qu'ils devront faire ➜ Lire « dans leur tête » les deux petits textes, écrire le bon prénom sur l'étiquette de chaque valise, colorier le contenu de chaque valise selon les indications données.

• Vérification : Faites montrer quelle est la valise de Rose (*Où est la valise de Rose ?)* et demandez : *Qu'est-ce qu'il y a dans la valise de Rose ?* Invitez les enfants à nommer chaque élément avec sa couleur ➜ *Dans la valise de Rose il y a un pantalon jaune...* Vérifiez sur les cahiers d'activités que les différents éléments sont bien coloriés selon les indications du texte.

Observation du fonctionnement de la langue : Certains enfants remarqueront vraisemblablement que lorsque le nom est au pluriel, avec un « s » à la fin, il y a également un « s » à la fin du « petit mot » qui exprime la couleur (adjectif) : *des chaussures rouges, des lunettes jaunes, des chaussures roses.* On conclura donc que généralement le « s » marque le pluriel du nom, mais aussi des « petits mots », ici les adjectifs de couleur, qui accompagnent le nom.

Activité 4 Tu pars en voyage avec Rose et Papino ! Qu'est-ce que tu mets dans ta valise ? Dessine et écris.

Production écrite : écrire la liste de ce qu'on met dans sa valise.

• Proposez à vos élèves de partir en voyage avec Rose et Papino ! Invitez-les à dessiner et à colorier ce qu'ils mettent dans leur valise, puis à en écrire la liste : *un tee-shirt rouge, une jupe jaune...*
Pendant l'activité, passez parmi vos élèves pour guider ceux qui en ont besoin. Incitez-les à être attentifs à l'orthographe des mots et aux accords éventuels : déterminant – nom – adjectif. S'ils en expriment le besoin, apportez-leur éventuellement quelques mots de vocabulaire correspondant à d'indispensables objets qu'ils veulent emporter en voyage !

• Lorsque les enfants ont terminé, proposez à ceux qui le souhaitent de lire leur liste à leurs camarades.

Unité 5 Leçon 2 Rose, enfant du cirque

Au cours de cette leçon, les enfants vont :
• à l'oral :
– Identifier les membres de la famille de Rose : *C'est le papi de Rose...*
– Présenter la famille de Rose et celle de Tilou : *Mina, C'est la sœur de Rose... Filou, c'est le frère de Tilou...*
– Identifier la présence du phonème [ɑ̃] dans un mot

• à l'écrit :
– Légender l'album photo de Tilou
– Graphie-phonie : Mettre en relation le phonème [ɑ̃] et ses différentes graphies : *an, en, an*

Matériel :
– Fiche photocopiable n° 14 (petites cartes-images « vêtements » à photocopier, découper et colorier)
– Carte-image n° 80 (machine à laver); Une grande boîte en carton, type boîte à chaussures.
– Cartes-images « famille de Rose » n° 81 à 85
– Cartes-images « maison des sons » : orange (n° 38) – pantalon (n° 73) – manteau (n° 74) – éléphant (n° 86) – enfants (n° 87) – dent (n° 88)

LIVRE DE L'ÉLÈVE, p. 52 et 53

Pour commencer : La machine à laver !

Réactiver les apprentissages réalisés au cours de la leçon précédente : identifier et nommer des vêtements.

Fiche photocopiable n° 14

Cartes-image n° 80

• Distribuez à chaque élève une petite carte-image « vêtement » que vous aurez préalablement mise en couleur. Il y aura ainsi des pantalons jaunes, rouges ou verts, des jupes rouges, roses ou bleues, des pulls violets, jaunes ou orange...

• Prévoyez une grande boîte en carton, sans son couvercle, sur laquelle vous aurez collé la carte-image « machine à laver ». Annoncez aux élèves que c'est votre machine à laver et que vous allez laver tous les vêtements ! Invitez-les à mettre tour à tour leur vêtement dans la machine : *Mettez les pantalons verts dans la machine à laver ! Mettez les manteaux bleus dans la machine à laver ! Mettez les jupes orange et les jupes roses dans la machine à laver ! ...* Agitez votre machine à laver d'un geste circulaire pour bien laver tout le linge !

• Lorsque le linge a été bien lavé, sortez les vêtements de la machine : étalez les vignettes pêle-mêle sur une table. Dessinez au tableau une corde à linge (ou fixez dans votre classe une véritable corde à linge avec des pinces à linge !). Invitez les élèves à venir pendre le linge : *Anna, pends un pantalon vert s'il te plaît ! Max, pends un chapeau rouge ! Léa, pends le pull bleu !* Passez l'activité en relais à quelques enfants qui donneront les instructions à leurs camarades.

Lorsque tout le linge est accroché à la corde à linge, faites nommer les différents vêtements, par exemple : *Sur la corde à linge, il y a 3 pulls, 5 manteaux, 4 tee-shirts, etc.*

1 Écoute le reportage de Félix et montre la famille de Rose.

Introduction du lexique de la famille : identifier en situation d'écoute active les membres de la famille de Rose ; Reproduction orale : présenter la famille de Rose.

• Faites ouvrir le livre de l'élève à la page 52, activité 1. Nous sommes toujours au cirque, mais cette fois sous le chapiteau ! Le spectacle a commencé et les artistes sont en piste. Pointez les différents personnages et amenez les enfants à les décrire : *Papino le clown est sur la piste... Il porte un manteau rouge... Deux garçons font du vélo. Ils portent un pantalon blanc et un tee-shirt bleu... Il y a aussi une dame avec une jupe bleue ; elle marche sur un fil : c'est une funambule... Une jeune fille porte un pantalon rouge et un tee-shirt orange ; elle fait du trapèze.*
Au bord de la piste, Félix interviewe Rose. Elle lui présente sa famille.

• Proposez à vos élèves d'écouter le reportage de Félix et de pointer sur l'illustration chaque membre de la famille de Rose. Proposez 2 écoutes successives.

• Écoute fragmentée. Placez en vrac sur une table les cartes-images représentant les membres de la famille de Rose. Arrêtez l'enregistrement après la présentation de chaque personne et demandez à un enfant de venir fixer l'image correspondante au tableau. Nommez chaque membre de la famille : C'est *Mina, la sœur de Rose ; Ce sont Jules et Hugo, les frères de Rose ; C'est la maman de Rose ; C'est le papa de Rose ; C'est Papino, le papi de Rose.*

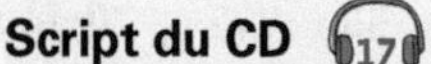

Script du CD 

– **Félix :** Bonjour, comment tu t'appelles ?
– **Rose :** Bonjour Félix. Je m'appelle Rose.
– **Félix :** Sur la piste, c'est ta famille ?
– **Rose :** Oui, c'est ma famille : ma sœur, mes deux frères, ma maman, mon papa, et mon papi.
Regarde ! Avec un pantalon rouge, c'est ma sœur, Mina.
Derrière moi, il y a mes frères, Jules et Hugo. Ils font du vélo.
– **Félix :** Et là, avec la jupe bleue, c'est... ta maman ?
– **Rose :** Oui, avec la jupe bleue, c'est ma maman. Mon papa, c'est le clown avec le chapeau rose. Il fait de la musique.
Et le clown avec le manteau rouge, c'est mon papi. Il s'appelle Papino et il est très rigolo !

• Lorsque toutes les images sont fixées, récapitulez et faites répéter : *Dans la famille de Rose, il y a Rose... Il y a Mina, la sœur de Rose... Jules et Hugo, les frères de Rose... La maman de Rose, le papa de Rose, le papi de Rose.*

• Demandez à vos élèves d'expliquer comment ils ont fait pour identifier les différents membres de la famille. Les points de repère sont les vêtements de chacun, les prénoms masculins ou féminins, le Clown avec le manteau bleu pour le papa de Rose et le papi de Rose, Papino le Clown avec le manteau rouge.

2 Qui est-ce ? Écoute et associe.

Compréhension orale : identifier qui est qui ; Production orale : présenter la famille de Rose.

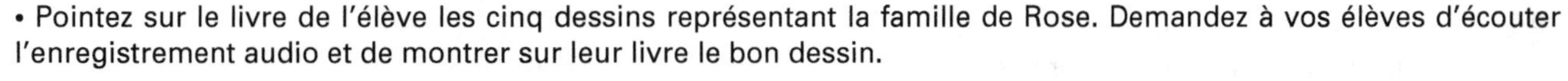

• Pointez sur le livre de l'élève les cinq dessins représentant la famille de Rose. Demandez à vos élèves d'écouter l'enregistrement audio et de montrer sur leur livre le bon dessin.

• Procédez à une écoute fragmentée. Demandez : *C'est quel dessin ? a, b, c, d ou e ? ➜ C'est le dessin « d » ! Qui est-ce ? ➜ C'est le papa de Rose !*

Script du CD 18	Solutions
Félix : C'est le papa de Rose.	Dessin d
Ce sont les frères de Rose : Hugo et Jules.	Dessin c
C'est la maman de Rose	Dessin a
C'est la sœur de Rose. Elle s'appelle Mina.	Dessin e
C'est le papi de Rose.	Dessin b

③ Présente la famille de Tilou !

Production orale : présenter la famille de quelqu'un ; Se repérer sur un mini-arbre généalogique.

• Voici un bel album de photos de famille : c'est la famille de Tilou ! Pointez les photos et faites nommer les membres de la famille : *Lilou, Tilou, Filou, Malou, Palou, Mamilou, Grolou...* Introduisez le mot « mamie » qui est nouveau en disant : *Mamilou est la mamie de Tilou.*

Puis demandez aux enfants: *Qui est Lilou ?* ➜ *C'est la sœur de Tilou. Qui est Grolou ?* ➜ *C'est le papa de Tilou...* ou *Comment s'appelle le frère de Tilou ?* ➜ *Il s'appelle Filou ! Comment s'appelle la maman de Tilou ?...* ou *Tilou a combien de sœurs ? Lilou a combien de frères ?*

UNITÉ 5 Au cirque !

3 Présente la famille de Tilou !

4 Qu'est-ce qu'il y a dans la maison des ? Écoute et dis.

5 Écoute et chante.

Un éléphant se balançait sur une toile toile
toile toile d'araignée.
C'était un jeu tellement amusant
qu'il appela... un deuxième éléphant.
Deux éléphants se balançaient...
BA DA BOUM !

53

Si vous le souhaitez, proposez maintenant les activités 1 et 2, page 44 du cahier d'activités (décrites ci-après).

④ 19 Qu'est-ce qu'il y a dans la maison des ? Écoute et dis.

Phonologie : identifier la présence du phonème [ɑ̃] dans un mot.

• Annoncez aux enfants qu'ils vont avec Pic Plc partir à la recherche du son [ɑ̃] comme dans *enfants*. Montrez la maison avec le dessin des enfants sur le toit : C'est la maison du son [ɑ̃].

• Annoncez aux enfants qu'ils vont entendre huit mots connus (pointez les huit petites vignettes) et qu'ils devront ensuite dire quels mots on peut mettre dans les cinq fenêtres de la maison du [ɑ̃]. Faites écouter la première partie de l'enregistrement jusqu'au jingle. Puis demandez : Qu'est-ce que vous mettez dans la maison des enfants ? Recueillez les propositions des enfants.

• Vérification de l'écoute. Faites écouter la deuxième partie de l'enregistrement, puis faites répéter chaque mot appartenant à la maison des enfants : *une maman, un manteau, un pantalon, une dent, une orange.*

Cartes-images

• Consolidation. Affichez en vrac au tableau les cartes-images correspondant aux huit vignettes de l'activité. Dessinez une maison qui sera la maison du [ɑ̃] et collez la carte-image référente « enfants » sur le toit de la maison. Demandez à quelques élèves de venir choisir et placer les bonnes cartes-images dans la maison, éloignez les autres. Pointez ensuite chaque carte collée dans la maison et faites prononcer chaque mot bien distinctement, en ouvrant bien la bouche, un doigt posé sur une narine (voyelle nasale) pour le [ɑ̃].

Script du CD 19

Qu'est-ce qu'il y a dans la maison des enfants ?	Dans la maison des enfants, il y a :
1. Une maman ?	Une maman
2. Un manteau ?	Un manteau
3. Un ballon ?	Un pantalon
4. Un pantalon ?	Une dent
5. Une dent ?	Une orange
6. Une main ?	
7. Une orange ?	
8. Un mouton ?	

5 20 Écoute et chante.

Phonologie : chanter une chanson traditionnelle du répertoire enfantin et s'entraîner à prononcer le phonème [ɑ̃].

Un éléphant qui se balançait est une comptine traditionnelle du répertoire enfantin francophone. Elle est très appréciée des enfants pour son rythme et ses sonorités, mais également pour la situation cocasse et amusante qu'elle convoque : un, puis deux, puis trois, puis quatre, puis cinq éléphants se balancent joyeusement sur une toile d'araignée... jusqu'à ce que la toile d'araignée cède et que tous tombent par terre !
Elle est présentée ici dans sa version traditionnelle. On y trouve par conséquent des verbes à l'imparfait et au passé simple dont l'emploi ne sera bien sûr pas expliqué aux enfants ! Ils font simplement partie de la « musique » du texte.

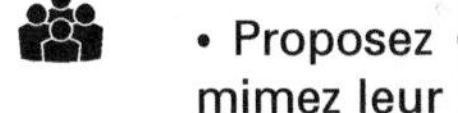

• Proposez (si possible) aux enfants de former une ronde. Annoncez que vous êtes tous des gros éléphants et mimez leur marche lourde ! Faites écouter la chanson et déplacez-vous en ronde (comme des éléphants !) en vous « balançant » sur le rythme. À la fin de la chanson, tous les « éléphants » tombent par terre... BA DA BOUM !

• Faites mémoriser et chanter la chanson vers par vers. Veillez à la bonne compréhension, en situation, des nombres ordinaux *un deuxième, un troisième*... Pour cela faites mimer la chanson avec d'abord un seul éléphant, puis deux, puis trois... jusqu'à ce que les cinq éléphants tombent par terre.

• Soyez attentifs à la bonne prononciation du phonème [ɑ̃] récurrent dans la chanson : *éléphant, balançait, tellement, amusant*.

Script de l'audio 

Un éléphant se balançait sur une toile toile toile toile d'araignée.
C'était un jeu tellement amusant
qu'il appela... un deuxième éléphant.
Deux éléphants se balançaient sur une toile toile toile toile d'araignée.
C'était un jeu tellement amusant
Qu'ils appelèrent un troisième éléphant.
Trois éléphants se balançaient...
Quatre éléphants se balançaient...
Cinq éléphants se balançaient...
Quand tout à coup,
BA DA BOUM !

Activité 1 Écoute et trouve la famille de Victor.

Compréhension orale : identifier les membres d'une famille.

• Faites observer les 3 photos de l'activité 1, page 44. Félix est en train d'interviewer Victor qui présente sa famille. Les élèves devront écouter le CD et trouver quelle photo correspond à la famille de Victor. Puis ils devront compléter la petite phrase en bas de l'activité en indiquant le numéro de la bonne photo.
Il y a 2 écoutes consécutives.

• Vérification. Demandez quelle est la bonne photo et faites justifier la réponse par les élèves : *C'est quelle photo ? Vous voyez qui ?* ➔ *Il y a un papi et une mamie...* Puis faites écouter à nouveau l'enregistrement afin de valider la ou les réponse(s) données par les élèves.

Script du CD (x 2) 

Voilà la photo de ma famille :
Derrière c'est mon papi et ma mamie.
Là, c'est ma maman. Elle a un grand chapeau.
Et devant, c'est moi, avec ma sœur Laura.

• Faites reproduire les paroles de Victor par vos élèves. Ils parleront à la première personne (mon papi, ma mamie...) et se prépareront ainsi à l'activité suivante. Attirez leur attention sur les « petits mots » *ma* devant *mamie, maman, sœur* et *mon* devant *papi.*

Écoute et trouve la famille de Victor.

La famille de Victor, c'est la famille n°...3.....

2 Aide Tilou à écrire les étiquettes de son album photos.

ma maman - mon papa - mon frère - ma sœur - ma mamie - mon papi

44

Activité 2 Aide Tilou à écrire les étiquettes de son album photos.

Production écrite : légender un album de famille ; Structuration de la langue : comprendre l'utilisation de *mon* et *ma*.

• Nous retrouvons ici toute la famille (haute en couleurs !) de Tilou. Tilou est en train d'écrire les étiquettes pour son album photo.
Faites d'abord oraliser les mots écrits en haut de l'activité et demandez aux enfants de dire pourquoi le « petit mot » *ma* est en rouge et le « petit mot » *mon* en bleu. Puis proposez à vos élèves d'aider Tilou en écrivant les bons mots dans la bonne étiquette. Passez parmi les élèves et vérifiez qu'ils légendent correctement les photos et orthographient correctement.

Activité 3 Dessine ta famille.

• Proposez aux enfants de dessiner leur famille ou, s'ils le souhaitent, une famille fictive. Ce dernier choix peut s'avérer pertinent dans le cas de situations familiales délicates. Demandez-leur également de légender leur dessin : *mon papa, ma maman, etc.*
Cette activité prendra certainement du temps ; Proposez-la, soit en fin de séance, soit comme devoir à la maison.

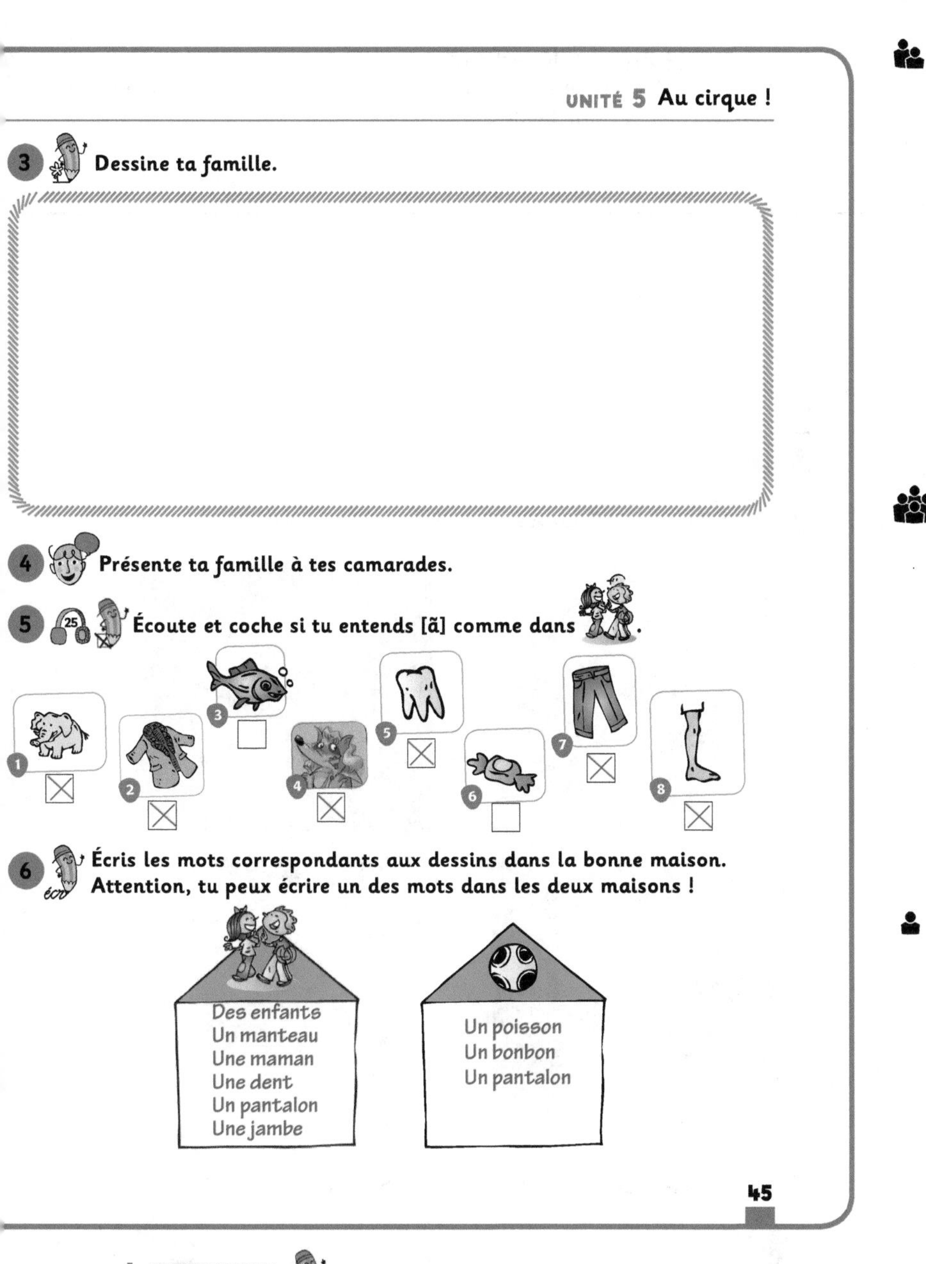
UNITÉ 5 Au cirque !

3 Dessine ta famille.

4 Présente ta famille à tes camarades.

5 Écoute et coche si tu entends [ã] comme dans [enfants].

1 ☒ 2 ☒ 3 ☐ 4 ☒ 5 ☒ 6 ☐ 7 ☒ 8 ☒

6 Écris les mots correspondants aux dessins dans la bonne maison. Attention, tu peux écrire un des mots dans les deux maisons !

Maison des enfants	Maison du ballon
Des enfants	Un poisson
Un manteau	Un bonbon
Une maman	Un pantalon
Une dent	
Un pantalon	
Une jambe	

45

Activité 4 Présente ta famille à tes camarades.

Production orale / Parler en continu : présenter sa propre famille.

• Donnez d'abord un modèle oral en présentant votre propre famille à partir d'un dessin ou de photos que vous aurez apportées : *C'est mon papa, il s'appelle... C'est ma maman, elle s'appelle... J'ai un frère, il s'appelle...*
Puis proposez à vos élèves de travailler par deux et de présenter leur dessin et leur famille réelle ou fictive à leur voisin : *C'est mon papa, il s'appelle Batman ! Mon frère s'appelle Ratatouille...*
Passez parmi les groupes pour aider ceux qui en ont besoin, vérifier la qualité de la prononciation et la pertinence des structures utilisées.

• Proposez aux enfants qui le souhaitent de venir présenter leur famille à toute la classe.

Activité 5 25 Écoute et coche si tu entends [ã] comme dans [enfants].

Phonologie (consolidation) : identifier dans un mot la présence du phonème [ã].

• Pointez les 8 petites vignettes. Demandez aux enfants d'écouter chaque mot et de cocher la petite pastille au bas de chaque vignette s'ils entendent [ã].

• Vérification. Nommez chaque mot et demandez : *Dans enfants, on entend* [ã] *? ➜ Oui, on entend* [ã]*...*

Script du CD 

1. Un **éléphant**	5. Une **dent**
2. Un **manteau**	6. Un bonbon
3. Un poisson	7. Un **pantalon**
4. Une **maman**	8. Une **jambe**

Activité 6 Écris les mots correspondant aux dessins dans la bonne maison. Attention, tu peux écrire un des mots dans les 2 maisons !

Mise en relation phonie-graphie : [ã] et [ɔ̃] ; Orthographier correctement des mots.

• Il s'agit ici d'écrire les mots correspondant aux dessins de l'activité 5 dans la bonne maison : la maison des enfants ou la maison du ballon.
Ces mots sont tous connus à l'écrit. Si les enfants ont un doute, proposez-leur d'en vérifier l'orthographe dans les pages précédentes de leur cahier d'activités ou dans la partie *Mon petit dictionnaire.*

• Vérification et structuration. Demandez à deux élèves de lire les mots qu'ils ont écrits dans chaque maison. Attirez l'attention des enfants sur les façons dont peut s'écrire [ã] ➜ *an, en ou am* : ***enfant**, **man**teau, mam**an**, d**en**t, p**an**talon, **jam**be...* et sur la façon dont s'écrit ici le phonème [ɔ̃] ➜ *on* : *poiss**on**, b**on**b**on**, pantal**on**.* Le mot qui peut s'écrire dans les 2 maisons, c'est bien sûr *pantalon* !

Unité 5 Leçon 3 Oh ! J'ai peur !

Au cours de cette leçon, les enfants vont :

• à l'oral :
- Identifier et exprimer des émotions et des sensations : *J'ai peur ! je suis triste ! Je suis fatigué(e) !*
- Exprimer l'intensité d'une émotion ou d'une sensation : *J'ai très peur ! Je suis très en colère !*
- Exprimer la possession : *C'est mon chat ; C'est ma maison ; Ce sont mes rollers.*

• à l'écrit :
- Compléter des bulles avec le bon texte
- Mettre des mots dans l'ordre pour reconstituer une phrase

Matériel :
- Séries de cartes-images des leçons précédentes ;
- Fiche photocopiable n° 14 : petites cartes-images « vêtements » à agrandir et colorier : des chaussures bleues, une cravate rose, un pantalon rouge, un tee-shirt vert, un manteau jaune, un chapeau orange, un nez de clown

Activités de soutien :
- Cartes-phrases : Je suis fatigué ! – Je suis en colère ! – J'ai peur ! – Je suis triste !

LIVRE DE L'ÉLÈVE, p. 54 et 55

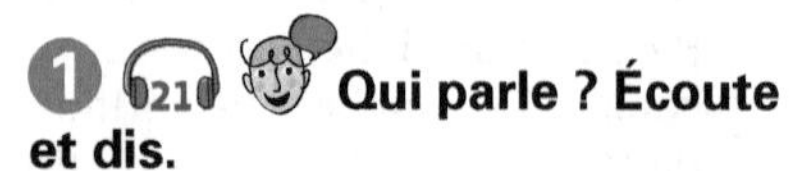

1 Qui parle ? Écoute et dis.

Identifier des émotions et des sensations.

• Faites observer les quatre vignettes de l'activité 1. Demandez à vos élèves d'identifier les différents personnages : *Qui est-ce ?*

Vignette a ➜ *le papa de Rose et un petit garçon*
Vignette b ➜ *Madame Bouba, Lila et Tilou*
Vignette c ➜ *le clown Papino et Monsieur Loyal*[1]
Vignette d ➜ *Rose et Papino*

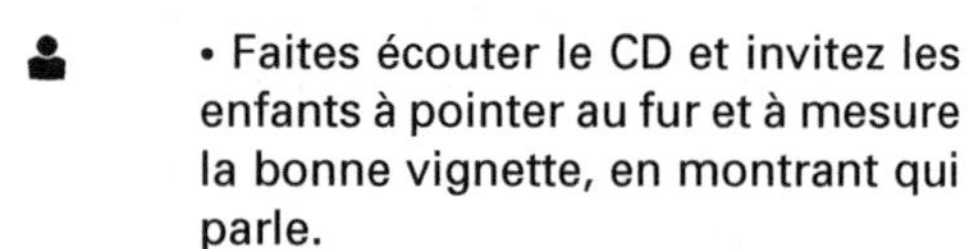

• Faites écouter le CD et invitez les enfants à pointer au fur et à mesure la bonne vignette, en montrant qui parle.

• Procédez à une écoute fragmentée. Demandez : *Qui parle ?* ➜ *C'est Lila... C'est Madame Bouba...* Faites reproduire les paroles de chaque personnage et imiter les voix et les intonations (Insistez sur l'expression des émotions et des sensations) ➜ *– Oh la la, j'ai peur !... – Il est fatigué, très fatigué !... – Je suis‿en colère, très‿en colère !... – Oh, tu es timide, toi !*

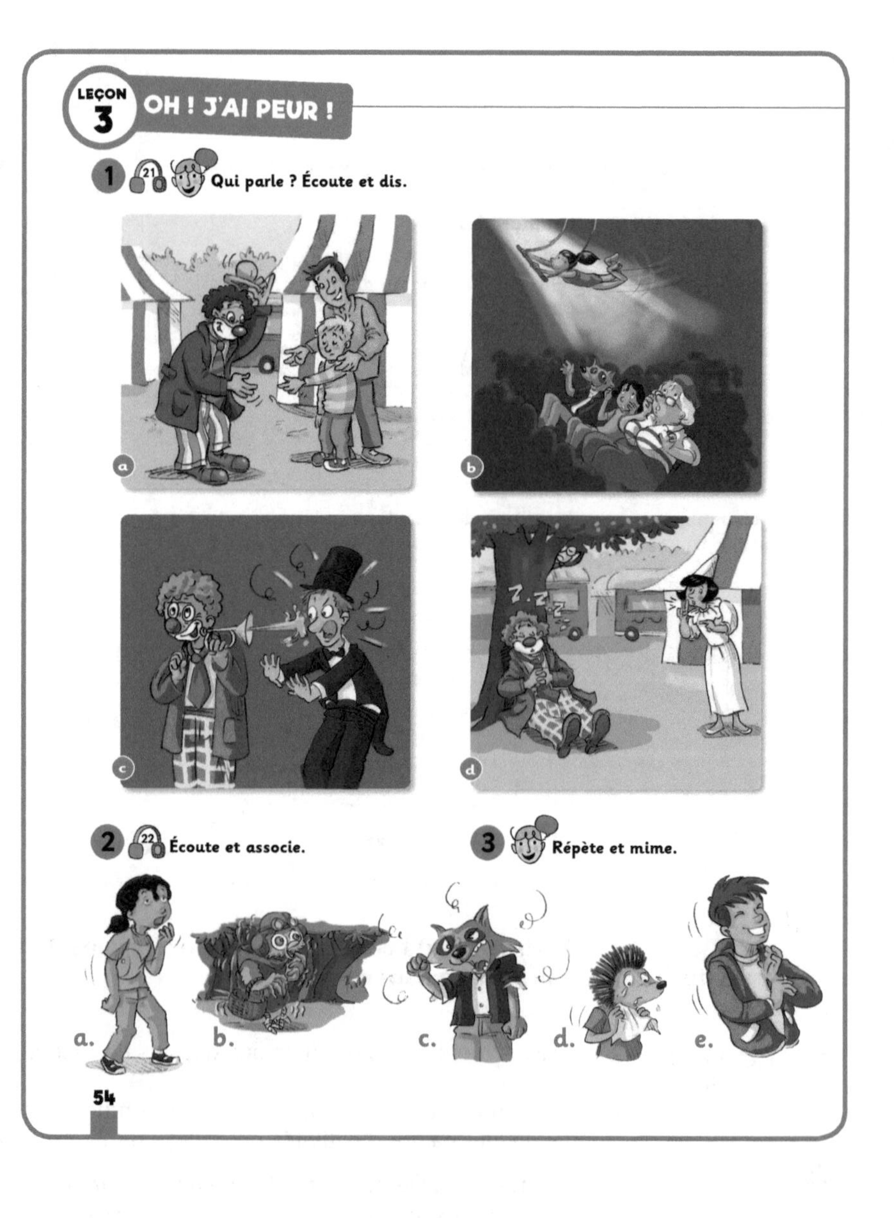

[1] Au cirque, *Monsieur Loyal* est le maître de la piste, le chef d'orchestre des numéros, particulièrement des entrées de clown.

Pour commencer : Si on jouait au Jeu du pendu ?

Réactiver les apprentissages lexicaux ; Épeler et orthographier correctement des mots connus.

Cartes-images

• Proposez aux enfants de commencer la séance par un Jeu du pendu ! Fixez au tableau des cartes-images utilisées au cours des leçons précédentes (parties du corps, sports, vêtements, membres de la famille...). Dessinez une potence, puis écrivez un mot secret, précédé du déterminant *un* ou *une*, en remplaçant chaque lettre du mot par un tiret. Annoncez que ce mot correspond à une des cartes-images que vous avez fixées au tableau.

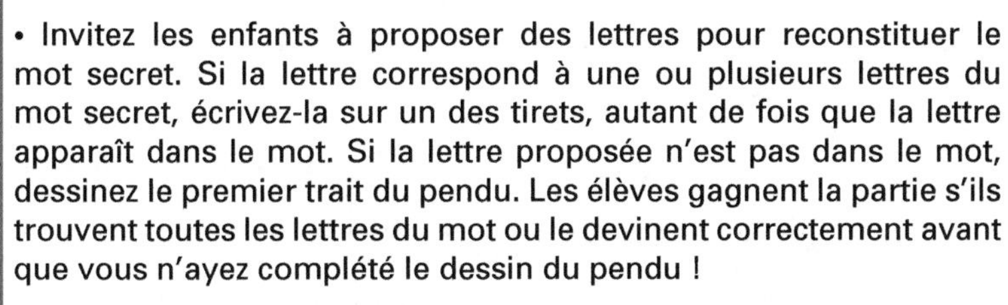

• Invitez les enfants à proposer des lettres pour reconstituer le mot secret. Si la lettre correspond à une ou plusieurs lettres du mot secret, écrivez-la sur un des tirets, autant de fois que la lettre apparaît dans le mot. Si la lettre proposée n'est pas dans le mot, dessinez le premier trait du pendu. Les élèves gagnent la partie s'ils trouvent toutes les lettres du mot ou le devinent correctement avant que vous n'ayez complété le dessin du pendu !

• Partagez ensuite votre classe en 2 équipes. Une équipe propose un mot secret, l'autre équipe essaie de trouver le mot.

Le corps du pendu est constitué : d'une tête, d'un tronc, de deux bras, de deux mains, de deux jambes, de deux pieds. Les joueurs ont ainsi droit à huit erreurs. Écrivez au tableau les lettres proposées qui ne sont pas dans le mot et barrez-les : cela évitera qu'une même lettre soit proposée plusieurs fois !

Script du CD 

1. – **Lila :** Regardez, c'est Mina, la sœur de Rose, Oh la la, j'ai peur !
 – **Bouba :** Oh, moi aussi j'ai peur ! Et toi, Tilou, Tu as peur ?
 – **Tilou :** Pop, pop, moi, je n'ai pas peur ! C'est facile !
2. – **Rose :** Chut ! Papino dort ! Il est fatigué ! Il est très fatigué !
3. – **Papino :** Hé, Monsieur Loyal, regarde !
 – **Monsieur Loyal :** Ah non ! Qu'est-ce que tu fais, Papino ?! Saperlipopette Papino ! Je suis en colère, je suis très en colère !
4. – **Papa de Rose :** Bonjour mon garçon ! Comment tu t'appelles ?
 – **Homme (papa du garçon) gentiment :** Dis bonjour au Clown Théo !
 – **Garçon, voix timide, pas très audible, hésitant :** ... bon-jour monsieur !
 – **Papa de Rose, rire bienveillant :** Oh Théo, tu es timide... Bonjour Théo !

❷  Écoute et associe.

Identifier des émotions et des sensations ; Exprimer l'intensité (*très*)

• Faites écouter le CD et demandez aux enfants de pointer sur leur livre le personnage qui parle.

• Procédez à une écoute fragmentée. Demandez :

– *Le numéro 1, c'est quelle vignette ?* ➜ *C'est la vignette e, c'est Félix !* Ajoutez : *Félix est joyeux, il est très joyeux !*
– *Le numéro 2, c'est quelle vignette ?* ➜ *C'est la vignette a, c'est Lila.* Ajoutez : *Lila est fatiguée, elle est très fatiguée !*
– *Le numéro 3, c'est quelle vignette ?* ➜ *C'est la vignette b, c'est Tilou !* Ajoutez : *Il est en colère, il est très en colère !*
– *Le numéro 4, c'est quelle vignette ?* ➜ *C'est la vignette c, c'est Pirouette !* Ajoutez : *Elle a peur, elle a très peur !*
– *Le numéro 5, c'est quelle vignette ?* ➜ *C'est la vignette d, c'est Pic Pic !* Ajoutez : *Il est triste, il est très triste !*

Script du CD 

1. – **Félix :** Ah ah ah ! Moi, je suis joyeux, très joyeux !
2. – **Lila :** Je suis fatiguée, je suis très fatiguée, je suis...
3. – **Tilou :** Ah ! Je suis‿en colère ! Je suis très‿en colère !
4. – **Pirouette :** Oh ! J'ai peur ! C'est peut-être le loup ! J'ai très peur !
5. – **Pic Pic :** Je suis triste ! Il n'y a pas de gâteau aux fraises ! Je suis très triste !

♦ **Activité complémentaire. Répète et mime.**

Mimer et reproduire : exprimer des émotions et des sensations.

• Invitez vos élèves à se lever afin qu'ils puissent mimer les différentes situations. Faites réécouter chaque réplique et reproduisez avec eux les paroles de chaque personnage en imitant les voix et les intonations. Riez avec Félix, baillez avec Lila, tapez des pieds de colère avec Tilou, tremblez de peur avec Pirouette et pleurez à chaudes larmes avec ce pauvre Pic Pic qui n'a pas de gâteau aux fraises !

• Proposez à quelques élèves de venir devant la classe pour mimer – sans paroles – un des sentiments précédemment exprimés (Donnez l'exemple !). Invitez leurs camarades à dire : *Tu es très fatigué ! Tu es en colère ! Tu es très timide !*

• Proposez à vos élèves de travailler par paires : l'un mime et l'autre devine, puis faites inverser les rôles.

Si vous le souhaitez, proposez maintenant l'activité 1, page 46 du cahier d'activités (décrite ci-après).

 **4 Observe et comprends. Que disent Papino, Rose et Lila ?**

Observer et comprendre le fonctionnement de la langue : exprimer ce qui m'appartient.

• Observation

– Demandez aux enfants de lire « dans leur tête » ce que dit Papino, puis faites oraliser les 3 bulles.

– Demandez ensuite ce que dit Rose. Recueillez les réponses des élèves, sans les valider. Invitez vos élèves à justifier (L1) leurs propositions et à trouver ainsi eux-mêmes l'explication du fonctionnement de la langue : ➜ *C'est **ma** maman – Ce sont **mes** frères – C'est **mon** papa.*

– Demandez ce que dit Lila. Recueillez les réponses des élèves et demandez à nouveau à vos élèves de les justifier ➜ *Voilà **mes** rollers – Voilà **mon** chat – Voilà **ma** maison.*

• Conceptualisation

Les enfants auront certainement compris que l'emploi de *mon, ma, mes* est en lien avec la couleur – rouge, bleu ou vert – donc avec le genre (masculin ou féminin) et le nombre (singulier ou pluriel) du nom qui suit :

– *mon chapeau :* en bleu, parce qu'on dit *un chapeau ;* c'est masculin comme *mon papa* ou *mon chat*

– *ma maman :* en rouge, parce que c'est *une maman ;* c'est féminin comme *ma cravate* et *ma maison*

– *mes rollers :* parce que ce sont *des rollers,* c'est le pluriel co*mme mes chaussures* ou *mes frères*

Suggestion : Faites réécouter l'activité 1 page 50 (piste 17) où Mina présente sa famille ou l'activité 1 page 50 (piste 14) où Le clown Papino s'habille : Tous deux emploient *mon, ma, mes.*

UNITÉ 5 Au cirque !

4 Observe et comprends. Que disent Papino, Rose et Lila ?

Où est ma ... ?
Où est mon ... ?
Où sont mes ... ?

C'est ...
Ce sont ...
C'est ...

Voilà ...
Voilà ...
Voilà ...

La boite à outils de Pirouette la chouette

5 Chante avec Tilou !

Promenons-nous dans les bois
Pendant que Tilou n'y est pas
Tilou, où es-tu ?
Entends-tu ?
Que fais-tu ?

Je mets mon t-shirt vert
Je mets mon pantalon rouge
Je mets ma cravate rose
Je mets mes chaussures bleues
Je mets mon manteau jaune
Je mets mon chapeau orange
Je mets mon gros nez rouge
Je sors !

Cric crac croc, je vous croque !

55

♦ Activité complémentaire. Ah ! Voilà mes chaussures !

Utiliser en contexte *mon, ma, mes.*

• Adressez-vous à un élève, pointez son pantalon par exemple et dites : *C'est mon pantalon ?* Invitez l'enfant à répondre : *Non, c'est mon pantalon !* Pointez ensuite ses chaussures : *Ah ! Voilà mes chaussures !* Invitez l'enfant à réagir *: Ah non, ce sont mes chaussures !* Prenez la gomme d'un autre élève en affirmant effrontément : *– C'est ma gomme ! Élève : – Ah non, c'est ma gomme !* ... Passez l'activité en relais et engagez quelques élèves à s'emparer (momentanément !) d'objets qui ne leur appartiennent pas.

• Faites réaliser l'activité par paires.

⑤ 023 Chante avec Tilou !

La célèbre comptine « Promenons-nous dans les bois pendant que le loup n'y est pas... » est ici revisitée. Tilou tient le rôle du loup et... se déguise en clown !

• Faites écouter la chanson (livre fermé). À la fin de l'écoute demandez aux enfants (L1) ce que fait Tilou. Il s'habille... en clown ! Demandez aux enfants quels vêtements il met. Recueillez les propositions ➜ *Il met un pantalon rouge, une cravate rose, ...* Fixez en vrac au tableau les vignettes représentant les différents vêtements : des chaussures bleues, une cravate rose, un pantalon rouge, un tee-shirt vert, un manteau jaune, un chapeau orange, un nez de clown.

• Procédez à une écoute fragmentée et invitez quelques élèves à venir coller les vêtements selon leur ordre d'apparition dans la chanson. Faites répéter les paroles de Tilou et mimer chaque action : *Je mets mon tee-shirt vert ! Je mets mon pantalon rouge !... Je mets mon gros nez rouge ! Je sors !...*
Pour le refrain, expliquez à vos élèves qu'en français , pour poser une question, on peut dire :

- *Tu es où ?* ou comme dans la chanson *Où es-tu ?*
- *Tu entends ?* ou comme dans la chanson *Entends-tu ?*
- *Qu'est-ce que tu fais ?* ou comme dans la chanson *Que fais-tu ?*

• Demandez aux enfants de se lever et faites chanter et jouer la chanson. Attribuez le rôle de Tilou à un enfant, ses camarades chanteront le refrain. À la fin de la chanson « *Cric, crac, croc, je vous croque !* », Tilou se précipite sur un enfant pour l'attraper et... le croquer !

Script du CD 023	Gestes d'accompagnement
Promenons-nous dans les bois Pendant que Tilou n'y est pas	
Tilou, où es-tu ?	Regarder à droite, puis à gauche avec une main en visière
Entends-tu ?	Paume de la main ouverte derrière l'oreille
Que fais-tu ?	Ouvrir les deux bras devant soi, l'air interrogateur
Je mets mon tee-shirt vert Je mets mon pantalon rouge Je mets ma cravate rose Je mets mes chaussures bleues Je mets mon manteau jaune Je mets mon chapeau orange Je mets mon gros nez rouge Je sors !	Mimer les différentes actions
Cric crac croc, je vous croque !	Le *loup* se précipite sur un camarade !

Activité 1 Lis les phrases et écris le bon texte dans les bulles.

Compréhension écrite : associer une phrase à la bonne illustration.

• Faites ouvrir le cahier d'activités à la page 46 et demandez aux enfants d'expliquer ce qu'ils devront faire → Lire les phrases en bas de l'illustration et les écrire dans la bonne bulle.

• Faites oraliser les huit petites phrases en veillant à leur bonne prononciation. Puis demandez aux élèves d'observer l'illustration et d'écrire chaque phrase dans la bonne bulle.

Activité 2 Mets les mots dans l'ordre et écris une phrase. Attention, il y a des intrus !

Compréhension écrite / structuration de la langue : former une phrase correcte ; Effectuer un choix grammatical.

• Pointez les 3 séries d'étiquettes-mots : chaque série permet de reconstituer une phrase en remettant les mots dans l'ordre. Mais, attention, dans chaque série il y a une étiquette en trop ! Demandez aux enfants de lire chaque série d'étiquettes, de choisir « dans leur tête » les bons mots pour former une phrase correcte puis d'écrire chaque phrase.

• Vérification. Faites oraliser les phrases reconstituées et faites valider les propositions par les élèves eux-mêmes. Ils devront justifier : – le choix des mots, – la place des mots à l'intérieur de la phrase.

→ ACTIVITÉS DE SOUTIEN : page 195

2 **Mets les mots dans l'ordre et écris une phrase. Attention, il y a un intrus !**

pantalon | mon | Je | ma | mets | .

1. Je mets mon pantalon.

Je | . | du | fais | papa | foot | avec | mes | mon

2. Je fais du foot avec mon papa.

sont | mes | où | ma | ? | chaussures | Mais

3. Mais où sont mes chaussures ?

3 **Le défilé de mode ! Dessine les vêtements de Lila et Félix.**

4 **Écris.**

Lila porte ......

......

Félix porte ......

......

Activité 3 Le défilé de mode ! Dessine les vêtements de Lila et de Félix.

Production écrite : dessiner des personnages et les décrire ; Production orale : décrire quelqu'un.

• Lila et Félix sont les mannequins vedettes du défilé de mode ! Proposez aux enfants de dessiner et colorier leurs vêtements, puis d'écrire ce que chacun porte à la manière de journalistes de mode : *Lila porte... Félix porte...*
Engagez vos élèves à veiller à former des phrases correctes et à s'interroger sur :
– le bon choix des mots et des « petits mots » qui les accompagnent (*un* ? *une* ? *des* ?...) ;
– l'ordre des mots dans la phrase ;
– l'orthographe des mots.
Passez parmi les élèves pour aider ceux qui en ont besoin.

• Invitez vos élèves à jouer aux journalistes reporters et à commenter le défilé de mode de Félix et Lila. Donnez-leur un petit micro fictif et proposez-leur de présenter leurs dessins de mode à leurs camarades.

Suggestion : Organiser la présentation d'un vrai défilé de mode dans votre classe.

Au cours de cette leçon, les enfants vont prendre plaisir à lire une BD et apprendre à :
- Réinvestir à l'écrit des apprentissages langagiers réalisés au cours de l'unité 5 (exprimer une sensation ; exprimer la possession)
- Faire le lien entre ce qu'ils entendent (CD) et ce qu'ils voient / lisent (illustrations, bulles)
- Oraliser une petite saynète

LIVRE DE L'ÉLÈVE, p. 56

  **Découverte de la BD. Lis et écoute.**

a. Observer, lire et comprendre.

Se repérer dans l'écrit : mettre en relation texte et illustrations de la BD pour comprendre l'histoire.

• Laissez aux enfants le temps d'explorer seuls la BD : observer les vignettes et lire le texte des bulles pour comprendre l'histoire de façon globale.

• Demandez-leur d'expliquer (L1) ce qu'ils ont compris, sans toutefois trop intervenir dans leurs propositions... ➜ Le monsieur est fatigué et veut faire une petite sieste. Pic Pic et Pirouette jouent avec un ballon et finissent par se disputer : chacun veut le ballon pour soi... Ils tirent tant et si bien que le ballon atterrit sur le monsieur endormi ! Le monsieur, très en colère, demande à qui est le ballon. Pic Pic et Pirouette, qui ont certainement très peur, se dénoncent mutuellement... Oh les vilains !

b. Écouter, observer et comprendre.

Associer un énoncé oral à un texte écrit.

• Faites écouter l'enregistrement en entier. Demandez aux enfants de suivre en pointant chaque vignette avec leur doigt.

• Procédez à une écoute fragmentée. Faites répéter chaque petit dialogue ou réplique en invitant les enfants à imiter la voix de chaque personnage, son intonation et sa gestuelle. Expliquez le sens de la question : *C'est à qui ?* et des réponses : *C'est à Pirouette ! C'est à Pic Pic !* en donnant quelques exemples pris dans la classe *: La gomme, c'est à qui ? C'est à Emma !*

Script du CD, BD 1 

- **Le monsieur :** Je suis fatigué !
- **Pirouette :** C'est MON ballon !
- **Pic Pic :** Ah non, c'est MON ballon !
- **Le monsieur :** Qu'est-ce que c'est ? Mais, qu'est-ce que c'est ?
- **Le monsieur :** Le ballon... C'est à qui ?
- **Pirouette :** C'est à Pic Pic !
- **Pic Pic :** Non, non, c'est à Pirouette !

Donne le bon numéro.

Compréhension orale : Associer un énoncé oral à la bonne vignette.

• Le texte de la BD est enregistré dans le désordre. Faites écouter une première fois l'enregistrement dans son intégralité, les enfants identifient et pointent la bonne vignette.

• Procédez à une écoute fragmentée. Les enfants donnent le numéro de la bonne vignette.

Script audio, BD 2 

– **Pirouette :** C'est MON ballon !
– **Pic Pic :** Ah non, c'est MON ballon !

– **Le monsieur :** Je suis fatigué !

– **Le monsieur :** Le ballon... C'est à qui ?

– **Le monsieur :** Qu'est-ce que c'est ? Mais, qu'est-ce que c'est ?

– **Pirouette :** C'est à Pic Pic !
– **Pic Pic :** Non, c'est à Pirouette !

Pour aller plus loin :

On joue la BD !

S'exercer à la lecture à haute voix à partir d'un texte connu à l'oral ; Lire de façon expressive.

• Répartissez vos élèves en petits groupes de trois. Demandez quels sont les personnages qui prennent la parole : Qui *parle ?* ➜ *Le monsieur, Pirouette et Pic Pic.* Demandez de choisir un personnage et de jouer en petits groupes les petites scènes de la BD. Passez parmi les groupes pour aider les enfants à oraliser correctement les différentes répliques, avec une intonation et un rythme adaptés.

• Proposez à quelques groupes de présenter leur saynète devant la classe. Demandez aux acteurs de parler à voix haute afin d'être entendus par toute la classe !

■ Des lettres et des mots, p. 48.

Activité 1  **Mots-puzzle ! Colorie un même mot d'une même couleur et écris.**

Reconstituer des mots à partir de syllabes ; Copier correctement des mots.

• Demandez aux enfants d'observer les différents morceaux de puzzle. Ils devront :
- retrouver les morceaux qui vont ensemble et forment un mot ;
- colorier les morceaux d'un même mot d'une même couleur ;
- écrire le mot.

Il y a six mots à trouver. Chaque mot reconstitué sera colorié d'une couleur différente.

• Vérification collective. Faites oraliser les différents mots trouvés.

Variante : Fixez au tableau les différentes syllabes puzzle et proposez à plusieurs élèves de venir reconstituer les mots.

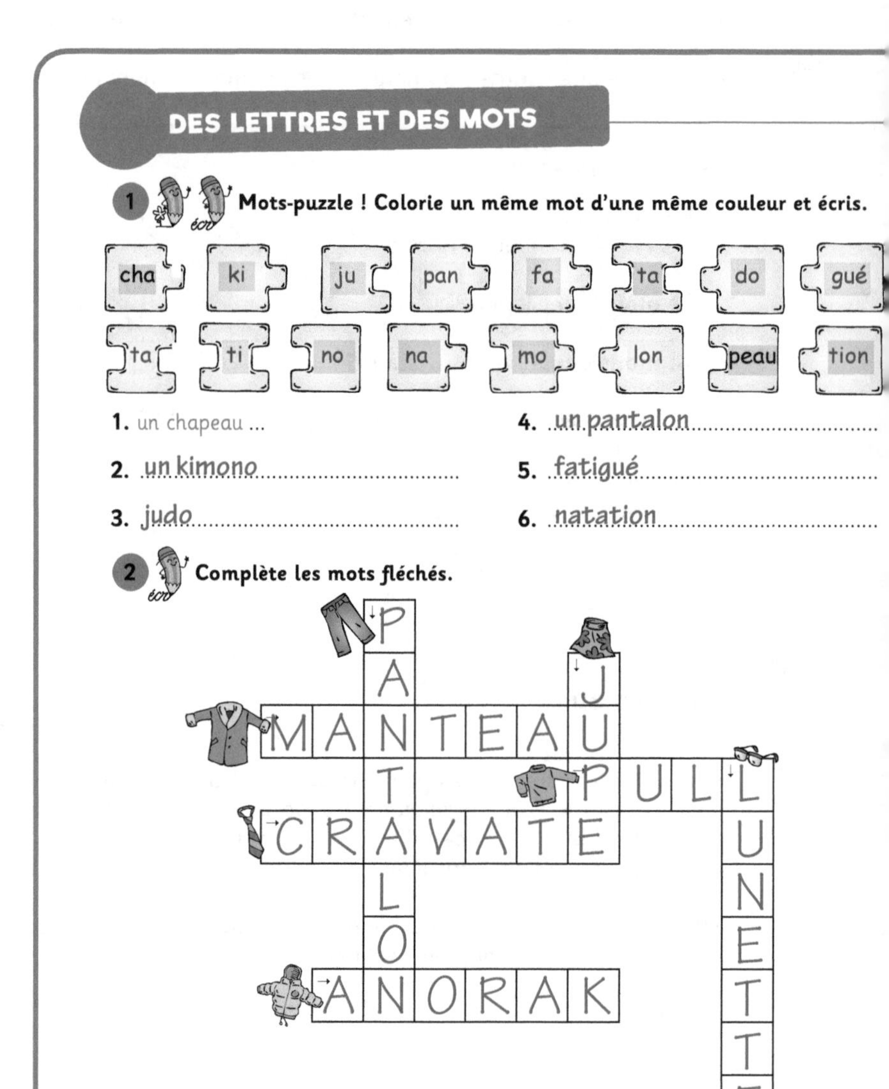

DES LETTRES ET DES MOTS

1 Mots-puzzle ! Colorie un même mot d'une même couleur et écris.

cha ki ju pan fa ta do gué ta ti no na mo lon peau tion

1. un chapeau ...
2. un kimono
3. judo
4. un pantalon
5. fatigué
6. natation

2 Complète les mots fléchés.

PANTALON
JUPE
MANTEAU
PULL
LUNETTES
CRAVATE
ANORAK
CHAUSSURES

48

Activité 2 **Complète les mots fléchés.**

Écrire pour jouer ; Orthographier correctement le nom des vêtements.

• Demandez aux enfants de regarder la grille de mots fléchés et d'expliquer ce qu'ils auront à faire ➜ Écrire dans les cases indiquées par la flèche le nom du vêtement dessiné.

S'ils ont des problèmes pour retrouver l'orthographe de certains mots, invitez-les à regarder comment ils sont écrits à la page 42 de leur cahier d'activités ou dans leur petit dictionnaire à la fin du cahier d'activités.

Ils auront peut-être besoin de votre aide pour le mot *anorak* qui est nouveau, mais connu dans beaucoup de langues.

UNITÉ 5 Au cirque !

JE LIS, JE COMPRENDS

1 Qui est la mamie de Lisa ? Lis la devinette et coche la bonne image.

a ☒

b ☐

c ☐

La mamie de Lisa n'a pas de chien. Elle ne porte pas de chapeau.
Elle adore la natation.
Qui est-ce ?

J'ÉCRIS

1 Choisis un copain ou une copine, puis écris ta devinette.

Il (elle) porte ....

Il (elle) ne porte pas de ....

Il (elle) a ....

Il (elle) n'a pas de ....

Il (elle) aime ....

Il (elle) n'aime pas ....

Qui est-ce ?

2 Lis ta devinette à tes camarades et joue !

49

Activité 2 Lis ta devinette à tes camarades et joue !

Oraliser et communiquer un texte que l'on a écrit ; Faire jouer ses camarades.

• Répartissez les élèves par groupes de 3. Chacun lit sa devinette aux autres qui doivent trouver et dire de qui il s'agit.

• Proposez aux élèves qui le souhaitent de lire leur devinette à toute la classe.

■ Je lis, je comprends, p. 49

Activité 1 Qui est la mamie de Lisa ? Lis la devinette et coche la bonne image.

Compréhension écrite : lire un petit texte et comprendre des informations.

• Il s'agit ici d'une devinette : le petit texte à lire se termine par *Qui-est-ce ?* La devinette est une forme textuelle bien connue des enfants ; On en trouve en effet de nombreuses dans les magazines pour enfants.

• Faites observer les trois dessins a, b et c. Puis demandez aux enfants de lire « dans leur tête » le petit texte et de cocher le dessin qui correspond à la description de la mamie de Lisa. Les enfants réalisent l'activité sans oralisation collective préalable.

• Vérification. Demandez aux enfants de dire qui est la mamie de Lisa (dessin a, dessin b ou dessin c *?)* puis de justifier leur réponse en comparant le texte avec les différentes photos, par exemple : *Ce n'est pas le dessin b : La mamie de Lisa n'a pas de chien. Sur le dessin b, la dame a un chien.*

■ J'écris, p. 49

Activité 1 Choisis un copain ou une copine, puis écris ta devinette.

Écrire pour jouer : écrire une devinette.

• Proposez aux enfants d'écrire une devinette qui décrit un de leurs copains ou de leurs copines (à la manière de celle de l'activité 1). Faites observer les structures proposées sur la petite fiche et invitez les enfants à les compléter : aspects physiques, vêtements, activités, goûts du copain ou de la copine choisie...

• Passez parmi les élèves pour guider ceux qui en ont besoin. Faites vérifier la correction des structures et de l'orthographe.

Au cours de cette activité, les enfants vont :
- Suivre des consignes pour fabriquer un jeu des familles
- Nommer le matériel nécessaire à la fabrication du jeu : *des feuilles de couleur, des ciseaux, des crayons de couleur, de la colle*
- Comprendre les actions nécessaires à la fabrication du jeu : *dessiner, colorier, écrire, coller*
- Comprendre les actions nécessaires à la conduite du jeu : *mélanger les cartes, « piocher », distribuer...*
- Interagir pour jouer à un jeu de société

Matériel :
- 4 planches « Familles » (Fruits – Vêtements – Sports – Clown) par groupe de 3 élèves[1] (Fiche photocopiable n° 15)
- 4 feuilles format A4 de couleurs différentes par groupe : une couleur spécifique par famille
- Ciseaux, crayons de couleurs, stylo, colle

LIVRE DE L'ÉLÈVE, p. 57

Le projet propose aux élèves de fabriquer un *jeu des 4 Familles*, version « allégée » du jeu de cartes traditionnel *des 7 Familles*.

Le jeu est composé de **4 familles de 6 cartes chacune** (4 planches à photocopier) :
- la famille *Clown* : le papi, la mamie, le papa, la maman, le frère, la sœur
- la famille *Vêtements* : le pantalon, le tee-shirt, la jupe, la cravate, le chapeau, les chaussures
- la famille *Sports* : la gymnastique, la natation, le judo, le basket, les rollers, le foot
- la famille *Fruits* : la pomme, la banane, la fraise, le citron, le kiwi, l'orange

En haut de chaque carte, une petite frise représente tous les éléments constituant la famille.

▪ Mise en projet des élèves

• Demandez à vos élèves d'ouvrir leur livre à la page 57. Invitez-les à expliquer (L1) ce qu'on leur propose de faire au cours du *Projet* :
1. Fabriquer un jeu de cartes : le Jeu *des 4 familles*
2. Jouer aux cartes en français

MON JEU DES 4 FAMILLES

1. FABRIQUE LE JEU DES 4 FAMILLES AVEC TES CAMARADES.

a. Colorie une « famille ».

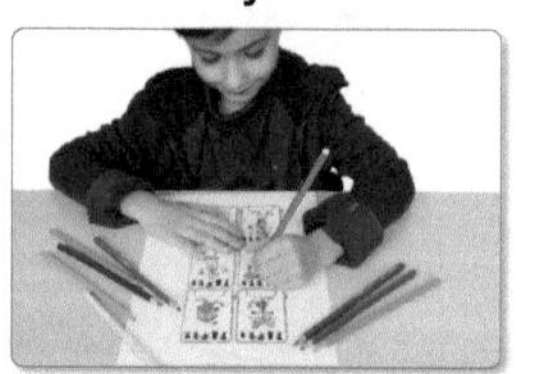

b. Écris le mot sous le dessin.

c. Colle ta famille sur une feuille de couleur.

d. Découpe les cartes.

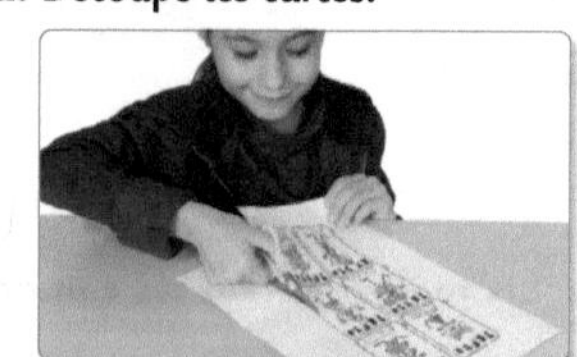

2. MÉLANGE LES CARTES DE TA FAMILLE AVEC LES AUTRES CARTES.

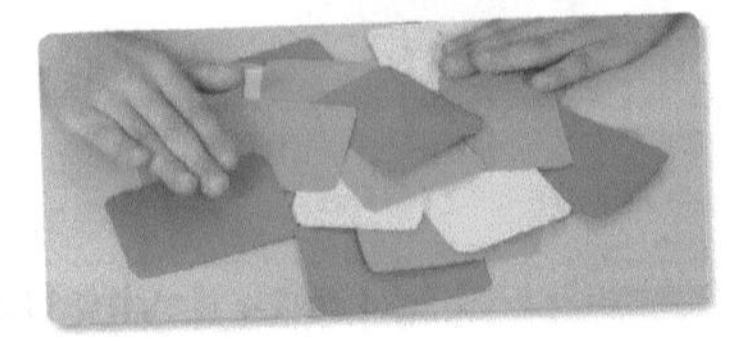

3. JOUE AVEC TES CAMARADES ET FORME DES FAMILLES COMPLÈTES !

57

[2] Il y a 4 planches pour 3 élèves afin que le nombre de cartes soit suffisant (24 cartes) pour permettre le jeu.

❶ Fabrique le jeu des 4 familles avec tes camarades.

Suivre des consignes pour fabriquer un jeu.

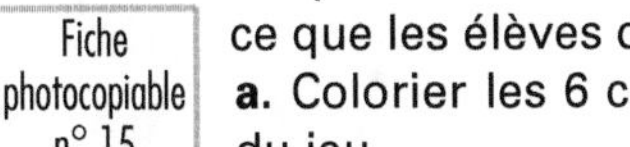

Fiche photocopiable n° 15

Feuilles de couleur

• Répartissez vos élèves par petits groupes de trois. Expliquez et verbalisez les consignes étape par étape, en montrant ce que les élèves devront faire.

a. Colorier les 6 cartes de chaque famille. Montrez aux enfants les 4 planches qui serviront à fabriquer les cartes du jeu.

Chaque groupe fabrique un jeu entier de 24 cartes. Vous veillerez à ce que les enfants s'organisent entre eux pour fabriquer les cartes des quatre familles : les plus rapides dans le groupe se chargeront de la quatrième famille.

b. Écrire sous chaque dessin le mot correspondant, sans oublier *le* ou *la : le papa, la maman ... le judo, la natation...*

c. Coller chaque famille sur une feuille de couleur. Montrez les 4 feuilles de couleur différentes.

d. Découper les cartes de jeu.

• Demandez aux élèves de nommer le matériel complémentaire dont ils ont besoin ➜ *Des crayons de couleurs, un stylo, un tube de colle et des ciseaux.* Distribuez à chaque groupe les planches « Familles », puis les feuilles de couleur.

❷ Mélange les cartes de ta famille avec les autres cartes.

• Lorsque toutes les cartes sont fabriquées, demandez aux enfants de chaque groupe de mélanger toutes leurs cartes, puis de former un paquet.

❸ Joue avec tes camarades et forme des familles complètes !

Interagir pour jouer ; Développer des stratégies d'observation et de mémorisation.

• Demandez à un des joueurs de chaque groupe de distribuer les cartes : 6 cartes à chacun (Montrez comment faire !). Il reste 6 cartes que l'on place au milieu de la table, face retournée : elles constituent la « pioche ».

• Expliquez aux enfants le but du jeu : constituer le plus grand nombre de familles complètes. Chacun devra demander au joueur de son choix les cartes qui lui manquent, par exemple : *Léa, dans la famille Clown, tu as la mamie ?* ou... *Hugo, dans la famille Fruits, tu as la pomme ?*
Si le joueur a la carte, il doit la donner. Sinon, il dit à son camarade « *Pioche* ! ». L'enfant doit alors tirer une carte de la pioche au centre de la table et l'ajouter à son jeu. (S'il n'y a plus de cartes dans la pioche, c'est au tour du voisin de jouer.)
Lorsqu'un joueur a une famille complète, il la dépose sur la table. On joue jusqu'à ce que toutes les familles aient été reconstituées. Le joueur qui a le plus de familles est vainqueur !

Passez parmi les groupes et aidez les enfants à réguler le jeu : *Qui commence ? C'est à ton tour Léa !... À toi, Hugo !... Oh ! Tu triches !... Pioche... Tire une carte !...* Aidez-les également à bien formuler leurs demandes en français : *Dans la famille Vêtements, tu as la jupe ?*

Prolongements. Gardez les jeux de carte dans votre salle de classe... Vos élèves auront plaisir à jouer à nouveau au Jeu des Familles ! Proposez-leur ultérieurement de créer eux-mêmes de nouvelles familles de cartes : Familles *Couleurs, Nombres, Légumes, Objets de la classe, Jeux...*

Compréhension écrite : associer chaque petit texte à la bonne photo

LIVRE DE L'ÉLÈVE, p. 58

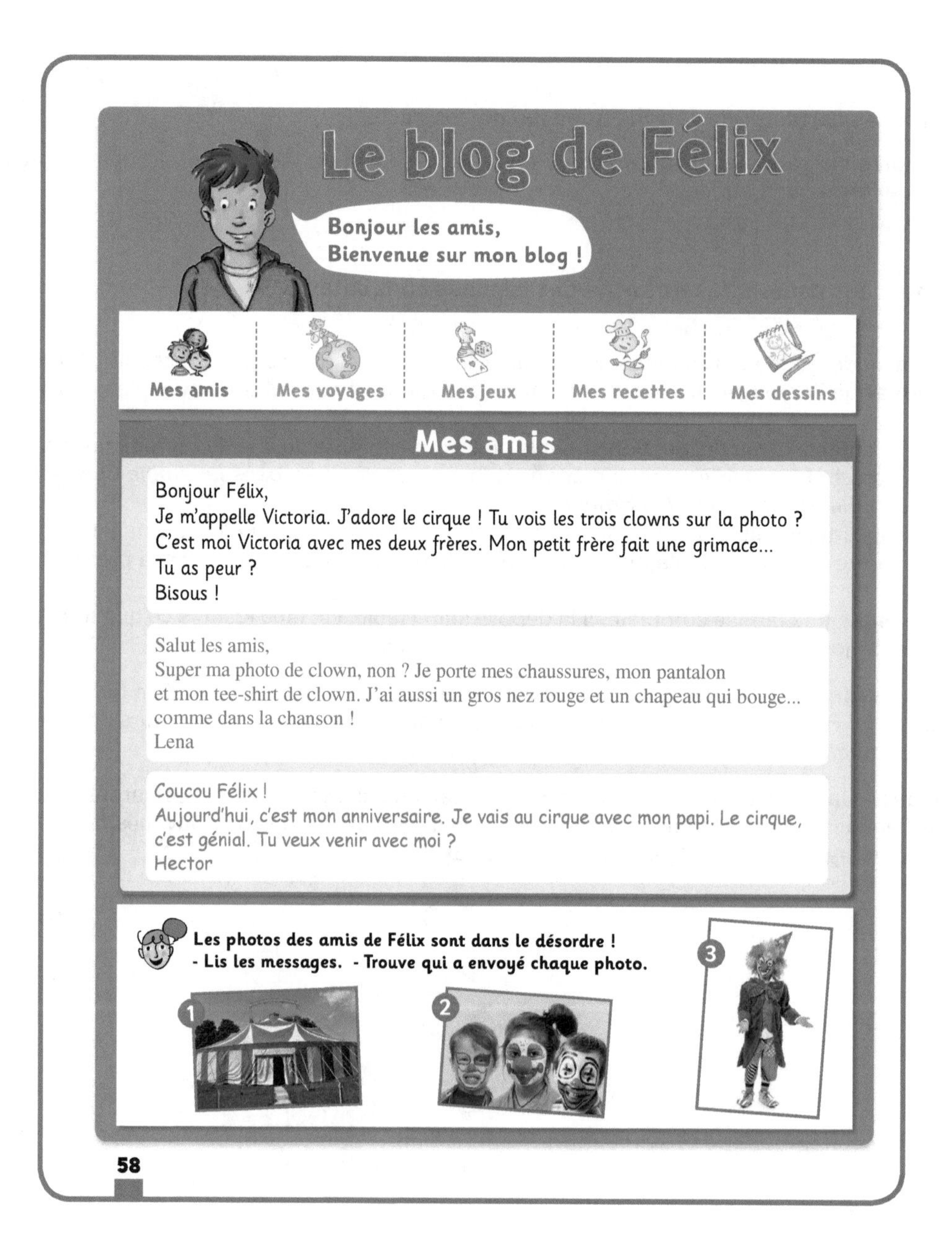

• Invitez vos élèves à observer attentivement la page 58, puis demandez-leur ce que Félix nous présente sur son blog
→ Trois messages de ses amis, accompagnés de photos.

Les photos des amis de Félix sont dans le désordre !
– Lis les messages.
– Trouve qui a envoyé chaque photo.

• Invitez vos élèves à lire *dans leur tête* chaque message.
Demandez-leur ensuite qui a écrit chaque message :

- Message n° 1 : Victoria (« Je m'appelle Victoria... »)
- Message n° 2 : il est signé Lena.
- Message n° 3 : il est signé Hector.

• En binôme, invitez les enfants à relire chaque petit texte silencieusement pour trouver qui a envoyé chaque photo : Victoria, Lena ou Hector ? Les indices sont dans le message de chacun !

• Mise en commun. Recueillez les réponses de chacun et faites justifier grâce aux éléments du texte.

- Photo n° 1 : Lena. Elle écrit : « *Super ma photo de clown, non ? Je porte mes chaussures, mon pantalon et mon tee-shirt de clown...* »
- Photo n° 2 : Hector. Il écrit : « *Aujourd'hui, je vais au cirque avec mon papi.* »
- Photo n° 3 : Victoria. Elle écrit : « *Tu vois les trois clowns sur la photo ? C'est moi Victoria avec mes deux frères.* »

Remarque : les trois messages et les trois photos sont en relation avec le thème du cirque. Seule une lecture attentive et une compréhension fine permettront par conséquent aux enfants de trouver la solution !

La vidéo de Félix

Au cours de cette activité, les enfants vont :
- Apprendre à comprendre une vidéo de façon globale
- Apprendre à identifier quelques éléments langagiers ciblés : vêtements, expression de sentiments
- Réutiliser des éléments langagiers découverts en cours d'unité. (par ex : mettre dans sa valise)

LIVRE DE L'ÉLÈVE, p. 59

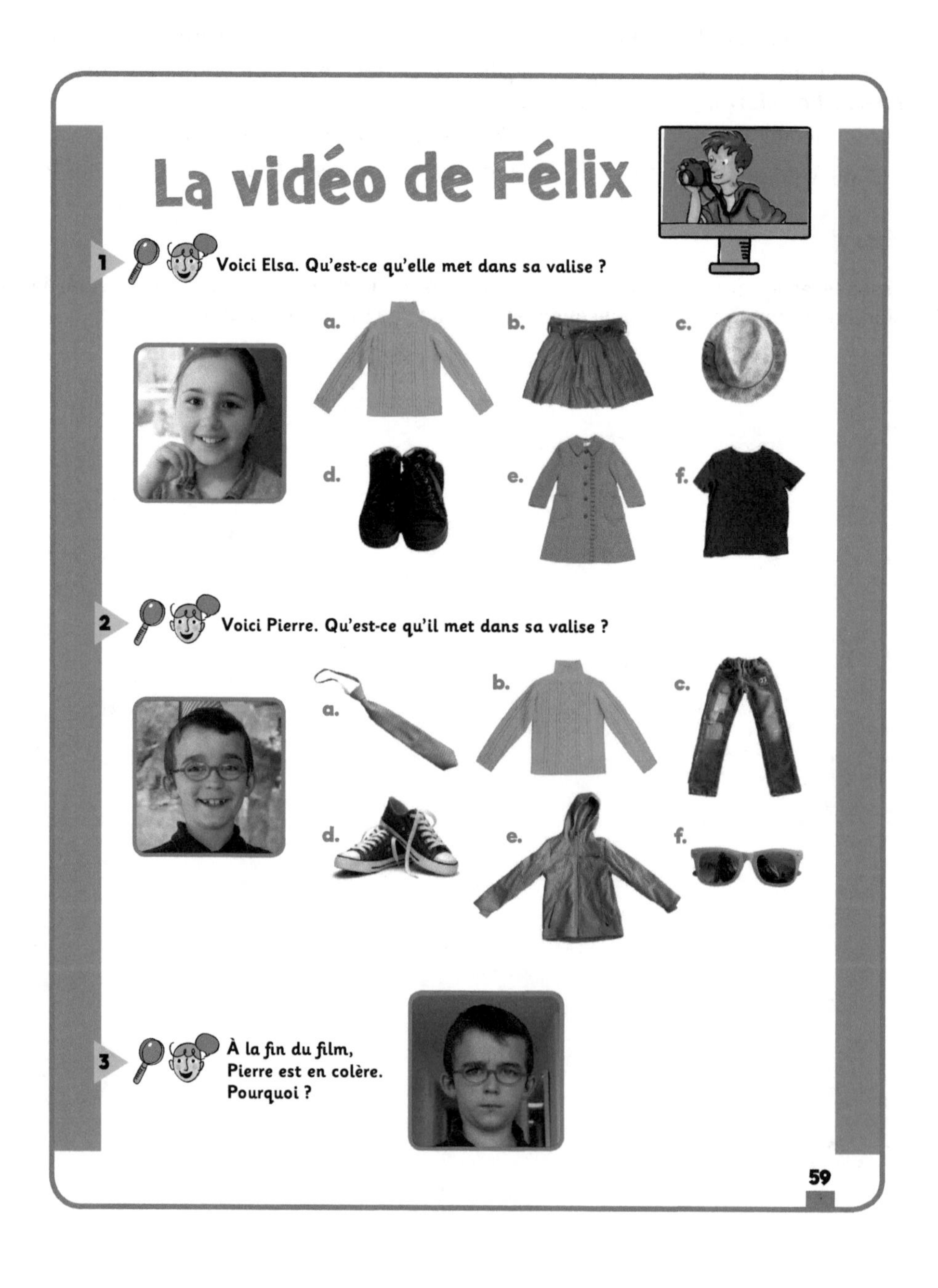

■ **Étape 1**

• Livre fermé, annoncez à vos élèves que Félix leur propose de découvrir une nouvelle vidéo. Pierre et Elsa font leur valise avant de partir en voyage...

• Invitez les enfants à regarder la vidéo. Ils devront observer et essayer de mémoriser le plus de choses possible.

■ **Étape 2**

  **Voici Elsa. Qu'est-ce qu'elle met dans sa valise ?**

• Faites ouvrir le livre à la page 59. Pointez les photos de l'activité 1 et demandez : *Qu'est-ce qu'Elsa met dans sa valise ? Qu'est-ce qu'Elsa ne met pas dans sa valise ?*

• Recueillez les réponses des enfants, sans toutefois les valider.

• Faites visionner à nouveau la première partie de la vidéo (jusqu'à la 34e seconde) pour vérifier les réponses données.
Réponse :
– *Elsa met dans sa valise une jupe rouge, un tee-shirt bleu, des chaussures noires et un chapeau. Dans sa valise, elle ne met pas de pull, elle ne met pas de manteau.*

 **Voici Pierre. Qu'est-ce qu'il met dans sa valise ?**

• Pointez les photos de l'activité 2 et demandez : *Qu'est-ce que Pierre met dans sa valise ? Qu'est-ce que Pierre ne met pas dans sa valise ?*

• Recueillez les réponses des enfants, sans les valider.

• Faites visionner à nouveau la deuxième partie de la vidéo (jusqu'à la 60e seconde) pour vérifier les réponses données.

Réponse :
– *Pierre met dans sa valise un manteau, des lunettes orange, deux pantalons et une cravate. Dans sa valise, il ne met pas de pull, il ne met pas de chaussures.*

  **À la fin du film, Pierre est en colère. Pourquoi ?**

• Invitez vos élèves à expliquer pourquoi Pierre est en colère (en langue 1 vraisemblablement).
Les enfants, qui ont deux mêmes valises grises, ont échangé leurs valises avant de se quitter. Pierre a donc pris la valise d'Elsa et Elsa la valise de Pierre. Lorsqu'ils ouvrent leur valise, ils découvrent leur erreur. Elsa en est plutôt amusée (elle essaie les vêtements de Pierre), mais Pierre est en colère !

• Faites visionner la fin du film pour vérifier les réponses.

Script

– **Pierre :** Qu'est-ce que tu mets dans ta valise Elsa ?
– **Elsa :** Je mets ma jupe rouge, un tee-shirt bleu, mes chaussures noires et un chapeau. Et toi, Pierre, qu'est-ce que tu mets dans ta valise ?
– **Pierre :** Je mets un manteau, mes lunettes orange, deux pantalons et une cravate. La cravate, c'est pour l'anniversaire de ma mamie.
– **Pierre et Elsa :** Au revoir Elsa, salut Pierre
– **Elsa :** Oh non ! Où est mon tee-shirt ? Où sont mes chaussures noires ? Tiens, voilà une cravate ! Je porte les vêtements de Pierre, c'est rigolo !
– **Pierre :** Oh non ! Où est mon manteau ? Où sont mes lunettes orange ? Mais c'est une jupe ! Oh non ! Les vêtements d'Elsa ! Mais, c'est la valise d'Elsa ! Oh zut, je suis en colère !

■ Introduction des cartes-mots : la corde à linge

Identification globale des mots à l'écrit : un manteau, un chapeau, un pantalon, un pull, un tee-shirt, des chaussures, une jupe, une cravate.

Cartes-images

Cartes-mots

• Dessinez au tableau une corde à linge et suspendez-y (fixez avec de la pâte à fixer) les 8 cartes-images des vêtements. Fixez en vrac dans un coin du tableau les huit cartes-mots correspondantes.

• Demandez à quelques élèves de venir prendre une carte-mot et la coller sous la bonne image, par exemple : *Prends l'étiquette « un chapeau »*, puis en montrant la corde à linge : *Colle-la sous le chapeau !*

• Pour chaque carte-mot à identifier, incitez les enfants à faire des mises en relation avec des éléments déjà connus, par exemple : – « Chapeau », ça commence comme chat (mot déjà connu), – « Chaussures », ça commence avec [ʃ] comme chapeau, on voit ch – « Pantalon » ça commence avec [p] comme pomme ; il y a *an* comme dans orange et *on* comme dans melon ou citron – …

■ Phrases-puzzle.

Identifier des mots et reconstituer une phrase correcte.

Cartes-mots

• Fixez au tableau les cartes-mots permettant de reconstituer quelques phrases, par exemple :

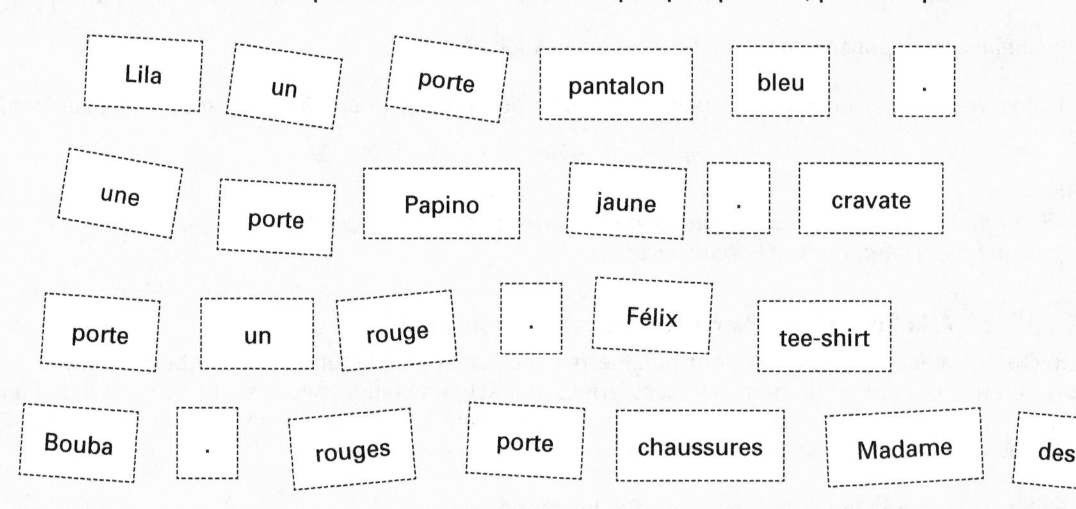

• Demandez aux enfants de remettre les étiquettes dans l'ordre pour former des phrases correctes. Faites valider par les élèves les choix proposés et demandez-leur de les justifier. Puis faites oraliser chaque phrase reconstituée.

On attirera l'attention des enfants sur l'accord (singulier ou pluriel) du « petit mot » *rouge* : *un tee-shirt rouge, des chaussures rouges.*

Remarque : En fonction des capacités de vos élèves, vous pourrez proposer les cartes-mots phrase par phrase, ou mêler les étiquettes de deux phrases, les élèves ayant alors davantage de choix lexicaux et grammaticaux à opérer.

Activité de soutien n° 9

■ Entraînement individuel. Associer un mot écrit à son dessin et à sa silhouette de mot.

• Distribuez la fiche et demandez aux enfants d'oraliser les mots écrits dans la colonne de gauche.

• Demandez-leur ensuite de colorier d'une même couleur un mot, le dessin qui lui correspond et sa silhouette. Ils devront ensuite écrire chaque mot dans sa silhouette.

■ Introduction des cartes-phrases : émotions et sensations.

Activité préparatoire à l'activité 1 page 46 du cahier d'activités.

Cartes-phrases

• Fixez au tableau les quatre cartes-phrases ci-dessous. Sans la nommer, mimez une des émotions ou sensations, par exemple la peur. Demandez à un élève de venir montrer la bonne phrase et de l'oraliser. Demandez-lui d'expliquer (L1) comment il a fait pour l'identifier (identification de lettres initiales, syllabes, suite de lettres...). Faites ainsi identifier chaque phrase.

Je suis fatigué !	Je suis triste !	J'ai peur !	Je suis en colère !

• Changez l'ordre des phrases, pointez une des phrases et demandez à vos élèves de mimer ce qui est écrit.

• **Jeu de Kim.** Changez à nouveau l'ordre des phrases. Demandez à vos élèves de fermer les yeux et retirez une des cartes. Demandez-leur d'ouvrir les yeux et de dire quelle carte manque : *Ouvrez les yeux ! Qu'est-ce qui manque ?*

• Prenez le temps de faire avec vos élèves le bilan des apprentissages réalisés au cours de l'unité 5. Cette mise à distance guidée leur permettra de s'engager de façon plus active dans leur apprentissage du français à travers :
une prise de conscience des savoir faire qu'ils ont développés et des progrès qu'ils ont réalisés ;
une mise en mots des difficultés qu'ils ont rencontrées.

• Dites à vos élèves (L1) que vous allez maintenant tous ensemble réfléchir à ce que vous avez fait et appris au cours de l'unité 5. Demandez-leur :
– ***Qu'est-ce que nous avons fait au cours de l'unité 5, vous vous rappelez... ?*** Recueillez leurs propositions.

– ***Qu'avez-vous appris <u>à faire</u> en français ?*** Engagez les enfants à exprimer ce qu'ils savent faire en termes d'« actes de paroles » ou d'« actions » ➜ Nommer des vêtements, décrire des personnes et dire ce qu'elles portent, présenter la famille de Rose et de Tilou, identifier le son [ɑ̃] *et* savoir l'écrire... Fabriquer un jeu de cartes des familles et jouer...

– ***Qu'est-ce que vous savez bien faire ? Qu'est-ce qui vous pose encore problème ?*** Guidez la réflexion des enfants, recueillez leurs réponses et rassurez celles et ceux qui rencontrent des difficultés : donnez des conseils en fonction des difficultés rencontrées.

• Pour terminer sur une note affective, demandez aux enfants :
– ***Qu'est-ce que vous avez particulièrement aimé faire dans l'unité 5 ?***

S'il y a des activités que certains élèves disent ne pas trop aimer faire, expliquez-leur en quoi elles sont utiles à l'apprentissage du français : pour apprendre à comprendre, à entendre, à prononcer...

Pour aller plus loin

Le monde du cirque

Dans les années 1970, le *nouveau cirque* fait son apparition en France. Ses spectacles souvent poétiques et fortement théâtralisés bousculent les images du cirque traditionnel. Parmi la vague de cirques novateurs, citons par exemple Archaos, le Cirque Plume ou le théâtre équestre Zingaro.

Le cirque traditionnel demeure cependant encore bien vivant. C'est le cas notamment du Cirque Arlette Gruss, dont les spectacles adoptent des costumes et des musiques proches de celles du Cirque du Soleil (cirque novateur québécois), tout en continuant à proposer des numéros traditionnels, en particulier des exercices de dressage d'animaux.

Depuis quelques années, les « écoles de cirque » pour enfants jouissent d'un réel engouement. Dès l'âge de 6 ans, nombreux sont les enfants qui participent à des ateliers extrascolaires d'éveil aux arts du cirque : acrobatie, jonglerie, apprentissage de l'équilibre, trapèze ou clownerie. Le cirque... Parents et enfants adorent !

Si vous souhaitez fournir à vos élèves davantage d'informations sur le cirque, rendez-vous sur les pages web suivantes :
http://www.cirque-gruss.com/ : Cirque Gruss. Vous trouverez sur ce site, outre l'affiche du spectacle en cours, de nombreuses vidéos présentant la vie du cirque Gruss ainsi que de nombreux et beaux extraits de spectacles où l'on voit jongleurs, dompteurs, trapézistes, clowns, funambules, acrobates en pleine action.

<u>http://www.cirqueplume.com/</u> : **Cirque Plume** : Vous trouverez sur ce site notamment des extraits de musique et de spectacles de ce nouveau cirque. Les spectacles sont poétiques, colorés et joyeux.

Unité 6 Vite, à l'école !

<table>
<tr><th colspan="2">Cadre narratif</th></tr>
<tr><td colspan="2">Nous voici à l'école de Lila ! Félix fait un reportage pendant la récréation. Dans la cour, les enfants s'adonnent avec passion à leurs jeux préférés.

Lila nous présente sa photo de classe et explique ce qu'elle apprend à l'école.

Enfin, voici la fête de l'école tant attendue ! Félix, Lila et leurs amis participent avec entrain… et gourmandise aux activités proposées.</td></tr>
<tr><th colspan="2">CONTENUS</th></tr>
<tr><td>Communication</td><td>– Identifier des jeux de cour de récréation
– Demander à un(e) camarade à quoi il / elle joue
– Dire à quoi on joue à la récré
– Identifier des personnes sur une photo de classe
– Dire ce qu'on fait en classe
– Dire ce qu'il y a dans son cartable
– Parler des activités de la fête de l'école
– Dire à quoi on aime jouer</td></tr>
<tr><td>Phonologie</td><td>Identifier la présence du phonème [y] ou du phonème [u] dans un mot</td></tr>
<tr><td>Observation / Structuration de la langue</td><td>– Utiliser On + verbe pour dire ce que l'on fait
– Utiliser à bon escient au, à la, à l', aux pour dire à quoi on joue</td></tr>
<tr><td>Découverte de l'écrit</td><td>– Prendre des informations dans un texte pour identifier des personnages
– Compléter le texte d'une chanson avec des mots qui riment
– Écrire l'emploi du temps de Lila
– Associer des mots à leur image (matériel du cartable)</td></tr>
<tr><td>Découvertes (inter)culturelles</td><td>L'école primaire ; La fête de l'école</td></tr>
</table>

Unité 6 Leçon 1 C'est la récré !

Au cours de cette leçon, les enfants vont :
• à l'oral :
– Identifier des jeux de cour de récréation
– Demander à un camarade à quoi il joue
– Dire à quoi ils aiment jouer

• à l'écrit :
– Prendre des informations dans un texte pour identifier des personnages
– Compléter le texte d'une chanson avec des mots qui riment

Matériel :
– Fiche photocopiable n° 14 : petites cartes-images « vêtements », les mêmes petites cartes-images que pour la leçon 3, unité 5 (Chanson *Promenons-nous dans les bois).*
– Cartes-images « cour de récré » n° 89 à n° 94

<u>Activités de différenciation</u> :
– À préparer : Cartes-phrases à compléter ; cartes-mots (jeux de cour de récré) ;
– Activité de soutien n° 10

LIVRE DE L'ÉLÈVE, p. 60 et 61

Pour commencer : Tilou s'habille !

Réactiver les apprentissages réalisés au cours de l'unité précédente : exprimer des émotions et des perceptions ; Dire ce que l'on met.

• Faites réécouter la chanson *Promenons-nous dans les bois pendant que Tilou n'y est pas* (CD 2, piste 23). Invitez quelques enfants à venir coller au tableau, dans l'ordre de la chanson, les vêtements que met Tilou. Faites nommer les vêtements, puis répéter les paroles de Tilou.

• Annoncez qu'aujourd'hui Tilou est un peu bizarre... et d'humeur très changeante ! Il est triste, puis fatigué, puis très en colère, et devient tout à coup très timide, puis à nouveau très joyeux...
Invitez les enfants à se lever, à chanter sur la version instrumentale (CD 2, piste 58) et à mimer en exprimant les différentes humeurs de Tilou. Après chaque refrain (*Tilou y es-tu ? Entends-tu ? Que fais-tu ?),* annoncez le sentiment à exprimer, par exemple *Tilou est très triste !* Dites en pleurant à chaudes larmes *Je mets mon tee-shirt vert !* Puis *Tilou est en colère !* Très en colère, vous grondez avec vos élèves : *Ahhh ! Je mets mon pantalon rouge !* Etc.

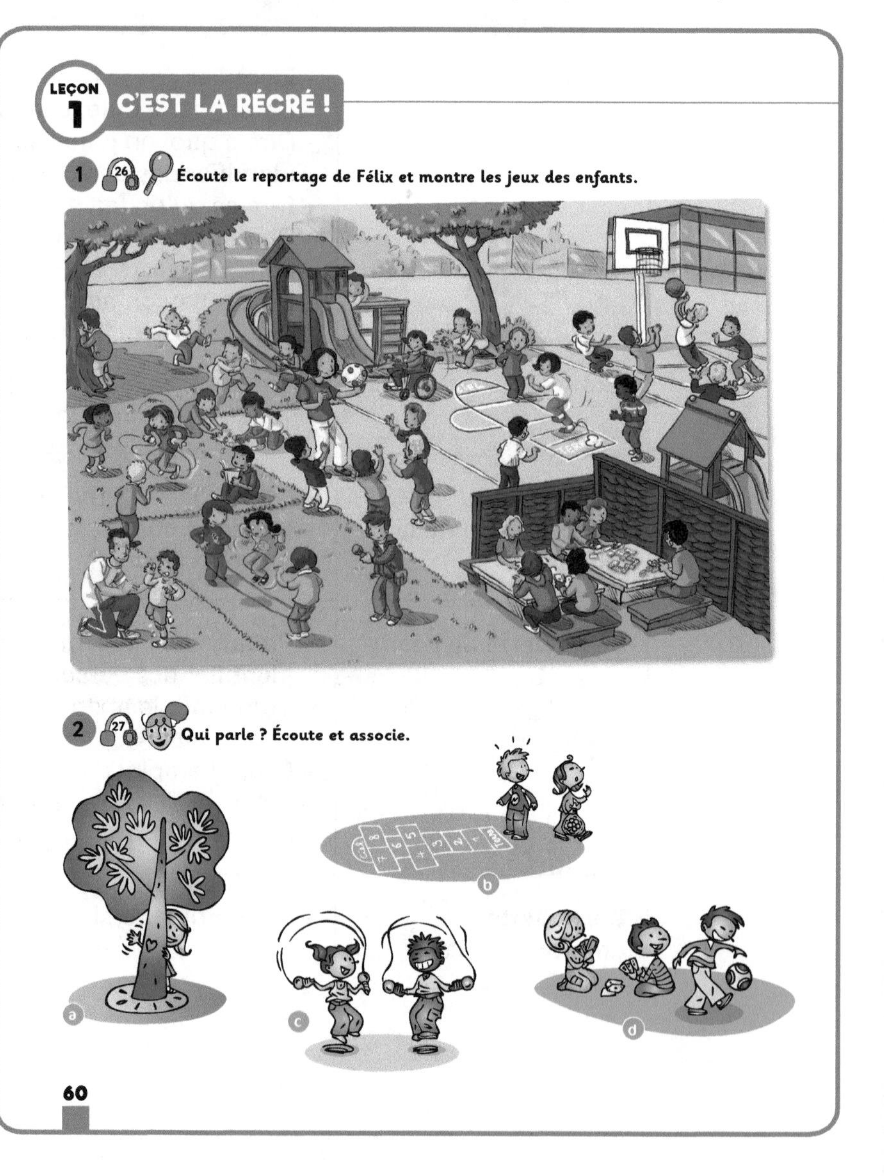

1 Écoute le reportage de Félix et montre les jeux des enfants.

Introduction du lexique : identifier en situation d'écoute active les jeux de cour de récréation ; Reproduction orale des nouvelles structures.

• Faites ouvrir le livre de l'élève à la page 60 et invitez les enfants à observer l'illustration de l'activité 1. Nous sommes à l'école et c'est l'heure de la récréation (la *récré* en langage enfantin). Félix fait un reportage. En premier plan, non loin de Félix, on voit Lila qui joue avec des camarades.

• Faites écouter le reportage de Félix et demandez aux élèves de pointer sur leur livre les différents jeux qu'il nous fait découvrir. Proposez 2 écoutes successives.

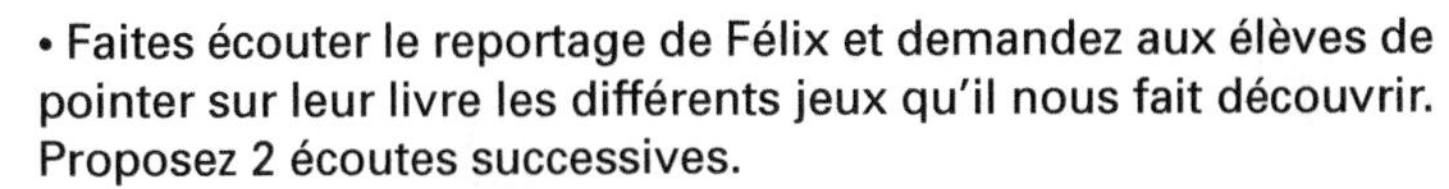

Les enfants seront en mesure d'identifier les différents jeux en partie grâce aux bruitages : petite comptine pour le jeu de l'élastique, bruits de pas qui sautillent ou de billes qui s'entrechoquent, comptages pour les jeux de marelle ou de cache-cache... Bien sûr, on ne leur dira pas avant l'écoute comment faire ! Il est important de les laisser eux-mêmes trouver la bonne stratégie d'écoute. Vous pourrez ensuite leur suggérer d'expliquer comment ils ont trouvé la bonne solution.

Cartes-images

• Écoute fragmentée. Dans un coin du tableau fixez préalablement en vrac les 6 cartes-images « jeux de récré ». Faites écouter et invitez quelques élèves à venir coller au tableau la bonne carte-image. Nommez successivement chaque jeu : *Lila joue à l'élastique* ; *Rose joue à la marelle* ; *Ils jouent aux billes ; Elles jouent à la corde à sauter ; Ils jouent à cache-cache ; Ils jouent aux dominos.*

• Reproduction et mémorisation. Au tableau, numérotez chaque carte-image de 1 à 6. Pointez et faites répéter plusieurs fois en veillant au bon respect de la prononciation. Progressivement retirez les cartes-images du tableau et ne montrez que leur emplacement matérialisé par les chiffres de 1 à 6. Les enfants continuent à nommer les différents jeux en faisant appel à leur mémoire visuelle. Pointez les numéros dans le désordre et terminez l'activité en demandant : *Numéro 2, à quoi joue Rose ?* ➜ *Rose joue à la marelle ! Numéro 6, à quoi jouent les enfants ?* ➜ *Ils jouent aux dominos !*

Script du CD  

– **Félix :** On est à l'école. Et c'est la récré !
– **Félix :** Voilà Lila...
– **Lila :** Yema yemassa, yemassa de pepilla, Yema yemassa, yemassa de pepilla...
– **Félix :** Lila joue à l'élastique.
– **Lila :** J'adore jouer à l'élastique Félix !

– **Rose :** 1, 2, 3, 4-5, 6, 7-8...
– **Félix :** Ah ! Rose joue à la marelle !

– **Félix :** Écoutez ! Un garçon et une fille jouent aux billes... Moi, j'aime bien jouer aux billes.

– **Une fille :** 23, 24, 25, 26...
– **Félix :** Vous jouez à quoi les filles ?
– **Une petite fille :** On joue à la corde à sauter !

– **Félix :** Et là...
– **Un garçon :** 15 - 16 - 17 - 18 - 19 - 20 ! J'arrive !...
– **Félix :** Ils jouent à... cache-cache !

– **Félix :** Ah, tiens ?! 3 enfants jouent aux dominos... Là, assis à une table...

  Qui parle ? Écoute et associe.

Compréhension orale : comprendre à quoi joue chaque enfant ; Reproduction orale : inviter quelqu'un à jouer / refuser une proposition.

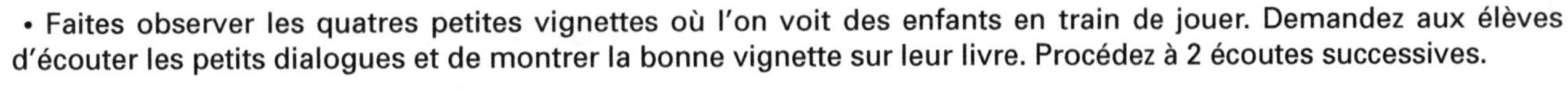

• Faites observer les quatres petites vignettes où l'on voit des enfants en train de jouer. Demandez aux élèves d'écouter les petits dialogues et de montrer la bonne vignette sur leur livre. Procédez à 2 écoutes successives.

• Écoute fragmentée. Pour chaque petit dialogue ou réplique, demandez de quelle vignette il s'agit et à quoi jouent les enfants : *C'est quelle vignette ? Ils / elles jouent à quoi ?*

• Reproduction orale. Procédez à une nouvelle écoute fragmentée et faites répéter / jouer chaque mini-dialogue ou réplique en veillant à ce que les enfants reproduisent la bonne intonation (interrogative ou affirmative), en exprimant :

- l'enthousiasme : – *Moi, j'aime jouer à la corde à sauter ! Toi aussi ? – Oui, moi aussi ! J'adore !*
- le refus dédaigneux : – *Tu joues aux cartes avec nous ? – Bof ! Les cartes, c'est nul ! Je préfère le foot ! / – Tu joues à la marelle avec moi Nina ? – Non merci, je joue aux billes !* (avec beaucoup de dédain dans la voix, mais on peut aussi s'entraîner à répondre de façon plus gentille !)

Script du CD et solutions 

– **Un garçon :** Moi, j'aime jouer à la corde à sauter ! Toi aussi ? – **Une fille :** Oui, moi aussi ! J'adore !	Vignette c
– **Une fille :** Hou hou ! hou hou ! Qui veut jouer à cache-cache avec moi ?	Vignette a
– **Une fille :** Tu joues aux cartes avec nous ? – **Un garçon :** Bof ! Les cartes, c'est nul ! Je préfère le foot !	Vignette d
– **Un garçon :** Tu joues à la marelle avec moi Nina ? – **Une fille :** Non merci ! Je joue aux billes !	Vignette b

• Expliquez en situation, grâce à une gestuelle appropriée, la signification de *Toi aussi, moi aussi, avec moi, avec nous.* Précisez également le sens de *Bof ! Les cartes, c'est nul !* qui appartient au registre familier et témoigne ici d'un mépris de la part de l'enfant envers la proposition de ses deux camarades.

• Proposez à vos élèves de jouer les petites scènes par petits groupes de deux ou trois.

3  Mime et réponds aux questions de tes camarades.

Production orale : demander à un camarade à quoi il joue ; Mimer.

• Faites observer les photos de l'activité 3 : une enfant mime un jeu, son camarade essaie de deviner à quoi elle joue en lui posant des questions : *Tu joues à l'élastique ?* ➜ *Non !* ... Proposez à vos élèves de faire la même chose.
Faites venir un enfant devant la classe et proposez-lui de mimer un jeu de son choix. Demandez, par exemple : *Tu joues aux billes ? Tu joues aux cartes ?* ➜ *Oui, je joue aux cartes.* Faites passer plusieurs enfants et invitez leurs camarades à poser des questions : *Tu fais du judo ? Tu joues à l'élastique ?...*

• Passez l'activité en relais, par paires : un élève mime, l'autre pose des questions et devine, puis on inverse les rôles. Déplacez-vous parmi les élèves pour les aider à formuler correctement leurs questions ou donner un peu d'inspiration à ceux qui en manqueraient. Les activités à mimer peuvent appartenir aux registres des jeux ou des activités sportives.

UNITÉ 6 ~ Vite, à l'école !

3 Mime et réponds aux questions de tes camarades.

Tu joues à l'élastique ?
Non !
Tu fais du ski ?
Non !
Tu joues à la marelle ?
Oui !

4 Chante avec Tilou !

Hip hop ! On est là !
Bouge-toi et lève les bras
À l'école, la récré
C'est le moment de jouer

Tu aimes jouer aux billes
Et tu t'appelles Camille
Tu joues à l'élastique
Toi tu t'appelles Yannick

Moi je m'appelle Gaëlle
J'aime jouer à la marelle
Et moi dit Timothée
À la corde à sauter

61

♦ Activité complémentaire. Et dans ton école, à quoi jouent les enfants à la récré ?

Éveil aux cultures : Mettre en regard les jeux de Lila et ses amis (en France) avec ses propres jeux pendant la récréation dans sa propre école.

• Demandez à vos élèves (L1) si, dans leur cour de récréation, les enfants jouent aux mêmes jeux que Lila et ses amis. Laissez les enfants s'exprimer et comparer les pratiques enfantines qui leur sont propres avec celles qu'ils découvrent dans cette première leçon de l'unité consacrée à l'école.

• Pour information : Dans les cours de récréation françaises, on trouve également des jeux qui ne sont pas mentionnés dans l'activité 1. Le foot remporte les suffrages de beaucoup de garçons. On y joue avec un ballon en mousse pour éviter les accidents ! On joue aussi beaucoup *au loup* (ou *loup glacé)* : le loup doit attraper quelqu'un qui devient loup à son tour. On échange parfois aussi des images de Pokémon, de footballeurs ou autres figurines. Le jeu des garçons qui attrapent les filles reste également un grand classique des cours de récréation...

Chante avec Tilou !

Réemployer dans une chanson les structures nouvellement apprises ; Dire à quoi on aime jouer.

• Faites écouter la chanson livre fermé. Comme il s'agit d'un rythme rapide de hip hop, proposez au moins deux écoutes. Après l'écoute, demandez aux enfants ce qu'ils ont compris (probablement les noms de différents jeux de cour de récréation, peut-être quelques prénoms...)

• Faites ouvrir le livre et décrire les illustrations : *Des enfants jouent à la marelle, à la corde à sauter, à l'élastique et aux billes. Tilou joue aussi à la corde à sauter.*

• Procédez à une écoute fragmentée. Faites scander le texte en chœur en le rythmant vers par vers. Puis chantez en incitant vos élèves à bouger à la façon des danseurs de hip hop (ils sauront certainement comment faire !). Expliquez : *C'est le moment de jouer.* Attirez l'attention des enfants sur les rimes entre le nom des jeux et les prénoms : Tu *aimes jouer aux billes / Et tu t'appelles Camille.* Demandez quels sont les jeux et les prénoms qui riment entre eux.

Variante : Répartissez la classe en 4 groupes, chaque groupe prenant en charge 2 vers de chaque couplet.

- Groupe 1 : *Tu aimes jouer aux billes et tu t'appelles Camille* (chanter en s'adressant à un / e « Camille » fictive et en le / la désignant du doigt.)
- Groupe 2 : *Tu joues à l'élastique, toi, tu t'appelles Yannick* (chanter en désignant du doigt un « Yannick » fictif.)
- Groupe 3 : Moi je m'appelle Gaëlle. J'aime jouer à la marelle (chanter doigt pointé sur sa propre poitrine.)
- Groupe 4 : Et moi dit Timothée, à la corde à sauter (chanter doigt pointé sur sa propre poitrine.)

Le refrain est chanté en chœur par les 4 groupes.

Script du CD 

Hip hip hop ! On est là !
Bouge-toi et lève les bras
À l'école, la récré
C'est le moment de jouer
} Refrain

Tu aimes jouer aux billes
Et tu t'appelles Camille
Tu joues à l'élastique
Toi, tu t'appelles Yannick

Moi je m'appelle Gaëlle
J'aime jouer à la marelle
Et moi dit Timothée
À la corde à sauter

Pour information : Camille est un prénom mixte, Yannick et Timothée sont des prénoms masculins ; Gaël est également un prénom mixte, il est écrit au féminin dans la chanson.

CAHIER D'ACTIVITÉS, p. 50 et 51

Activité 1 26 Bingo des jeux ! Écoute et joue avec tes camarades.

Compréhension orale : identifier les jeux pour jouer au Bingo.

• Faites ouvrir le cahier d'activités à la page 50. Demandez aux enfants de dire ce qu'ils voient sur la grille de jeu. Dans chaque case, un enfant joue à un jeu ou fait une activité. Faites nommer les différents jeux, notamment *Il joue à la poupée* et *elle joue à l'ordinateur* (vos élèves les auront peut-être déjà rencontrés dans *l'unité Jours de fêtes, leçon 1 Joyeux Noël*).

• Demandez aux enfants de choisir une des trois lignes de la grille et de l'entourer au crayon à papier.
Consigne de jeu : *Écoutez le CD ! Si vous entendez un jeu qui est sur votre ligne, faites une petite croix sur la case !* L'enfant qui le premier fait 5 croix sur sa ligne crie *Bingo !* Afin de vérifier qu'il ne s'est pas trompé, faites-lui nommer les 5 différents jeux et comparez-les à ceux de l'enregistrement. Si tout va bien, il est déclaré *Champion du Bingo !* On le félicite : *Bravo, tu as gagné !*
Si l'enregistrement n'est pas terminé, continuez à jouer avec le reste de la classe... pour le plaisir !

• Vous pourrez réutiliser cette grille de Bingo pour de nouvelles parties de jeu. Photocopiez préalablement la grille, découpez les quinze petites vignettes et mettez-les dans votre *sac à malices*. Une nouvelle partie pourra commencer ! Sortez les vignettes une à une, sans les montrer, et nommez-les : *Il joue à cache-cache... Ils jouent au Memory...*

LEÇON 1 C'EST LA RÉCRÉ !

1 26 Bingo des jeux ! Écoute et joue avec tes camarades.

2 Relie.

Il joue aux billes.
Il joue à cache-cache.
Elle joue à la marelle.
Ils jouent aux dominos.
Elles jouent à l'élastique.
Il joue à la corde à sauter.

50

Script du CD 26

– Elle joue au basket... Elle joue au basket...
– Ils jouent aux dominos... Ils jouent aux dominos...
– Elle fait du skateboard... Elle fait du skateboard...
– Ils jouent au Memory... Ils jouent au Memory...
– Il fait du vélo... Il fait du vélo...
– Elle joue à l'ordinateur... Elle joue à l'ordinateur...
– Ils jouent aux cartes... Ils jouent aux cartes...
– Elle fait du foot... Elle fait du foot...
– Ils jouent aux billes... Ils jouent aux billes...
– Elle joue à la marelle... Elle joue à la marelle...
– Il joue à la poupée... Il joue à la poupée...
– Ils jouent à Jacques a dit... Ils jouent à Jacques a dit...
– Ils jouent à l'élastique... Ils jouent à l'élastique...
– Il joue au ballon... Il joue au ballon...
– Il joue à cache-cache... Il joue à cache-cache...

 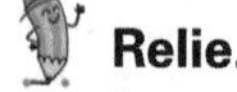

Activité 2 Relie.

Compréhension écrite : mettre en relation une légende et son illustration.

• Les enfants devront lire les phrases « dans leur tête », puis relier les phrases aux dessins.

• Vérification collective. Invitez quelques enfants à oraliser les petites phrases et à montrer à quel dessin elles correspondent. Attirez l'attention de vos élèves sur les marqueurs grammaticaux muets, par exemple : *Ils jouent aux dominos* ; *Elles jouent à la corde à sauter* que l'on voit, mais qui ne se prononcent pas.

→ ACTIVITÉS DE SOUTIEN : page 226

Activité 3  Qui est qui ? Lis les petits textes, écris le prénom de chaque enfant, puis colorie.

Compréhension écrite : prendre des informations dans un texte pour identifier des personnages ; Exercer des compétences de déduction logique.

• Laissez les enfants observer silencieusement l'activité, puis faites expliquer (L1) ce qu'il faudra faire. Précisez avec eux les étapes de réalisation de la tâche :

– Observer les dessins / – Lire « dans sa tête » les petits textes / – Sélectionner les informations pour trouver comment s'appelle chaque enfant / – Écrire le prénom de chaque enfant dans son étiquette.

• Lorsque les enfants ont terminé, invitez-les à comparer leur résultat avec leur voisin(e) et à s'entendre sur un même résultat. Ils devront pour cela chercher dans le texte les informations leur permettant de justifier leurs propositions.

• Vérification collective. Projetez le texte au tableau (ou fixez une reproduction sur affiche). Demandez aux élèves comment s'appelle chaque enfant représenté. Invitez-les à justifier leurs propositions en venant entourer sur le texte les informations qui leur permettent de retrouver qui est qui. Choisissez 4 couleurs différentes (une par personnage). Faites oraliser, puis comparer avec le dessin.

• Invitez les enfants à relire « dans leur tête » les informations concernant chaque personnage et à colorier les dessins en fonction des informations lues. Vérifiez en passant parmi les enfants que les coloriages correspondent bien aux informations données dans le texte.

UNITÉ 6 ~ Vite, à l'école !

3 **Qui est qui ? Lis les petits textes, écris le prénom de chaque enfant, puis colorie.**

Lou joue à la corde à sauter avec **Sacha**. **Lou** porte une jupe jaune et un tee-shirt orange. **Sacha** porte un pantalon rouge et un tee-shirt bleu. **Elle** a des lunettes rouges.	**Alix** joue aux billes avec **Samir**. **Elle** porte un short vert et un tee-shirt rose. **Samir** porte un short rouge et un tee-shirt jaune. **Il** aime le chocolat.

4 **Au pays des rimes ! Aide Tilou à écrire sa chanson.**

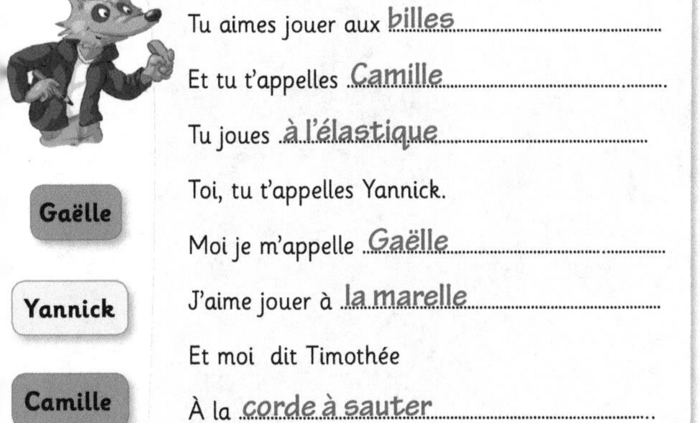

Tu aimes jouer aux billes
Et tu t'appelles Camille
Tu joues à l'élastique
Toi, tu t'appelles Yannick.
Moi je m'appelle Gaëlle
J'aime jouer à la marelle
Et moi dit Timothée
À la corde à sauter
Hip hip hop.....

51

Activité 4 Au pays des rimes ! Aide Tilou à écrire sa chanson.

Compléter un texte avec des mots qui riment ; Rythmer un texte.

Il s'agit ici d'aider Tilou à écrire les paroles de sa chanson (la chanson est déjà connue à l'oral, mais certainement pas encore complètement mémorisée). Les éléments manquants – jeux et prénoms d'enfants – riment entre eux et sont illustrés à droite du texte.

• Invitez les enfants à compléter le texte (sans regarder sur le livre de l'élève !). Les choix ne peuvent pas être aléatoires : ils sont imposés par la rime avec les prénoms Yannick et Timothée, présents dans le texte, ainsi que par les petits mots *aux*, *à la*.
Faites vérifier l'orthographe des mots à l'aide des phrases de l'activité 2 page 50.

• Vérification collective. Proposez à quelques élèves de lire (ou chanter) la chanson dont ils viennent d'écrire le texte. Recueillez différentes propositions. Faites valider ou non par la classe les propositions faites.
On remarquera que les rimes qui se prononcent de la même façon peuvent s'écrire différemment : élasti<u>que</u> / Yan<u>nick</u> ; corde à sau<u>ter</u> / Timo<u>thée</u> ; récr<u>é</u> / jou<u>er</u> ; l<u>à</u> / br<u>as</u>

• Validation finale. Faites réécouter la chanson.

Unité 6 Leçon 2 La photo de classe

Au cours de cette leçon, les enfants vont :

• à l'oral :
– Identifier des personnes sur une photo
– Dire ce qu'ils font à l'école : *on fait du français, de la musique, de l'espagnol, des maths...*
– Structurer le temps : *le matin ; l'après-midi ; d'abord ; après.*
– Identifier la présence du phonème [y] dans un mot

• à l'écrit :
– Compléter l'emploi du temps de Lila
– Associer un mot à son illustration (objets du cartable)

Matériel :
– Cartes-images « sport » n° 58 à 63 ; Cartes-images « jeux de récréation » n° 89 à 94
– Cartes-images : « objets du cartable » n° 95 à 102 ; n° 37 (pomme) ; n° 46 (gomme)
– Cartes-images « Maison des sons » : n° 103 (tortue) ; n° 22 (poule)
– Fiche photocopiable n° 16

Activités de différenciation :
– À préparer : cartes-mots « le matériel de l'écolier »
– Activité de soutien n° 11

LIVRE DE L'ÉLÈVE, p. 62 et 63

Pour commencer : Je lis sur tes lèvres !

Réactiver les apprentissages réalisés au cours de l'unité précédente : dire ce que l'on fait, à quoi on joue.

Cartes-images

• Affichez en vrac au tableau la série de cartes-images « Jeux de récréation » et la série « Sport ». Faites nommer : *Elle joue à la marelle... Il fait du ski...*

• Placez-vous en face de vos élèves. En articulant distinctement mais sans émettre un seul son, dites par exemple : *Je veux jouer à la marelle !* Les élèves observent les mouvements de vos lèvres et réagissent : *Tu veux jouer à la marelle !* Pointez alors la carte-image au tableau et dites : *Oui, je veux jouer à la marelle !* Donnez ainsi plusieurs exemples (*Je veux faire du basket... Je veux jouer aux billes...*), puis passez l'activité en relais à quelques élèves qui deviendront meneurs de jeu.

• Proposez à vos élèves de faire l'activité par paires.

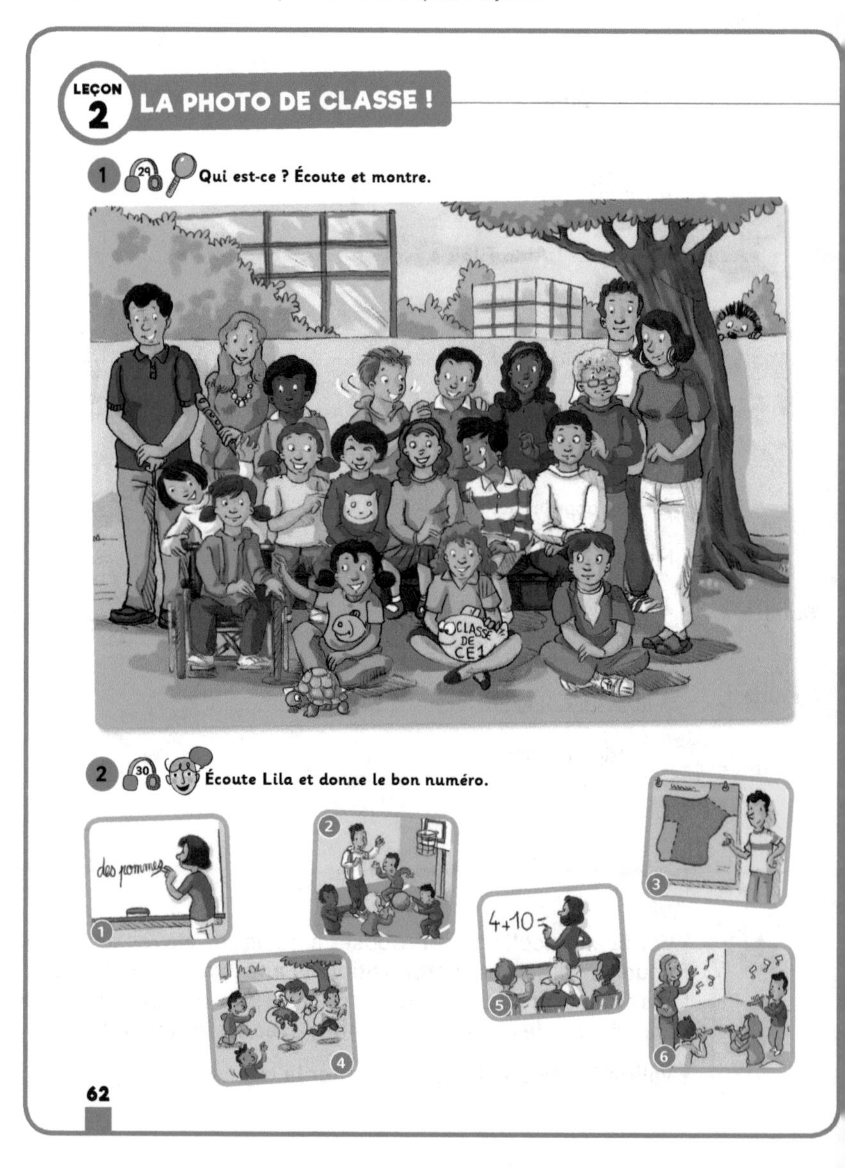

1 029 Qui est-ce ? Écoute et montre.

Identifier quelqu'un.

• Invitez les enfants à observer l'illustration de l'activité 1 et à dire ce qu'ils voient. C'est la photo de classe de Lila. On voit des enfants et des enseignants... et Pic Pic.

• Attirez l'attention de vos élèves sur la pancarte en forme de poisson. On y lit : *Classe de CE1.* Expliquez (L1) que la classe de CE1, (Cours Élémentaire première année) est la deuxième classe de l'école élémentaire. En France, on entre à l'école élémentaire à 6 ans, au Cours préparatoire (CP). Au CE1, les enfants ont généralement entre 7 et 8 ans.
On remarquera aussi que contrairement à beaucoup d'autres pays, les enfants ne portent pas d'uniforme à l'école.

• Faites émettre des hypothèses sur les différentes personnes qui sont sur la photo. Introduisez le mot *maîtresse*[1] et demandez à vos élèves de montrer qui à leur avis est la maîtresse de Lila : *Où est la maîtresse de Lila ?* Recueillez les propositions, sans toutefois les valider.

• Faites écouter le CD une première fois. Demandez aux élèves : *Qui parle ?* Lila présente la photo de sa classe à Félix et à Madame Bouba.

• Proposez une seconde écoute. Invitez vos élèves à pointer sur leur livre les différentes personnes que Lila présente : *Écoute et montre.*

• Écoute fragmentée. Faites pointer et nommer chaque personnage : *les copines et les copains de Lila – la maîtresse – Monsieur Moulin, le professeur de sport – Julie, la professeure de musique* (avec sa *flûte) – Luis, le professeur d'espagnol – Lulu, la tortue.*
Les enfants reconnaissent les différents personnages à travers la description de leurs vêtements ou leur situation dans l'espace (*derrière la maîtresse ; devant Lila...).* Expliquez *Tu **apprends** l'espagnol* en disant *: Vous apprenez le français et Lila apprend l'espagnol !*
Veillez à la bonne prononciation du [y] de *Lulu* et *tortue.*

Script du CD 
– **Félix :** C'est ta classe, Lila ?
– **Lila :** Oui, Regardez... Là, c'est moi ! Et voilà mes copines et mes copains !
– **Bouba :** Ah oui ! Et là, la dame avec le tee-shirt rouge, qui est-ce ?
– **Lila :** Avec le tee-shirt rouge, c'est ma maîtresse ! Et, derrière ma maîtresse, c'est Monsieur Moulin, le professeur de sport.
– **Félix :** Et là, avec la flûte, c'est... ta professeure de musique !
– **Lila :** Oui, c'est Julie, on fait de la musique avec Julie.
– **Bouba :** Et ce beau garçon avec le pantalon vert... ?
– **Lila :** Ah là, c'est Luis, on fait de l'espagnol avec Luis. Buenos días Bouba ! Que tal ?
– **Bouba :** Ah ! Tu apprends l'espagnol à l'école Lila ! C'est super !
– **Félix :** Mais... Là !? Devant toi Lila ... Qu'est-ce que c'est !?
– **Lila :** Ah, là ! C'est Lulu !! Lulu, la tortue de la classe !

Écoute Lila et donne le bon numéro.

Compréhension orale : identifier différentes disciplines enseignées à l'école primaire.

• Invitez les enfants à observer les six vignettes de l'activité 2 : On y voit diverses scènes de vie de classe. Faites écouter l'enregistrement et pointer au fur et à mesure la bonne vignette.

• Écoute fragmentée. Faites écouter chaque mini-séquence et demandez : *C'est quel numéro ? Qu'est-ce que Lila et ses camarades font ?* Réponse attendue, par exemple ➔ *C'est le numéro 5. (Ils font) des maths.*

• Procédez à une nouvelle écoute fragmentée. Attirez l'attention de vos élèves sur ce que dit Lila : ***On fait** des maths... **On fait** du sport...* Expliquez que lorsque Lila dit : *On fait des maths*, elle parle d'elle et de ses camarades de classe. *On* signifie *moi et d'autres personnes*. Donnez des exemples tirés de la vie de votre classe de français : *On apprend le français... On écoute le CD... On joue au Bingo... On chante avec Tilou...*

Dans le langage enfantin oral, *on* est plus présent que *nous* qui appartient à un registre de langue plus formel.

Script du CD 030	
– **La maîtresse :** 4 + 10 = ?.... Hugo ? – **Un garçon :** Euh... 14 ! – **La maîtresse :** Très Bien ! 5 + 9... – **Lila :** Là, on fait des maths avec la maîtresse.	Vignette 5
– **Le professeur de sport :** Les bleus, les verts, attention, c'est parti ! – **Des enfants :** À moi ! Vas-y ! À moi ! Oui ! Vas-y ! – **Lila :** Là, on fait du sport avec monsieur Moulin.	Vignette 2
– **La professeure de musique :** Attention les enfants, encore une fois ! : Do, ré, mi, fa, fa... – **Lila :** On fait de la musique, on joue de la flûte !	Vignette 6
– **Lila :** Oh, j'adore ! C'est la récré !	Vignette 4
– **La maîtresse :** Des pommes... On écrit « pommes » avec « s »... – **Lilw :** Chut ! Là, on fait du français avec la maîtresse.	Vignette 1
– **Le professeur d'espagnol :** Buenos dias ! Me llamo Luis, cóme te llamas ? – **Lila :** Me llamo Lila ! On fait de l'espagnol avec Luis !	Vignette 3

Si vous le souhaitez, proposez maintenant les activités 1 et 2, page 52 du cahier d'activités (décrites ci-après).

[3] Les enfants appellent *maître* ou *maîtresse* les professeurs des écoles maternelle et élémentaire, en charge de la classe.
En général, le *maître* ou la *maîtresse* enseigne dans sa classe toutes les disciplines : les maths, le français, les sciences, le sport...
Il est toutefois fréquent que des professeurs extérieurs prennent en charge certaines disciplines, comme par exemple le sport, la musique ou les langues étrangères...

3   Écoute Lila et dis ce qu'elle met dans son cartable.

Identifier / nommer ce qu'il y a dans un cartable d'écolier ; Utiliser en contexte *mon, ma, mes.*

• Faites observer l'illustration : c'est le bureau (table de travail) de Lila. Demandez aux enfants de dire ce qu'il y a sur le bureau : *Qu'est-ce qu'il y a sur le bureau de Lila ?* Réponse attendue ➜ *Il y a une pomme, des billes... Il y a un cahier, des livres...* Incitez vos élèves à utiliser ***Il y a...***

Ce vocabulaire fait partie de la vie de votre classe et vos élèves le connaissent certainement déjà en partie. Vous pouvez faire le choix de laisser découvrir le vocabulaire encore méconnu à travers l'écoute du document audio ou l'introduire avant.

• Annoncez que Lila prépare son cartable pour aller à l'école. Faites écouter le CD, demandez aux enfants d'observer l'illustration et de pointer au fur et à mesure ce que Lila met dans son cartable. Proposez 2 écoutes, puis demandez : *Qu'est-ce que Lila met dans son cartable ?* ➜ *Elle met un cahier...* Recueillez toutes les propositions, sans les valider.

Cartes-images

• Vérification. Écoute fragmentée. Faites répéter l'énumération d'objets faite par Lila : *Je mets dans **mon** cartable : **mon** livre de maths, ... **mes** ciseaux... ... **ma** flûte...* Faites coller les cartes-images correspondantes au tableau.

• Expliquez le mot *goûter :* Le *goûter* désigne initialement le petit encas que l'on prend vers 4 ou 5 heures de l'après-midi. Les écoliers prennent dans leur cartable un petit *goûter* qu'ils mangent à la récréation du matin ou de l'après-midi.

• Demandez enfin : *Qu'est-ce que Lila **ne** met **pas** dans son cartable ?* ➜ *Elle ne met pas les billes et elle ne met pas le livre « Un fantôme au parc ».*

UNITÉ 6 Vite, à l'école !

3 Écoute Lila et dis ce qu'elle met dans son cartable.

4 Trouve 10 mots où tu entends [y] comme dans . Écoute pour vérifier.

La boite à sons de Pic Pic le hérisson

63

Script audio

– **Lila :** Alors, je mets dans mon cartable : mon livre de maths, mon livre d'espagnol, mon cahier, ma trousse avec mes crayons, mon stylo rouge et mon stylo bleu, ma gomme, ma règle, mes ciseaux, ma flûte... et une pomme pour le goûter !

♦ **Activité complémentaire.** ***Et toi, qu'est-ce que tu as dans ton cartable ?***

Production orale : dire ce que l'on a dans son cartable.

• **Micro-trottoir.** Posez la question à vos élèves avec à la main un micro - fictif ou réel. Faites passer le « micro » de main en main, pour qu'un grand nombre d'enfants puissent prendre la parole et s'interviewer : *Qu'est-ce que tu as dans ton cartable ?* ➜ *J'ai un cahier de français, une trousse,... Dans ma trousse, il y a des crayons, une gomme,...*

Si vous en avez la possibilité, enregistrez vos élèves ! Ils seront à la fois étonnés et ravis d'entendre leur propre voix en français !

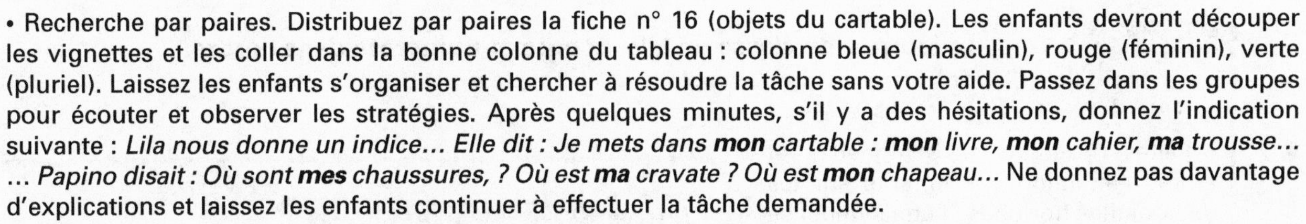

♦ **Activité complémentaire. Réfléchis : *le, la* ou *les* ?**

Consolidation de la notion de genre : choisir le bon déterminant.

Fiche photocopiable n° 16

• Recherche par paires. Distribuez par paires la fiche n° 16 (objets du cartable). Les enfants devront découper les vignettes et les coller dans la bonne colonne du tableau : colonne bleue (masculin), rouge (féminin), verte (pluriel). Laissez les enfants s'organiser et chercher à résoudre la tâche sans votre aide. Passez dans les groupes pour écouter et observer les stratégies. Après quelques minutes, s'il y a des hésitations, donnez l'indication suivante : *Lila nous donne un indice… Elle dit : Je mets dans* ***mon*** *cartable :* ***mon*** *livre,* ***mon*** *cahier,* ***ma*** *trousse…* … *Papino disait : Où sont* ***mes*** *chaussures, ? Où est* ***ma*** *cravate ? Où est* ***mon*** *chapeau…* Ne donnez pas davantage d'explications et laissez les enfants continuer à effectuer la tâche demandée.

Cartes-images

• Mise en commun. Tracez un tableau avec 3 colonnes : rouge, bleue, verte. Proposez à quelques élèves de venir coller les différentes cartes-images dans la bonne colonne. Ne validez pas vous-même les propositions, mais demandez l'avis de la classe et faites justifier (Justification possible : *Lila dit : mon livre de maths… Alors c'est bleu – masculin : le livre de maths*).

• Validation finale. Faites réécouter l'enregistrement. En fonction de *mon, ma* ou *mes,* on fixera les images dans la bonne colonne. Lila dit *mes crayons,* il faudra donc décider si au singulier on dit *le* ou *la crayon*. Les enfants pourront le vérifier dans le livre de l'élève à la page 47 – *Jeu du bonhomme*. En revanche, on notera qu'on dit toujours les ciseaux. On fixera la carte-image « ciseaux » dans la colonne verte, en l'entourant de bleu pour signifier que ce mot est masculin-pluriel.

 **Trouve 10 mots où tu entends [y] comme dans**  **. Écoute pour vérifier.**

Phonologie : Identifier la présence (ou non) du phonème [y] dans un mot ; Vocabulaire : réactiver un vocabulaire connu.

• Faites observer l'illustration de l'activité 4 – la salle de classe de Lila – et annoncez aux enfants qu'ils vont avec Pic Pic partir à la recherche du son [y] comme dans *tortue* et *Lulu*. Demandez-leur d'abord de chercher individuellement, « dans leur tête ». Après quelques minutes, invitez-les à faire le point avec leur voisin(e).

• Mise en commun. Recueillez toutes les propositions des élèves, sans chercher vous-même à les compléter ou les valider.

• Vérification. Faites écouter le CD et faites pointer au fur et à mesure sur l'illustration les mots où on entend [y]. Faites prononcer. En fonction de L1, la prononciation du phonème [y] peut s'avérer difficile. Pour la faciliter, jouez à imiter le son aigu d'une sirène Ti tu Ti tu Ti tu… ([ti] [ty]) : lèvres étirées pour le [i], lèvres arrondies, à peine entr'ouvertes et projetées en avant pour le [y].

• Cherchez l'erreur ! Une erreur s'est glissée dans l'illustration… Si les enfants ne la trouvent pas, invitez-les à regarder du côté de l'activité de calcul !

Script du CD 

Tu entends [y] dans : une tortue, des chaussures, une jupe, un pull, des lunettes, le calcul, la musique, une flûte, le judo, des légumes.

Activité 1 27 La journée de classe de Lila. Écoute et numérote dans l'ordre.

Compréhension orale : ordonner l'emploi du temps d'une journée de classe ; Structuration du temps : *le matin ; l'après-midi ; d'abord ; après.*

• Faites observer les 8 vignettes et attirez l'attention des enfants sur les deux petites horloges : l'une symbolise le *matin*, de 8 h 30 à 11 h 30, l'autre symbolise *l'après-midi* de 13 h 30 à 16 h 30.
Lila nous explique sa journée de classe. Faites écouter le CD et numéroter dans l'ordre chronologique, de 1 à 8, les différentes activités du matin et de l'après-midi. Procédez à deux écoutes.

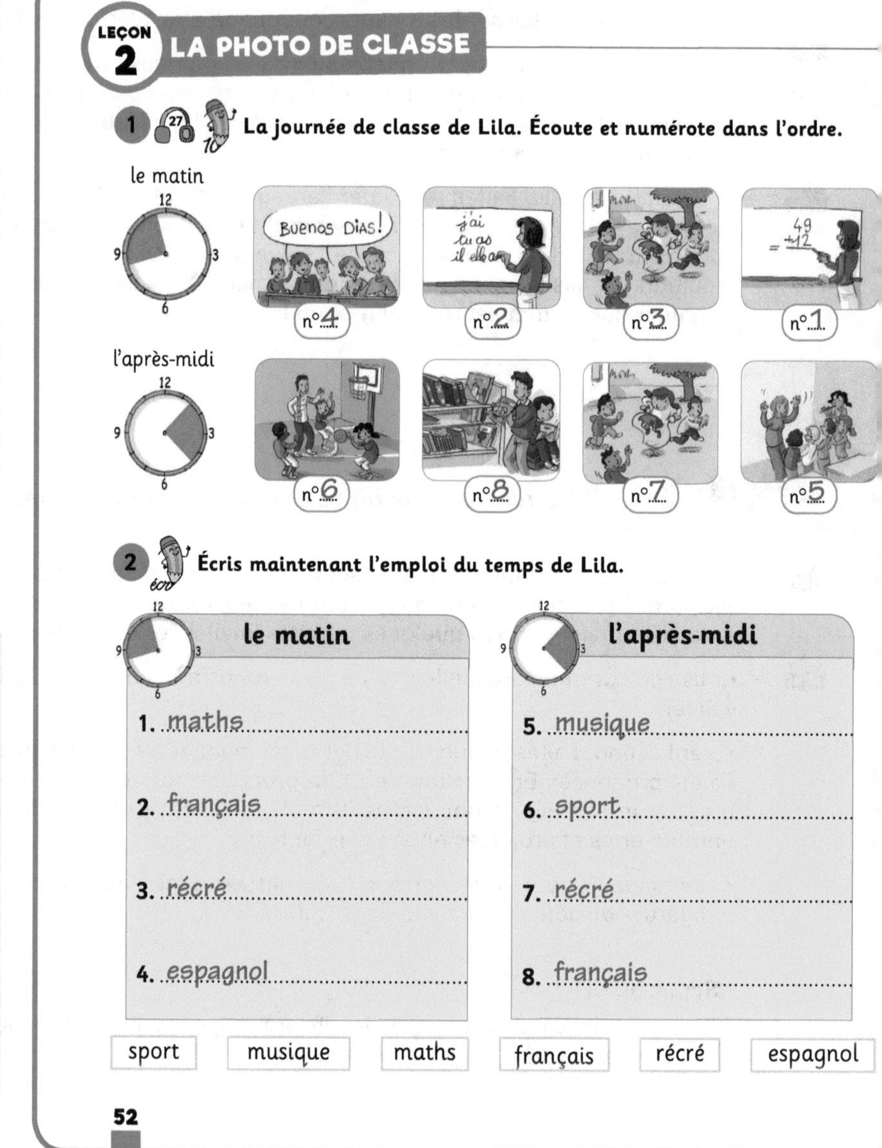

• Mise en commun. Demandez aux enfants de nommer dans l'ordre les activités de Lila : ***Le matin,*** *qu'est-ce que Lila fait* ***d'abord*** *?* Réponse attendue ➜ *Elle fait des maths / Elle a maths. Qu'est-ce qu'elle fait* ***après ?*** ➜ *Après, elle fait du français.* ***Et après ?*** *...* ***Et l'après-midi ?*** *...*

• Vérification. Faites réécouter le CD.

Script du CD 27
Lila :
Ce matin, d'abord, on a « maths »...
Après, on a « français »...
Et après, c'est la récré !
Après la récré... on fait de l'espagnol avec Luis.

Cet après-midi, on fait de la musique.
Moi, je joue de la flûte !
Après, on a « sport » avec monsieur Moulin. On fait du basket.
Après le sport, c'est la récré.
Après, on a encore français, on va à la bibliothèque, on lit des livres.

• Expliquez à vos élèves (L1) qu'en France, la plupart des enfants vont à l'école primaire les lundi, mardi, jeudi et vendredi. Les horaires d'une journée de classe à l'école maternelle ou élémentaire sont généralement les suivants : le matin de 8 h 30 à 11 h 30 et l'après-midi de 13 h 30 à 16 h 30. En milieu de matinée et en milieu d'après-midi, il y a une récréation d'environ 15 minutes. Dans la période de midi, certains enfants rentrent déjeuner à la maison, d'autres déjeunent à la cantine.

Activité 2 Écris maintenant l'emploi du temps de Lila.

Production écrite : compléter l'emploi du temps d'une journée.

• Il s'agit ici de transcrire par écrit les informations recueillies au cours de l'activité précédente. Les élèves devront donc mettre en relation les vignettes numérotées dans l'ordre chronologique et les différentes étiquettes-mots (disciplines), puis les écrire en face du bon numéro. Procédez à une vérification individuelle.

→ ACTIVITÉS DE SOUTIEN : page 227

Activité 3 **Colorie en jaune ce qu'il y a dans le cartable de Pirouette. Colorie en vert ce qu'il y a dans le cartable de Pic Pic.**

Compréhension écrite : identifier le contenu d'un cartable et associer une étiquette-mot à une image.

• Proposez à vos élèves de lire « dans leur tête » la consigne puis de l'expliquer. Reformulez : Il faudra colorier en vert les étiquettes-mots correspondant au contenu du cartable de Pirouette et en jaune les étiquettes-mots correspondant au contenu du cartable de Pic Pic. Ne faites pas oraliser préalablement le contenu de chaque cartable.

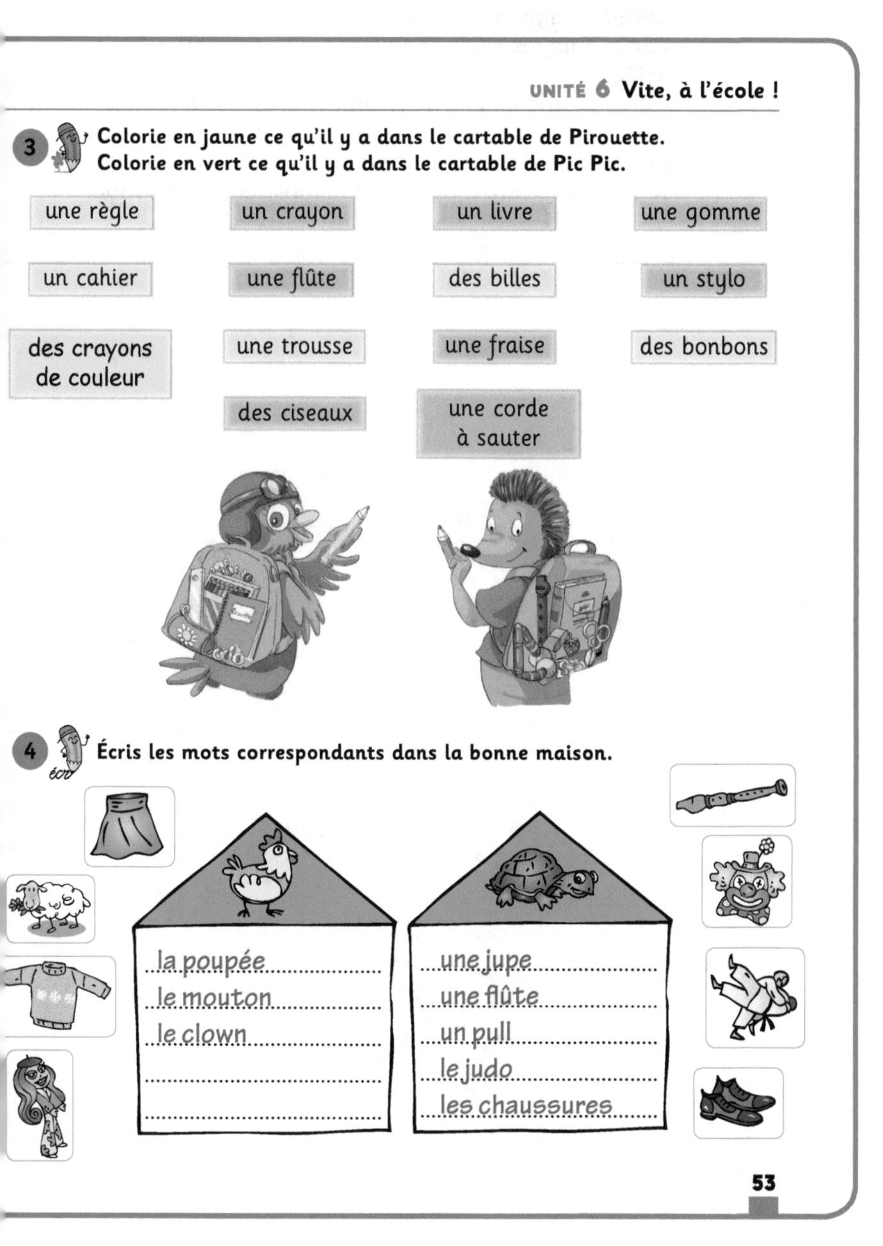

• Vérification collective. Demandez :

– Q*u'est-ce qu'il y a dans le cartable de Pirouette ? Vous avez colorié quels mots en jaune ?* ➜ *Des crayons de couleur, une trousse, un cahier, des billes, une règle, des bonbons.*

– Q*u'est-ce qu'il y a dans le cartable de Pc Pic ? Vous avez colorié quels mots en vert ?* ➜ *Un crayon, des ciseaux, une gomme, un stylo, une flûte, un livre, une corde à sauter, une fraise.*

Activité 4 **Écris les mots correspondants dans la bonne maison.**

Phonie-graphie : discriminer les phonèmes [y] et [u] ; Écrire les mots où on entend [y], écrire des mots où on entend [u].

• Invitez les enfants à regarder les 2 maisons. Précisez clairement les étapes de la tâche :

– Regarder chaque vignette, écouter le mot correspondant « dans sa tête ».

– Si on entend [y], écrire le mot dans la maison de la tortue, si on entend [u], écrire le mot dans la maison de la poule.

Précisez enfin que tous les mots ont déjà été rencontrés à l'écrit. S'il y a des doutes sur l'orthographe, il faudra donc vérifier dans les activités du cahier d'activités ou dans *Mon petit dictionnaire*.

Laissez vos élèves retrouver eux-mêmes dans quelle unité du cahier les mots ont été rencontrés. Rechercher soi-même où et quand on a appris quelque chose fait partie des premiers pas vers l'autonomie et permet de rendre l'apprentissage actif et conscient.

Cartes-images

• Mise en commun. Dessinez les deux maisons au tableau. Collez sur le toit de chacune la carte-image « tortue » ou la carte-image « poule ». Demandez aux élèves de dire quels mots il y a dans chaque maison. Vous pouvez leur proposer de vous les dicter en les épelant ou inviter quelques enfants à venir écrire les mots dans la bonne maison. Leurs camarades veillent à la correction de l'orthographe.

• Faites souligner la lettre qui fait le son [y] dans la maison de la tortue : une jupe, une flûte, un pull, le judo, les chaussures. Attirez l'attention des enfants sur le premier « u » de chaussures qui fait partie du graphème « au » / [o] et que l'on n'entend pas. Faites souligner les lettres qui font le son [u] dans la maison de la poule : la poupée, le mouton, le clown.

• Récapitulez et faites une nouvelle fois prononcer les mots de chaque maison.

Unité 6 Leçon 3 *C'est la fête de l'école !*

Au cours de cette leçon, les enfants vont :
• à l'oral :
– Identifier les activités d'une fête de fin d'année à l'école
– Dire à quoi ils aiment jouer et ce qu'ils aiment faire ; demander à des camarades ce qu'ils aiment faire

• à l'écrit :
– Utiliser à bon escient *au, à la, à l', aux*

Matériel :
– Cartes-images « jeux » n° 104 à 113 + n° 28 (ballon)
– Cartes-images « Chanson *Dans mon cartable* » n° 114 à 118
– Fiche photocopiable n° 17 (Interviewe tes camarades)

Activités de différenciation :
– À préparer : cartes-phrases à compléter ; cartes-mots

LIVRE DE L'ÉLÈVE, p. 64 et 65

  **Écoute et montre les activités.**

Compréhension orale : proposer à un camarade de faire quelque chose ; Accepter ou refuser ; Identifier les activités de la fête de l'école.

• Faites ouvrir le livre à la page 64 et observer les illustrations C'est la fin de l'année scolaire, nos amis sont à la fête de l'école et participent avec entrain aux diverses activités !

• Proposez à vos élèves d'écouter l'enregistrement et de pointer la bonne vignette.

• Procédez à une écoute fragmentée. Pointez chaque vignette et demandez à vos élèves de reproduire les mini-dialogues ou répliques des personnages, Veillez au respect des bonnes intonations.

Script du CD 

– **Félix :** On joue au « chamboule-tout » Bouba ? Regarde, tu lances des balles et... C'est génial !
– **Madame Bouba :** Oh oui, bravoooo !

– **Tilou :** Hou hou les amis, regardez ! La course en sac, hop, hop, je saute, c'est super !

– **Pirouette :** Regarde Pic Pic, le stand vert, c'est le ping pong. On joue au ping pong ?
– **Pic Pic :** Bof ! Non merci ! Je ne veux pas jouer au ping pong !

(« Crêpe au sucre, 1 euro 20 ! »)
– **Pic Pic :** Oh oui ! Une crêpe ! Viens Pirouette, on mange une crêpe !

– **Félix :** Hé, regardez ! Là-bas ! Il y a un spectacle de hip hop ! Lila danse !

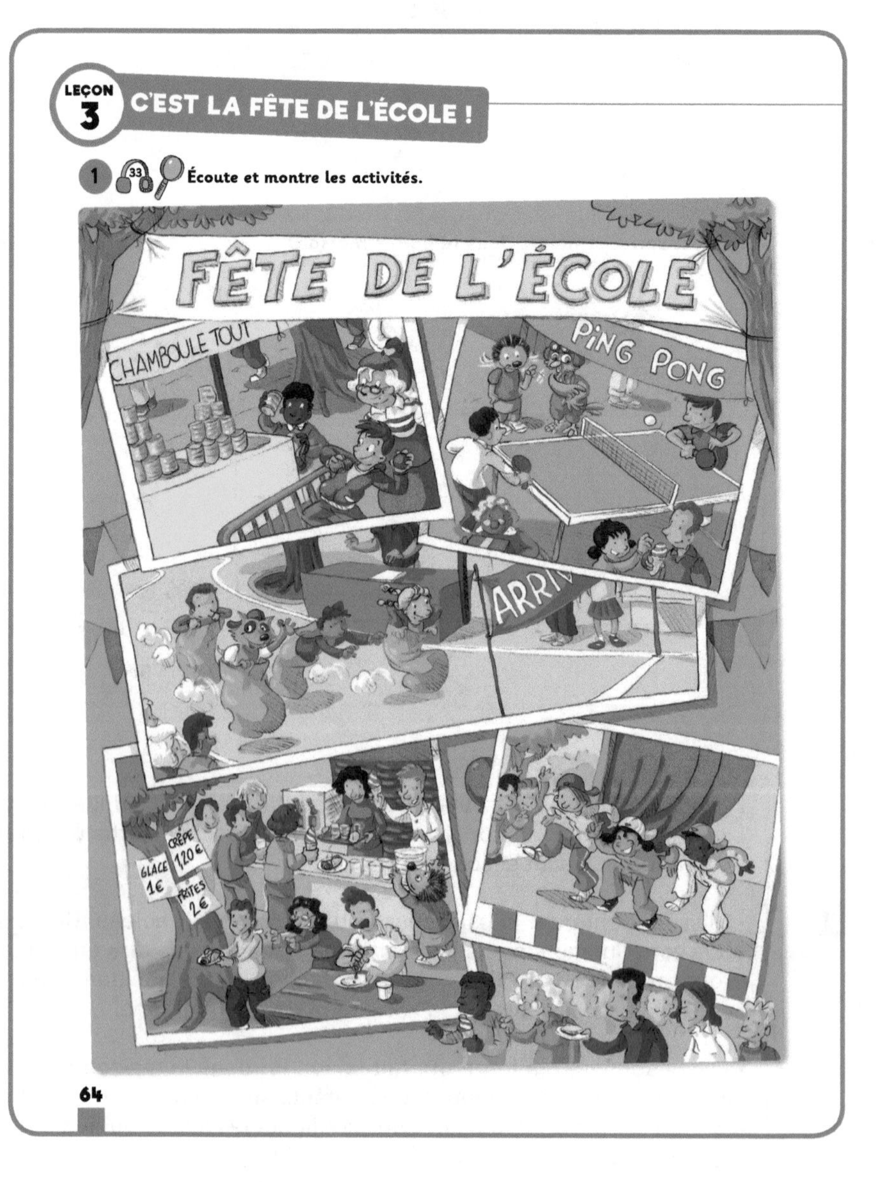

Pour commencer : Jeu de mime : Je vais à l'école et je mets dans mon cartable un…

Jouer pour réactiver les apprentissages réalisés au cours de la leçon précédente.

• Demandez à vos élèves de former (si possible) un cercle. Allez au milieu du cercle et dites : ***Je vais à l'école et je mets dans mon cartable des…*** Mimez l'action de couper quelque chose avec des ciseaux, vos élèves compléteront : ***des ciseaux !*** Invitez l'élève placé à votre droite à reprendre votre phrase et à y ajouter un nouvel objet mimé, précédé du déterminant qui convient, par exemple : *Je vais à l'école et je mets dans mon cartable des ciseaux et* ***une*** + mime de l'action de gommer. Ses camarades complètent : ***et une gomme !*** Son voisin de droite continue : *Je vais à l'école et je mets dans mon cartable des ciseaux, une gomme et* ***un/une/des*** + mime d'un objet…
Il s'agira donc de nommer des objets avec les déterminants qui conviennent, mais aussi d'exercer ses mémoires visuelle, kinesthésique et verbale afin de pouvoir récapituler tous les objets qui seront mis dans le cartable ! Si vous avez une classe nombreuse, reprenez à zéro lorsque l'accumulation devient trop importante et la mémorisation trop contraignante.

♦ Activité complémentaire. On fait un peu de théâtre ?

Production orale : Mettre en voix, en corps et en espace une saynète ; Mémoriser les répliques.

• Faites réécouter l'enregistrement et proposez aux enfants de mimer chaque activité de la façon la plus expressive possible : Tilou fait la course en sac, Félix lance des balles, Pirouette propose une activité que Pic Pic refuse ; Félix montre une autre activité au loin…

• Proposez à vos élèves de jouer la scène par petits groupes de cinq élèves, chacun tenant le rôle d'un personnage ! Distribuez le texte. Faites colorier à chacun la partie qu'il doit dire et jouer.

• Proposez aux différents groupes de s'entraîner et de mémoriser le texte des répliques. Faites si nécessaire réécouter l'enregistrement audio pour consolider la mise en relation écrit / oral. Passez parmi les élèves pour aider ceux qui en ont besoin. Veillez à une bonne prononciation et à une intonation expressive. Veillez également à ce que chaque activité soit mise en espace et mimée avec le plus de précision possible.

• Les groupes présentent leur saynète. On les applaudit et on les félicite chaleureusement !

À quoi jouent Félix et Lila ?

Structuration de la langue : dire à quoi on joue et utiliser à bon escient *au, à la, à l', aux.*

• Faites observer l'illustration et demandez aux élèves de nommer les différents jeux : *un ordinateur, des dominos, un jeu de mémory, un jeu de bingo, un ballon, des raquettes de ping pong, des billes, un élastique, une marelle, un jeu de 7 familles, une poupée.*

Invitez-les à oraliser ce que disent Félix et Lila : *Je joue au ballon ; Je joue à l'ordinateur.* Demandez-leur dans quelle caisse ranger le ballon et l'ordinateur. Réponse attendue ➜ Dans la caisse avec l'étiquette « au » pour le ballon, Lila dit *Je joue **au** ballon* ➜ Dans la caisse avec l'étiquette « à l' » pour l'ordinateur, Félix dit *Je joue **à l'**ordinateur.*

• Invitez vos élèves à ranger avec leur voisin(e) chaque jouet dans la bonne caisse.

Cartes-images

• Mise en commun. Affichez au tableau les cartes-images représentant les différents jeux. Tracez quatre espaces « au », « à la », « à l' », « aux ». Invitez quelques élèves à venir coller les jeux dans ces 4 espaces, en expliquant pourquoi, par exemple : *on dit je joue **à la** marelle.* Soumettez les propositions à la validation des autres élèves de la classe.

• Formalisation. Quand dit-on *je joue « au », je joue « à la » , je joue « à l' », je joue « aux » ?*
Vous amènerez les enfants à constater que :
Lorsqu'on dit *Je joue au...*, le mot qui suit est masculin (caisse bleue) : le ballon, le ping-pong, le bingo, le memory, le jeu des 7 familles. Expliquez que l'on peut dire aussi *Je joue au foot*, jusqu'à présent vos élèves connaissaient seulement *Je fais du foot.*
Lorsqu'on dit *Je joue à la..., le mot qui suit est féminin (caisse rouge) : la marelle, la poupée.*
Lorsqu'on dit *Je joue à l'...*, le mot qui suit est masculin ou féminin (caisse rouge et bleue), mais il commence par une voyelle : *l'o̲rdinateur, l'é̲lastique.*
Lorsqu'on dit Je joue aux..., le mot qui suit est masculin ou féminin (caisse bleue et rouge) mais aussi pluriel (étiquette verte) : les dominos, les billes.

Suggestion : Faites réécouter le reportage de Félix (activité 1, page 60 ; piste 26), où Félix dit à quoi jouent les enfants dans la cour de récréation.

♦ **Activité complémentaire. Interviewe tes camarades ! À l'école, qu'est-ce que tu aimes faire ? Qu'est-ce que tu n'aimes pas faire ?**

Demander et dire ce qu'on aime ou n'aime pas faire.

Fiche photocopiable n° 17

• Distribuez à chaque élève la fiche photocopiable n° 17. Montrez la grille d'interview avec les différents jeux et activités représentés en haut de chaque colonne. Il y a également une case avec un point d'interrogation signifiant que l'enfant peut proposer une activité ne figurant pas dans la grille. Demandez à un enfant : ***Qu'est-ce que tu aimes faire ?*** Aidez-le à formuler sa réponse, par exemple ➜ ***J'aime jouer*** *aux billes, au foot, à l'ordinateur et au bingo ; j'aime faire des maths et du français.* Dessinez alors un ☺ dans les cases correspondantes (Cf. cahier d'activités, unité 3, page 25.) Demandez ensuite : ***Qu'est-ce que tu n'aimes pas faire ? ➜ Je n'aime pas jouer*** *à l'élastique...* Dessinez un ☹ dans les cases correspondant aux réponses de l'élève.

• Invitez vos élèves à écrire le prénom de quatre de leurs camarades dans la colonne prévue à cet effet et à se déplacer pour les interviewer. Faites remémorer les questions qu'ils devront poser. Passez parmi les groupes pour aider les enfants qui en auront besoin à formuler correctement leurs énoncés.

• Mise en commun. Invitez un(e) enfant à venir s'asseoir sur une chaise face à la classe et demandez à ses camarades de dire ce qu'il / elle aime ou n'aime pas faire, par exemple : *Qu'est-ce que Clara aime faire ?* ➜ ***Elle aime*** *jouer à l'élastique, aux billes, elle aime faire du français, elle aime faire du roller...* ***Et qu'est-ce qu'elle n'aime pas faire ? ➜ Elle n'aime pas*** *jouer à la marelle...*

3  Chante avec Tilou !

Prendre plaisir à chanter.

• Une fois de plus, Tilou nous invite à chanter avec lui sur un rythme joyeux ! Il nous fait découvrir ici le contenu de son cartable...

Faites décrire l'illustration et demandez : *Qu'est-ce qu'il y a dans le cartable de Tilou ?* ➜ *Il y a des crayons, une gomme, des cahiers, des feuilles de papier avec des dessins : un grand soleil, un oiseau.*

• Faites écouter la chanson dans son intégralité, livre fermé, puis demandez (L1) aux enfants si la chanson leur a plu, et pourquoi. (Tous les couplets ne sont pas transcrits dans le livre de l'élève.)

• Procédez à une écoute fragmentée en plusieurs étapes.

Cartes-images

1. Faites scander le refrain en marquant bien le rythme syllabique (vous pouvez le faire frapper dans les mains). Puis faites chanter en chœur. Expliquez *gomme introuvable* et *crayons cassés.*
2. Faites écouter le premier couplet. Affichez la carte-image « un grand soleil doré » et dites : *Tilou a dessiné un grand soleil doré.* Faites écouter les couplets suivants et demandez : *Qu'est-ce que Tilou a dessiné ?* Affichez la carte-image correspondante au tableau : une grande maison carrée, un sapin décoré, un oiseau coloré, un bonhomme avec un gros nez.
3. Reprenez chaque couplet en le scandant, puis faites chanter en chœur.

Script du CD 

Dans mon cartable
Y'a des livres et des cahiers
Une gomme introuvable
Et des crayons cassés
} Refrain (x 2)

Mais je peux trouver
Une feuille de papier
Où j'ai dessiné
Un grand soleil doré

Mais je peux trouver
Une feuille de papier
Où j'ai dessiné
Une grande maison carrée

Mais je peux trouver
Une feuille de papier
Où j'ai dessiné
Un sapin décoré

Mais je peux trouver
Une feuille de papier
Où j'ai dessiné
Un oiseau coloré

Mais je peux trouver
Une feuille de papier
Où j'ai dessiné
Un bonhomme avec son gros nez

Prolongement possible : **Faites créer de nouveaux couplets !** Les enfants devront trouver pour chaque couplet un nouveau dernier vers dont la rime est en [e]. Invitez-les à chercher dans leur mémoire ou dans les différentes unités de leur livre des mots qui se terminent par la rime [e] et avec lesquels ils pourraient construire un vers de 6 syllabes orales (un sa pin dé co ré ; une grande mai son car rée) ou 8 syllabes orales (un bo nhomme a vec un gros nez).
On pourrait avoir, par exemple :

– *...Où j'ai dessiné des triangles et des carrés ; ... des pommes rouges dans un panier ; ... Madame Bouba au marché ; ... un monstre avec trois grands pieds ; ... un clown avec un gros nez... mes copains à la récré...*

Faites dessiner les propositions de vos élèves (nul doute, ils sauront être très créatifs !) et chanter les nouveaux couplets.

Activité 1  **Observe les 2 dessins et trouve les 8 erreurs.**

Production orale ; Décrire des images : nommer les différences entre 2 dessins.

• Invitez les enfants à travailler par paire. Avec leur voisin(e), ils devront trouver et nommer (en français !) les 8 différences qu'il y a entre l'image du haut et celle du bas. Déplacez-vous parmi eux et incitez-les à utiliser les structures et le vocabulaire connus.

• Mise en commun. Invitez les élèves à nommer les 8 différences ➜ *Sur l'image numéro 1, Tilou a un chapeau orange sur la tête ; Sur l'image n° 2, il n'a pas de chapeau...* Sollicitez l'avis de tous pour confirmer ou compléter les réponses.

1 Observe les 2 dessins et trouve les 8 erreurs.

54

Image du haut	Image du bas
Félix joue au ping-pong. 5 enfants regardent : un garçon a des rollers.	Félix joue au ping-pong. 5 enfants regardent : le garçon n'a pas de rollers.
Un monsieur et une dame ont un chien.	Ils n'ont pas de chien.
Des enfants jouent au chamboule-tout. Il y a 3 boîtes par terre.	Des enfants jouent au chamboule-tout. Il y a 5 boîtes par terre.
Lila fait du hip hop.	Lila fait du hip hop avec une flûte dans la main.
Tilou a un chapeau violet sur la tête.	Tilou a un chapeau rouge sur la tête.
Il n'y a pas de tortue.	Une tortue regarde la course en sac.
Bouba mange une crêpe avec Pic Pic.	Bouba mange une crêpe avec Pic Pic et monsieur Pierre.
Pirouette est dans un arbre. Elle porte des lunettes de soleil.	Pirouette n'a pas de lunettes de soleil.

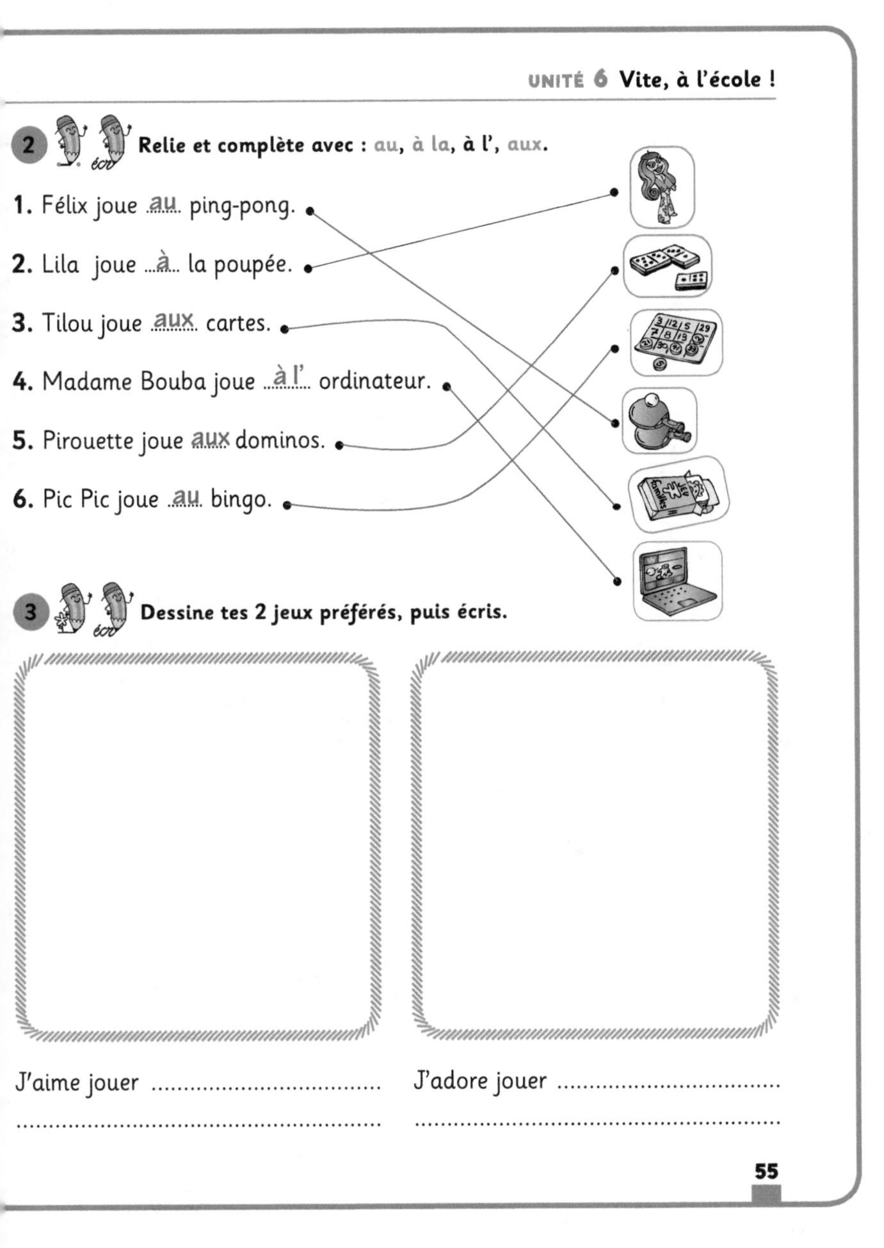
UNITÉ 6 Vite, à l'école !

2 **Relie et complète avec : au, à la, à l', aux.**

1. Félix joue ..au.. ping-pong.
2. Lila joue ...à... la poupée.
3. Tilou joue ..aux.. cartes.
4. Madame Bouba joue ..à l'.. ordinateur.
5. Pirouette joue aux dominos.
6. Pic Pic joue ..au.. bingo.

3 **Dessine tes 2 jeux préférés, puis écris.**

J'aime jouer ....
....

J'adore jouer ....
....

55

Activité 2 Relie et complète avec au, à la, à l', aux.

Compréhension écrite : associer une phrase à un dessin ; Structuration de la langue : utiliser à bon escient : au, à la, à l', aux.

• Les élèves devront d'abord lire chaque phrase « dans leur tête » puis lui associer un dessin.
Ils devront ensuite compléter les phrases en choisissant le « petit mot » qui convient.

• Mise en commun. Faites oraliser les phrases complétées. Sollicitez l'avis de la classe pour valider ou non les propositions faites et expliquer pourquoi. On remarquera que lorsqu'il y a le « s » du pluriel à la fin du mot (carte<u>s</u> ; domino<u>s</u>), on complète avec *aux*.

Activité 3 Dessine tes 2 jeux préférés, puis écris.

• Expliquez le sens de « préférés ». Dites par exemple : *Mes jeux préférés... C'est le jeu des 7 familles et... les dominos !* Écrivez les phrases au tableau, en attirant l'attention des enfants sur la façon dont on écrit *jouer* :

– *J'aime jou<u>er</u> aux 7 familles !*
– *J'adore jou<u>er</u> aux dominos !*

• Invitez les enfants à dessiner leurs 2 jeux préférés, puis à compléter la phrase correspondante.

• Mise en commun. *Quels sont tes jeux préférés ?* Les enfants qui le souhaitent montrent leurs dessins à la classe et disent quels sont leurs 2 jeux préférés (en oralisant leurs phrases).

Au cours de cette leçon, les enfants vont prendre plaisir à lire une BD et apprendre à :
- Réinvestir à l'écrit des apprentissages langagiers réalisés au cours de l'unité 6 (proposer à un camarade de jouer à quelque chose ; refuser une proposition ; s'exercer à prononcer en contexte le phonème [y])
- Faire le lien entre ce qu'ils entendent (CD) et ce qu'ils voient / lisent (illustrations, bulles)
- Oraliser une petite saynète

LIVRE DE L'ÉLÈVE, p. 66

1  Découverte de la BD. Lis et écoute.

a. Observer, lire et comprendre.

Se repérer dans l'écrit : mettre en relation texte et illustrations de la BD pour comprendre l'histoire.

• Laissez aux enfants le temps d'explorer seuls la BD : observer les illustrations des vignettes et lire le texte des bulles pour comprendre l'histoire de façon globale.

• Demandez-leur d'expliquer (L1) ce qu'ils ont compris, sans toutefois trop intervenir dans leurs propositions...
➜ Félix, Lila et ses camarades sont à l'école ; c'est la récré. Lila propose à Félix de jouer avec elle, mais, bizarrement, Félix n'en a pas envie... La maîtresse appelle Lulu la tortue depuis la fenêtre de la classe. Tous les enfants cherchent, mais Lulu est introuvable ! C'est alors que Rose et Lila remarquent de drôles de petits bruits sous le pull de Félix... Incroyable ! C'est Félix qui a caché la tortue !

b. Écouter, observer et comprendre.

Associer un énoncé oral à un texte écrit.

• Faites écouter l'enregistrement en entier. Demandez aux enfants de suivre en pointant chaque vignette avec leur doigt.

• Procédez à une écoute fragmentée :
- Attirez l'attention de vos élèves sur la façon dont Lila formule ses invitations à jouer : ***On fait** un jeu ? **On joue** aux billes ? On* signifie ici *toi* et *moi* (Lila et Félix).
- Expliquez le sens de la réponse de Félix : *Bof ! Je n'ai pas envie...* qui marque le refus et le désintérêt.
- Expliquez le sens de : *Lulu la tortue a disparu ! (vignette 4) et* de *Chut !* (vignette 6) *:* interjection signifiant qu'on demande de faire silence (équivalent ici de *Taisez-vous !)*
- Demandez quelles sont les bulles où on entend [y] comme dans tortue. Faites prononcer.
- Faites répéter chaque petit dialogue ou réplique en invitant les enfants à imiter la voix de chaque personnage, son intonation et sa gestuelle.

Script du CD, BD 1 035

– **Lila :** On fait un jeu ?
– **Félix :** Un jeu ? ...Bof !

– **La maîtresse :** Lulu, Lulu où es-tu ? Lulu ?

– **Lila :** On joue aux billes ? ... À l'élastique ?
– **Félix :** Bof ! Je n'ai pas envie !
– **La maîtresse :** Luluuuu ?

– **Petite fille :** Luluuu !
– **Garçon :** Lulu la tortue a dis - pa - ru !

– **Rose :** Mais, qu'est-ce que tu as sous ton pull ?
– **La tortue :** Ccrrr ccrrr... Mmm Mmm

– **Lila :** Mais, c'est Lulu la tortue !
– **Félix :** Chuuut !
– **Rose :** Oh non, Félix !
– **La maîtresse :** Luluuu ? Luluuuu...

Script du CD, BD 2 

– **La maîtresse :** Lulu, Lulu où es-tu ? Lulu ?

– **Rose :** Mais, qu'est-ce que tu as sous ton pull ?
– **La tortue :** Ccrrr ccrrr... Mmm Mmm

– **Lila :** On fait un jeu ?
– **Félix :** Un jeu ? ...Bof !

– **Lila :** Mais, c'est Lulu, la tortue !
– **Félix :** Chuuut !
– **Rose :** Oh non, Félix !
– **La maîtresse :** Luluuu ? Luluuuu...

– **Lila :** On joue aux billes ? ... À l'élastique ?
– **Félix :** Bof ! Je n'ai pas envie !
– **La maîtresse :** Luluuuu ?

– **Une fille :** Luluuu !
– **Un garçon :** Lulu la tortue a dis - pa - ru !

2 Donne le bon numéro.

Compréhension orale : associer un énoncé oral à la bonne vignette.

• Le texte de la BD est enregistré dans le désordre. Faites écouter une première fois l'enregistrement dans son intégralité, les enfants identifient et pointent la bonne vignette.

• Procédez ensuite à une écoute fragmentée. Les enfants donnent le numéro de la bonne vignette.

Pour aller plus loin :

On joue la BD !

S'exercer à la lecture à haute voix à partir d'un texte connu à l'oral ; Lire de façon expressive.

• Répartissez vos élèves en groupes de cinq. Demandez quels sont les personnages qui prennent la parole : Qui *parle ?* → *La maîtresse, Lila, Félix, Rose, une fille, un garçon et... la tortue !* Demandez aux élèves de choisir un personnage (le rôle de la tortue (!) sera tenu par le personnage « une fille ») et de jouer en petits groupes les petites scènes de la BD. Passez parmi les groupes pour aider les enfants à oraliser correctement les différentes répliques, avec une intonation et un rythme adaptés.

• Proposez à quelques groupes de présenter leur saynète devant la classe. Demandez aux acteurs de parler à voix haute afin d'être entendus par toute la classe !

■ Des mots et des phrases, p. 56.

Activité 1  **Un ou une ? Complète.**

Structuration de la langue : choisir le bon déterminant.

• Les enfants complètent avec le bon déterminant.

• Vérification collective. Faites oraliser les différents mots avec leur déterminant.

Activité 2  **Complète avec « u » ou « ou ».**

Relation grapho-phonétique : savoir écrire le phonème [y] et le phonème [u].

• Il s'agit ici de compléter les mots des phrases avec le bon graphème. Le sens de chaque phrase est donné par l'illustration.

• Les élèves lisent les phrases « dans leur tête » et les complètent.

• Vérification collective. Faire oraliser les phrases et épeler les mots à compléter.

DES MOTS ET DES PHRASES

1  **Un ou une ? Complète.**

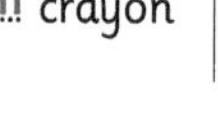

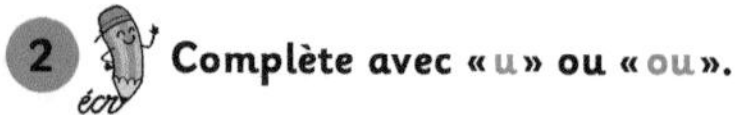

un livre	un cahier	une gomme
une règle	une corde à sauter	un stylo
un crayon	une tortue	une trousse

2 **Complète avec « u » ou « ou ».**

1. Tilou a des lunettes et des chaussures rouges.
2. Cot cot codett chante la poule !
   Bêê bêê chante le mouton !
   Mmmm dit la tortue !

3 **Phrases-serpents ! Sépare les mots, puis écris les phrases.**

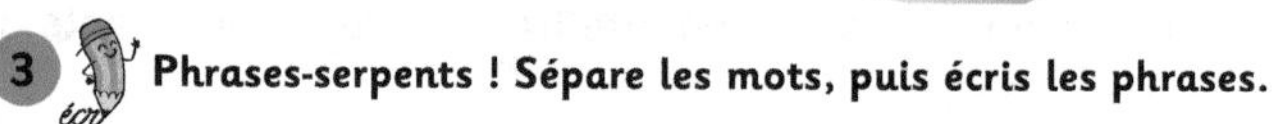

1. Tilou joue aux cartes avec Pirouette.

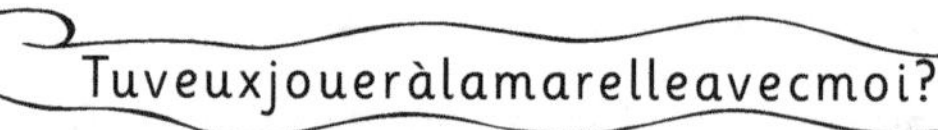

2. Tu veux jouer à la marelle avec moi ?

Dansmoncartableilyadeslivresetdescahiers.

3. Dans mon cartable il y a des livres et des cahiers.

56

Activité 3 **Phrases-serpents ! Sépare les mots, puis écris les phrases.**

Structuration le phrase : identifier les mots qui composent une phrase.

• Invitez les enfants à observer les trois phrases serpents : tous les mots sont attachés ! Il faut donc comme sur le modèle séparer chaque mot de son voisin par un trait.

• Vérification collective : faites oraliser les trois phrases.

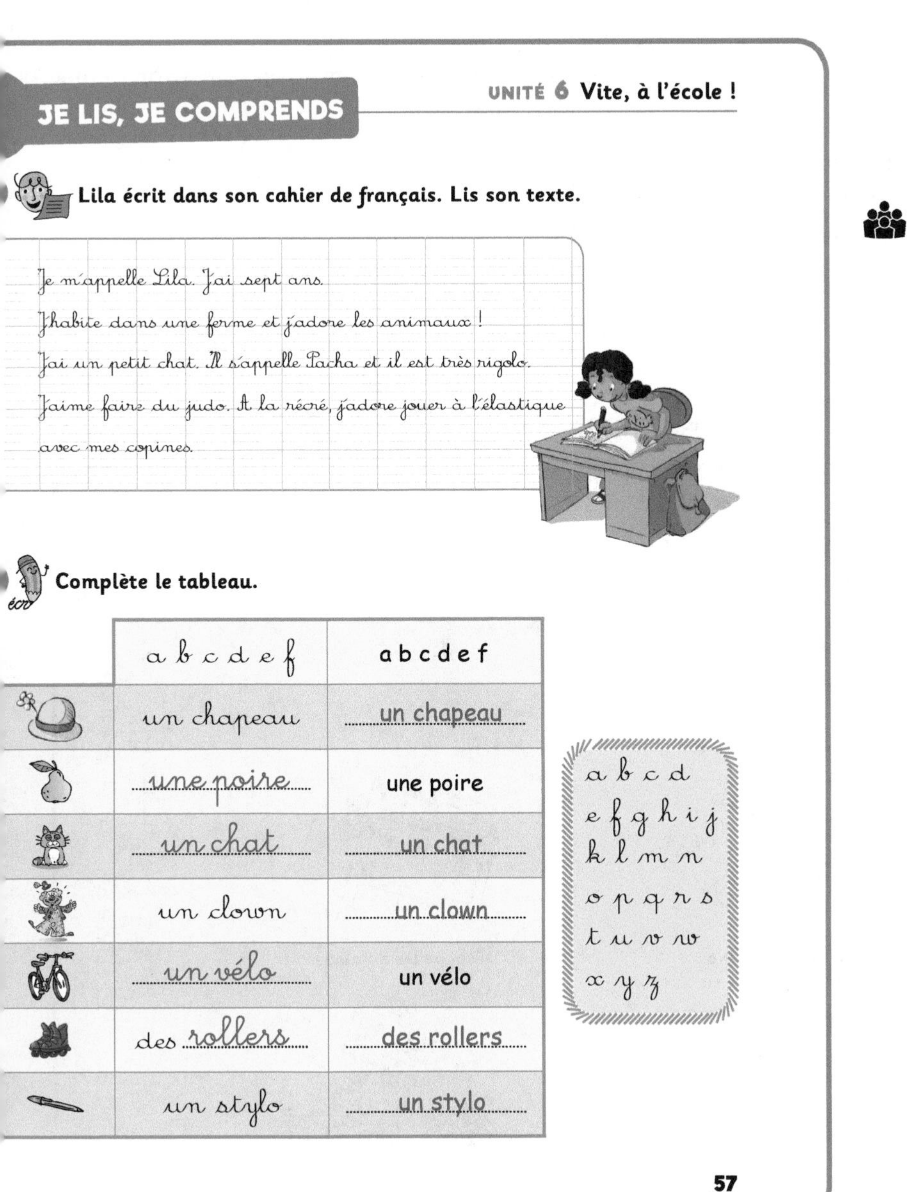

Lila écrit dans son cahier de français. Lis son texte.

Je m'appelle Lila. J'ai sept ans.
J'habite dans une ferme et j'adore les animaux !
J'ai un petit chat. Il s'appelle Pacha et il est très rigolo.
J'aime faire du judo. À la récré, j'adore jouer à l'élastique
avec mes copines.

Complète le tableau.

	a b c d e f	a b c d e f
	un chapeau	un chapeau
	une poire	une poire
	un chat	un chat
	un clown	un clown
	un vélo	un vélo
	des rollers	des rollers
	un stylo	un stylo

a b c d
e f g h i j
k l m n
o p q r s
t u v w
x y z

■ Je lis, je comprends, p. 57

Activité 1 Lila écrit dans son cahier de français. Lis son texte.

Lire un texte en écriture cursive ; Transcrire des mots d'écriture scripte en cursive, et inversement.

• Annoncez aux élèves qu'il s'agit d'un extrait du cahier d'école de Lila. Invitez-les, sans précision complémentaire, à lire le petit texte « dans leur tête ». Après quelques instants, recueillez leurs réactions. S'ils ne sont pas familiarisés avec l'écriture cursive, beaucoup auront certainement des difficultés à lire. Expliquez qu'à l'école en France, et dans beaucoup de pays francophones, les enfants apprennent à écrire « en attaché ». Attirez l'attention de vos élèves sur le petit encart en bas de page où l'on voit l'alphabet écrit en caractères cursifs. Invitez vos élèves à oraliser les lettres.

• Faites oraliser (déchiffrer) le petit texte de Lila.

Activité 2  **Complète le tableau.**

• L'écriture cursive exige à l'apprentissage de bonnes coordinations de mouvements… Invitez vos élèves à s'amuser à écrire comme Lila et à transcrire les mots du tableau soit en écriture cursive, soit en écriture scripte, ou à en écrire certains dans les deux écritures.

Pour information. Dans *Zigzag,* le choix a été fait de privilégier l'écriture « scripte ». Son graphisme étant proche des lettres imprimées, elle pose moins de problèmes de déchiffrage et de compréhension pour les enfants qui ne pratiquent pas l'écriture cursive dans leur contexte scolaire d'origine. Toutefois, il est culturellement important que vos élèves découvrent la façon dont les enfants apprennent à écrire à l'école française et dans de nombreux pays francophones. Transcrire un texte de caractères scripts en caractères cursifs, ou inversement, peut d'ailleurs rapidement devenir un jeu !

Au cours de cette activité, les enfants vont :
- Suivre des consignes pour fabriquer un jeu de dominos
- Nommer le matériel nécessaire : *un crayon, des crayons de couleur, une feuille en carton, des ciseaux, de la colle*
- Nommer les actions nécessaires à la fabrication du livre : *dessiner, colorier, écrire, coller, découper*
- Réinvestir dans un nouveau contexte les compétences communicatives acquises en cours d'unité : nommer le matériel de l'écolier, nommer des jeux
- Interagir pour jouer

Matériel : (par élève)
- Fiche photocopiable n° 18 ; une feuille en carton format A4
- Ciseaux, crayon à papier, crayons de couleurs, colle

LIVRE DE L'ÉLÈVE, p. 67

Prévoyez de consacrer toute une séance à la réalisation de ce projet.

• **Mise en projet des élèves.** Demandez à vos élèves d'ouvrir leur livre à la page 67. Invitez-les à expliquer (L1) ce qu'on leur propose de faire au cours du *Projet* :
1. Fabriquer un jeu de dominos
2. Jouer aux dominos avec des camarades

• Annoncez aux enfants qu'ils vont fabriquer un jeu de *dominos de l'école* : sur chaque domino sera représenté un objet, une activité scolaire ou un jeu que l'on peut trouver ou faire à l'école.
Le jeu de dominos étant un grand classique des jeux d'enfants, faites-leur en rappeler la règle (L1).

Fabrique un jeu de dominos avec tes camarades.

Suivre des consignes pour fabriquer un jeu ; Dessiner, colorier des objets ; Écrire les mots correspondants.

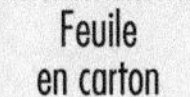

• Montrez la fiche photocopiable n° 18 (gabarits de 6 dominos) pour que les enfants puissent se représenter quelle sera précisément leur tâche et verbalisez les consignes illustrées, étape par étape :

a. Dessiner et colorier un objet ou une activité sur la partie gauche de chaque domino.
b. Écrire le nom d'un objet ou d'une activité sur la partie droite du domino. Attirez l'attention des enfants sur le fait que sur un même domino, le dessin de la partie gauche ne correspond pas au mot de la partie droite !
c. Coller la feuille avec les 6 dominos sur une feuille en carton (Montrez une feuille en carton.)
d. Découper les dominos.

• **Guidage pas à pas...**

- Répartissez vos élèves en petits groupes de 3.
- Proposez un remue-méninges de quelques minutes. Faites rechercher, d'abord individuellement, tous les jeux, activités scolaires ou objets que l'on pourrait représenter sur les dominos. Invitez les élèves à les noter sur une feuille en vérifiant l'orthographe et le petit mot qui les précède : *le, la, l'* ou *les*. Au bout de quelques minutes, proposez aux enfants de compléter leur liste avec les mots trouvés par les enfants de leur groupe.

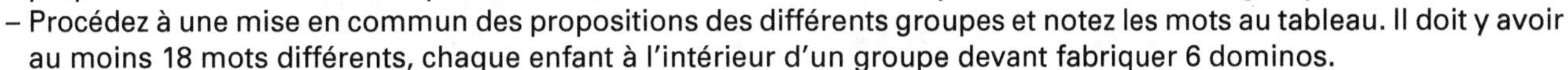

- Procédez à une mise en commun des propositions des différents groupes et notez les mots au tableau. Il doit y avoir au moins 18 mots différents, chaque enfant à l'intérieur d'un groupe devant fabriquer 6 dominos.
- Invitez chaque enfant à choisir 6 mots, différents de ceux des enfants de son groupe.
- Les enfants dessinent et colorient chaque item sur la partie gauche de chaque domino (étape *a* de la fiche de fabrication).
- Afin que les dominos puissent bien se joindre entre eux, guidez les enfants pour l'écriture des mots (étape *b*). Proposez-leur d'écrire sur chaque domino le mot correspondant au dessin du domino suivant. Sur la partie droite du sixième domino, ils écriront le mot correspondant au dessin du premier domino (cf. ci-dessous). Demandez-leur de veiller à bien orthographier les mots (les modèles sont au tableau !).

• Les enfants collent leur feuille sur une feuille en carton (étape *c*), puis découpent leurs dominos (étape *d*).

2 Joue aux dominos !

• Chaque groupe mélange les dominos et un joueur les distribue. Si l'on joue à trois, chacun des joueurs reçoit 5 dominos et il en reste 3 pour la « pioche ».

• À l'intérieur de chaque groupe, on désigne qui commence par une comptine. Chaque joueur essaie de combiner un de ses dominos à un domino du jeu, côté mot ou côté dessin. S'il n'en est pas capable, il pioche ou passe son tour. Le premier joueur qui a posé tous ses dominos gagne la partie ! Si personne ne pose tous ses dominos, celui à qui il en reste le moins gagne la partie.

	la trousse		la colle
	le cartable		le crayon
	la gomme		les ciseaux

• Passez parmi les groupes pour étayer les interactions. Engagez les enfants à nommer les cartes (Voilà les billes !) et à établir la communication autour du jeu en français, par exemple : *– Tu joues ? – Je n'ai pas de gomme, je n'ai pas de marelle ! – Pioche ! C'est à qui ? C'est à moi ! C'est à toi !* (qui signifient ici *C'est à mon tour ! C'est à ton tour !*)

LIVRE DE L'ÉLÈVE, p. 68

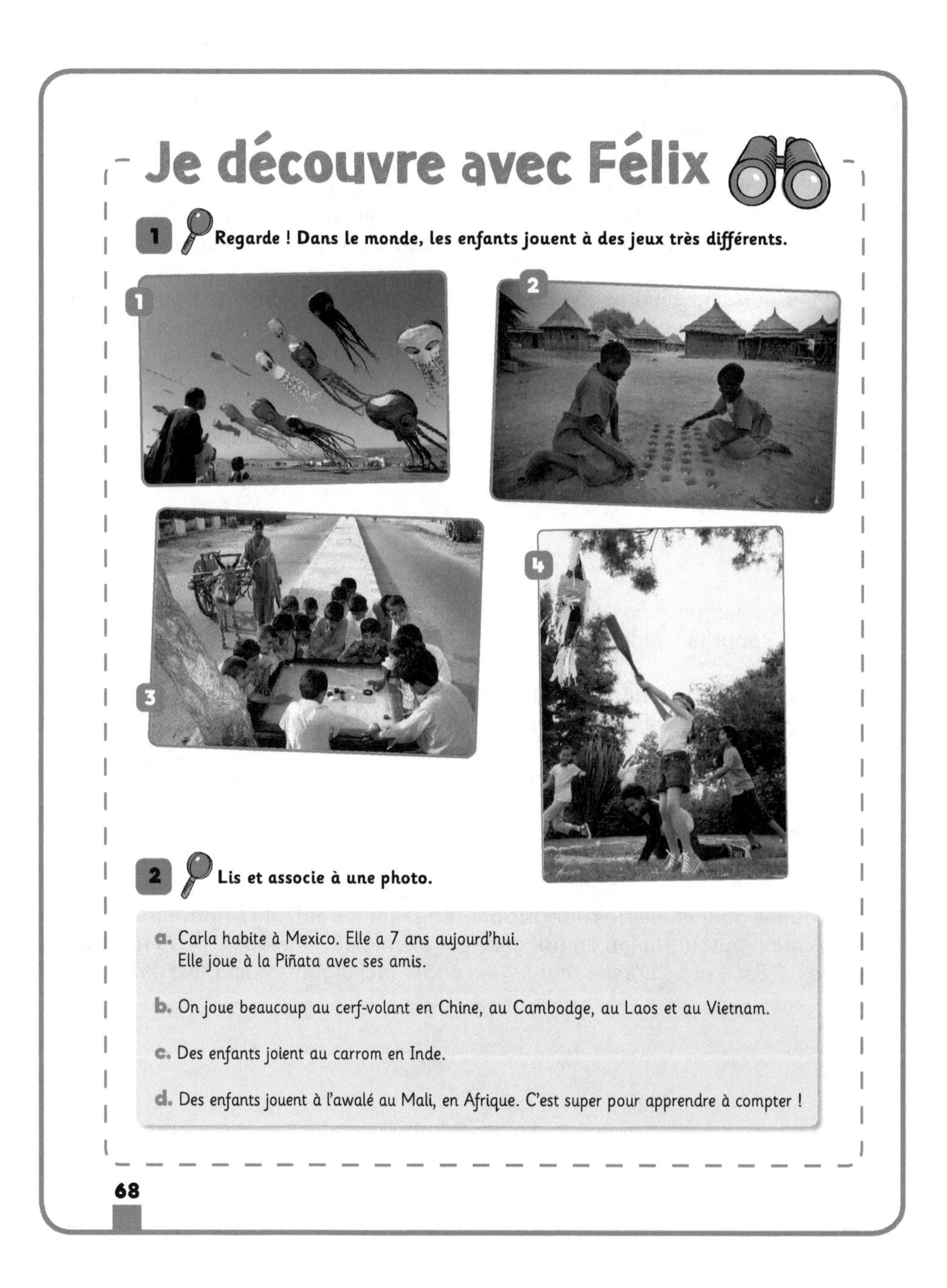

Je découvre avec Félix

1 **Regarde ! Dans le monde, les enfants jouent à des jeux très différents.**

1 2 3 4

2 **Lis et associe à une photo.**

a. Carla habite à Mexico. Elle a 7 ans aujourd'hui.
Elle joue à la Piñata avec ses amis.

b. On joue beaucoup au cerf-volant en Chine, au Cambodge, au Laos et au Vietnam.

c. Des enfants joient au carrom en Inde.

d. Des enfants jouent à l'awalé au Mali, en Afrique. C'est super pour apprendre à compter !

68

1 Regarde ! Dans le monde, les enfants jouent à des jeux très différents.

Développer un intérêt pour les jeux et la culture de différents pays du monde.

• Invitez les enfants à regarder les 4 photos et à dire ce qu'ils voient → Réponses possibles : Des enfants jouent à différents jeux... La photo n° 2 vient d'Afrique...

• Demandez-leur (L1) s'ils connaissent certains de ces jeux. Recueillez leurs réactions sans donner trop d'explications, vos élèves auront à les découvrir eux-mêmes au cours de l'étape suivante.

2 Lis et associe à une photo.

Compréhension écrite : prendre des informations pertinentes dans un petit texte.

• Invitez vos élèves à lire « dans leur tête » les 4 petits textes qu'ils devront ensuite associer à une des photos. Demandez-leur de confronter leur résultat avec celui de leur voisin(e) en essayant de tomber d'accord.

• Mise en commun. Projetez les textes au tableau. Demandez à quelques élèves de donner leurs associations textes-photos et de les justifier en montrant dans le texte l'information pertinente qui permet chaque association. Sollicitez toute la classe pour la validation des réponses.

Remarque : les enfants identifieront les associations possibles en fonction de leurs propres connaissances culturelles, mais aussi grâce aux indices pris dans le texte, et par stratégie d'élimination.
Les indices facilement identifiables dans le texte sont, dans l'ordre :
- **Phrase d** : Des enfants jouent à l'awalé, au Mali, en Afrique. C'est super pour apprendre à compter ! (On voit un village africain sur la photo n° 2.)
- **Phrase a** : Carla habite à Mexico. Elle a 7 ans aujourd'hui. Elle joue à la piñata avec ses amis. (Sur la photo n° 4 on voit une petite fille jouer avec d'autres enfants.)
- **Phrase c** : Des enfants jouent au carrom en Inde. (Sur la photo n° 3, on voit des enfants jouer à un jeu. Certains de vos élèves identifieront peut-être l'Inde.)
- **Phrase b** : On joue beaucoup au cerf-volant en Chine, au Cambodge, au Laos et au Vietnam. (Les expériences culturelles de vos élèves leur permettront peut-être de mettre en relation ces pays d'Asie du Sud-est avec la pratique du cerf-volant - Photo n° 1.)

• Faites oraliser chaque petit texte.

• Donnez enfin quelques explications (L1) concernant ces différents jeux traditionnels pratiqués dans diverses parties du monde - ou faites-les donner le cas échéant par vos élèves.

- Le cerf-volant est très certainement né en Asie du sud-est. On raconte que le chapeau d'un fermier chinois emporté par le vent a contribué à la création du premier cerf-volant... À travers toute l'Asie, c'est un classique des jeux d'enfants, particulièrement au moment de la saison des vents, en décembre.
- L'awalé est très populaire sur tout le continent africain. Il existe des jeux d'awalé en bois, mais on peut également jouer à ce jeu en creusant 12 trous dans le sol. On y joue avec 48 graines, le but du jeu étant de récolter le maximum de graines. L'awalé un jeu de réflexion et de stratégie basé sur le calcul.
- Le carrom est un jeu de société très pratiqué en Asie, et tout particulièrement en Inde. C'est une sorte de billard, en plus petit. On y joue sur un plateau carré percé d'un trou à chaque coin où il faut faire tomber les pions. Ce jeu fait partie intégrante de la culture et du quotidien des indiens. Il est pratiqué partout : aussi bien à la maison en famille que dans la rue entre amis et voisins.
- Au Mexique, la piñata est présente dans beaucoup de fêtes ou célébrations, notamment pour Noël ou les anniversaires d'enfants. La piñata traditionnelle est un objet en terre cuite en forme d'étoile à six branches remplie de fruits, de bonbons et de petits jouets. Aujourd'hui, elle est le plus souvent en papier mâché et a la forme d'animaux, de plantes ou de héros du monde enfantin... On la suspend en hauteur et les enfants (ou les adultes !), les yeux bandés, la frappent avec un bâton pour qu'elle se brise, libérant ainsi les bonbons et jouets qu'elle contient !

• Si vous avez des élèves d'origines multiculturelles, demandez-leur à quoi jouent les enfants dans leur pays d'origine. Faites-leur présenter certaines règles de jeux et proposez à toute la classe d'y jouer à la récréation.

Au cours de cette activité, les enfants vont :
- Apprendre à repérer des indices visuels pour comprendre un document visuel
- Comprendre une vidéo de façon fine pour savoir qui joue à quoi.
- Apprendre à reconnaître quelques éléments langagiers ciblés et à les réutiliser dans un nouveau contexte (jeux enfantins, activités de cour de récréation, dire que l'on cherche quelqu'un ?)

LIVRE DE L'ÉLÈVE, p. 69

■ Étape 1

• Invitez les enfants à regarder la vidéo, sans le son. Ils devront observer et essayer de mémoriser le plus d'informations possible.

• Sollicitez leurs réactions après le visionnage. Demandez par exemple :
– *Qu'est-ce qu'on voit dans ce film ? ➜ On voit des enfants : Pierre, Elsa et d'autres enfants.*
– *Que font les enfants ? ➜ Ils jouent aux billes, à la marelle, à l'élastique, aux dominos...*
– *Que fait Pierre ? ➜ On dirait qu'il cherche quelque chose ou quelqu'un...*

■ Étape 2

1 Regarde la vidéo et dis.

Faites ouvrir le livre à la page 69.
a. Où est Pierre ?
• Pointez les dessins de l'activité et demandez : *Où est Pierre ?... Au cirque ? Au parc ? A l'école, dans la cour de récréation ?*

• Recueillez les réponses des enfants.

Réponse : Pierre est au parc (dans le petit parc de son quartier).

b. Pierre cherche... ?
• Pointez les photos de l'activité et donnez le nom des enfants : *Nicolas, Fanny, Elsa, Matéo.* Demandez : *Pierre cherche... Nicolas, Fanny, Elsa ou Matéo ?*

• Recueillez les réponses des enfants.

• Invitez-les à visionner la vidéo avec le son pour vérifier.

Réponse : Pierre cherche Elsa.

2 À quoi jouent les enfants dans la vidéo ?

• Sans nouveau visionnage préalable, pointez les illustrations de l'activité 2 et demandez : *Dans la vidéo, à quoi joue Fanny, à la marelle ou à l'élastique ? À quoi joue Nicolas, aux cartes ou aux billes ? A quoi joue Elsa, aux dominos ou à cache-cache ?*

• Recueillez les réponses des enfants, sans les valider.

• Faites visionner à nouveau la vidéo avec arrêt sur image lorsque l'on voit chacun des trois enfants concernés.

• Faites vérifier les réponses données.

Réponses : Fanny joue à la marelle. Nicolas joue aux billes. Elsa joue à cache-cache.

Script

– **Pierre** : Bonjour Anna, je cherche Elsa.
– **Anna** : Bonjour Pierre, elle joue à la marelle avec Fanny.
– **Pierre** : Ah, merci.
– **Pierre** : Bonjour Fanny, je cherche Elsa.
– **Fanny** : Bonjour Pierre, elle joue à l'élastique.
– **Pierre** : Ah, merci.

– **Pierre** : Bonjour Matéo, je cherche Elsa.
– **Matéo** : Salut. Elle joue aux billes.
– **Pierre** : Ah, merci.
– **Pierre** : Bonjour Nicolas, je cherche Elsa.
– **Nicolas** : Elle joue aux dominos.
– **Pierre** : Ah, merci.
– **Elsa** : Coucou Pierre, tu joues à cache-cache avec moi ?
– **Pierre** : Oh oui, j'adore jouer à cache-cache !

■ Observe et associe.

Introduction des nouveaux mots à l'écrit.

Vous aurez préparé :

– des cartes collectives avec une phrase à compléter.
– des cartes collectives avec le nom de chaque jeu de cour de récréation.

• Affichez au tableau les cartes-images des différents jeux, puis fixez sous chacune d'entre elles une carte-phrase incomplète. Faites compléter à l'oral avec le jeu représenté sur l'image : *Il joue aux billes.*

Cartes-images

Cartes-phrases

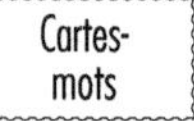

Cartes-mots

• Affichez au tableau les cartes-mots en vrac. Demandez aux enfants de les observer, et faites venir au tableau quelques élèves pour placer les mots sur la bonne étiquette-phrase. Faites oraliser la phrase complétée. Attirez l'attention des élèves sur les marqueurs grammaticaux (pluriel avec *s, x, ent...*) que l'on ne prononce pas et sur les « petits mots » *aux, à la, à l'* qui précèdent les noms de jeux.

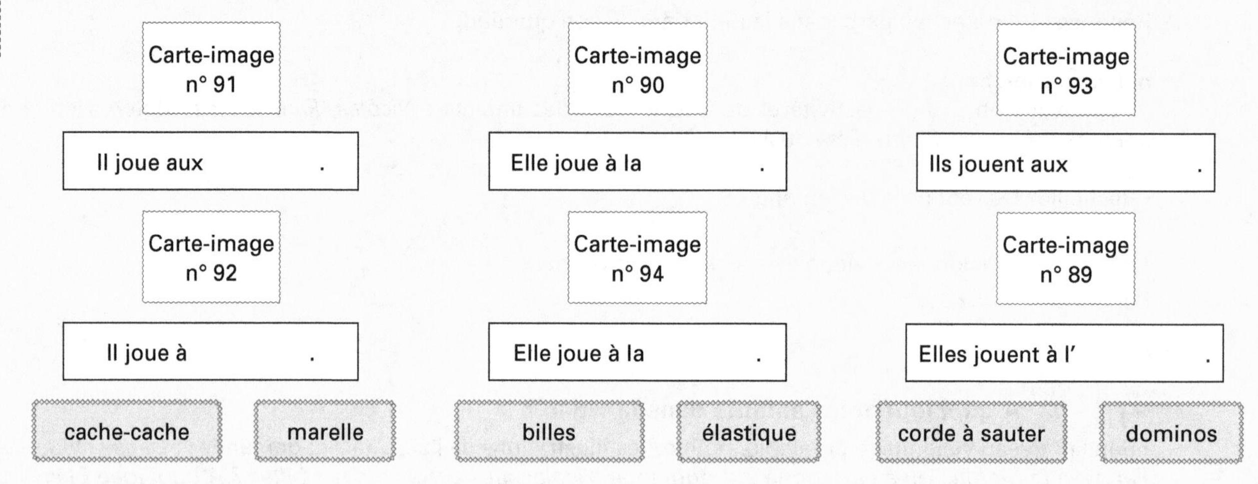

■ Observe et complète.

Structuration de la langue : compléter en tenant compte des « petits mots » qui précèdent.

• Retirez les cartes-images du tableau. Affichez dans le désordre les phrases incomplètes et collez en vrac au tableau les cartes-mots. Demandez aux enfants de reconstituer les phrases (sans l'aide des images !).

Cartes-phrases

Cartes-mots

• Laissez aux enfants le temps d'observer silencieusement les mots et les phrases. Puis demandez à quelques élèves de venir compléter les phrases. Faites oraliser les propositions. Demandez à la classe de valider ou non les réponses proposées en expliquant pourquoi (L1). Vous amènerez les enfants à constater de nouveau que chaque mot ajouté doit « s'accorder » avec le(s) « petit(s) mot(s) » qui précèdent : *à la marelle, aux billes, à l'élastique, etc.*

■ Écoute dans ta tête et colorie les lettres qui font le son [o].

Graphie-phonie : identifier les différentes graphies du phonème [o].

• Écrivez au tableau ou projetez les phrases suivantes :
Tilou joue aux billes. – Ils jouent aux dominos. – Pirouette joue à la corde à sauter. – Hugo fait du foot.
Demandez aux enfants de lire / dire « dans leur tête » chaque phrase, puis de trouver les lettres qui font le son [o] / là où on entend [o].

• Invitez un enfant à venir colorier les lettres qui font [o] dans la première phrase. Faites oraliser pour vérifier.
Faites souligner les « o » que l'on voit, mais qu'on ne prononce pas.
Procédez de la même façon pour les autres phrases.

Tilou joue **au**x billes. – Ils jouent **au**x domin**o**s. – Pirouette joue à la c**o**rde à s**au**ter. – Hug**o** fait du foot.

■ Entraînement individuel. Consolidation des activités de soutien conduites en grand groupe.

Activité de soutien n° 10

Activité 1. Découpe les étiquettes et complète les phrases.
Activité 2. Colorie en jaune les lettres qui font le son [o].
Activité 3. Souligne les lettres « o » que tu n'entends pas.

■ Introduction des mots à l'écrit

Identification des mots du matériel de l'écolier.

Cartes-mots

Cartes-images

• **Association mot-image**. Vous aurez préalablement confectionné les cartes-mots mots : *le cartable, la gomme, le cahier, le livre...*
Affichez les cartes-mots au tableau, sans les nommer. Distribuez les cartes-images à plusieurs élèves et faites-les coller sous la bonne étiquette. Puis faites oraliser chaque mot.

• **Jeu du Plus rapide**. Retirez les étiquettes-mots du tableau. Formez 2 ou 3 équipes et demandez aux élèves de venir se placer sur 2 ou 3 files indiennes devant le tableau. Montrez une étiquette-mot sans la nommer. L'élève qui en tête de chaque file touche le premier la carte-image correspondante marque un point pour son équipe.

■ Entraînement individuel

1. Entoure le mot qui correspond au dessin (associer un mot écrit au dessin qui le représente).
2. Retrouve les mots et écris-les (segmentation syllabique).
3. Dans chaque liste, barre le mot qui ne rime pas avec les autres (relation grapho-phonétique).
4. Dessine (comprendre un mot écrit et dessiner ce qu'il représente).

• Dites à vos élèves (L1) que vous allez réfléchir ensemble à ce que vous avez fait et appris au cours de l'unité 6. Demandez-leur :

– ***Qu'est-ce que nous avons fait au cours de l'unité 6, vous vous rappelez... ?*** Recueillez leurs propositions concernant les diverses activités.

– ***Qu'avez-vous appris à faire en français ?*** Engagez les enfants à exprimer ce qu'ils savent faire en termes d'« actes de paroles » ou d'« actions » ➜ Nommer certains jeux de cour de récréation, objets du cartable ou activités de la fête de l'école, dire à quoi on joue ou demander à quoi un camarade aime jouer, identifier le son [y], le distinguer du son [u] et savoir l'écrire, fabriquer un jeu de dominos et jouer.

– ***Qu'est-ce que vous savez bien faire ? Qu'est-ce qui vous pose encore problème ?*** Guidez la réflexion des enfants, recueillez leurs réponses et rassurez celles et ceux qui rencontrent des difficultés : donnez des conseils en fonction des difficultés rencontrées.

• Pour terminer sur une note affective, demandez aux enfants :

– ***Qu'est-ce vous avez particulièrement aimé faire dans l'unité 6 ?***

S'il y a des activités que certains élèves disent ne pas trop aimer faire, expliquez-leur en quoi elles sont utiles à l'apprentissage du français : pour apprendre à comprendre, à entendre, à prononcer...

Pour aller plus loin

L'école en France

En France, on peut entrer à l'école maternelle à partir de 2 ou 3 ans. Avant l'âge de 6 ans, l'enseignement n'est pas obligatoire, mais beaucoup d'enfants vont à l'école maternelle.

À 6 ans, les enfants entrent au CP ou Cours Préparatoire ; C'est le début de l'école élémentaire qui comprend 5 niveaux de classe. C'est aussi le début de l'enseignement obligatoire qui dure jusqu'à l'âge de 16 ans.

L'école primaire regroupe l'école maternelle et l'école élémentaire.

À l'école élémentaire, les enfants commencent par découvrir la lecture, l'écriture et les mathématiques : numération et géométrie. Dès le CP, ils découvrent aussi d'autres matières telles que l'histoire, la géographie, les sciences, une langue étrangère ou régionale, les arts plastiques, la musique ou encore le sport.

Les enfants ont classe les lundi, mardi, parfois le mercredi matin, jeudi et vendredi de 8 h 30 à 11 h 30 et de 13 h 30 à 16 h 30.
Certains enfants dont les parents travaillent viennent à la garderie du matin, d'autres restent à l'étude du soir, après la classe. Certains restent aussi à la cantine scolaire le midi.

Les enfants ont environ 16 semaines de vacances scolaires par an, dont 8 en été.

Lorsqu'on est à l'école, on est un écolier. À partir de 11 ans, on entre au collège et on devient un collégien. Puis, vers 15 ans, on entre au lycée et on devient un lycéen. C'est lorsqu'on entre à l'université que l'on devient un étudiant.

Le site http://www.momes.net/education/ecoles/index.html propose un grand nombre de liens vers des écoles francophones à traves le monde. Vous pourrez avoir accès à des informations concernant les classes, les activités, les sorties scolaires... Si vous souhaitez mettre en place une correspondance scolaire, vous trouverez les coordonnées de classes ou d'écoles cherchant des partenaires.

CAHIER D'ACTIVITÉS, p. 58 et 59

Les activités des pages *Je m'entraîne 1* proposent de faire le point sur les compétences acquises et celles qui sont en voie de l'être. Elles fourniront une photographie des capacités communicatives de chaque élève et permettront de savoir si les objectifs de *Zigzag,* ont été atteints.

- **Compréhension orale**
  - Comprendre qui parle et de quoi on parle : famille –vêtements – jeux (activité 1)
  - Identifier des sports, des émotions, des vêtements, des localisations dans l'espace, des parties du corps, des jeux
- **Compréhension écrite**
  - Associer une phrase simple à son illustration ; Comprendre l'utilisation de *il, elle, ils, elles.* (activité 1)
  - Comprendre un message et identifier la photo correspondant à la description du message (activité 2)
- **Production écrite**
  - Écrire l'emploi du temps d'une journée d'école (matières scolaires)
  - Compléter un questionnaire pour parler de ses goûts
- **Production orale**
  - Présenter une photo de famille
  - Dire ce qu'on met dans son cartable pou aller à l'école

J'ÉCOUTE, JE COMPRENDS

1 Écoute et écris le numéro du dialogue sous chaque image.

n° 4 n° 1 n° 2 n° 3

2 Écoute et entoure la bonne image.

58

J'écoute, je comprends, p. 58

Activité 1 28 **Écoute et écris le numéro du dialogue sous chaque image.**

Script du CD (deux enregistrements) 

Dialogue n° 1
– **Fille :** Bonjour Théo !
– **Garçon :** Salut Lisa ! C'est ton petit frère ?
– **Fille :** Oui, c'est mon petit frère ! Il s'appelle Valentin.

Dialogue n° 2
– **Fille :** J'adore tes chaussures rouges ! Elles sont géniales !
– **Autre fille :** Oh merci, Emma !

Dialogue n° 3
– **Garçon :** Hé Hugo, tu joues avec nous à l'élastique ?
– **Autre garçon :** Non ! ... Je vais au marché !

Dialogue n° 4
– **Garçon :** Mais où est ma chaussure ? Ah, la voilà... sous le lit !
– **Maman :** Paul ? Tu viens ?
– **Garçon :** Oui, je viens !

Activité 2 29 **Écoute et entoure la bonne image.**

Script du CD (deux enregistrements) 

1. Il porte un chapeau.
2. Il a peur !
3. Il fait du vélo.
4. Le chat est devant le panier.
5. Elle lève le bras.
6. Il joue au ping-pong.

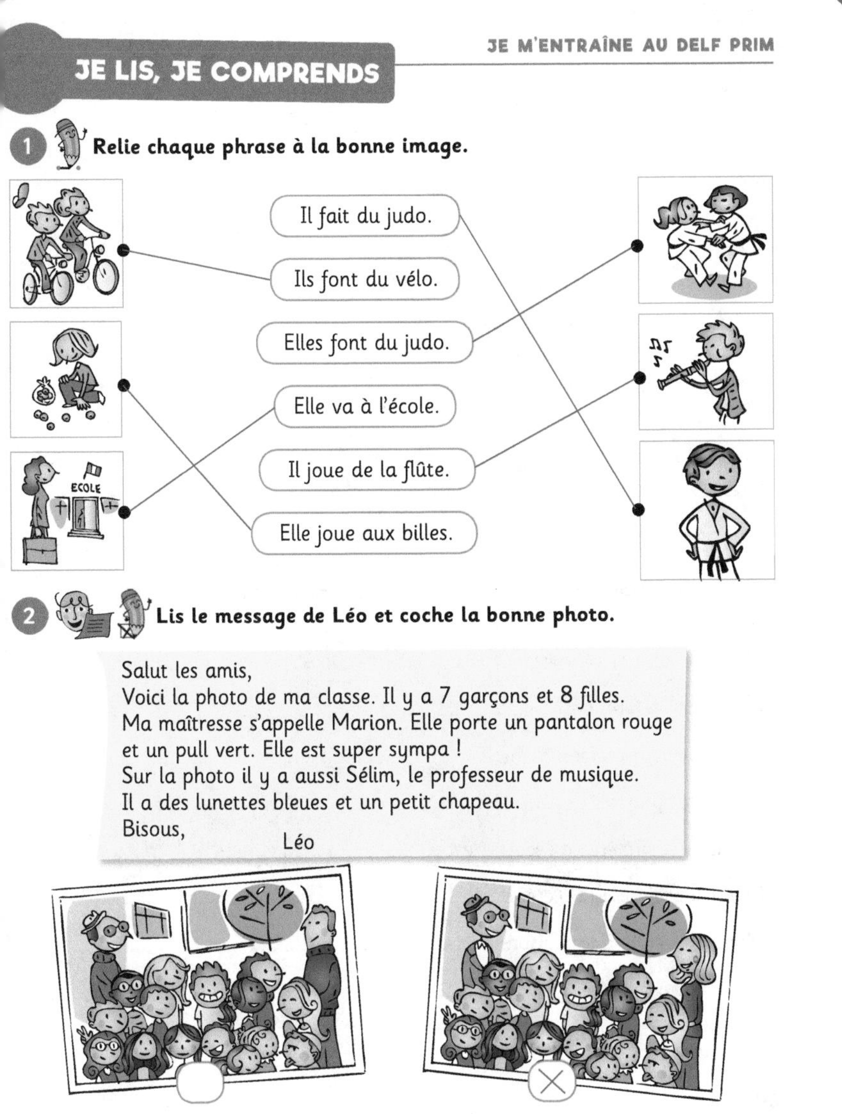

JE M'ENTRAÎNE AU DELF PRIM

JE LIS, JE COMPRENDS

1 Relie chaque phrase à la bonne image.

Il fait du judo.

Ils font du vélo.

Elles font du judo.

Elle va à l'école.

Il joue de la flûte.

Elle joue aux billes.

2 Lis le message de Léo et coche la bonne photo.

Salut les amis,
Voici la photo de ma classe. Il y a 7 garçons et 8 filles.
Ma maîtresse s'appelle Marion. Elle porte un pantalon rouge et un pull vert. Elle est super sympa !
Sur la photo il y a aussi Sélim, le professeur de musique.
Il a des lunettes bleues et un petit chapeau.
Bisous,
Léo

59

Je lis, je comprends, p. 59

Activité 1 **Relie chaque phrase à la bonne image.**

Activité 2 **Lis le message de Léo et coche la bonne photo.**

CAHIER D'ACTIVITÉS, p. 60 et 61

J'écris, p. 60

Activité 1 **À l'école. Écris l'emploi du temps de la journée.**

Activité 2 **Qu'est-ce que tu aimes ? Complète le questionnaire.**

On peut attendre, par exemple :
Mon animal préféré, c'est le chat.
Mon fruit préféré, c'est la pomme.
Mon vêtement préféré, c'est mon tee-shirt vert.
Mon sport préféré, c'est le foot.
Ma matière préférée à l'école, c'est le sport.
Mon jeu préféré à la récré, c'est les billes.
Mon jeu préféré à la maison, c'est l'ordinateur.
Mon cadeau préféré, c'est un vélo.

J'ÉCRIS

1 À l'école. Écris l'emploi du temps de la journée.

À l'école aujourd'hui :

1 : Musique
2 : Maths
3 : Français
4 : Sport

2 Qu'est-ce que tu aimes ? Complète le questionnaire.

Mon animal préféré, c'est ....
Mon fruit préféré, c'est ....
Mon vêtement préféré, c'est ....
Mon sport préféré, c'est ....
Ma matière préférée à l'école, c'est ....
Mon jeu préféré à la récré, c'est ....
Mon jeu préféré à la maison, c'est ....
Mon cadeau préféré, c'est ....

60

JE PARLE

JE M'ENTRAÎNE AU DELF PRIM

1 La famille de Rose. Regarde la photo et dis ce que tu vois.

2 Tu vas à l'école. Qu'est-ce que tu mets dans ton cartable ?

61

Je parle, p. 61

Activité 1 **La famille de Rose. Regarde la photo et dis ce que tu vois.**

On peut attendre, par exemple :

Rose porte une jupe rose et un tee-shirt vert. Elle joue au ping-pong avec (sa) maman et (son) papa. La maman de Rose porte une jupe bleue et un tee-shirt rose. Le papa de Rose porte un tee-shirt rouge. Mina, la sœur de Rose fait du vélo. Elle porte un pantalon bleu, des chaussures jaunes et un tee-shirt jaune. Papino, le papi de Rose a un pantalon bleu et un pull vert. Il joue au foot avec Jules et Hugo, les frères de Rose.

Activité 2 **Tu vas à l'école. Qu'est-ce que tu mets dans ton cartable ?**

On peut attendre, par exemple :

Je mets dans mon cartable des livres, ma (une) trousse et mes (des) crayons, ma (une) gomme, mes (des) cahiers, ma (une) règle, ma (une) flûte, un goûter, des bonbons...

Jours de fête pour les enfants

Ces pages sont à aborder en fonction du calendrier de l'année en cours. Elles ne s'inscrivent donc pas précisément dans une progression structurée des apprentissages langagiers.

Au cours de ces pages, les enfants vont :
- Découvrir divers jours de fêtes et diverses traditions qui jalonnent la vie d'un enfant français, ou de culture francophone, de décembre à avril
- Apprendre à s'ouvrir à d'autres pratiques culturelles et à les mettre en regard des pratiques en vigueur dans la/les cultures qu'il connaît
- Réutiliser des structures langagières connues

Joyeux Noël !

LIVRE DE L'ÉLÈVE, p. 70 et 71

  **Écoute. Qui parle ?**

Compréhension orale : identifier le locuteur.

• Faites observer l'illustration de l'activité 1. Pointez et nommez les différents éléments clés.
Nous sommes le 24 décembre (plus précisément dans la nuit du 24 au 25 décembre). C'est ***Noël*** ! On voit un beau ***sapin décoré*** avec des **boules** rouges et jaunes. Il y a une ***couronne*** au-dessus de ***la cheminée***. ***Le Père Noël*** est là avec ***sa hotte*** remplie de ***jouets***. Il distribue **les cadeaux**.
Faites nommer aux enfants les différents cadeaux : *un vélo, des rollers, une poupée, un jeu vidéo, un jeu de Memory, un livre, des crayons de couleur, un ballon de foot, un nounours, un skateboard, des skis.*

• Proposez à vos élèves d'écouter le CD. Ils devront identifier qui parle. À la fin de l'écoute recueillez leurs réponses ➜ *C'est le Père Noël !*

• Attirez l'attention des enfants sur les chaussures qui sont au pied du sapin : il y a des chaussures d'adultes et des chaussures d'enfants : celles (en rose !) d'une petite fille et celles d'un garçon, Théo.

JOYEUX NOËL !

70

Pour information : En France, le *Père Noël* apporte les cadeaux en passant par la cheminée et les distribue dans les chaussures déposées devant la cheminée ou au pied du sapin décoré. Les cadeaux sont ouverts le matin du 25 décembre (ou parfois au cours du réveillon – veillée avec un repas festif – du 24 décembre).

Le *sapin de Noël* décoré de figurines, de boules, d'étoiles et de guirlandes est traditionnellement présent à l'intérieur des maisons. On le trouve aussi dans les rues des villes et des villages où il est illuminé dès la tombée de la nuit (vers 17 heures en décembre en France).

Script du CD 037

Chut, c'est moi, Le Père Noël ! Oh, le beau sapin !
... Alors... Vite, les cadeaux pour les enfants !
Pour Théo : un ballon de foot... un jeu vidéo... des rollers... Et un livre...
Maintenant, les cadeaux pour Clara : un jeu de Memory... une poupée... un vélo... Et des crayons de couleur...

 **Écoute encore et trouve les cadeaux de Théo et Clara.**

Compréhension orale détaillée : attribuer à chacun les cadeaux qui lui reviennent.

• Le Père Noël lit sa liste de cadeaux... Il est en train de distribuer les cadeaux pour Théo et Clara, représentés sur l'illustration. Demandez aux enfants d'écouter une nouvelle fois le CD et de trouver quels sont les cadeaux pour chacun des deux enfants. Recueillez les réponses, puis procédez à une écoute fragmentée qui permettra de valider (ou non) les réponses données.

Solutions

Les cadeaux pour Théo : un ballon de foot, un jeu vidéo, des rollers et un livre.
Les cadeaux pour Clara : un jeu de Memory, une poupée, un vélo et des crayons de couleur.

♦ Activité complémentaire. Et toi, fêtes-tu Noël ?

• Demandez (L1) à vos élèves comment on fête Noël dans leur famille et invitez-les à réfléchir aux différences et aux ressemblances entre ce qu'ils connaissent et ce qu'ils découvrent dans ces pages dédiées au Noël des enfants en France. Si vous avez dans votre classe des enfants d'origines culturelles diverses, invitez-les à parler de la façon dont on fête Noël dans leur culture familiale d'origine. Si en revanche vos élèves ne fêtent pas Noël, demandez-leur si dans leur culture il y a des fêtes qui ressemblent à Noël.

3 Bingo de Noël ! Joue avec tes camarades !

Compréhension orale : identifier les objets de Noël.

• Demandez aux enfants de nommer les objets qu'ils voient sur la grille de jeu, ligne par ligne.

• Invitez chacun à prendre un crayon à papier, à choisir une des trois lignes de la grille, puis à l'entourer. Veillez à ce que deux voisin(e)s ne choisissent pas la même ligne !
Consigne de jeu : *Écoutez le CD ! Si vous entendez un objet qui est sur votre ligne, faites une petite croix sur la case !*
L'enfant qui le premier fait 5 croix sur sa ligne crie *Bingo !* Afin de vérifier qu'il ne s'est pas trompé, faites-lui nommer les 5 objets qui sont sur sa ligne et comparez-les à ceux de l'enregistrement. Si tout va bien, il est déclaré *Champion du Bingo !* On le félicite : *Bravo, tu as gagné !*
Si l'enregistrement n'est pas terminé, continuez à jouer avec le reste de la classe... pour le plaisir !

• Vous pourrez réutiliser cette grille de bingo pour de nouvelles parties de jeu (faites gommer ce qui aura déjà été tracé). Photocopiez préalablement la grille, découpez les quinze petites vignettes et mettez-les dans votre sac à malices. Une nouvelle partie pourra commencer ! Sortez les vignettes une à une, sans les montrer, et nommez-les : *Un cadeau vert... La hotte du Père Noël...*

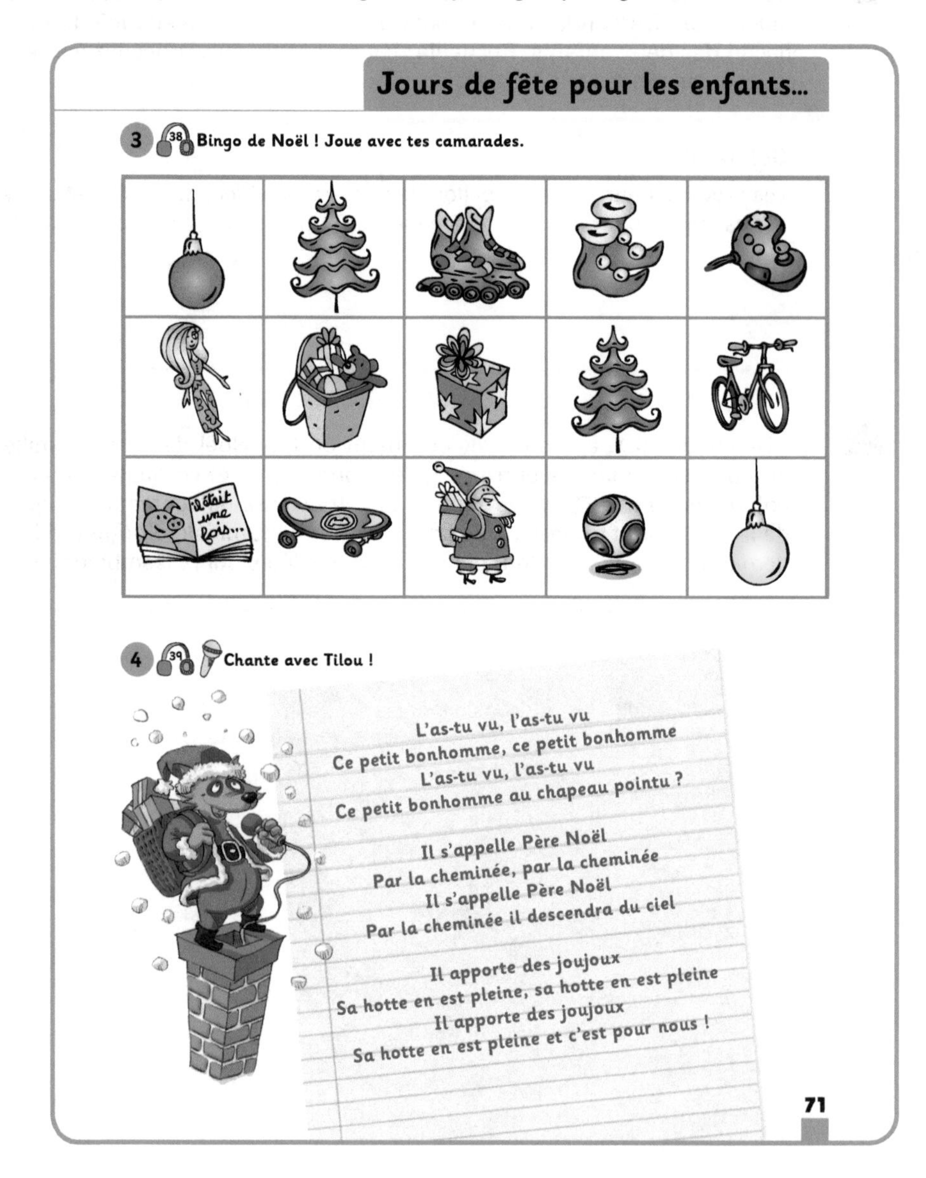

Script du CD (chaque item est nommé deux fois consécutives) 

Une poupée – Un ballon de foot – Un sapin vert – Un livre – Un cadeau vert – Un jeu vidéo – Un vélo – Des rollers – Le Père Noël – Un sapin rouge – Des chaussures – Un skateboard – La hotte du Père Noël – Une boule jaune – Une boule rouge.

Chante avec Tilou !

Manteau rouge et blanc, bonnet rouge et blanc, pantalon rouge et bottes noires… Tilou se prend pour le Père Noël ! Perché sur une cheminée avec sa hotte pleine de jouets, il invite les enfants à chanter une chanson de Noël…

• Faites écouter la chanson de Tilou, puis expliquez-en le sens à vos élèves, notamment pour *Par la cheminée, il descendra du ciel* et *Il apporte des joujoux* (mot du registre enfantin pour *des jouets), sa hotte en est pleine…* En effet, en France, la tradition veut que le Père Noël descende du toit par la cheminée, ses rennes et son traîneau l'attendant quelque part dans le ciel au-dessus des maisons…

• Procédez à une écoute fragmentée et invitez les enfants à chanter avec Tilou !

Script du CD 

L'as-tu vu, l'as-tu vu
Ce petit bonhomme, ce petit bonhomme
L'as-tu vu, l'as-tu vu
Ce petit bonhomme au chapeau pointu

Il s'appelle Père Noël
Par la cheminée, par la cheminée
Il s'appelle Père Noël
Par la cheminée il descendra du ciel

Il apporte des joujoux
Sa hotte en est pleine, sa hotte en est pleine
Il apporte des joujoux
Sa hotte en est pleine, et c'est pour nous !

Activité 1 Lis le message de Manon.

Compréhension écrite. Comprendre un courriel de façon globale : identifier son auteur et son destinataire ; Découvrir une pratique sociale enfantine : écrire « sa » lettre au Père Noël.

• Invitez vos élèves à lire une première fois « dans leur tête » le message que Manon a écrit sur son ordinateur.

• Puis demandez :

- *Qui est Manon ?* ➜ *C'est une fille ; elle a 7 ans ; elle habite à Lyon, en France.*
- *Manon écrit un message (un courriel) pour qui ?* ➜ *Elle écrit un courriel pour le Père Noël.*

• Expliquez à vos élèves que comme Manon beaucoup d'enfants, en France mais aussi dans d'autres pays francophones, écrivent en novembre ou en décembre une lettre ou un courriel au Père Noël. La Poste a ouvert une adresse postale – *Père Noël, rue des Nuages au Pôle Nord* – et une adresse électronique – http://www.laposte.fr/pere-noel/ecrire fin.php – où les enfants peuvent envoyer leur courrier.
L'essentiel du courrier est envoyé par des enfants de 3 à 9 ans. À l'âge de l'apprentissage de la lecture et de l'écriture, c'est souvent le premier courrier que les enfants sont amenés à écrire. À l'occasion de Noël 2009, un million de lettres et 150 000 courriers électroniques ont été reçus. Le secrétariat du Père Noël est débordé : ce dernier répond à toutes les lettres qui lui parviennent avant le 20 décembre !

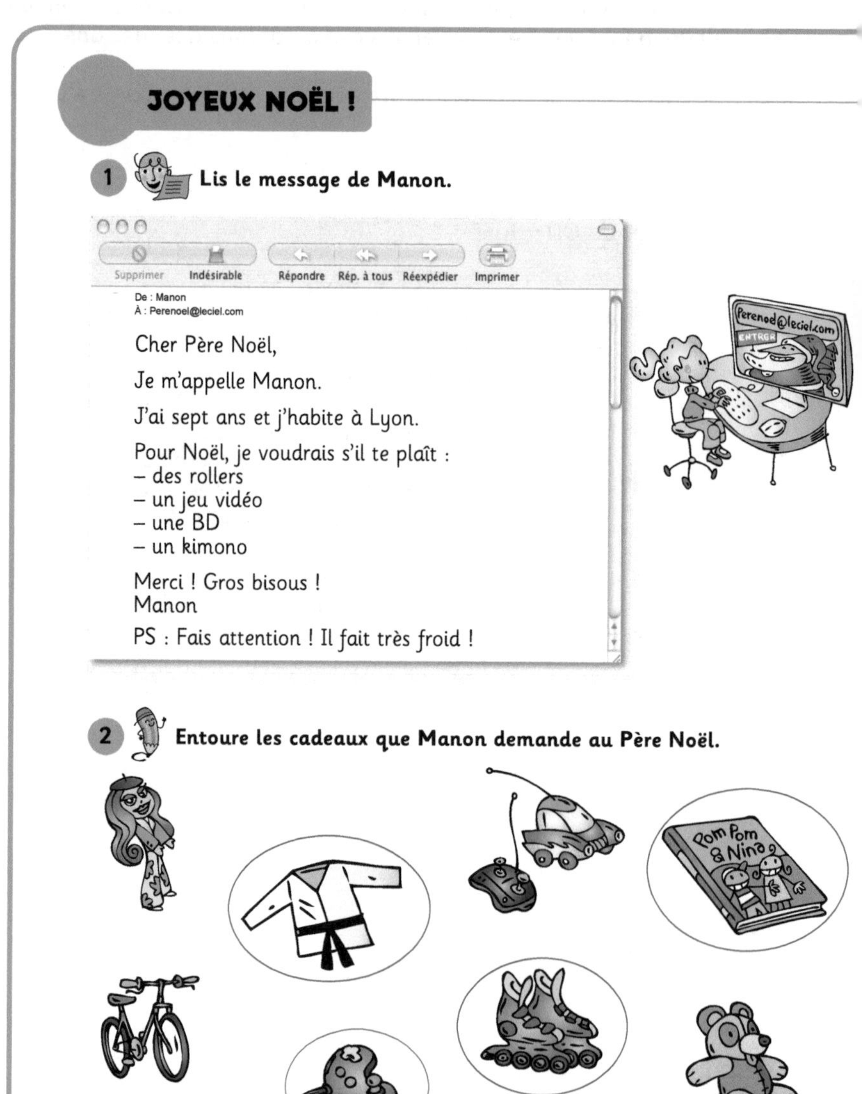

Activité 2 Entoure les cadeaux que Manon demande au Père Noël.

Compréhension écrite : prendre des informations dans un texte ; Identifier les spécificités du type de texte « lettre ».

• Demandez aux enfants de lire une nouvelle fois le message de Manon, puis d'entourer les vignettes correspondant aux cadeaux qu'elle demande au Père Noël.
Il n'est pas nécessaire de connaître le nom de tous les objets représentés sur les vignettes pour réaliser la tâche.

• Mise en commun. Projetez au tableau le message de Manon (ou affichez une reproduction grand format). Invitez un élève à venir entourer et nommer les cadeaux que Manon souhaite.
Vérifiez que vos élèves ont bien entouré les bons objets sur leur cahier.

• Oralisez avec vos élèves la lettre au Père Noël. Attirez leur attention sur :

- la formule d'appel en début de message *Cher Père Noël* et sur les majuscules du nom propre *Père Noël.*
- la formule utilisée par Manon pour demander poliment quelque chose : *Pour Noël, je voudrais s'il te plaît...* (Vos élèves connaissent déjà *Je veux.*)
- la liste de cadeaux introduits par des tirets.
- les remerciements et la formule de fin de message *: Merci ! Gros bisous !*
- la signature de Manon.
- Le postscriptum (*PS*), petite information ajoutée en fin de message : *Fais attention ! Il fait très froid !* Si vous vivez dans l'hémisphère sud, expliquez à vos élèves qu'en France le mois de décembre est en hiver. Il fait froid et parfois il y a même de la neige.

3 **Écris ta lettre au Père Noël.**

Bienvenue sur le blog de Père Noël.com

Cher.. .

Je m'appelle..

J'ai................................ et j'habite à ....

Pour Noël, je voudrais s'il te plaît :

-.. .

-..

-..

- ....

Merci ! Gros bisous !

....

4 **Dessine sous le sapin les cadeaux que tu demandes au Père Noël, puis colorie.**

Activité 3 Écris ta lettre au Père Noël.

Production écrite guidée : écrire un courriel ; Se présenter ; Exprimer poliment une demande ; Entrer dans une pratique culturelle du monde enfantin : écrire au Père Noël

À 7 ou 8 ans, on ne croit plus vraiment au Père Noël, mais pourquoi ne pas encore essayer de lui écrire, juste une fois… On ne sait jamais !

• Invitez vos élèves à s'inspirer du courriel de Manon pour écrire au Père Noël en complétant la lettre lacunaire proposée dans l'activité 2. Recommandez-leur d'être attentifs à l'orthographe et au choix des « petits mots » dans leur liste de jouets : *un, une* ou *des* ? Le destinataire en vaut bien la peine !

Activité 4 Dessine sous le sapin les cadeaux que tu demandes au Père Noël, puis colorie.

Dessiner pour illustrer un message écrit ; Production orale : exprimer un souhait.

• Proposez aux enfants de :
  - dessiner et colorier sous le sapin les cadeaux dont la liste figure dans leur lettre ;
  - colorier le sapin décoré.

Passez parmi les élèves, faites nommer les différents cadeaux dessinés et vérifiez qu'ils correspondent bien au texte de chaque lettre.

• Mise en commun. Faites présenter à la classe les différents dessins et demandez à vos élèves : *Qu'est-ce que tu voudrais pour Noël ? Je voudrais un/un/des…*

Pour aller plus loin

Si vous souhaitez fournir davantage d'informations de type « découvertes culturelles » à vos élèves, réaliser avec eux des activités de bricolage, des jeux ou des recettes ou élargir votre répertoire de chants et comptines de Noël, rendez-vous sur les pages web suivantes :

http://www.fete-enfants.com/noel-enfants/
http://www.vivenoel.com/
http://www.teteamodeler.com/dossier/noel/index.asp
http://noel.momes.net/

Vive la galette !

LIVRE DE L'ÉLÈVE, p. 72

  **La galette des rois à l'école !**

Production orale : décrire une image ; Découvrir une pratique liée à une fête calendaire : la fête des rois.

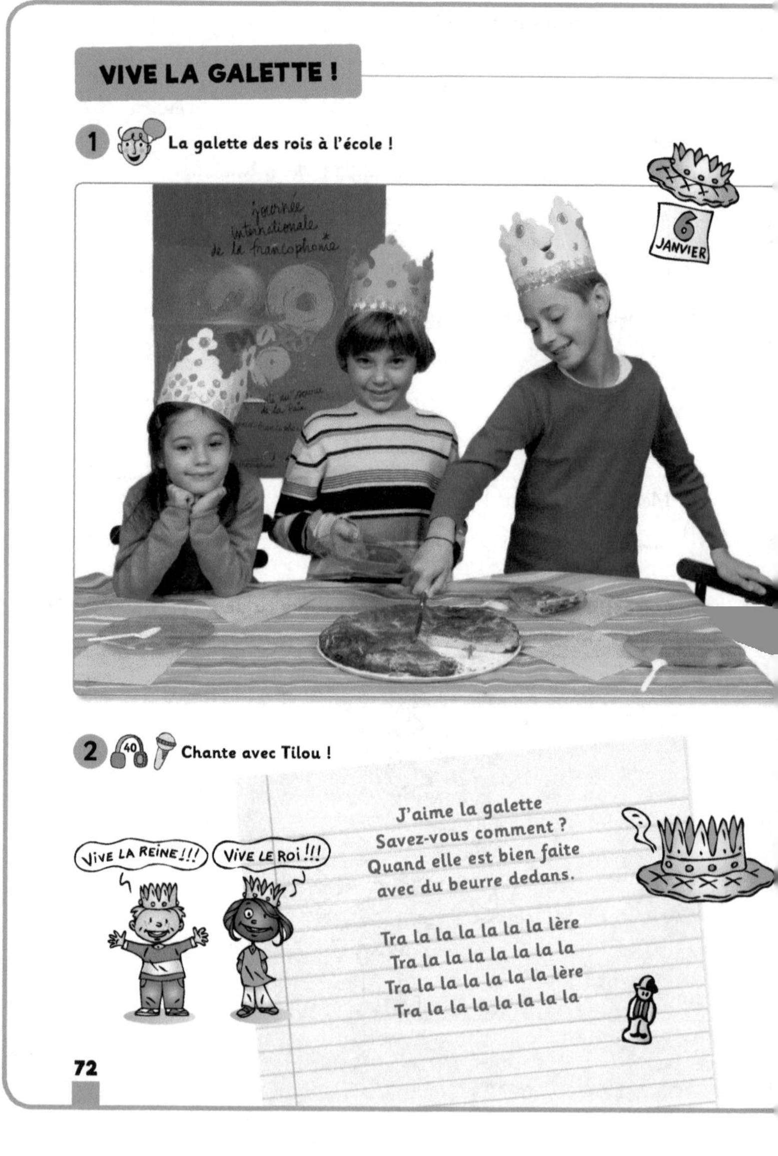

VIVE LA GALETTE !

1 La galette des rois à l'école !

2 Chante avec Tilou !

J'aime la galette
Savez-vous comment ?
Quand elle est bien faite
avec du beurre dedans.

Tra la la la la la la lère
Tra la la la la la la la
Tra la la la la la la lère
Tra la la la la la la la

72

• Faites observer la photo de l'activité 1. On y voit trois enfants avec une *couronne* sur la tête. L'un d'entre eux (le plus grand !) coupe et distribue à chacune de ses camarades une part de *galette*. Demandez à vos élèves s'ils ont une idée de ce que ces enfants font... ➜ Ils sont en train de *tirer les Rois !*

• Expliquez qu'on mange traditionnellement la galette des rois à l'occasion de la fête des Rois, fête célébrée le 6 janvier. À cette occasion, la tradition veut que l'on partage une galette dans laquelle est cachée une *fève* – pointez la petite figurine (en porcelaine ou en plastique) représentée sur l'illustration en bas de l'activité 2. Le plus jeune de la famille, ou de l'assemblée, se glisse sous la table pour désigner à qui reviendra chaque part (ainsi, personne ne peut tricher !). Celui ou celle qui trouve la fève sera couronné roi ou reine. On pose une couronne sur la tête du roi qui doit alors choisir sa reine (ou le contraire). Et toute l'assemblée s'exclame : *Vive le roi ! Vive la reine !*

Cette tradition plaît tellement qu'on a tendance à fêter les Rois jusqu'à la fin du mois de janvier ! En famille ou à l'école, les enfants confectionnent des couronnes, préparent des recettes de galette des rois et chantent. Si vous souhaitez *tirer les rois* avec vos élèves, leur faire fabriquer des couronnes de rois et reines et préparer une galette, vous trouverez des indications très utiles – recettes, patrons pour les couronnes – sur la page web suivante : http://www.petitestetes.com/thematiques/fete-rois/index-fete-rois.htm

  **Chante avec Tilou !**

• Faites découvrir et chanter cette chanson traditionnelle associée à la fête des rois *J'aime la galette.*

C'est Carnaval !

LIVRE DE L'ÉLÈVE, p. 73

3 Écoute et montre le bon déguisement !

Compréhension orale : identifier différents personnages.

• Faites observer l'illustration. Nous sommes en février, c'est Carnaval, les enfants sont déguisés ! Proposez à vos élèves d'écouter le CD et de pointer sur l'illustration le personnage correspondant à chaque description.

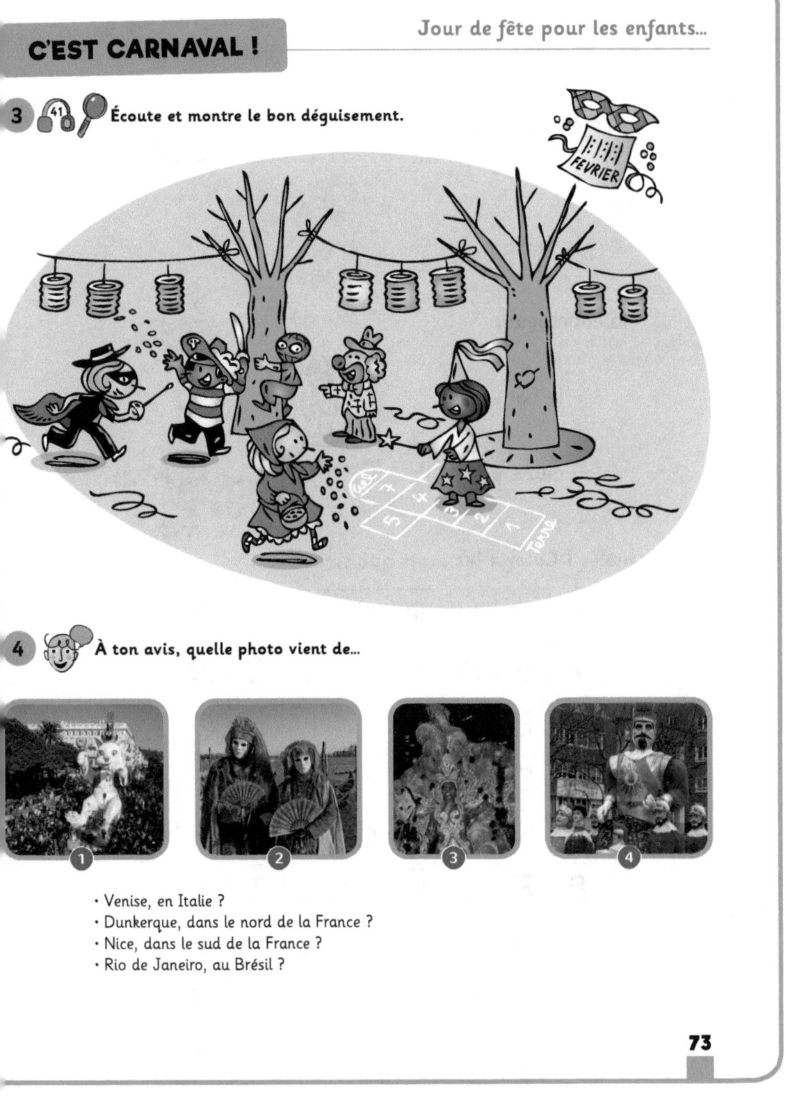
C'EST CARNAVAL !

Jour de fête pour les enfants...

3 Écoute et montre le bon déguisement.

4 À ton avis, quelle photo vient de...

- Venise, en Italie ?
- Dunkerque, dans le nord de la France ?
- Nice, dans le sud de la France ?
- Rio de Janeiro, au Brésil ?

73

• Procédez à une écoute fragmentée. Après chaque description, demandez : *Qui est-ce ?* ➜ *C'est B, c'est Zorro !*

Script du CD 41	Solutions
– **Fille :** Je porte un chapeau noir, un pantalon noir et un tee-shirt noir. J'ai une épée. Je suis Zorro !	Personnage B
– **Fille :** Moi, j'aime le rouge. J'ai une jupe rouge, un pull rouge, un chapeau rouge. J'ai aussi un panier. Je suis... le petit Chaperon rouge !	Personnage F
– **Garçon :** J'ai un pantalon noir, un tee-shirt rouge et blanc. Je porte un chapeau, j'ai une épée... Je suis un pirate ! À l'abordage !	Personnage E
– **Fille :** J'ai un pantalon bleu, un tee-shirt bleu, des chaussures rouges... Je suis ?... Je suis Spiderman !	Personnage C
– **Garçon :** J'ai un pantalon vert, un chapeau vert et rose et un nez rouge ! Je suis un clown !	Personnage A
– **Fille :** Moi j'ai un chapeau bleu, une jupe bleue et des chaussures bleues. J'ai aussi une baguette magique ! Je suis une fée !	Personnage D

Remarque : Vos élèves ne pourront réussir pleinement la tâche de compréhension orale que s'ils connaissent déjà le vocabulaire des vêtements (Unité 5, leçon 1). Toutefois les noms des différents personnages leur permettront d'identifier globalement qui est qui.

• Demandez (L1) aux enfants s'ils fêtent Carnaval et en quoi ils se déguisent ou aimeraient se déguiser. *Pour Carnaval, tu es Zorro ? Tu es une fée ? Un clown ?*

4 À ton avis, quelle photo vient de...

• Faites observer les quatre photos de carnaval : elles viennent de quatre régions ou pays différents. Demandez à vos élèves quelle photo, à leur avis, vient de Venise, en Italie, de Nice dans le sud de la France, de Dunkerque dans le nord de la France, de Rio de Janeiro au Brésil. Recueillez les propositions des enfants en leur demandant de les justifier ➜ Les carnavals de Rio de Janeiro (photo n° 3) et de Venise (photo n° 2) sont mondialement connus, vos élèves ont peut-être déjà vu des reportages télévisés ou des photos les illustrant. Venise est par ailleurs identifiable à ses gondoles. Le carnaval de Nice (photo n° 1) sera peut-être identifié grâce aux palmiers que l'on voit sur la photo : Nice dans le sud de la France jouit d'un climat méditerranéen. La photo n° 4 représente un défilé de Géants, figures emblématiques du carnaval de Dunkerque dans le nord de la France.

• Faites situer les pays sur la carte des pages 4 et 5 du livre de l'élève.

• Parmi les carnavals du monde francophone citons aussi le célèbre carnaval de Québec et les carnavals de Belgique, notamment celui de Binche, qui attirent chaque année un très grand nombre de visiteurs.
Le site web pour enfants http://www.momes.net propose un mini-dossier dédié au carnaval où sont présentés *les carnavals du monde.* Vous y trouverez notamment des informations sur les carnavals de Rio, de Venise, de Nice, de Dunkerque et de Binche en Belgique.

Activité 1  **Relie les mots aux dessins.**

Compréhension écrite : associer un mot au dessin correspondant.

• Faites relier chaque mot au dessin qui le représente.

• Mise en commun. Faites oraliser chaque mot, puis demandez aux enfants de montrer le dessin correspondant.

Activité 2 **Mots mêlés ! Colorie les mots que tu connais.**

Compréhension écrite : identifier les mots de la « fête des rois ».

• Demandez à vos élèves de trouver les mots de la fête des rois et de les colorier. Après quelques minutes de recherche individuelle, proposez-leur de mutualiser le résultat avec leur voisin(e).

• Mise en commun. Projetez la grille au tableau. Proposez à quelques enfants de venir entourer les mots sur la grille et de les nommer.

VIVE LA GALETTE !

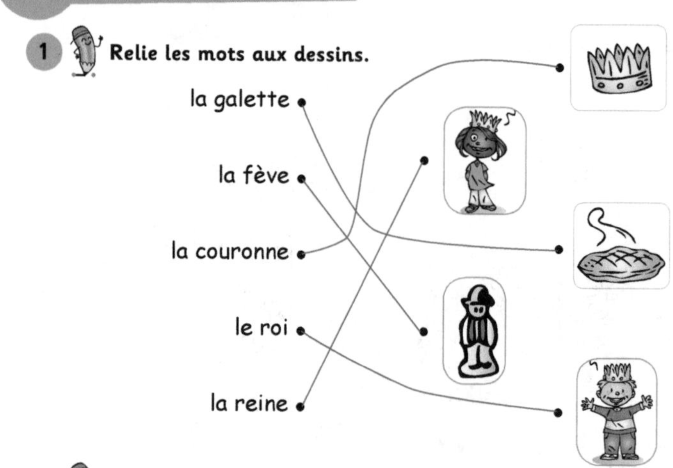

2 **Mots mêlés ! Colorie les mots que tu connais.**

C	O	U	R	O	N	N	E
I	S	A	U	L	I	O	N
O	E	U	F	S	L	Ë	O
R	O	I	E	F	A	L	S
A	N	O	C	Q	U	E	R
B	E	U	R	R	E	T	E
U	S	E	V	O	R	O	I
F	È	V	E	M	I	E	N
O	G	A	L	E	T	T	E

64

Activité 1 Lis les petits textes, relie au bon dessin et colorie.

Compréhension écrite : associer un texte à son illustration.

• Demandez aux enfants de lire dans leur tête chaque petit texte et de le relier par une flèche à son illustration.

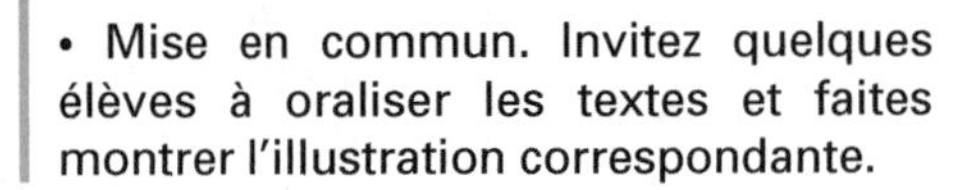

• Mise en commun. Invitez quelques élèves à oraliser les textes et faites montrer l'illustration correspondante.

C'EST CARNAVAL !

1 Lis les petits textes, relie au bon dessin et colorie.

a. La fée a un chapeau rose, une jupe jaune et une baguette magique.

b. Le pirate a un pantalon noir, un tee-shirt rouge et noir et un grand chapeau noir.

c. Zorro a un pantalon noir, un tee-shirt noir et un chapeau noir.
Son cheval est noir.

d. La sorcière a un chapeau noir, une grande jupe noire, un pull vert et un chat noir.

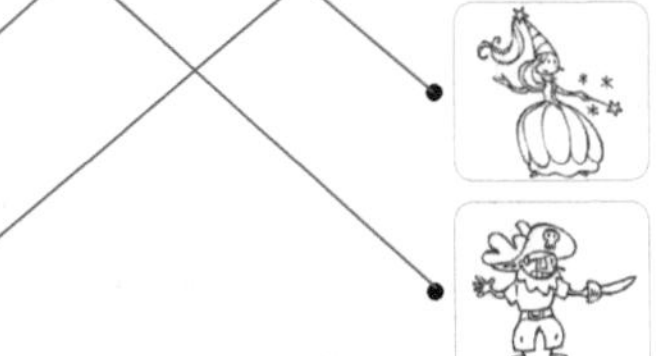

2 Félix s'est déguisé ! Colorie le dessin.

3 : noir
4 : jaune
5 : rouge
6 : vert
7 : bleu
8 : rose

Félix est déguisé en Pirate..

Activité 2 Félix s'est déguisé ! Colorie le dessin.

Compréhension écrite : identifier le nom des couleurs ; Colorier un dessin en respectant un code de couleurs. Mathématiques : Effectuer des opérations (additions et soustractions).

• Faites observer l'activité 2 et demandez à vos élèves d'expliquer ce qu'ils devront faire ➜ Colorier en noir quand le résultat de l'opération (addition ou soustraction) est 3 ; colorier en jaune quand le résultat de l'opération est 4, etc. ; écrire en quoi Félix s'est déguisé.

• À la fin de l'activité, demandez en quoi Félix est déguisé ➜ *Il est déguisé en pirate !*

Poisson d'avril !

LIVRE DE L'ÉLÈVE, p. 74

1 Qu'est-ce qui est bizarre ?

Production orale : décrire des comportements.

• Le premier avril, avec ses poissons d'avril, est une tradition qui plaît beaucoup aux enfants. Expliquez (L1) à vos élèves que ce jour-là on colle, le plus discrètement possible, des poissons de papier que l'on a fabriqués soi-même dans le dos de ses camardes, de ses parents... ou de ses professeurs. Certains d'entre eux se promènent parfois, à leur insu, toute la journée avec un « poisson d'avril » dans le dos, ce qui fait beaucoup rire les autres !
De façon générale, le premier avril est un jour où on se fait des blagues et où on raconte aux uns et aux autres des petites histoires dans l'espoir que l'on va nous croire... Lorsque ça marche, on s'écrie *Poisson d'avril !* ce qui signifie : c'était une blague, je t'ai bien eu !
La radio, la télévision et les journaux diffusent ce jour-là des informations fausses mais crédibles, chacun s'amusant à les dénicher parmi les autres informations du jour.

• Faites observer l'illustration de l'activité 1. C'est le premier avril... et il se passe des choses très bizarres ! Demandez à vos élèves de décrire l'image et de dire ce qui est bizarre : *Qu'est-ce que vous voyez ? Qu'est-ce qui est bizarre ?*

– 3 personnes (deux hommes et un garçon) ont des poissons d'avril dans le dos. – Un chat fait du roller ; il porte des lunettes de soleil. – Le Père Noël vend des légumes. – Un chien lit le journal, assis sur un banc.– Madame Bouba a des palmes, un masque et un tuba. – Tilou vole dans le ciel. – Félix marche sur les mains. – 2 garçons jouent au foot avec un ballon carré. – Une voiture a des roues en forme de triangles. – Les nuages ont la forme de poissons.

Tout cela n'existe pas dans la réalité bien sûr, c'est un... ***Poisson d'avril*** !

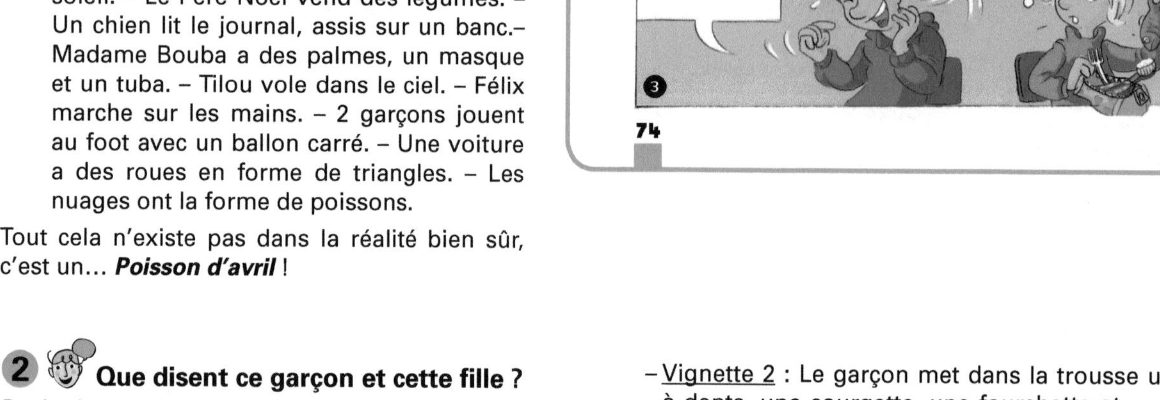

2 Que disent ce garçon et cette fille ?

Production orale : raconter une petite histoire ; Compléter les bulles d'une BD.

• Faites observer, puis décrire les 3 vignettes de la BD :
– Vignette 1 : Un garçon et une fille sont à l'école. La petite fille écrit dans son cahier ; Le petit garçon vide la trousse de sa voisine : il prend la règle, la gomme, les crayons...
– Vignette 2 : Le garçon met dans la trousse une brosse à dents, une courgette, une fourchette et un poisson ! La petite fille écrit toujours dans son cahier...
– Vignette 3 : La petite fille prend sa trousse... Elle est très étonnée et ne comprend pas ! Le garçon est très joyeux ! Il rit beaucoup de sa blague !

• Faites proposer des paroles pour les 2 bulles vierges :
Par exemple :
– La fille : *Mais... c'est bizarre ! Qu'est-ce que c'est ?*
– Le garçon : *Ah, ah ! Poisson d'avril !*

C'est le printemps !

LIVRE DE L'ÉLÈVE, p. 75

3   Trouve les œufs de Pâques cachés dans le jardin. Il y en a combien ?

Production orale : décrire une image ; Dénombrer.

• C'est le printemps : on voit des oiseaux, des arbres verts, des fleurs. La nature se réveille après l'hiver. Le printemps commence le 20 ou 21 mars dans l'hémisphère nord.

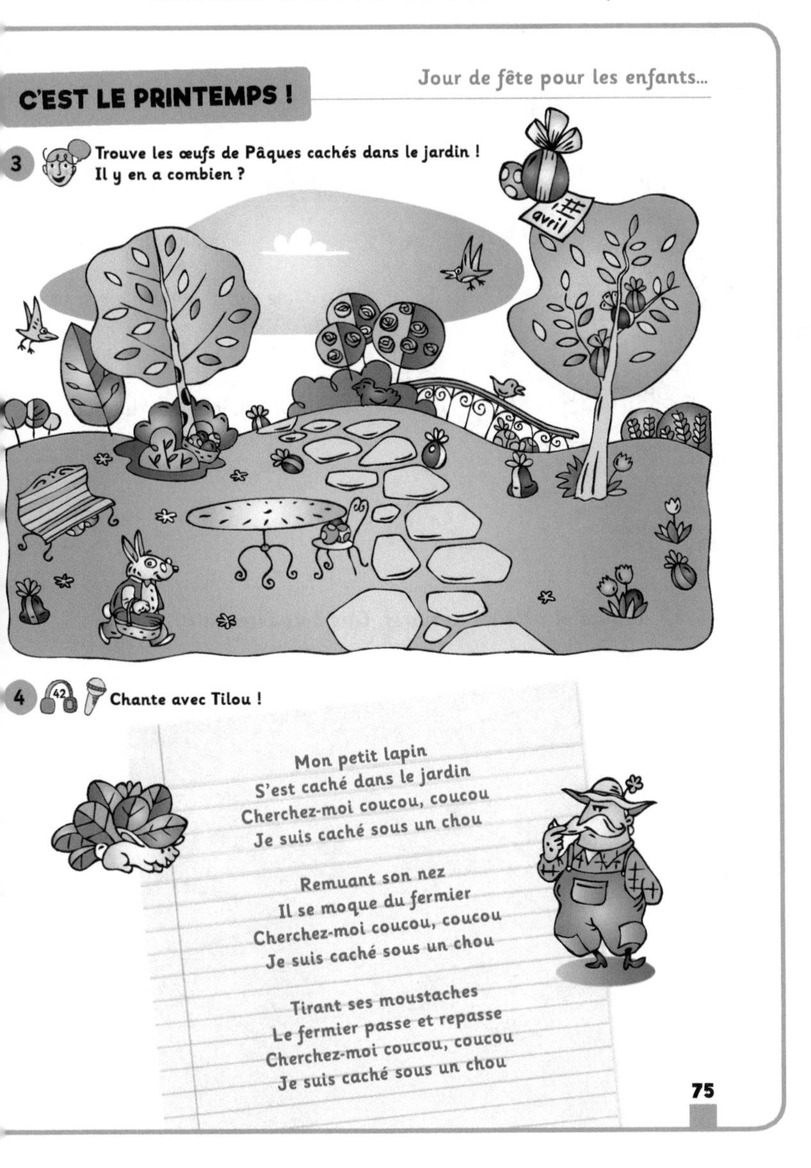

C'EST LE PRINTEMPS !

Jour de fête pour les enfants...

3 Trouve les œufs de Pâques cachés dans le jardin ! Il y en a combien ?

4 Chante avec Tilou !

Mon petit lapin
S'est caché dans le jardin
Cherchez-moi coucou, coucou
Je suis caché sous un chou

Remuant son nez
Il se moque du fermier
Cherchez-moi coucou, coucou
Je suis caché sous un chou

Tirant ses moustaches
Le fermier passe et repasse
Cherchez-moi coucou, coucou
Je suis caché sous un chou

75

Faites observer et décrire l'illustration → Dans le jardin, il y a un lapin avec un panier. Il y a aussi des œufs, des cloches et une poule en chocolat. Nous sommes en avril, c'est le matin de Pâques, le lapin collecte les œufs.
Demandez aux enfants de trouver et compter les œufs cachés dans le jardin → Il y en a 19 !

• Expliquez à vos élèves qu'en France, on raconte que les cloches des églises partiraient à Rome avant Pâques et que pour leur retour le jour de Pâques elles laisseraient tomber sur les jardins et les maisons des œufs, des poules et des cloches en chocolat. Les enfants se font alors une joie de chercher ces trésors... qu'en réalité leurs parents ont cachés avec soin !
En Allemagne, ce sont les lapins qui mettent les œufs dans les nids que les enfants ont préparés. On trouve une tradition analogue en Alsace.

Si Pâques est pour certains une fête religieuse, elle est pour tous une fête du renouveau et de l'éveil du printemps.

Le site web pour enfants http://www.teteamodeler.com/ propose un mini-dossier dédié à Pâques où vous trouverez de nombreuses idées de coloriages, bricolages et décorations à fabriquer avec vos élèves.

4  Chante avec Tilou !

• Faites découvrir et chanter à vos élèves *Mon petit lapin*, chanson traditionnelle du répertoire enfantin, associée au printemps et à la fête de Pâques. Ajoutez-lui un accompagnement gestuel et mettez-la en scène avec ses deux personnages : un lapin (caché sous un chou !) et un fermier.

Script du CD 42	Gestes d'accompagnement
Mon petit lapin S'est caché dans le jardin Cherchez-moi coucou, coucou Je suis caché sous un chou	Les doigts derrière la tête en forme d'oreilles de lapin S'accroupir en faisant mine de se cacher Les mains devant les yeux s'écartent et se referment Décrire le chou avec les mains en traçant une boule dans l'espace
Remuant son nez Il se moque du fermier Cherchez-moi coucou, coucou Je suis caché sous un chou	L'index remue le nez Une main ouverte, doigts serrés devant la bouche
Tirant ses moustaches Le fermier passe et repasse Cherchez-moi coucou, coucou Je suis caché sous un chou	Les index et pouces tirent les moustaches Les mains sur les hanches, dandinement de droite à gauche

Activité 1  **Lis et écris V (vrai) ou F (faux).**

Compréhension écrite : comprendre des phrases.

• Les habitants de cette maison ont des pratiques assez bizarres ! Invitez vos élèves à observer l'illustration, à lire « dans leur tête » chacune des 6 petites phrases, puis à indiquer si elles correspondent (V) ou ne correspondent pas (F) à l'illustration.

• Mise en commun. Faites oraliser chaque phrase et répondre à la question *vrai* ou *faux*. Faites montrer sur l'illustration le détail correspondant.

Activité 2 **Écoute et relie les nombres. Que découvres-tu ?**

Compréhension orale : comprendre des nombres pour relier des points entre eux et former… un poisson.

Demandez aux élèves d'écouter le CD et de relier les nombres : *Écoutez et reliez les nombres !* Suggérez-leur d'écouter une première fois en reliant les nombres avec leur doigt, puis une seconde fois avec leur crayon à papier.

• Quand ils ont terminé, demandez-leur ce qu'ils ont dessiné : *Qu'est-ce que vous voyez ?* ➜ C'est *un poisson d'avril* bien sûr !

POISSON D'AVRIL !

1 Lis et écris V (vrai) ou F (faux).

1 Le poisson porte des lunettes. F

2 La petite fille mange une pomme. F

3 Il y a une vache derrière la maison. V

4 Le chat fait du ski. V

5 Le canard chante une chanson. F

6 La mamie découpe un poisson. V

2 Écoute et relie les nombres. Que découvres-tu ?

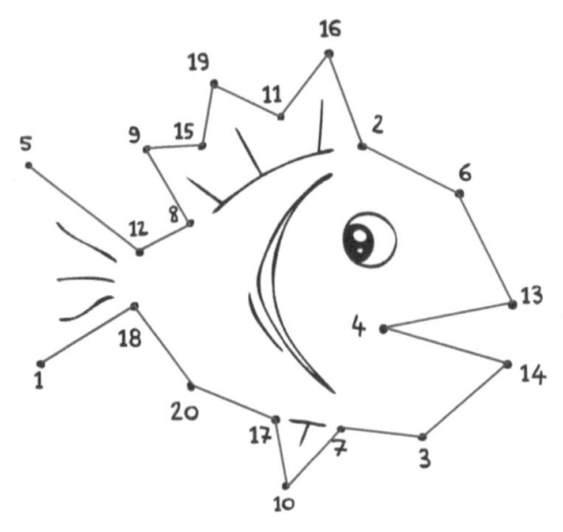

66

Script audio (chaque nombre est répété 2 fois)

5 – 12 – 8 – 9 – 15 – 19 – 11 – 16 – 2 – 6 – 13 – 4 – 14 – 3 – 7 – 10 – 17 – 20 – 18 – 1

C'EST LE PRINTEMPS !

  **Lis et colorie.**

1. Colorie en rose les œufs qui sont **dans** le panier.
2. Colorie en vert les œufs qui sont **devant** le panier.
3. Colorie en rouge les œufs qui sont **sur** la table.
4. Colorie en jaune les lapins qui sont **derrière** la maison.
5. Colorie en bleu les lapins qui sont **dans** le jardin.

Activité 1 Lis et colorie.

Compréhension écrite : comprendre des consignes pour réaliser un coloriage.

• Avant que les enfants commencent à colorier, faites oraliser les consignes et remémorer le sens des localisateurs spatiaux *dans, devant, sur, derrière.*

• Mise en commun. Demandez : *Il y a combien d'œufs verts ? Il y a combien d'œufs rouges ? Etc.*

Transcriptions et corrigés

Les fiches d'évaluation sont à télécharger sur l'espace digital : http://zigzag.cle-international.com

Activité 1 

1. Bonjour ! Je m'appelle Pedro, j'ai 9 ans j'habite à Lima, au Pérou (*traduction*).
2. Bonjour ! Comment ça va ? Tu veux jouer avec moi ?
3. Bonjour, je m'appelle Lu, j'ai 8 ans, j'habite à Pékin, en Chine (*traduction*).
4. Huuum... il est super bon ton gâteau ! J'adore ! Merci Emma !
5. Bonjour les amis, je m'appelle Samira, j'habite au Caire, en Égypte (*traduction*).

Activité 2 32

1. B – O – N – J – O – U - R
2. une B – A – N – A - N – E
3. un T – A – X – I
4. un P – A – N – T – A - L – O - N

Écoute encore.

1. B – O – N – J – O – U – R
2. une B – A – N – A – N – E
3. un T – A – X – I
4. un P – A – N – T – A – L – O – N

Unité 0 Évaluation

Prénom et nom : ....

1 Écoute et coche lorsque tu entends du français.

1 ☐ 2 ☒ 3 ☐ 4 ☒ 5 ☐

.... / 2 points

2 Écoute et écris les lettres.

1 BONJOUR 2 une BANANE

3 un TAXI 4 un PANTALON

.... / 2 points

3 Colorie ce qui est écrit en français.

1 Salut ! J'habite en Espagne, à Madrid, mais ma mamie habite en France, à Lyon.

2 Hello! What's your name? Where do you come from?

3 مرحبا ! .. اسمي سميره و أسكن القاهرة

4 Bonjour ! Je m'appelle Hugo. J'ai 9 ans.

5 Hallo! Mein Name ist Thomas. Seit drei Monaten lerne ich Französisch in der Schule.

6 Привет! Меня зовут Миша. Я живу в Москве.

.... / 2 points

1

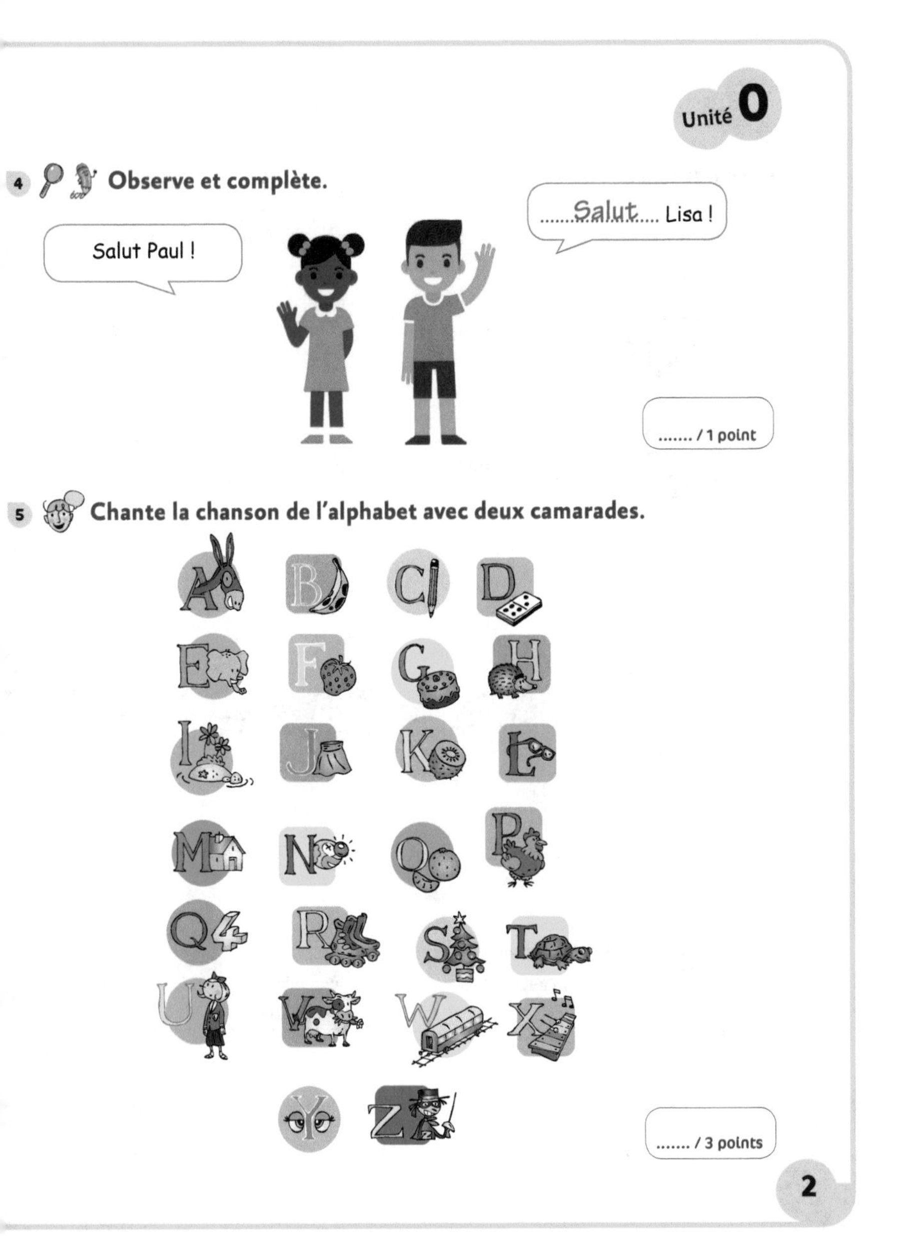

4 Observe et complète.

.... / 1 point

5 Chante la chanson de l'alphabet avec deux camarades.

.... / 3 points

2

Transcriptions et corrigés

Les fiches d'évaluation sont à télécharger sur l'espace digital : http://zigzag.cle-international.com

Activité 1 33

1. – Bonjour Pablo ! Tu as quel âge ?

– J'ai 7 ans.

2. – Bonjour Sara ! Tu as quel âge ?

– J'ai 12 ans.

Écoute encore.

1. – Bonjour Pablo ! Tu as quel âge ?

– J'ai 7 ans.

2. – Bonjour Sara ! Tu as quel âge ?

– J'ai 12 ans.

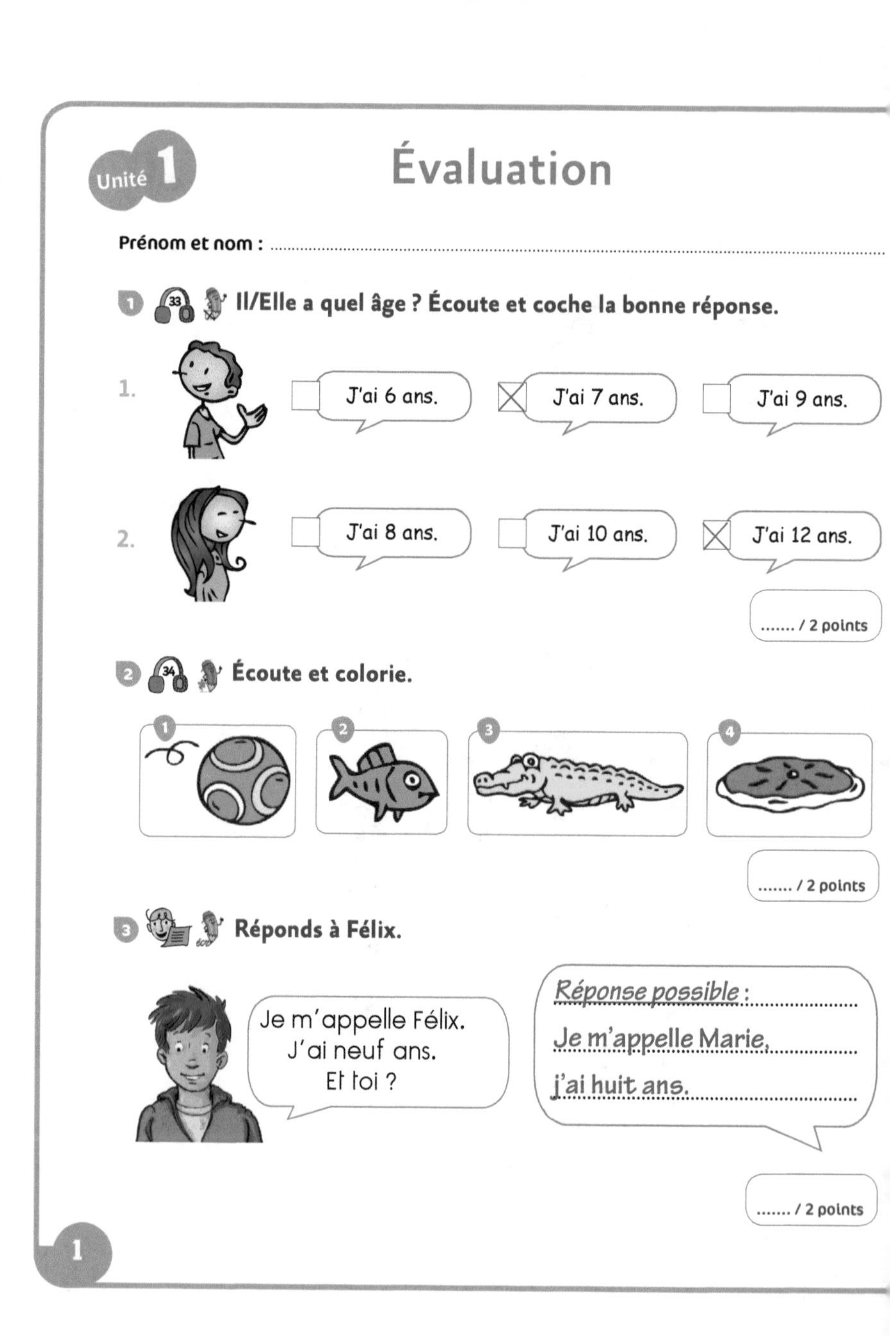

Unité 1 **Évaluation**

Prénom et nom : ....

1 33 **Il/Elle a quel âge ? Écoute et coche la bonne réponse.**

1. ☐ J'ai 6 ans. ☒ J'ai 7 ans. ☐ J'ai 9 ans.

2. ☐ J'ai 8 ans. ☐ J'ai 10 ans. ☒ J'ai 12 ans.

.... / 2 points

2 34 **Écoute et colorie.**

1 2 3 4

.... / 2 points

3 **Réponds à Félix.**

Réponse possible :
Je m'appelle Marie,
j'ai huit ans.

.... / 2 points

1

Activité 2 34

1. Le **ballon** est **rose.**

2. Le **poisson** est **vert.**

3. Le **crocodile** est **jaune.**

4. La **pizza** est **rouge.**

Écoute encore.

1. Le **ballon** est **rose.**

2. Le **poisson** est **vert.**

3. Le **crocodile** est **jaune.**

4. La **pizza** est **rouge.**

4 Complète avec « Il » ou « Elle ».

1. ..Elle.. s'appelle Lila.

2. ....Il.... s'appelle Félix.

3. ....Il.... s'appelle Pablo.

4. ..Elle.. s'appelle Sara.

.... / 2 points

5 Lis, colorie et donne à chacun son ballon.

Un ballon rose pour Tilou... Un ballon vert pour Lila...
Un ballon jaune pour Félix... Un ballon bleu pour Pic Pic.

.... / 2 points

2

Transcriptions et corrigés

Les fiches d'évaluation sont à télécharger sur l'espace digital : http://zigzag.cle-international.com

Activité 1 

1. une vache
2. un mouton
3. une poule
4. un chien
5. un chat

Écoute encore.

1. une vache
2. un mouton
3. une poule
4. un chien
5. un chat

Activité 2 36

5 – 12 – 14 – 9 – 13 – 19 – 15 – 11 – 17

Écoute encore.

5 – 12 – 14 – 9 – 13 – 19 – 15 – 11 – 17

Évaluation

Prénom et nom : ....

1 Écoute. Numérote les dessins dans l'ordre.

.... / 1 point

2 Écoute et trace le chemin.

Départ	5	12	4
17	11	14	9
6	15	19	13
7	20	1	16

.... / 2 points

3 Entoure le mot si on entend le son [a] comme dans (chat).

un canard — une vache

un triangle
(ce n'est pas le son [a] mais le son nasal [ã])

un ballon

.... / 1 point

1

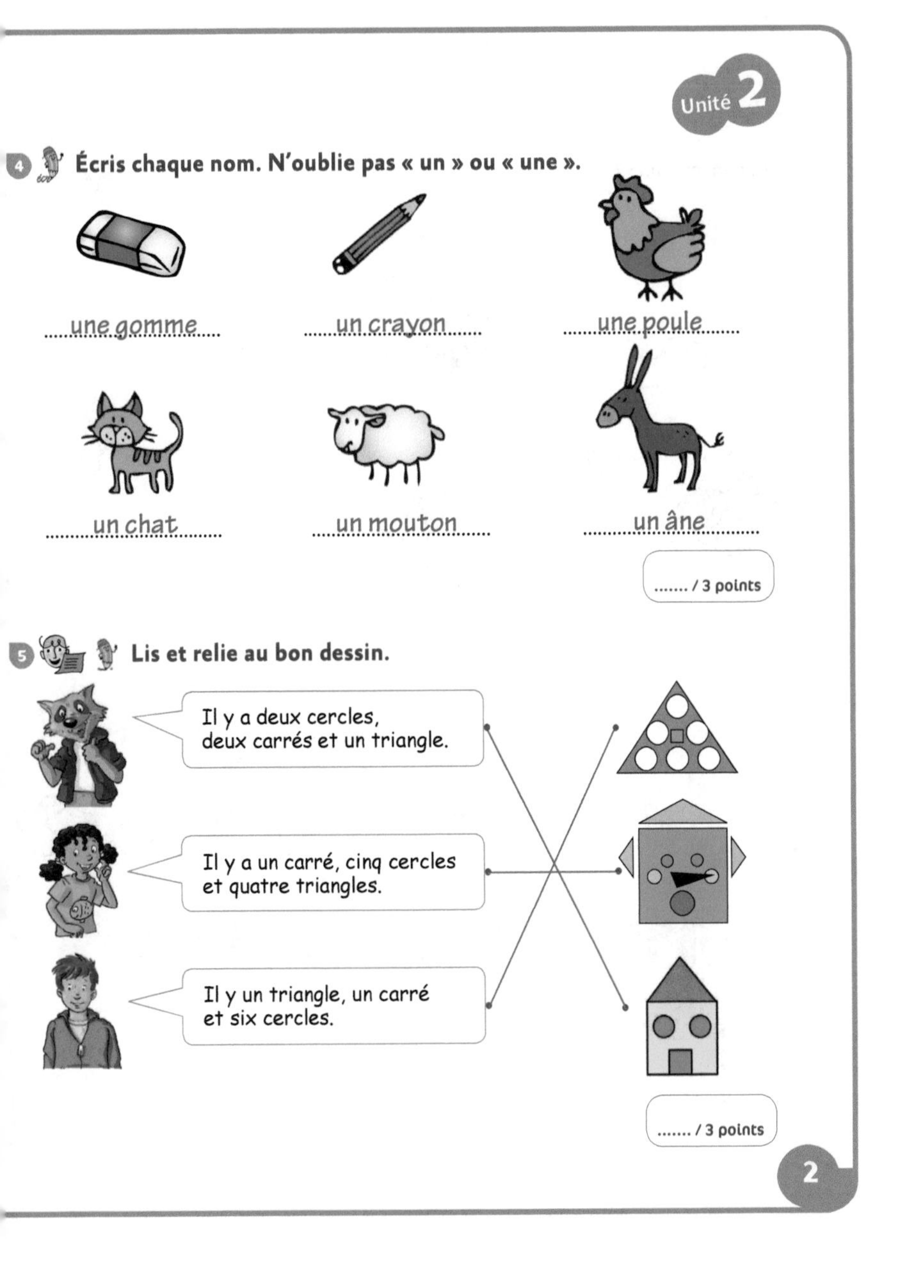

Unité 2

4 Écris chaque nom. N'oublie pas « un » ou « une ».

une gomme — un crayon — une poule

un chat — un mouton — un âne

.... / 3 points

5 Lis et relie au bon dessin.

Il y a deux cercles, deux carrés et un triangle.

Il y a un carré, cinq cercles et quatre triangles.

Il y un triangle, un carré et six cercles.

.... / 3 points

2

Transcriptions et corrigés

Les fiches d'évaluation sont à télécharger sur l'espace digital : http://zigzag.cle-international.com

Activité 1 

Dans la salade de fruits, il y a... des bananes... des fraises... des poires... et un melon.

Écoute encore.

Dans la salade de fruits, il y a... des bananes... des fraises... des poires... et un melon.

Activité 2 38

– Tu aimes les fruits Maria ?

– Oui... J'aime les pommes... les oranges... mais je n'aime pas les poires ! Et je n'aime pas les citrons ! C'est trop acide !

– Et les légumes ? Tu aimes les légumes Maria ?

– Euh... J'aime les tomates... J'aime les courgettes... les carottes... mais je n'aime pas les poivrons ! Beurk, je déteste les poivrons !

Écoute encore.

– Tu aimes les fruits Maria ?

– Oui... J'aime les pommes... les oranges... mais je n'aime pas les poires ! Et je n'aime pas les citrons ! C'est trop acide !

– Et les légumes ? Tu aimes les légumes Maria ?

– Euh... J'aime les tomates... J'aime les courgettes... les carottes... mais je n'aime pas les poivrons ! Beurk, je déteste les poivrons !

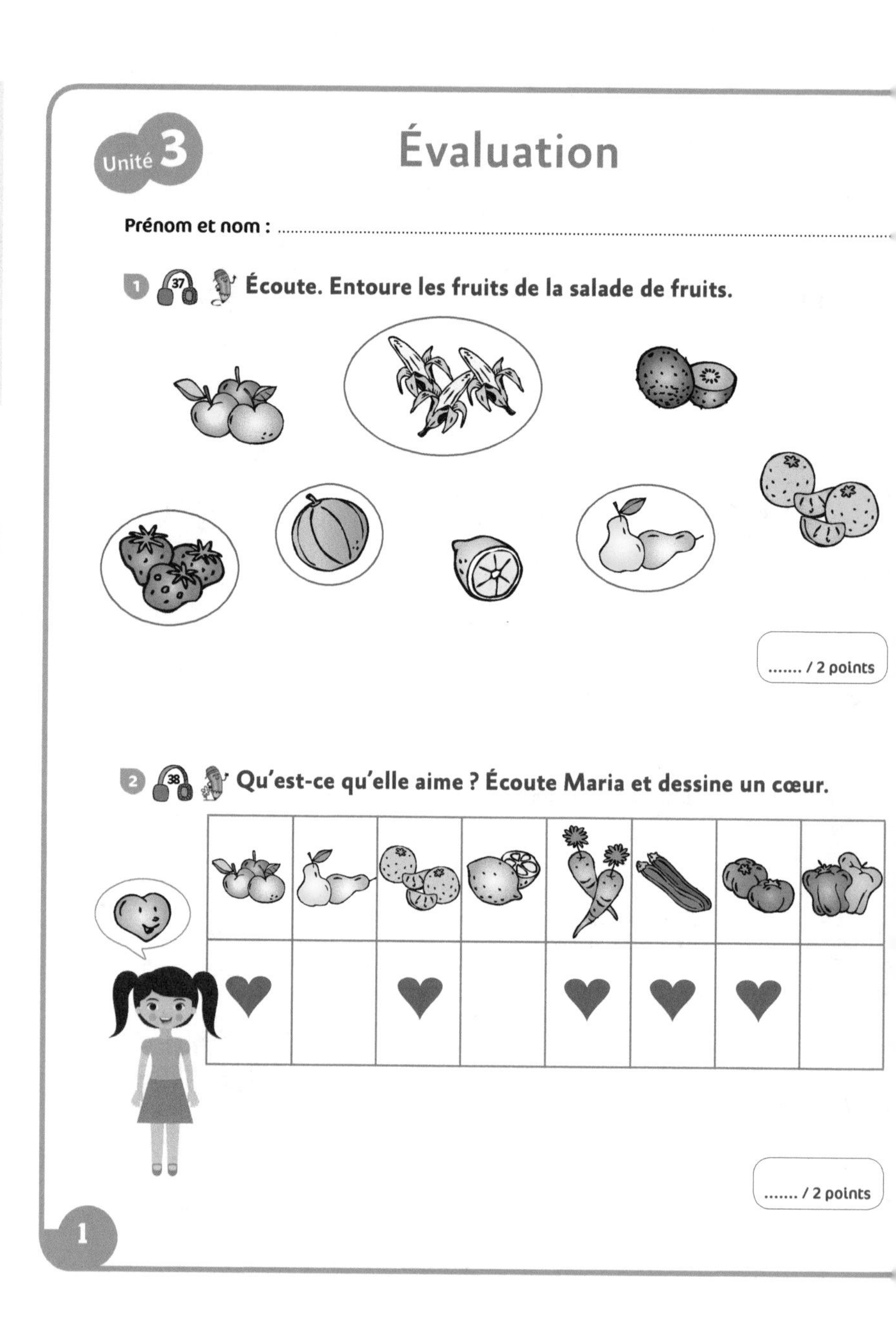

Unité 3 Évaluation

Prénom et nom : ....

1 37 Écoute. Entoure les fruits de la salade de fruits.

.... / 2 points

2 38 Qu'est-ce qu'elle aime ? Écoute Maria et dessine un cœur.

.... / 2 points

1

Unité 3

3 Écris une phrase avec les mots suivants.

Tilou | melon | des | un | et | achète | fraises

Réponses possibles : Tilou achète un melon et des fraises.

Tilou achète des fraises et un melon.

.... / 1 point

4 Qu'est-ce qu'il y a dans le panier ?

Dans le panier il y a des tomates, des courgettes et un gâteau aux fraises.

.... / 2 points

5 Qu'est-ce que tu aimes ? Qu'est-ce que tu n'aimes pas ? Écris et dis.

Réponses possibles :

J'aime	Je n'aime pas
les pommes	les courgettes
les oranges	le melon
les bananes	les carottes
les fraises	les poivrons

.... / 3 points

2

Transcriptions et corrigés

Les fiches d'évaluation sont à télécharger sur l'espace digital : http://zigzag.cle-international.com

Activité 1 

1. Il lève les bras.
2. Elle tourne la tête.
3. Il plie les jambes.
4. Elle tape du pied.

Écoute encore.

1. Il lève les bras.
2. Elle tourne la tête.
3. Il plie les jambes.
4. Elle tape du pied.

Activité 2 

1. Elle fait de la natation.
2. Il fait du judo.
3. Il a trois pieds, quatre bras et une tête avec deux nez.
4. Le chat est sur la table.

Écoute encore.

1. Elle fait de la natation.
2. Il fait du judo.
3. Il a trois pieds, quatre bras et une tête avec deux nez.
4. Le chat est sur la table.

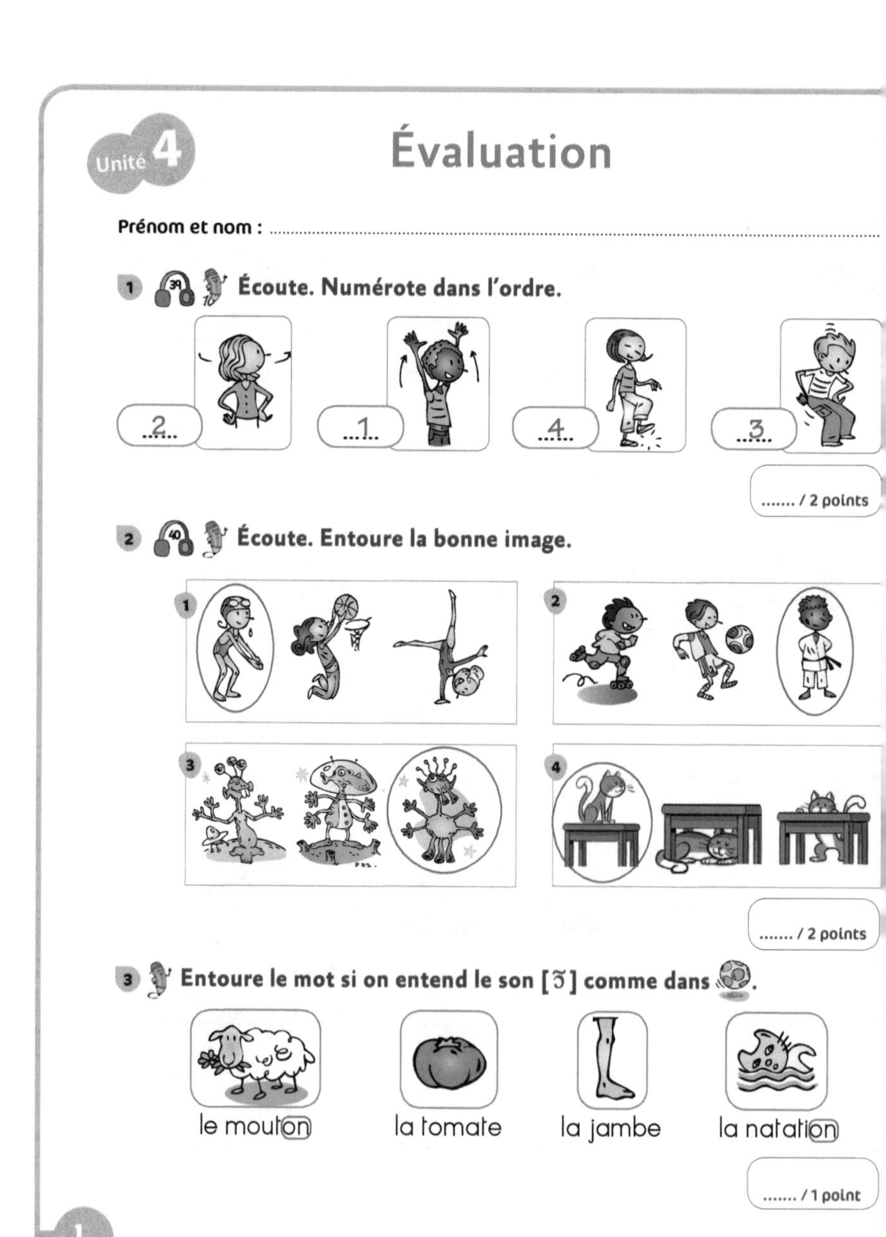

Unité 4

4 Relie chaque phrase au bon dessin.

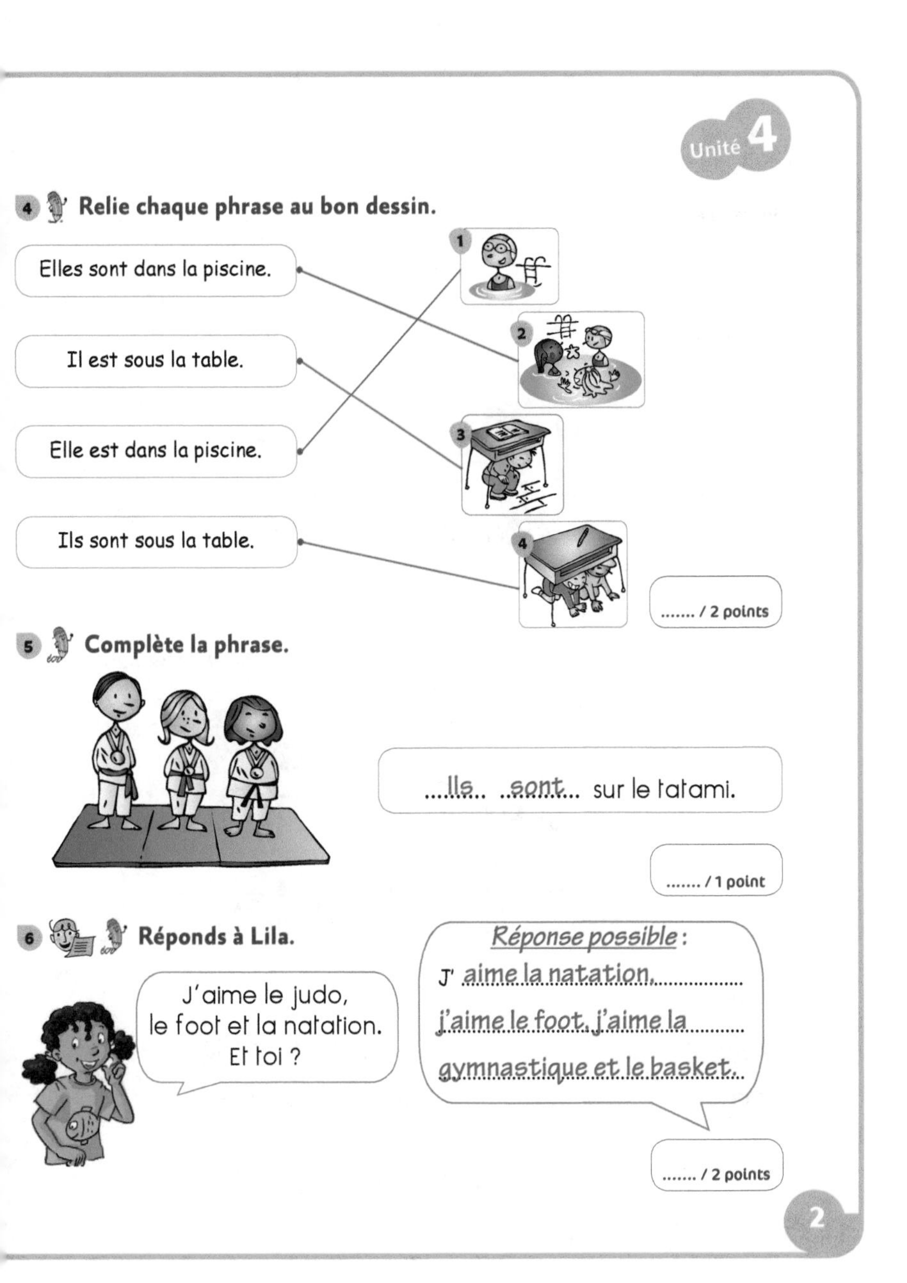

5 Complète la phrase.

...Ils.. ..sont... sur le tatami.

.... / 1 point

6 Réponds à Lila.

J'aime le judo, le foot et la natation. Et toi ?

Réponse possible :

J' aime la natation, j'aime le foot, j'aime la gymnastique et le basket.

.... / 2 points

2

Transcriptions et corrigés

Les fiches d'évaluation sont à télécharger sur l'espace digital : http://zigzag.cle-international.com

Activité 1 

1. Voici mes parents. Mon papa porte un pull et un pantalon. Il a des lunettes... Ma maman porte un manteau et une robe.
2. Mon papa porte un tee-shirt et un petit chapeau. Ma maman porte une jupe et des lunettes.
3. Ma maman porte un gros pull et un pantalon. Mon papa porte un grand chapeau et un grand manteau.
4. Mon papa porte une chemise et une cravate. Ma maman porte une robe. Elle porte aussi un panier à la main.

Écoute encore.

1. Voici mes parents. Mon papa porte un pull et un pantalon. Il a des lunettes... Ma maman porte un manteau et une robe.
2. Mon papa porte un tee-shirt et un petit chapeau. Ma maman porte une jupe et des lunettes.
3. Ma maman porte un gros pull et un pantalon. Mon papa porte un grand chapeau et un grand manteau.
4. Mon papa porte une chemise et une cravate. Ma maman porte une robe. Elle porte aussi un panier à la main.

Activité 2

Voilà la photo de ma famille : ... Derrière, avec les lunettes, c'est ma mamie. Devant, c'est moi avec ma grande sœur Carlota... Et là, voilà mes parents, ma maman et mon papa avec mon petit frère sur le bras.

Écoute encore.

Voilà la photo de ma famille : ... Derrière, avec les lunettes, c'est ma mamie. Devant, c'est moi avec ma grande sœur Carlotta... Et là, voilà mes parents, ma maman et mon papa avec mon petit frère sur le bras.

Unité 5 Évaluation

Prénom et nom : ....

1 Écoute et numérote les dessins dans l'ordre.

n° 3 — n° 1 — n° 4 — n° 2

.... / 2 points

2 Victor présente sa famille. Écoute et coche la bonne photo.

☒ ☐ ☐

.... / 1,5 point

3 Colorie les mots où on entend [ɑ̃] comme dans 🐘.

une maman — un enfant — une main — une jambe — un pantalon

un bonbon — un manteau — un mouton — une orange

.... / 1,5 point

1

Unité 5

4 Lis le message. Écris les bons prénoms sur le dessin.

Bonjour,
Je m'appelle Nina.
Mon papi s'appelle Claude et ma mamie s'appelle Marie. Ma maman s'appelle Léa et mon papa s'appelle Sacha. J'ai un frère et une sœur.
Mon frère s'appelle Max et ma sœur s'appelle Camille.
Dans ma famille, il y a aussi un petit chat gris. Il s'appelle Mitsi !
Nina

Claude — Marie — Sacha — Léa — Mitsi — Max — Nina — Camille

.... / 2,5 points

5 Réponds à Nina et présente ta famille.

- As-tu des frères et sœurs ?
- Comment s'appellent tes parents et tes grands-parents ?
- As-tu un animal à la maison ?

Réponse possible :

Bonjour,
Je m'appelle Jules. J'ai un frère et deux sœurs. Mon papa s'appelle Antoine et ma maman s'appelle Marie. Mon papi s'appelle Charles et ma mamie s'appelle Béatrice. J'ai un chat. Il s'appelle Champion.

.... / 2,5 points

Transcriptions et corrigés

Les fiches d'évaluation sont à télécharger sur l'espace digital : http://zigzag.cle-international.com

Activité 1 43

Cet après-midi à l'école... D'abord on fait **de la musique** : les enfants chantent et **le professeur de musique** joue de la guitare. Après, on a **maths**. J'adore les maths, surtout les multiplications ! C'est ma matière préférée. Après les maths... **c'est la récré**... Euh... j'adore aussi la récré pour jouer au foot avec mes copains ! Après la récré, on a **sport**. Aujourd'hui, on fait du handball.

Écoute encore.

Cet après-midi à l'école... D'abord on fait **de la musique** : les enfants chantent et **le professeur de musique** joue de la guitare. Après, on a **maths**. J'adore les maths, surtout les multiplications ! C'est ma matière préférée. Après les maths... **c'est la récré**... Euh... j'adore aussi la récré pour jouer au foot avec mes copains ! Après la récré, on a **sport**. Aujourd'hui, on fait du handball.

Activité 2 44

- Bonjour Hugo ! Tu aimes jouer à quoi ?
- Moi, j'aime jouer aux cartes. J'adore jouer aux cartes avec mon copain Thomas !
- Et toi, Lisa ? Tu aimes jouer à quoi ?
- Moi, j'adore jouer à l'ordinateur. J'adore les jeux vidéo... mais, hum... ma maman, elle, elle déteste les jeux vidéo.
- Et toi, Marco ? Quel est ton jeu préféré ?
- Euh... mon jeu préféré ? Mon jeu préféré... c'est la corde à sauter. J'aime bien faire des compétitions de corde à sauter avec mes copains.
- Bonjour Sara ! À l'école, tu aimes jouer à quoi pendant la récréation ?
- Moi, j'aime jouer à la marelle. C'est génial, la marelle ! Et Eva, elle adore jouer aux billes.

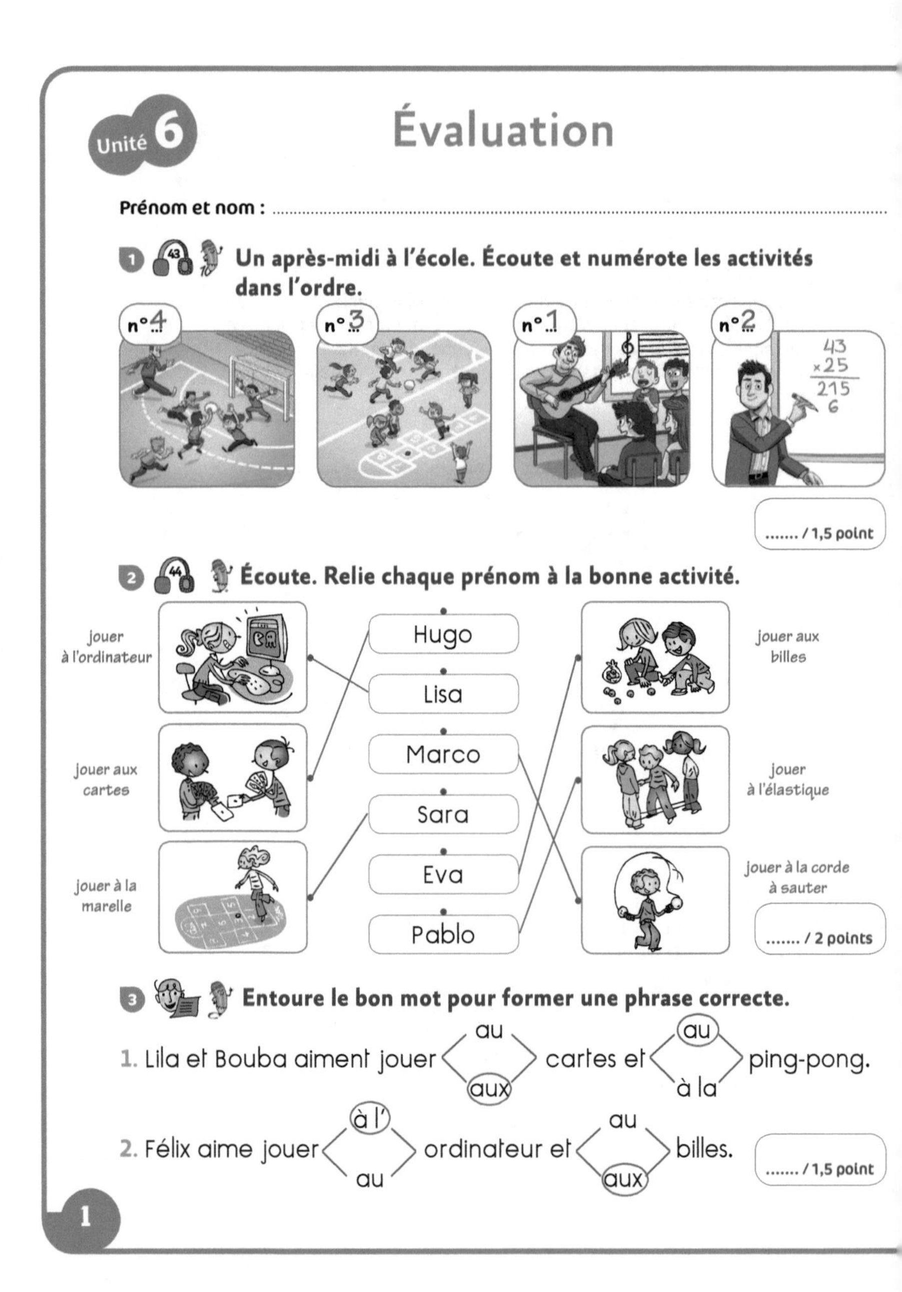

- C'est vrai ça Eva, tu adores jouer aux billes ?
- Oui, les billes, c'est mon jeu préféré !
- Et toi Pablo ?
- Moi, j'adore jouer à l'élastique. Je suis le champion de l'école à l'élastique !

4 **Écris le bon mot sous chaque dessin.**
N'oublie pas « un », « une » ou « des ».

des stylos	une trousse	une gomme	des ciseaux

un sac à dos	une règle	des cahiers	des livres

.... / 1 point

5 **Lis le message dans ta tête. Entoure « Vrai » ou « Faux ».**

Je m'appelle Théo. J'habite à Lyon. J'ai neuf ans.
Je suis dans la classe de CE2.
J'adore le français et les maths. J'aime aussi le sport et la musique.
Mais mon activité préférée, c'est la récré. J'adore jouer à l'élastique pendant la récré !

1. Théo a 9 ans.	(Vrai)	Faux
2. Il n'aime pas la récré.	Vrai	(Faux)
3. Il n'aime pas le français.	Vrai	(Faux)
4. Il aime le sport et la musique.	(Vrai)	Faux

.... / 2 points

6 **Écris un message et raconte.**

- Tu es dans quelle classe ?
- Qu'est-ce que tu aimes à l'école ? – Qu'est-ce que tu n'aimes pas ?
- Quel est ton jeu préféré pendant la récréation ?

Réponse possible :
Je suis en CE2. J'aime la musique. J'adore le français. Je n'aime pas les maths. J'adore jouer au foot pendant la récré.

.... / 2 points

2

(Suite)

Écoute encore.

– Bonjour Hugo ! Tu aimes jouer à quoi ?

– Moi, j'aime jouer aux cartes. J'adore jouer aux cartes avec mon copain Thomas !

– Et toi, Lisa ? Tu aimes jouer à quoi ?

– Moi, j'adore jouer à l'ordinateur. J'adore les jeux vidéo… mais, hum… ma maman, elle, elle déteste les jeux vidéo.

– Et toi, Marco ? Quel est ton jeu préféré ?

– Euh… mon jeu préféré ? Mon jeu préféré… c'est la corde à sauter. J'aime bien faire des compétitions de corde à sauter avec mes copains.

– Bonjour Sara ! À l'école, tu aimes jouer à quoi pendant la récréation ?

– Moi, j'aime jouer à la marelle. C'est génial, la marelle ! Et Eva, elle adore jouer aux billes.

– C'est vrai ça Eva, tu adores jouer aux billes ?

– Oui, les billes, c'est mon jeu préféré !

– Et toi Pablo ?

– Moi, j'adore jouer à l'élastique. Je suis le champion de l'école à l'élastique !

Édition : Brigitte Marie
Maquette : Nicole Sicre
Dessins : Xavier Husson / Santiago Lorenzo
Conception de la couverture : Miz'en page
Réalisation de la couverture : Dagmar Stahringer

ISBN : 978-209-038418-5

N° Projet: 10253184
Imprimé en Italie par Rotolito S.p.A. Janvier 2019